Illustrator & Photoshop デザインの作り方

アイデア図鑑

上司ニシグチ／長井康行

楠田諭史／森一機

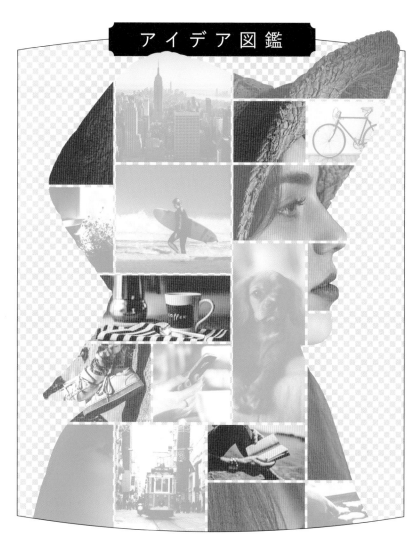

SB Creative

はじめに

092 DESIGN RECIPES

本書は『手を動かしてデザインの作り方を学べるアイデア図鑑』です。デザインは見本を見るだけでは学べません。『実際に自分の手を動かして形に仕上げてみる』ことでたくさんのことが学べます。しかし、いざデザインを作ってみようとすると、なかなか上手くいかないものです。例えば、

- デザインを作る素材がない
- デザインを作る作業手順がわからない
- ソフトの使い方がわからない
- デザインの考え方がわからない

といった様々な問題が出てきます。

そこで本書ではデザインを作る際に役立つ合計92点のアイデアレシピを取り揃えました。作例で使う素材もすべて用意してあるので、すぐに作業に取りかかれます。また、作る手順だけでなく、「デザイナーがどのように考えて作っているのか」といったことまでなるべく解説を入れるようにしました。さらに、他の本ではあまり見られないネイティブデータも作例すべてに用意してあるので、完成データの答え合わせもできます。まさに全部入りのデザインの学習書です。

最後に、本書で学び作った作品はSNSなどで共有していただくこともできます。人に見せることを意識して作ると、作業の精度のアップにつながり、成長できます。ぜひ、本書を楽しみながら活用していただけると幸いです。

Introduction

CONTENTS

目次

本書はデザインの概要が学べるChapter01、作りながら学べるChapter02 ~ 06、実務の流れがわかるChapter07に大きく分かれています。Chapter02 ~ 06はどのChapter・Recipeから学びはじめてもかまいませんが、後半に行くほど、前で紹介した内容を踏まえた解説を行っています。Illustrator、Photoshop の操作を覚えたての方や、デザインについてまだ学びはじめの方は、Chapter02の最初から学んでいくとよいでしょう。

Chapter02
レイアウト

PRECIOUS STONE
2021
P.26

GRAND
OPEN
2021
6/3 thu
Strawberry
Blackberry
Blueberry
P.30

LOVE
BOOKS
2021 SUMMER
夏の読書フェ
P.34

The Life
Magazine
Comfortable life
Life Style magazine
8
いま欲しい、
暮らしを彩る憧れアイテム
P.39

Sponge cake
Smoothie
2022 Spring
Strawberry
Collection
P.42

Blue Tears
THREEBEEZ
P.46

AMARY
COFFE
P.48

SWEETS RECIPE
01 TART
P.52

HAPPY
MOTHER'S DAY
2021.5.9
BEAUTIFUL FLORIST
P.56

SPEND TIME
at FOREST
GOOD
CAMPING SITE
P.60

Good taste,
and
feel be relaxed.
P.63

with smile,
with you.
P.68

DESIGNER'S
HOUSE
販売会開催
P.72

P.76

design
event
2021.12.15 - 2021.12.31
P.80

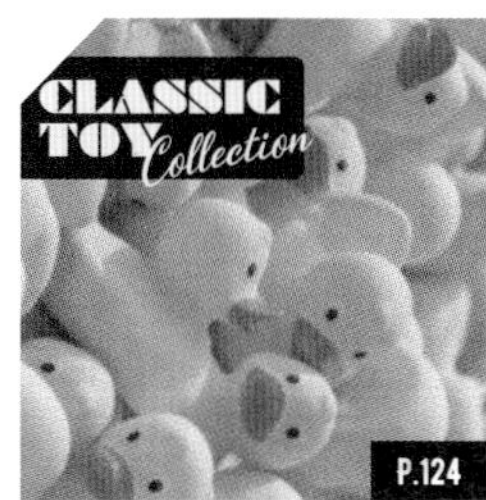
CLASSIC
TOY Collection
P.124

P.126

P.128

P.130

G
P.133

PS
CLASSIC
P.136

P.140

P.144

P.150

UNKNOWN PLANET
ALL TIME BEST
ASTRONAUTS
P.156

P.162

Chapter04 配色

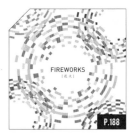

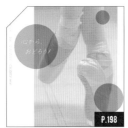

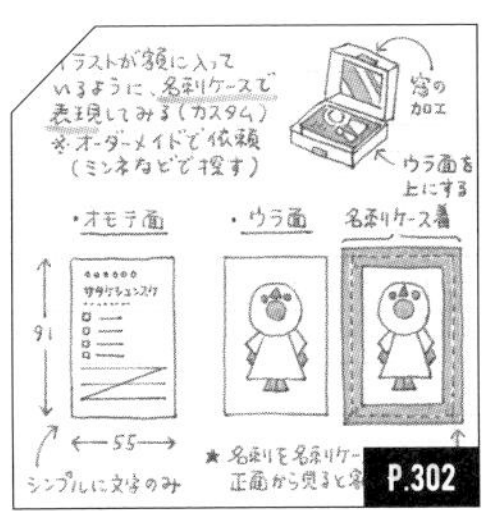

Recipe | 089
実際の流れ②
アイデアの取りまとめ

Recipe | 090
実際の流れ③
デザインに落とし込む

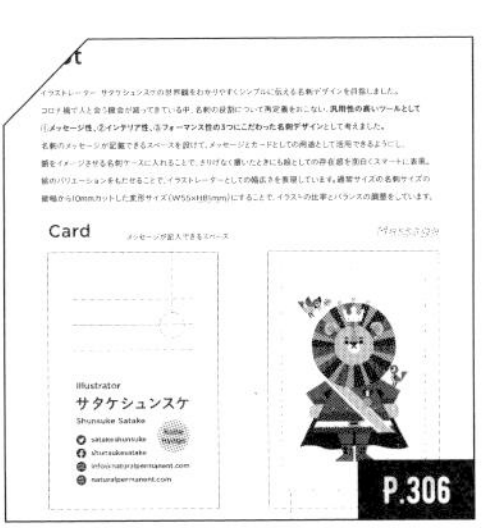

Recipe | 091
実際の流れ④
ブラッシュアップと校了

Recipe | 092
完成後に撮影をして
ポートフォリオに残す

DOWNLOAD SAMPLE DATA

サンプルデータの使い方

本書には学習の手助けをするサンプルデータがあります。
サンプルデータのダウンロードは、本書のサポートページから行うことができます。以下のサポートページにアクセスし、「サポート情報」にある「ダウンロード」のページに進んでください。
なお、ダウンロードする際に必要となるパスワードにつきましては本書のP.295の下段、【Password】に記載があります。

URL https://isbn2.sbcr.jp/07661/

※サンプルファイルをご利用いただくには、ご利用のコンピュータに対応バージョンのIllustrator、Photoshop等のアプリケーションがインストールされている必要があります。

● SNSでの共有について

人に見せることを意識して作品を作ると学習効果が上がります。本書で作成した作例や、本書で学んだことを使い作った作品は、ぜひTwitter等のSNSで共有しましょう。スクリーンショットの画像を添付するだけでも大丈夫です。その際はぜひ、『#デザインアイデア図鑑』のハッシュタグをつけてツイートしてください。皆様の作品を見れること、一同楽しみにしています。

● サンプルファイルの著作権の詳細について

ダウンロードしたサンプルファイルは本書の学習用途のみにご利用いただけます。すべてのダウンロードしたデータは著作物であり、グラフィック、画像の一部、またそれらのすべてを公開したり、改変して使用することはできません。
ただし、上記でも解説しているように本書に関しご自身が学習用途として利用されていることを紹介する目的で、サンプルファイルを含む内容をSNS（数十分を超える長い動画や連載を除きます）等に投稿されることは問題ございません。
また、ダウンロードしたデータの使用により発生した、いかなる損害についても、著者およびSBクリエイティブ株式会社は一切の責任を負いかねますのでご了承ください。

● デザインで使用しているフォントについて

本書の作例では読者がデザインを再現できるようにAdobe Creative Cloudの契約を結んでいれば追加料金なしで使えるAdobe Fontsのフォントやフリーフォントを中心に使用しています。Adobe FontsについてはP.33のColumnで詳しく解説しています。また一部、和文のフォントでは有料のモリサワのフォントを使用しています。モリサワフォントについては以下をご確認ください。もしフォントがない場合はご自身の環境にある似たフォントで代用し、制作してかまいません。
MORISAWA PASSPORT … https://www.morisawa.co.jp/

本書に関するお問い合わせ

この度は小社書籍をご購入いただき誠にありがとうございます。小社では本書の内容に関するご質問を受け付けております。本書を読み進めていただきます中でご不明な箇所がございましたらお問い合わせください。なお、お問い合わせに関しましては下記のガイドラインを設けております。恐れ入りますが、ご質問の際は最初に下記ガイドラインをご確認ください。

ご質問の前に

小社Webサイトで「正誤表」をご確認ください。最新の正誤情報をサポートページに掲載しております。

▶ **本書サポートページ**

URL https://isbn2.sbcr.jp/07661/

上記ページの「正誤情報」のリンクをクリックしてください。なお、正誤情報がない場合、リンクをクリックすることはできません。

ご質問の際の注意点

・ご質問はメール、または郵便など、必ず文書にてお願いいたします。お電話では承っておりません。
・ご質問は本書の記述に関することのみとさせていただいております。従いまして、○○ページの○○行目というように記述箇所をはっきりお書き添えください。記述箇所が明記されていない場合、ご質問を承れないことがございます。
・小社出版物の著作権は著者に帰属いたします。従いまして、ご質問に関する回答も基本的に著者に確認の上回答いたしております。これに伴い返信は数日ないしそれ以上かかる場合がございます。あらかじめご了承ください。

ご質問送付先

ご質問については下記のいずれかの方法をご利用ください。

▶ Webページより

上記のサポートページ内にある「この商品に関する問い合わせはこちら」をクリックすると、メールフォームが開きます。要綱に従って質問内容を記入の上、送信ボタンを押してください。

▶ 郵送

郵送の場合は下記までお願いいたします。

〒106-0032
東京都港区六本木2-4-5
SBクリエイティブ　読者サポート係

■本書はIllustrator CCおよびPhotoshop CCに対応しています。ただし、記載内容にはアプリケーションの全バージョンには対応していないものもあります。
■本書では主にIllustrator CCおよびPhotoshop CC（2021）のMac版のパネル画像やメニュー画像を使用しています。これらの項目や位置などはアプリケーションのバージョンごとに若干異なることがあります。
■本書内に記載されている会社名、商品名、製品名などは一般に各社の登録商標または商標です。本書中では®、™マークは明記しておりません。
■本書の出版にあたっては正確な記述に努めましたが、本書の内容に基づく運用結果について、著者およびSBクリエイティブ株式会社は一切の責任を負いかねますのでご了承ください。
■本書ではApache License 2.0に基づく著作物を使用しています。

Chapter 01

—

デザインの基本

よく耳にする「デザイン」や「センス」とはなんでしょうか？
プロのデザイナーを目指すなら知っておきたい基本の話をサッとまとめました。実際にデザインを作りはじめる前に、簡単に覚えておきましょう！

Design Basics

Recipe

001 デザインが持つ力

私たちの生活の身近なところにあり、必要とされ続けるのがデザインです。
「デザインが持つ力」とはなんでしょうか。

Design methods

01 「デザイン」とはなんだろう？

今、日常生活においてデザインに触れない日はありません。デザインはファッション、ポスター、Web、パッケージ、プロダクト、UI、DM、サインなど私たちの日常のあらゆる場所で使われています。
デザイナーを生業にしていると、「デザインとは何なのか」と人から疑問を投げかけられることもよくあります。
この答えは無数にありますが、常に変わらない私の答えは１つです。それは「**人の行動のきっかけを作る**」ことです。
例えば、右図のように素敵なカフェを紹介するフライヤーを見たら、ちょっと寄ってみたくなったり、実際に足を運ぶこともあるでしょう。また、店頭で右下のような商品のポスターが目に入って、その商品を探して手に取ることもあると思います。
これらの行動は「デザインから、デザイナーやクライアントの意図がきちんと相手に伝わった結果」なのです。デザインには目的があります。優れたデザインはきちんと目的に合わせて機能し、触れた人の行動のきっかけを作ります。デザインは「**人を動かす力を持っている**」のです。

日常で見かける様々なデザイン。そのすべては人の行動のきっかけを作るためにあると考えています。

新商品のポスターのデザイン。香水の効能や香りを文字や色で表現しています。

Recipe

002 センスとは何か？

「センス」はデザインの質を大きく左右する要素の１つです。
では、デザインのセンスとはなんなのでしょうか。

Design methods

01 「センス」は生まれたときから持っているもの？

センスは、あらかじめ持って生まれてくるものだと思っていませんか？
私自身、デザイナーとして就職したての頃は自分のセンスを信じて、常に世のどこにもないものを作ってやろうと躍起になっていました。しかし、どれだけアイデアを出しても、デザインを作っても、ディレクターやクライアントのOKの返事が出ません…！
その頃の自分を思い返すと、頭の中の引き出しをかたっぱしから開けて出していました。その時、頭の中にあるアイデアが最良のものだと信じて疑いません。そしてデザインのインプットの重要性を軽んじていたのです。

「世のどこにもないものを作る」ということは、「世にあるすべてのものを知っていなければ」できません。そしてデザイナーとして経験を積み、その広大さを目の前にして、すべてを知ることは不可能に近いと気付きました。
この時、「世のどこにもないものを作ること ＝ センスがある」ことではないと気が付いてきたのです。

02 「センス」とはなんだろう？

ではデザインのセンスとは一体なんでしょうか。
デザインを作る際、何も考えずに手を動かすことはありません。例えば「ポップ感を出したい」「キュートさを出したい」「高級感を出したい」など、必ず目指す目的があります。
そしてデザインの目的が明確になると、「女性向けにしたい」「20代向けにしたい」といったターゲットが生まれます。このターゲットに向かってデザインを作り、ターゲットが求める「らしさ」を的確に表現することがセンスと考えられます。この「らしさ」の表現の的確さが、センスのよさにつながるのです。
デザイナーは何がその「らしさ」につながっているのか「観察」しなければなりません。「らしさ」を見極めるのに必要なのが、これまでの経験でインプットした知識なのです。

これは「世のどこにもないものを作るための知識」ではなく、**「表現が適しているかを見極めるための知識」**です。
知識を増やし常にアップデートすることでデザインの精度は高まります。より目的に合った知識を増やすことでセンスのよいデザインを生むことができるのです。

03 「センス」を磨くために行うこと

センスを磨くにはどうすればよいでしょうか。ただ闇雲に知識を取り入れるだけでは磨かれません。インプットに加えて、アウトプットをすること、つまり「デザインを作る実践をすること」が必要になります。
蓄えた知識とともに実践し、実際にデザインを作る。さらに作ったデザインを人に見てもらい、意見をもらう。その上で自身でも観察し、足りないものに気づいていく。どんどんと知識を増やしていく。その循環を積み上げていくことがセンスを磨くことに繋がります。

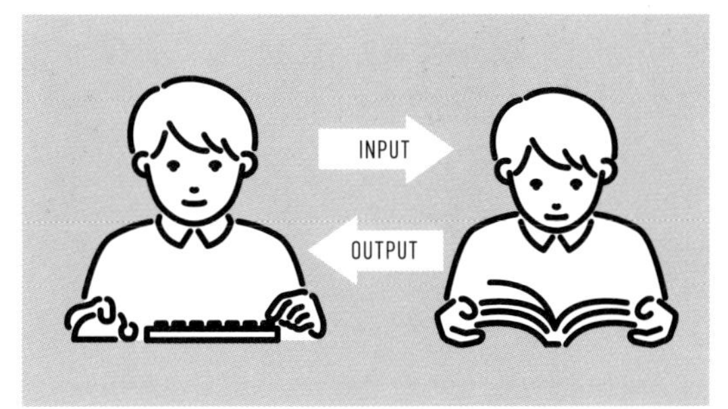

Recipe

003 デザインに必要な要素とは

デザインを構成する要素は実に様々です。デザインにおいて重要な要素とはなんでしょうか。

Design methods

01 要素を大きく分類し、それぞれの役割を考える

本書で制作していくデザインはグラフィックデザインやWebデザインのような平面のデザインが主になります。媒体で言えばポスター、フライヤー、広告、ロゴ、カバーアート、Webデザインなどなど、実に様々です。
これらの平面のデザインには様々な要素が入っていますが、大きく「レイアウト」「写真」「イラスト」「配色」「タイポグラフィ」に分けられます。
それぞれの要素はいわばデザインを作り上げる道具であり、目的に合わせて効果的に組み合わせて使うことで、目指すデザインに仕上げることができます。

そこで本書ではChapterごとに、これらのデザインの要素の切り口となる章立てを作り、特徴的な解説ができる作例を用意して「作りながら学ぶ」ことを考えました。
なお、「レイアウト」「写真」「イラスト」「配色」「タイポグラフィ」と、どのChapterから学びはじめてもかまいませんが、各Chapterのはじめの方に比較的作りやすい、やさしい作例を固めて用意してあります。
Illustrator、Photoshopの操作を覚えたての方や、デザインについてまだ学びはじめの方は、各ChapterのはじめのRecipeから作りはじめてみるとよいでしょう。説明もより丁寧に解説している作例を集めていますので、初級者にも学びやすいはずです。

レイアウト (Chapter 02)

「レイアウト」はデザインの骨格とも言えます。デザインの目的に合わせ、全体の構成、バランスを考えることになります。あらゆるデザインもレイアウトなしには完成しないのです。
レイアウトは載せたい情報の優劣を明確にします。このことはより目的に沿ったデザインを制作することに繋がります。レイアウトのスキルが上達すると、雑誌やポスター、Webデザインなど、幅広く応用できるようになります。

写真 (Chapter 03)

「写真」はデザインの質を左右します。写真の品質次第でデザインをより魅力的に仕上げることができます。またレタッチで写真に手を加えてよりデザインの目的にあった写真に加工することもできます。
本書では主に写真の切り抜き、加工、補正の仕方といったデザイナーなら知っておきたい基本的なレタッチの方法から、写真の見せ方、活用方法、合成、コラージュといった比較的簡単な応用事例までを取り上げています。
写真の扱い方を知っておくことで、デザインの幅が広がり、より自由度の高いデザインができるようになります。デザイナーも写真の扱い方を覚えておくとよいでしょう。

配色 (Chapter 04)

「配色」はデザインの印象を作ります。デザインの世界観や雰囲気を作るには配色を整えていくのが極めて効果的です。
例えば、同じレイアウト構成でも配色を変更するだけで、雰囲気が変わり、より効果的なデザインを作ることもできるのです。デザイナーならすぐに活用できる色の組み合わせや色の扱い方を知っておくとよいでしょう。

タイポグラフィ (Chapter 05)

「タイポグラフィ」は情報伝達の要です。タイポグラフィを学ぶことで相手に伝えたい情報を文字として整え、理解を深めることができます。同じ言葉、文字でも、タイポグラフィを工夫するとよりイメージしやすいデザインになります。

ロゴ、イラスト (Chapter 06)

「ロゴ、イラスト」はデザインの起点にもなります。デザインの目的に合わせ、それぞれ使い分けを工夫することで、デザインに厚みを持たせ、より魅力的なビジュアルを作り出します。

Recipe

004 ヒアリングでクライアントを知る

実務でデザインを行うなら、「クライアントからのヒアリングがすべて」。そう言っても過言ではありません。ヒアリングの重要性を考えてみましょう。

Design methods

01 クライアントにヒアリングし、制作物と目的を知る

デザインを作る際には必ずクライアントからの依頼があります。依頼のされ方は大きく次の2通りです。

①ポスターやリーフレット、冊子、Webデザインなど制作物がはっきりしている依頼
②売上や認知度の向上など、悩みを抱えているが、どうしてよいかわからず制作物が未定の依頼

①のように制作物が決まっている場合も、②のように形がわからない場合も、まずデザインの目的を聞きましょう。制作物がその目的に対して正しいのか、見極めるのがデザイナーの大事な仕事になります。
場合によっては、クライアントが良し悪しを理解せずに制作物を指定している場合もあります。もしクライアントの望み通りの素晴らしいデザインを作ることができても、目的に合わなければデザインの意味はないのです。
目的に合わないデザインを作ってしまうことは、お互いの信用をなくすことになりかねません。クライアントの話をよく聞いて、場合によっては、新たに制作物を提案することも必要になるのです。実際にデザインを作りはじめる前にきちんとヒアリングを行うことが大切です。

02 ヒアリングのリストを用意しておく

まずはヒアリングで聞きたいことを箇条書きでよいのでリスト化しておきましょう。

- デザインの目的
- 媒体・制作物(サイズ)
- 納期
- 予算
- ターゲット

上記は最低限聞いておきたい内容です。制作物の内容はきちんと把握しましょう。デザインはサイズによって載せられる情報量にも差が出ます。目的にあったサイズを決めましょう。
また、納期と予算はデザインの作業に大きく影響します。納期までの時間、予算の大きさ、状況によってできることも異なります。クライアントの目的、要望に対して納期、予算が合わなければ、お互いに納得のいく制作物を決める必要があります。
なお、ヒアリングのリストは、経験や自身の手掛けるデザインの内容とともに随時更新していくとよいでしょう。また、本書ではP.301に上司ニシグチさんが作ったヒアリングのリストを紹介しています。様々な媒体で使えるものなのでぜひ見てみてください。

03 クライアントの価値観を知る

ヒアリングのリストで得た基本的な情報に加え、クライアントの価値観をヒアリングで共有することも重要です。
例えば「かわいいデザイン」を作って欲しいと依頼されたとき、クライアントが考える「かわいい」の基準を共有しなければなりません。人が思う「かわいい」は多種多様であり、ひとくくりにはできないからです。
もし言葉での共有が難しければ資料を作り相手の思う「かわいい」を調べていきましょう。例えば自分の「かわいい」と思うデザインの資料を見せてこれで合っているか、異なっているのか、全く別のものなのか…と共感できるポイントを見つけることで確認できます。

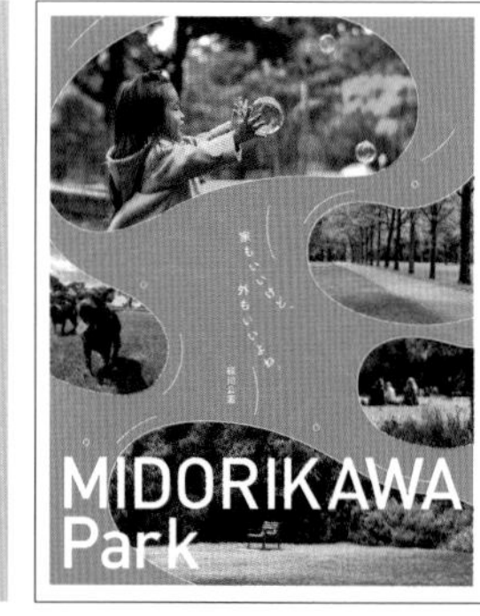

クライアントが「かわいい」と感じるデザインはどれか？資料で確認していくのもよいでしょう。

Column

打ち合わせ前に確認しよう

すぐに打ち合わせをすることができない時、事前に時間の余裕があれば、メールなどで聞きたいことを知らせておくことをオススメします。

また目的、要望が複数あるときはその中で優先順位を決めてもらいましょう。1つのデザインに複数の目的を入れてデザインが曖昧になることが多いからです。

事前に質問内容を知らせることで、クライアント自身がまだ気づいていない目的や悩みなどを明確にし整理してもらうことができます。お互いに頭の中を整理することで、打ち合わせ時により細かいヒアリングが行えます。

ヒアリングの経験を積むと、自分の気になる点やクライアントが抱えている問題を見抜く精度が上がります。自分のデザインに対する意識も変わっていきます。

Recipe

005 狙いを定めるターゲティング

デザインを見る人を意識することで、よりユーザーに響くデザインを作ることができます。

Design methods

01 誰のためのデザインか？

デザインには必ず見せたい相手、「**ターゲット**」が存在します。デザインを行う上で常にターゲットを意識することはとても重要です。なぜなら、どんなにデザイナーがよいデザインだと思って作っても、ターゲットに伝わらなければデザインとして意味がないからです。
「ターゲットに合わせたデザインを作る」。ことでより相手に響くデザインにすることができるのです。

02 デザインを見せたいユーザーは誰か① ターゲットの性別

デザインを作る上で一番重要なこととして、「**ターゲットが誰なのか**」は最低限知っておく必要があるでしょう。
男性か、女性か、男女両方か、年齢はいくつか、少数なのか、多数なのか…。ターゲットの情報はデザインの内容に大きく関わります。とくに性別はデザインの方向性を左右します。

例えば、男性であればカチッとした印象で整然としているデザインを好む傾向があります。対して女性では整然としすぎているデザインはベストではない場合も多くあります。カチッとした印象よりも、紙面全体を使って動きがある楽しげで柔らかい印象のデザインの方が好まれるでしょう。
このように性別はデザインするにあたって大事な要素です。デザイナーは男女の違いを意識することでよりユーザーに向き合ったデザインができるようになるのです。

03 デザインを見せたいユーザーは誰か② ターゲットの年齢

「ターゲットの年齢」はデザインの体裁に大きく関係します。
例えば、幼年期の子供には原色に近い色を使い、元気な印象にすると好まれます。これが中高年であれば渋みのある落ち着いた色がよいでしょう。
また、若年層には問題のなかったテキストのサイズもシニア層には小さすぎて読みづらいなどの問題も発生しかねません。
読めない、使えないではどんなにデザインがカッコよくても問題の解決にはいたりません。デザインは問題解決のためでもあるのです。ユーザーと向き合うためにもターゲットの年齢はとても大事な要素になります。各年代にとって、合う合わないデザインがあるのです。
なお、このように年齢によって大きく変わるデザインの要素として「**色**」や「**テキストサイズ**」などがあげられます。

04 デザインを見せたいユーザーは誰か③ ターゲットの数

さらに「**ターゲットの数**」は、メッセージの内容を左右します。
ターゲットの数が多ければ、より多くの人が理解しやすい、わかりやすいメッセージを作る必要があります。デザインも誰もが受け入れられる内容にしていかなければならないのです。
反対に、ターゲットの数が少なくなれば、より的を絞ったメッセージやデザインを作る必要があります。
このようにターゲットの数を知ることは、メッセージの内容を決める上でとても重要になってきます。

05 ユーザーにいつどこで触れさせるのか 場所やタイミング

「ターゲットがデザインに触れる場所やタイミング」も重要です。場所やタイミングを考えることはデザインの内容に大きく関わります。
例えば、街角で出会うポスターを考えてみましょう。街では人は歩きながらこのポスターを見ることになります。見る側にとって目に入る時間はまばたき程度の一瞬です。つまり、デザイナーが作るデザインは「情報量は最低限におさえ、記憶に残るようにインパクトを重視したデザインにする」必要があるのです。
こうやって仕掛けを作ることで、このインパクトに引かれ、関心を持った人が近づいてきます。そこではじめて小さく配置してある詳細情報を読み込んでくれるのです。

では家で楽しむ本や新聞、雑誌、Webサイトなどで出会う広告のデザインはどうでしょうか。
これらの広告のデザインの場所は人の目線と近く、じっくり読んでもらえる可能性が上がります。このような場合は文章量を増やし、より詳しく情報を入れることも可能です。同時に、「情報を整理して読み手が受け取りやすいデザインにする」必要があります。
このように、ターゲットがデザインに触れる場所や時間によってもデザインは変わるのです。

06 どうやってユーザーに触れさせるのか ターゲットの行動を考える

デザインに触れて欲しいターゲットの行動を予測することで制作する媒体を決めることができます。
例えば、常に新しい情報を求めているターゲットであれば、SNSを利用して配布します。
ターゲットの年代がわかるのであれば、その年代の集まる場所、地域でフライヤーやDMを配ります。通勤時の社会人がターゲットであれば駅周辺でのビラの配布が考えられます。

デザインは作るだけでは終わりません。届けたい相手にきちんと届ける工夫が常に必要になるのです。ユーザーとデザインを引き合わせる。その仕組みを考えるのもデザイナーの役目です。

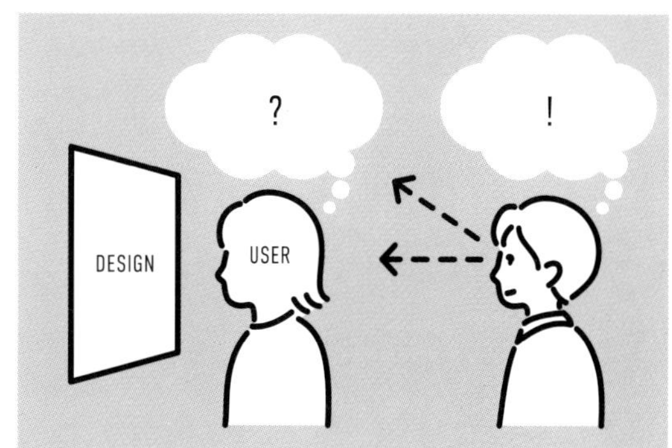

Column

デザインの完成形に強いイメージを持ち素材を集める

いざ実践となった時、駆け出しのデザイナーにありがちなのは素材を闇雲に集めることです。
これは使えるかも。こっちでもいいかも。これも悪くないな…と考えながら集めた素材はあっという間にフォルダを埋めてしまいます。
場合によっては漠然と集めた素材からでも見栄えのよいビジュアルができていくこともあるでしょう。しかし、ここに大きな落とし穴があります。「見栄えのいいビジュアル＝デザインの完成」と、錯覚してしまうのです。
「見栄えのよさ＝よいデザイン」ではありません。見栄えのよさは重要ですが、本来の制作した意図、目的に沿わなければデザインとして機能しないのです。
デザインにおいて最終のイメージを強く持つことが最も重要なことの1つです。素材を集める前に目的をきちんと捉え、完成のイメージを強く持ちましょう。
このイメージが強ければ強いほど、探す素材が明確になり、素材の選定も迷わなくなります。
強いイメージを持った時、探す素材の質はさらに上がり、場合によっては1つになることもあるでしょう。これは、まさに完成のイメージがはっきりしている証拠です。完成したデザインも迷いのない自信に満ちたものになるでしょう。デザインの完成形の強いイメージがあれば素材は量より質になるのです。

Recipe

006 コンセプトは デザインの道しるべ

「デザインを作る側」の視点だけでなく、「デザインを見る側」の視点も取り入れたデザインのコンセプト設計を心がけましょう。

Design methods

01 デザインのコンセプトの役割

デザインのコンセプトとは、作るデザインの目的「誰に何をどのように伝えていくか」といったデザインの土台部分のことです。一般的にはデザインに通じる「**キーワード**」を集めたり、指針となる「**ビジュアル**」を設定することで、コンセプトは固められていきます。コンセプトによってデザインの方向性や最終的なゴールも決まってきます。

02 コンセプトの作り方① 商材によるユーザーの利益を探る

デザインのコンセプトを作るには、まず、クライアントや商材の「売り」である**ユーザーの利益(ベネフィット)**を探りましょう。商材のベネフィットを探ることは、クライアントや商材の本質に迫ります。さらにデザインを作る際の各要素の優先順位もわかってきます。

どこが売りで、どこをアピールするとユーザーは本当に喜んでもらえるのか、これらを探ることで、よりよいコンセプトは生まれます。ヒアリングを行って得た印象だけでなく、客観的に観察して得た視点も併せて探っていくことが重要です。

03 コンセプトの作り方② ユーザーの本音を探る

次に、ユーザーが何を思ってクライアントや商材に興味を持つか、その源泉となる**ユーザーの本音(インサイト)**を探りましょう。

売る側がユーザーの本音を知るには常日頃から、行動を観察し探っていないとなかなかわかりません。ユーザーは何を求めて手にしたのか。普段から何を考えて行動しているのか。「観察力」と「想像力」がデザイナーには求められます。

04 コンセプトの作り方③ コンセプトのキーワードを作る

ユーザーの利益を上手に汲み取り、ユーザーの本音に応えることを考えていきましょう。これによりコンセプトの「キーワード」が生まれます。キーワードを決めることでよりコンセプトのイメージが明確になります。

また、コンセプトのキーワードは、関係者からのフィードバックで方向性がブレはじめたり、話がまとまらない時に、今一度立ち返るプロジェクトの骨子になります。

クライアントや商材の問題を解決するデザインを作るにはデザイナーのユーザーに対する理解度が鍵になります。正しく理解できていれば、コンセプトのキーワードもおのずと決まります。クライアントにも納得してもらえるでしょう。

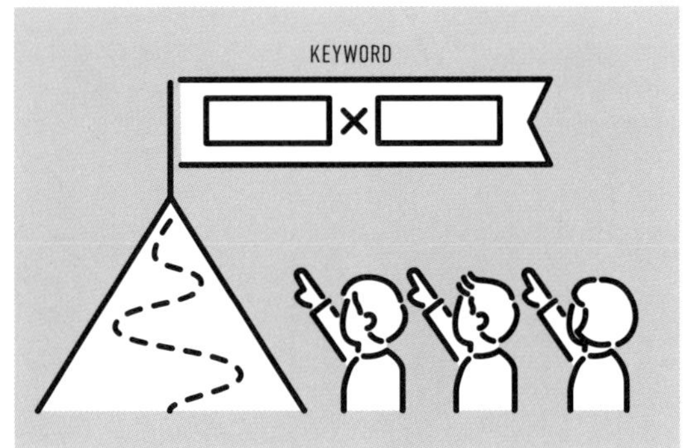

コンセプトはクライアントと共に作り共有するものです。コンセプトをクライアントと共有することで、共にデザインを設計し、立ち返り、見直すことができます。コンセプトはデザインの道しるべなのです。

Recipe

007

競合との向き合い方

どのジャンル、どのカテゴリーでも競合となるライバルは存在します。競合がいてもよく観察することで、よりよいデザインを作ることができます。

Design methods

01 競合を把握する

デザインを行う上で競合となる商材、ライバルの存在は無視することはできません。まったく知識がなく何もリサーチせずにデザイン制作をはじめるのは大変危険です。
何もリサーチしない状態で作りはじめたデザインが意図せずに競合のデザインに似てしまうこともあるでしょう。また、目指すジャンル、カテゴリーから、あまりにかけ離れ過ぎたデザインを作ってしまい、ユーザーから認識されず機能しなくなる…といったこともあり得ます。
まずは前のRecipeまでで取り上げたヒアリング、ターゲティングをしっかり行い、制作するデザインやクライアント、商材について把握します。さらに競合他社やその商材についても詳しくリサーチを行っていきます。

02 差別化するポイントを選ぶ

競合の観察・分析ができると差別化ポイントが見えてきます。まずは差別化できそうだなと感じたポイントから、デザインを行う商材の強みになる特色、長所を見つけてみて下さい。それがデザインを行う際の大事な手がかりになります。
もしイメージが湧かなければ、構成や色、形、大きさなど目に見える部分で差別化を意識すると自ずとオリジナリティのあるデザインにたどり着けます。
また、差別化できるポイントは目に見えることだけではありません。例えばフライヤーであれば配布方法、ポスターであれば貼る場所、SNSであれば配信時間などもあります。クライアントとも相談し、制作したデザインが一番効果的に機能する方法を考えましょう。そういったすべてのことを考えていけば差別化を図ることができます。

03 観察力を身につける

手順01、02で得た情報を元に観察・分析していきます。手がけるデザインの目指すジャンルはどこか、カテゴリーが現在どこに位置するのか、どのような競合が存在するのかといったことを把握しましょう。
ただし、いきなりすべてを把握することは困難です。大切なのは、デザインをするしないにかかわらず、常日頃から社会や環境に対して興味を持ち、動向を探る習慣を身につけておくことです。まずは自分が興味のあることからでかまわないので、意識してみましょう。
社会は連動しているので1つのことからでも意識をすれば、やがてとりまく周辺のことまで把握できるようになります。習慣が身につくと、新しいものはもちろん、これまで見慣れたものも違う角度から見ることができます。

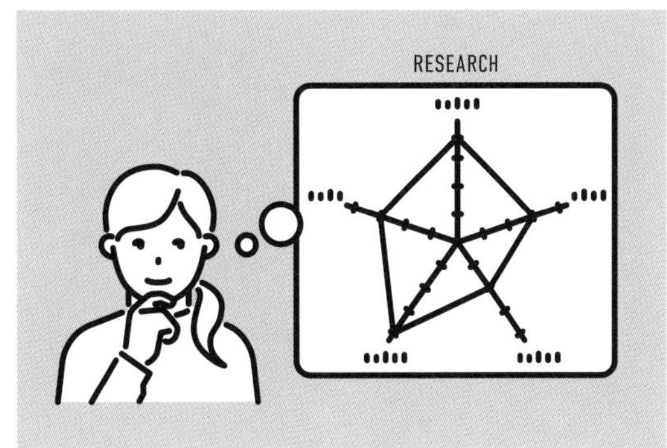

Recipe

008 スケジュールを管理し、連絡方法を決める

デザインを依頼されたとき、自分のスケジュールだけで作業を進めることはできません。

Design methods

01 相手と自分の状況を把握する

まず制作するデザインの量と制作期間をクライアント、自分のスケジュール（チームの場合はチームのスケジュール）をきちんと把握します。デザインの量と制作時間を照らし合わせ、制作に関わる全員が納得のいくスケジュールが組めなければトラブルの原因になりかねません。
また品質をそのスケジュールで確保できるのか、きちんとすり合わせましょう。完成はしたが納得のいかないもの、デザインが目的に沿って機能しないものでは意味がありません。スケジュール管理は品質の管理でもあります。

02 仕事の分量と期間を把握する

作業の分量と期間に合わせたスケジュールを組みます。クライアントやチームと納品までに何回打ち合わせできるかを決めることで進め方や打ち合わせごとの作業の分量をコントロールすることができます。
長期的なプロジェクトの時は、毎週打ち合わせとし、曜日と時間を決めると進捗を報告・共有することができ進行がスムーズです。打ち合わせの間隔が空きすぎるとクライアント、チーム間の緊張感を失ったり、中間報告を怠り完成してから大きな修正が入るなどトラブルの原因になります。
双方が気持ちよく進めるため、ルールを設けましょう。

03 連絡方法を決める

現在では直接顔を合わせて行う打ち合わせだけでなく、インターネットを介して行うZOOMやTeamsなどのビデオ会議も使うことが日常的になってきました。
メールやSlackなどのメッセージツールも発達し、コミュニケーションの方法も多岐に渡っています。
基本的には制作者側がクライアントに合わせてツールを選択する機会が多いです。事前に何のツールを使っているかすり合わせておくとスムーズに進行できるでしょう。デザイナーは様々なクライアントに合わせて対応できるように心がけておきましょう。

04 納品の仕方を決める

クライアントへデザインを提案する時には、印刷物ではなくpdfデータやjpeg/pngの画像データ形式で確認いただく場合があります。
またaiファイルやpsdファイルなどのデザイナーが作る入稿データを送付する場合に必要となるファイル共有ツールを事前に決めておくと進行がスムーズになります。
「Googleドライブ」や「Dropbox」などのクラウドのストレージ、「GigaFile便」などのファイル転送サービス、またクライアント側でファイルストレージサーバーを用意している場合もあります。こちらも事前に確認しておくと進行もスムーズになるでしょう。

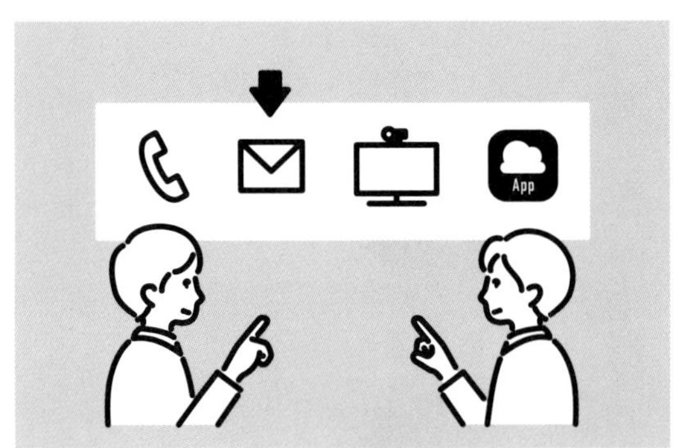

Chapter 02

レイアウト

「レイアウト」とはデザインの配置を目的に沿って決めることです。レイアウトを考えることはデザインの土台になります。
この章ではセンター揃えや余白といった基本から黄金比やグリッドといった原則、定番まで、作例とともにたくさんのレイアウトが学べます。

Layout

MARRIAGE RINGS

We meet, go out, have lunch, eat trendy pancakes, shop, watch movies, go to an amusement park, go to a hot spring, watch a planetarium, go to an aquarium I went to the beach, watched the fireworks, had a Halloween party, went skiing, had a cherry blossom viewing, went to Hatsumode, got on the Ferris wheel, went to the museum, drove, played games, cook, we make sweets, we quarrel, we laugh, and we get married.

PRECIOUS STONE

2021

Recipe

009 センター揃えを使った安定感のあるレイアウト

センター揃えを使った安定感のあるレイアウトを作ります。画像の中央に配置された指輪が主役になっていく様を見ていきましょう。

Design methods

01 ファイルを新規作成する

この作例では、ジュエリーショップの婚約指輪の広告フライヤーを想定して制作します。

Illustratorを立ち上げ、[ファイル]→[新規]を選択します。単位を[ミリメートル]とし、[幅：182mm]、[高さ：232mm]として[作成]を選択します 01。

[レイヤーパネル]の[新規レイヤーを作成]をクリックし、レイヤーを追加します 02。上位からレイヤー名を[レイアウト][写真]とします 03。

Point

レイヤーパネルが表示されていない場合は[ウィンドウ]→[レイヤー]でレイヤーパネルを表示させてください。

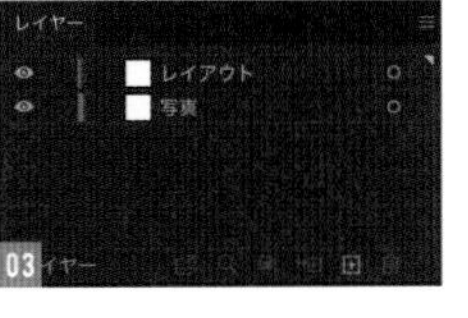

02 写真を配置する

レイヤー[写真]を選択します。

[ファイル]→[配置]を選択し 04、素材[センター.psd]を選びます。ドラッグして指輪の位置を確認しながらアートボード※の中央付近に配置します 05。続けてツールパネルの[長方形ツール]を選び 06、描画エリアで任意の場所をクリックしダイアログを立ち上げます。[幅：182mm][高さ：232mm]として長方形を作成し、アートボードに合わせて配置します 07 08。

ツールパネルの[選択ツール]を選び、配置した[長方形]と[センター.psd]を選択し 09、[オブジェクト]→[クリッピングマスク]→[作成]でマスクを作成します 10。アートボードの大きさにトリミングされた写真の配置が完成しました 11。

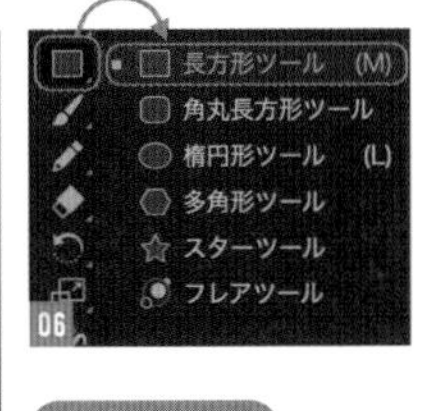

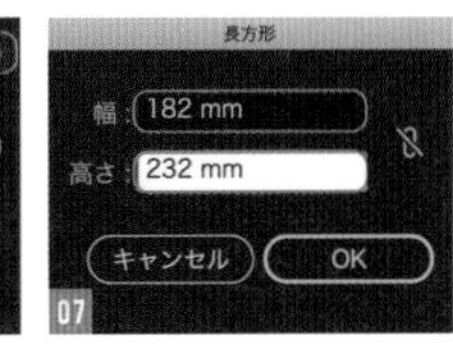

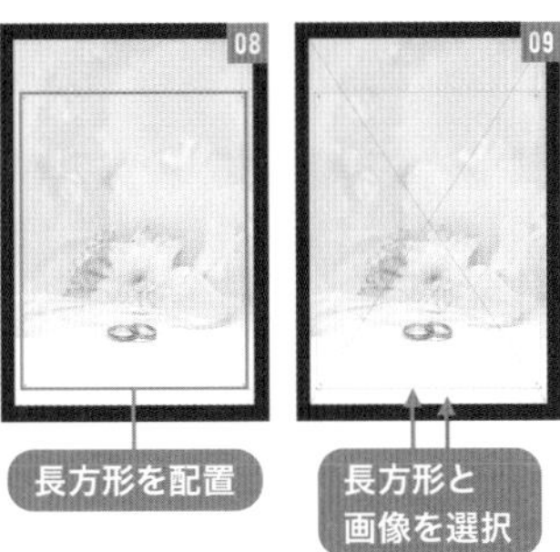

※アートボード…印刷時に書き出される範囲。最初に設定したサイズが表示されている。

03 センター揃えの基準を作る

今回、写真中央下の指輪が主役になるようにレイアウトを考えます12。入れる要素はタイトル、本文、ショップ名です。ここでは「指輪の上下の空きを活かしたセンター揃えのレイアウト」として見せられるように考えデザインを作っていきます13。

素材[テキスト.txt]を開き、ここからテキストをコピー&ペーストで持ってきます。
レイヤー[レイアウト]を選択し、ツールパネルの[文字ツール]を選びます14。[テキスト.txt]から「MARRIAGE RINGS」のテキストを持ってきます。文字の設定は[フォント:Baskerville URW][フォントスタイル:Regular][サイズ:37pt][行送り:40pt][カーニング:オプティカル][トラッキング:0]、[段落:左揃え]、色を[C:80 Y:30]としています15 16 17。今回のジュエリーに合うように「品のある書体」と指輪のゴールドを際立たせる、落ちついた「青緑の色」を使用しました。
「MARRIAGE」の後で改行を入れ、アートボードの中央上部に配置します18。
今回のデザインにおいてタイトルは目立たせたい要素なので、「MARRIAGE」の文字の両端を基準にして、この他の要素をレイアウトします19。

04 本文とショップ名をレイアウトする

レイヤー[レイアウト]を選択します。
本文を入れるエリアを作ります。ツールパネルの[長方形ツール]を選択、[幅:72mm][高さ:86mm]で長方形を作り、中央タイトル下に配置します21 22。なお、ここの長方形の幅はタイトルの「MARRIAGE」の幅に合わせています。
ツールパネルの[文字ツール]を長押しし、出てきた[エリア内文字ツール]を選択します23。

12

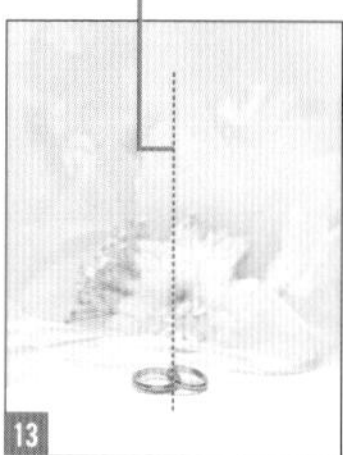

13

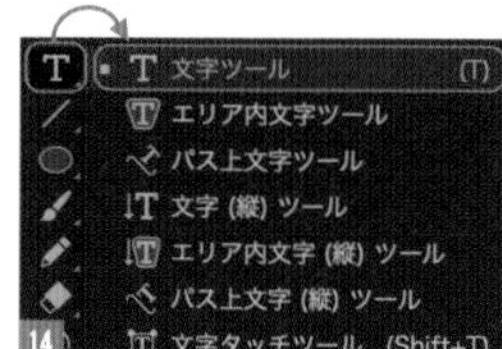

14

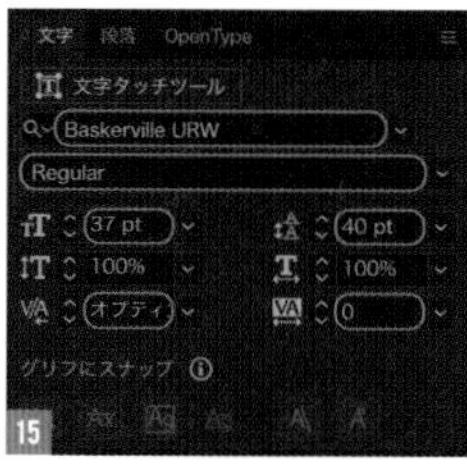

15

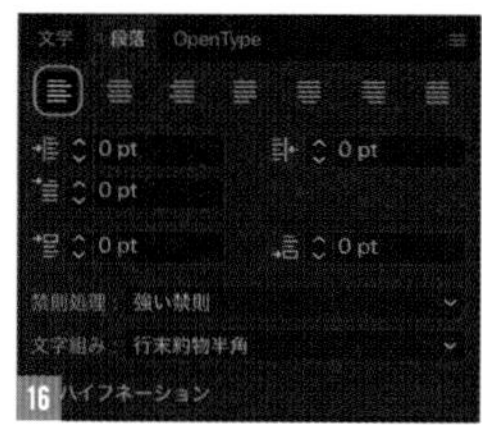

16

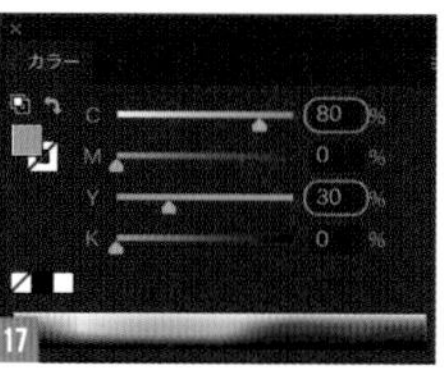

17

18

19

Point

センター揃えのレイアウトは、基準を持たずにレイアウトすることも可能ですが、20のように文字のレイアウトに左右のガタつきがあったりすると視線の妨げになり、まとまりのないレイアウトになる場合があります。

20

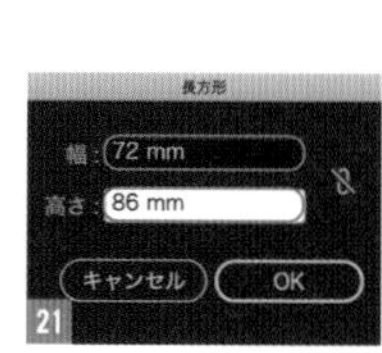

21

22

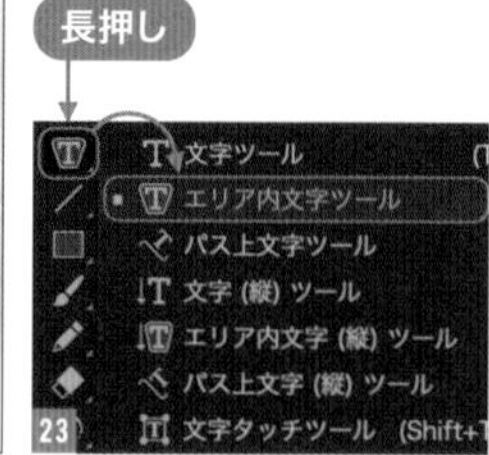

23

先ほど配置した長方形をクリックします。すると長方形内に文字が入力できるようになるので素材[テキスト.txt]から本文の文章をコピー＆ペーストします24。

ここの文字の設定は[フォント：Baskerville URW][フォントスタイル：Regular][サイズ：13pt][行送り：21pt][カーニング：オプティカル][トラッキング：-8]、[段落：均等配置(最終行左揃え)]、色を[K：100]としています25 26 27。題材がジュエリーなので高級感のあるゆとりを持った印象になるように文字サイズや行送りの間隔を決めています。

同様にショップ名を作っていきます。

ツールパネルの[文字ツール]を選び、素材から「PRECIOUS STONE 2021」をペースト、「STONE」の後で改行、指輪の下に配置します28。文字の設定は[フォント：Baskerville URW][フォントスタイル：Regular][サイズ：18pt][行送り：24pt][カーニング：オプティカル][トラッキング：200][段落：中央揃え]、色を[C：80 Y：30]としています29 30 31。

ショップ名のフォントサイズは、タイトルの邪魔にならないサイズを選び、トラッキングを広めに取っています32。デザインが完成しました。

24

25

26

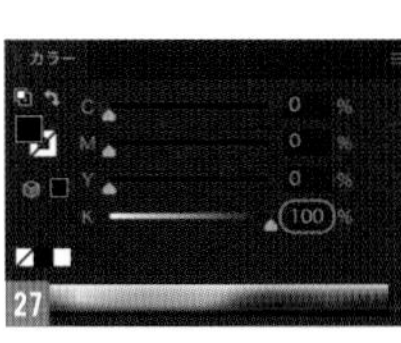
27

28

29

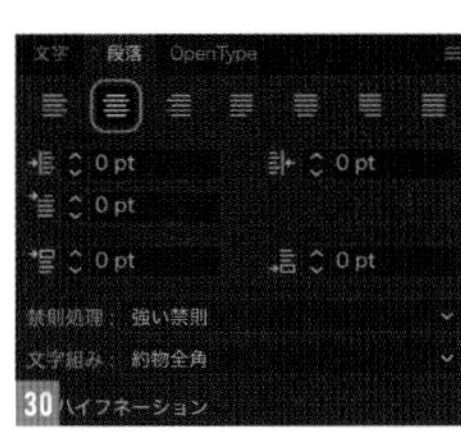
30

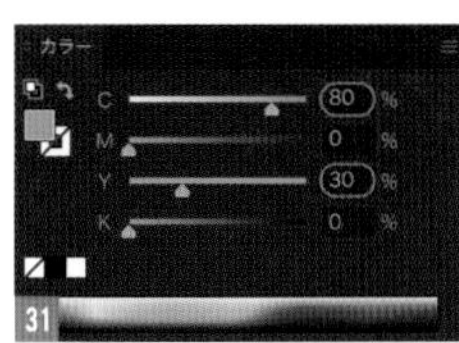
31

32

Point

タイトル、本文、ショップ名のフォントのサイズは目立たせたい順番を決め、差をつけると全体にメリハリが生まれまとまりやすくなります33。メリハリがないと、どこからみてよいのかわからず、散漫な印象になります34。また本文の1行の文字数が多くなり過ぎたり、短か過ぎたりすると読みにくくなります35 36。

33

34

35

36

Strawberry
ストロベリー

GRAND OPEN

2021
6/3 thu
10:00-19:00

Blackberry
ブラックベリー

www.pjcupcake.com

イギリスで大人気の
あの「PJ Cup Cake」が
日本に初上陸。
オーストラリア産の
生クリームをふんだんに
使ったカップケーキは
生地がふわふわで
しっとりしています。

Blueberry
ブルーベリー

ALL
500yen

Raspberry
ラズベリー

Recipe

010 空間を活かしてスッキリと見せる

余白を活かしたシンプルなデザインにすることで、スッキリとした印象を与えることができます。

Design methods

素材

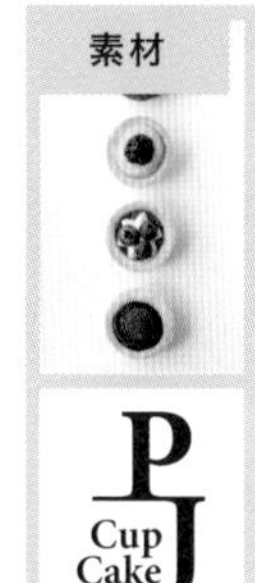

01 新規ファイルを作成する

Illustratorを立ち上げて、[ファイル] →[新規] で新規のファイルを作成します。
この作例ではA4サイズのポスターを想定しているので、[印刷] タブを選択し、[A4] の項目を選択します。[天、地、左、右：0] にしておきます 01。

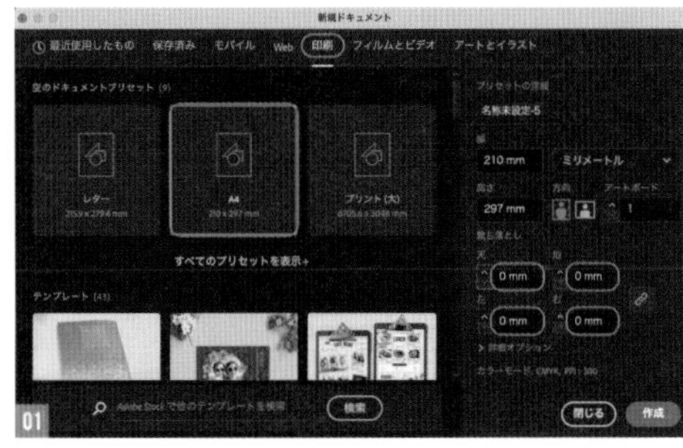

01

02 画像をトリミングして中央に配置する

[ファイル] →[配置] を選択し、素材「cakes.psd」を選択しアートボードの中央に配置します 02。
ツールパネルの[長方形ツール]を選択し 03、アートボードに合わせて縦長の長方形を作成します。高さはA4の高さと同じ距離(297mm) にするとよいでしょう 04。縦長の長方形とカップケーキの画像を合わせて選択し、画像が左右シンメトリーになるようにイメージしながら [オブジェクト] →[クリッピングマスク] →[作成] でマスクをかけてトリミングします 05 06 07。

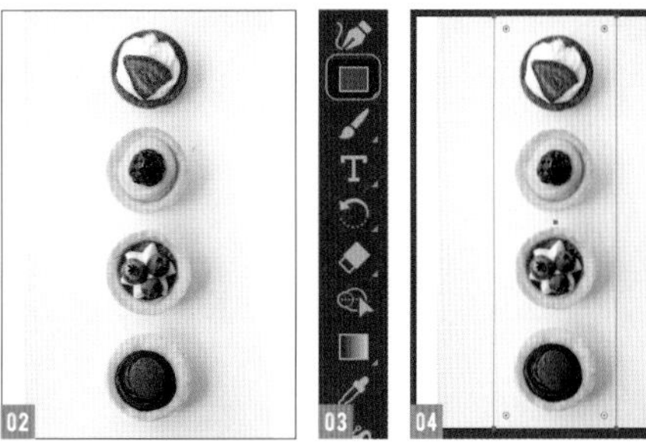
02 03 04

03 ロゴの雰囲気に合わせて書体を選び紙面を構成する

店舗名でもある「PJ Cup Cake」のロゴはクライアントより指定されたものを使用します。素材[ロゴ.ai] を開きロゴをコピー＆ペーストして紙面の右側に配置します 08。
このロゴの作り 09 を確認し、紙面に合う書体を考えます。ロゴのフォントが横のラインに比べて縦のラインが太いセリフ体※で作られていたので、紙面で使う書体も欧文フォントはセリフ体の「Times」、和文フォントは明朝体の「A1 明朝」に決めました。

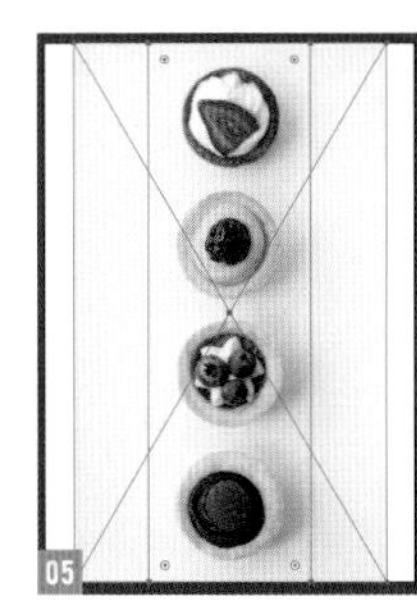
05

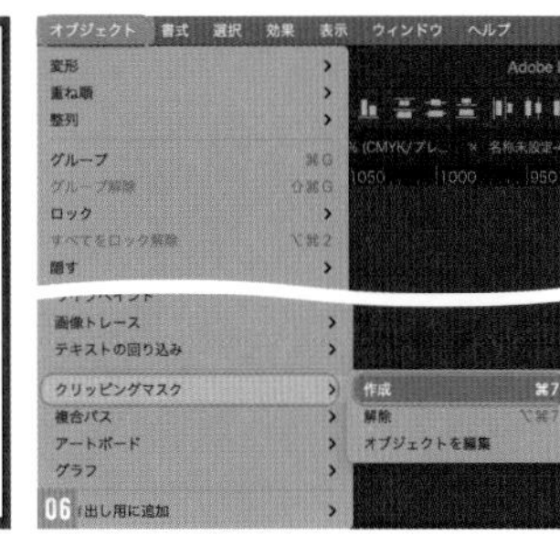

06

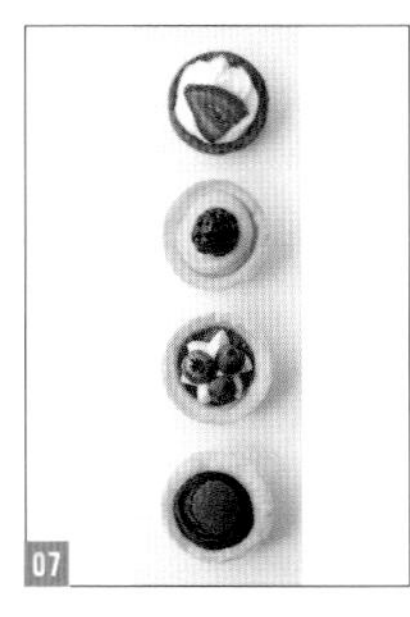
07

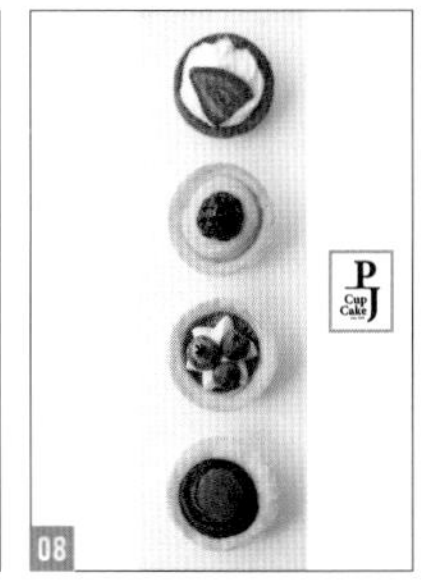
08

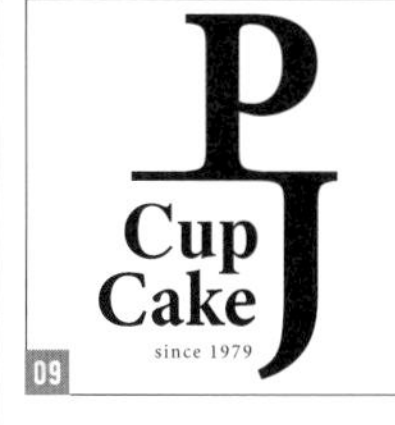

09

※セリフ体…和文フォントでいう明朝体。文字の端に小さな飾りがある。

04 空間を大胆に使い 洗練されたイメージにする

素材[テキスト.txt]を開き、テキストをコピー&ペーストしてIllustratorへ持ってきます。ここでは「GRAND OPENのタイトル」「日時と説明分」「価格」「ロゴ」と4つの情報と考えてレイアウトしていきます10。レイアウトの際に気にかけた点は以下の通りです(オレンジ地、ピンク地参照)。

左の余白:それぞれの文字情報を1つのグループとして捉え、上下の空間を均一にすることでバランスを取ります11。

右の余白:上下左右の空間を均一にすることでバランスを取ります。なお、ロゴの与える印象が強いため、URLを含めずに上下の空間のバランスを整えています。サイトのURLは添えるイメージで小さく配置しましょう12。4つの情報ごとにレイアウトができました13。

※本節では詳しく解説を入れていませんが、実際のデザインでは文字の大きさやウェイトに強弱をつけてメリハリを付けたり、日本語の本文の中の欧文をうまく整えたり、細かく調整して作っています。サンプルデータを提供しますので、参考にしてみてください。

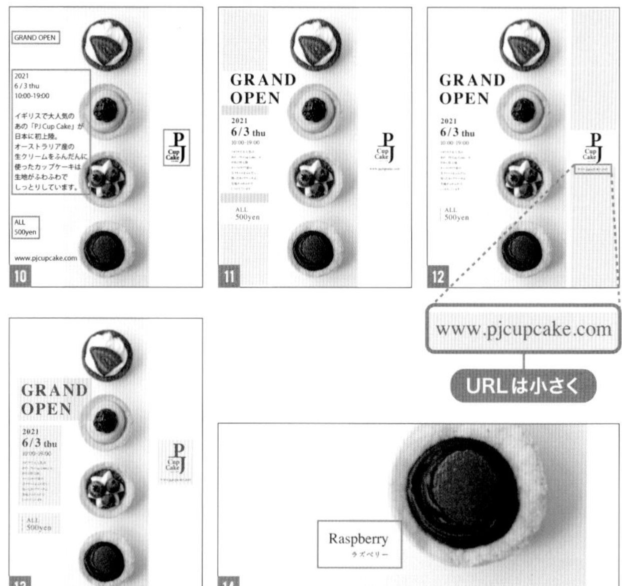

05 空間の邪魔にならない所に 商品名を配置する

各カップケーキの横に英語と日本語の商品名を記載します。メリハリをつけるために欧文文字を少し大きく強調しています14。

空間の邪魔にならないよう、上2つのカップケーキの商品名は左揃えにし右側に配置します15。下2つのカップケーキの商品名は右揃えにして左側に配置します16。全体のバランスを見て完成です17。

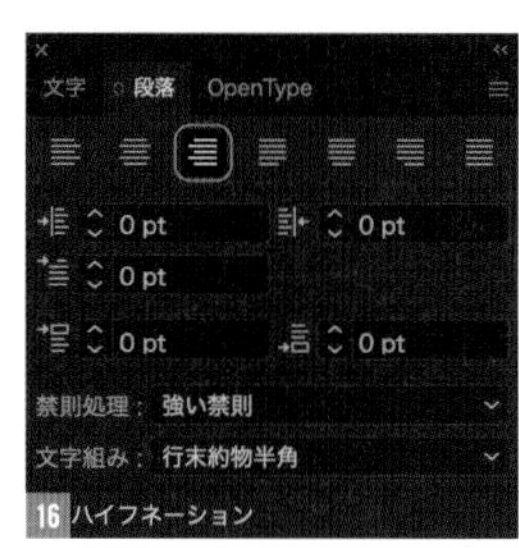

Point

フォントファミリーとは

「Times Regular」と「Times Bold」のようにベースとなるフォントデザインは同じでも、線幅・字幅・角度の違うフォントの集合で構成されているフォントをフォントファミリーと言います。
フォントファミリーを使い分けて紙面構成をすることで、統一感の取れた幅広いデザイン表現をすることができます。
なお、紙面内で使用するフォントを3つ以内と少なくすると、デザインにまとまりが生まれます。

Column

Adobe Fontsとは

Adobe FontsとはAdobeが提供するフォントライブラリです。本書でも使用しているIllustratorやPhotoshopを使う際に必要となるAdobe Creative Cloudのサービスに登録していればAdobe Fontsに登録されているすべてのフォントが使用できます。Adobeのオリジナルやモリサワ、フォントワークス、字游工房などの数々のフォントメーカーのフォントが収録されており大変お得ですので、ぜひ使ってみましょう。本書でも読者がデザインの再現をしやすいようにたくさんの作例でAdobe Fontsのフォントを使用しています。

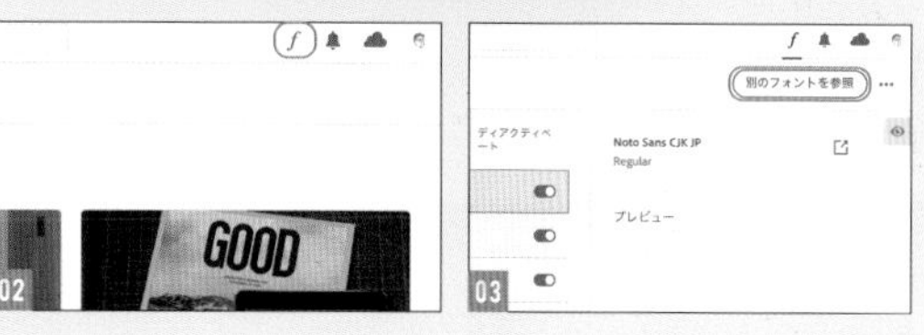

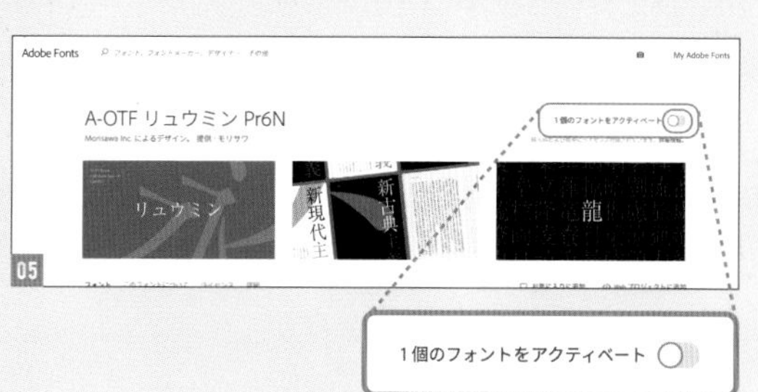

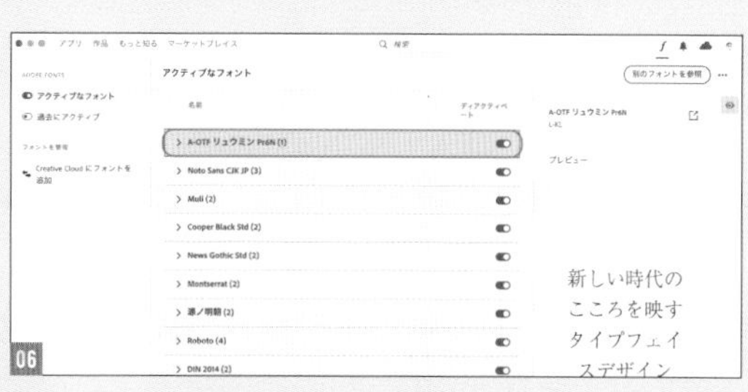

Adobe fontsの使用方法

01 メニューバー（タスクバー）から［Creative Cloud デスクトップアプリ］のアイコンを選択します（左・Mac、右・Windows）。

02 ［デスクトップアプリ］のウィンドウが表示されたら右上の［f］のアイコンを選択します。

03 ［アクティブなフォント］の画面が表示されたら右上の［別のフォント］を選択します。

04 パソコンの既定のブラウザが立ち上がり、［My Adobe Fonts］の使用できるフォントの［フォント一覧］が表示されます。使用したいフォントを探し、フォントのパネルの右下にある［ファミリーを表示］を選択します。

05 フォントの詳細ページが表示されたら、右上の［○個のフォントをアクティベート］のトグルボタンを選択します。

06 再度［Creative Cloudデスクトップアプリ］を表示させて、先ほど選択したフォントが［アクティブなフォント］に表示されるのを待ちます。フォントがアクティベートされると、各アプリケーションのフォントメニューに追加され、使用することができます。これらのフォントは、ほとんどのプログラムですぐに使用できます。※1 ※2。

なおアクティブなフォントは、Creative Cloud デスクトップで表示されるだけでなく、Webサイトの「My Adobe Fonts」にある「アクティブなフォント」タブにも表示されます。

Adobe Fonts注意点

※1. Webブラウザからフォントをアクティベートする場合でもPC上ではCreative Cloud デスクトップアプリを通してアクティベートされるので、アプリを立ち上げないと、PCと同期されずフォントを使うことができません。また、新しいフォントをメニューに追加するには再起動が必要なプログラムもあります。

※2. フォントはいくつでもアクティベートできますが、パフォーマンスを最適化ために、必要最小限に抑えることをオススメします。

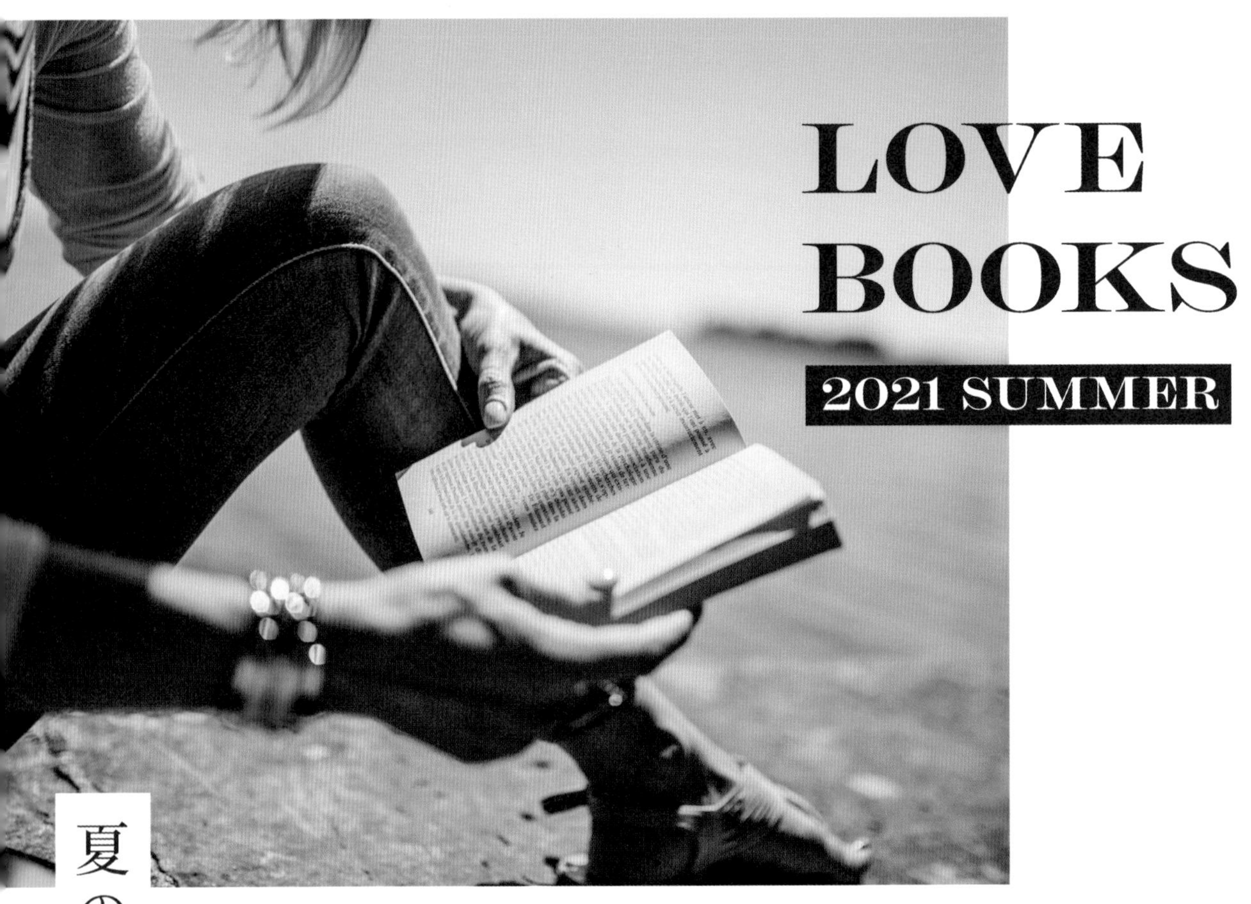

LOVE BOOKS

2021 SUMMER

夏の読書フェア 7.1 — 8.31

【夏のおすすめ】

【雪の女王】ハンス・クリスチャン・アンデルセン【人間失格】太宰治【銀河鉄道の夜】宮沢賢治【宮本武蔵】吉川英治【三国志】吉川英治【遠野物語】柳田国男【風立ちぬ】堀辰雄【銭形平次捕物控】野村胡堂【吾輩は猫である】夏目漱石【こころ】夏目漱石【坊っちゃん】夏目漱石【蟹工船】小林多喜二

Recipe

011

視線の動きを考える

余白を作り緊張感のあるレイアウトを作ります。書店で飾られるポスターを想定して作ります。

Design methods

01 ファイルを新規作成する

Illustratorを立ち上げて、アートボードを設定し、レイヤーを作成します。
[ファイル]→[新規]を選択し、単位を[ミリメートル]とし、[幅:182][高さ:232]として[作成]をクリックします01。
レイヤーパネルの[新規レイヤーを作成]をクリックし、レイヤーを追加します02。上位からレイヤー名を[レイアウト][写真]としました03。

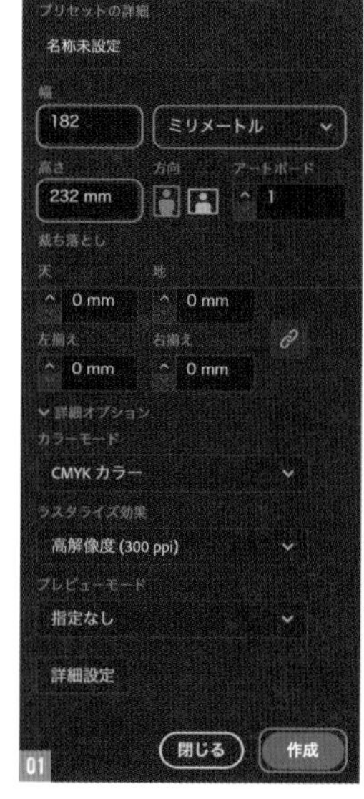

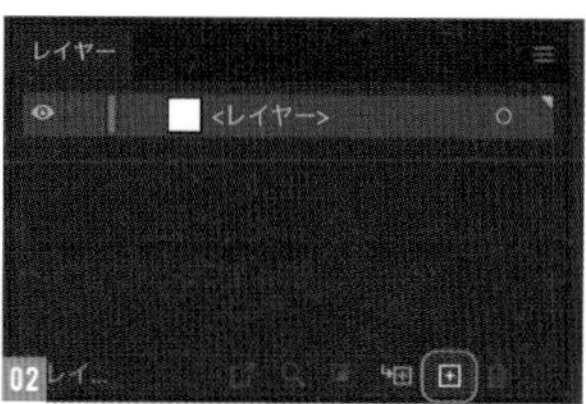

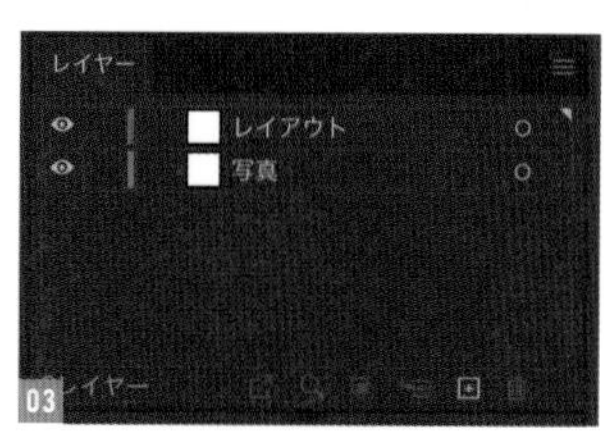

02 レイアウトの構成を決める

この作例では書店に飾られるポスターを想定しており、なるべくスッキリとした情報で伝えることを念頭に作っています。構成を考えずにレイアウトをしてしまうと、まとまりのない内容になりがちです。そこで「写真」や「文字」をレイアウトする前に大まかな構成を考えます。
右図はわかりやすいように完成形のデザインに、目線の流れの矢印を付け加えたものです。左上の赤丸の印からの視線の動きを考え「Z」の形に写真や文字を配置する構成に決めてから作りました04。

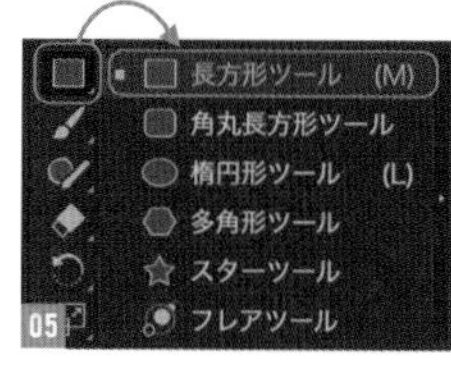

03 始点になる写真の位置を決める

まず視線の始点になる「一番目を引く画像」の配置を決めます。
レイヤー[写真]を選択します。ツールパネルの[長方形ツール]を選びます05。
描画エリアで任意の場所をクリックすると数値入力のウィンドウが開きます。[幅:140mm][高さ:115mm]と入力し、長方形を作成し06、アートボード左上、上部に28mmを空けて配置します07。カラーは[K:100]に設定しています08。

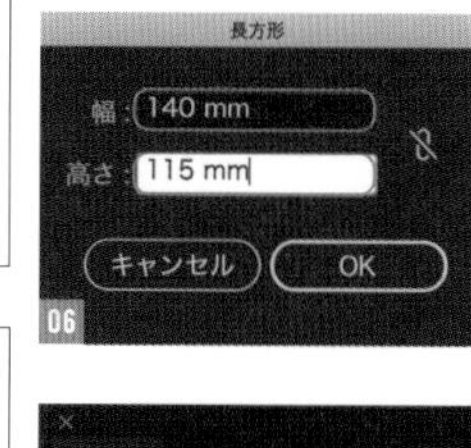

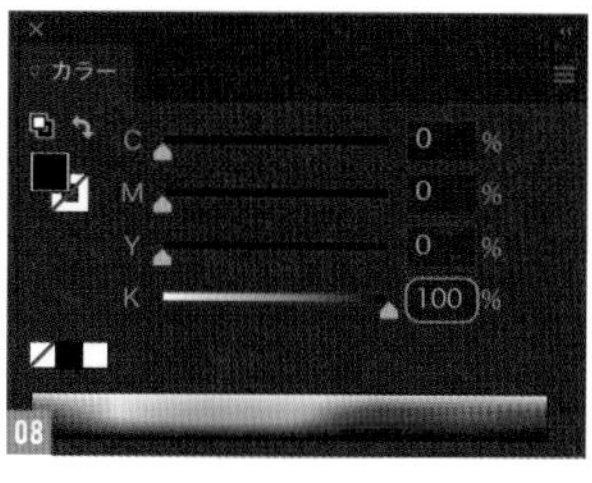

Point

配置する際、視線が動きやすいレイアウトになるよう長方形の上部、右部、下部の余白の大きさがそれぞれ異なるよう意識しています09。
余白の大きさが同じだったり、似た大きさになると安定して視線が動きにくくなります10。

04 写真を配置してマスクを作成する

[ファイル] →[配置] を選択し、素材[余白.psd] を選びます。先ほどの長方形に重なるように配置します11。
[オブジェクト] →[重ね順] →[最背面へ] を選択し、先ほど作った黒の長方形のオブジェクトが[余白.psd] の上にくるようにします12。
ツールパネルの [選択ツール] を選び13、先ほど配置した [長方形] と [余白.psd] の2つを選択します。[オブジェクト] →[クリッピングマスク] →[作成] を選択します14。黒の長方形の形にマスクが作れます。さらにツールパネルの [ダイレクト選択ツール] を選択します15。長方形内の画像をクリックすると画像だけが選択できるので16、一番よいトリミングとなる場所を探します。ここでは17のようにもう少し人の体が見えるように右に移動し配置しました。

05 タイトルのロゴを配置する

レイヤーパネルのレイヤー[レイアウト] を選択します。
素材[タイトル.ai] を開き、ツールパネルの [選択ツール] を選び、タイトルのオブジェクトを選択します18。
[編集] →[コピー] を選択し19、元の作業ファイルに戻り [編集] →[ペースト] します20。21のように右上に配置します。

06 視線の動きを意識して文字情報をレイアウトする

素材[テキスト.txt]を開きます。この中のテキストの情報を随時コピー＆ペーストして、レイアウトしていきます。なお、文字色はすべて[K：100]とします。

ツールパネルの[文字(縦)ツール]を選び[夏の読書フェア]のテキストをペーストします 22 23、[フォント：源ノ明朝][フォントサイズ：22pt][カーニング設定：オプティカル][トラッキング：120]の設定にします 24。

続けて日付の情報を入力します。ツールパネルの[文字ツール]を選び 25、「7.1」「8.31」のテキストをペーストします。[フォント：Chapman][カーニング設定：オプティカル][水平比率：120]とし、フォントサイズは「7.1」を[22pt]、「8.31」を[30pt]としメリハリを付けました 26 27 28。

それぞれ視線の動きは先に解説した「Z」の形を意識して配置しています 29。

[夏の読書フェア]をもう少し目立たせるため[長方形ツール][カラー：白]で文字の回りに輪郭を加えてアクセントを作ります 30。さらに日付の位置が唐突にならないようにツールパネルの[直線ツール]を使い 31、「7.1」から「8.31」へ視線が動くようライン[線幅：0.5pt]を引きます 32。この時、ラインの動きと連動するよう「7.1」を90°回転して調整もかけました 33。

Point

余白を広く使うだけでなく、視線を誘導する際の画像の大きさ、情報の優劣をつける文字の大きさに気をつけてレイアウトしてみましょう。

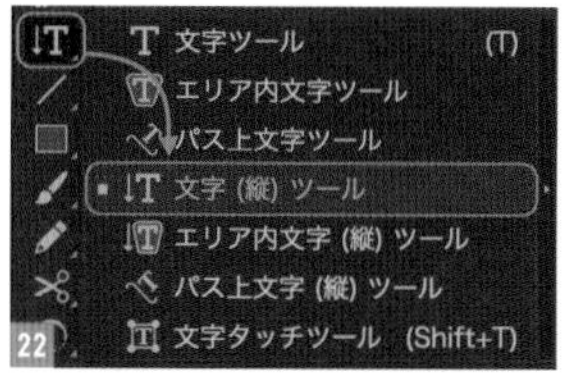

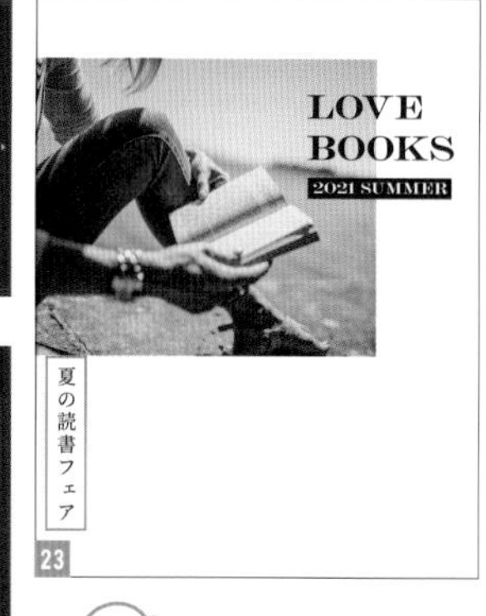

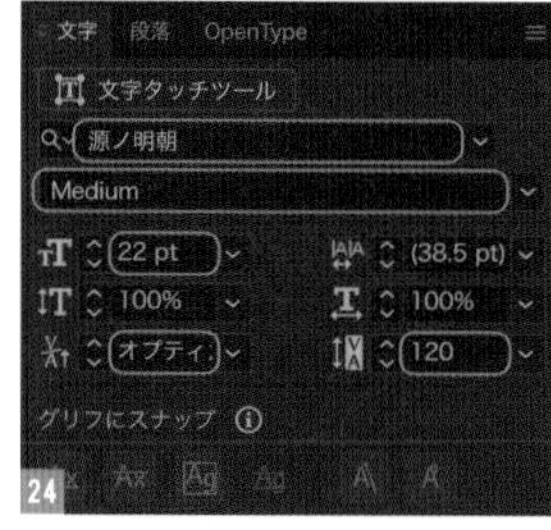

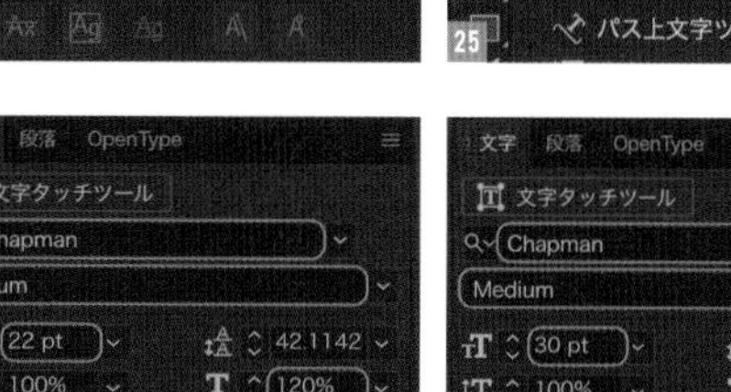

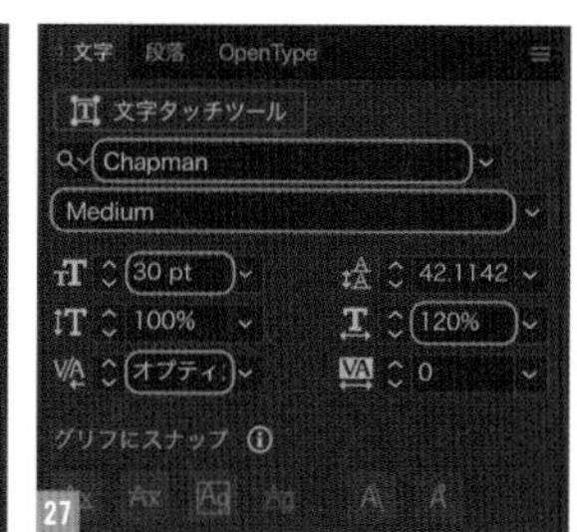

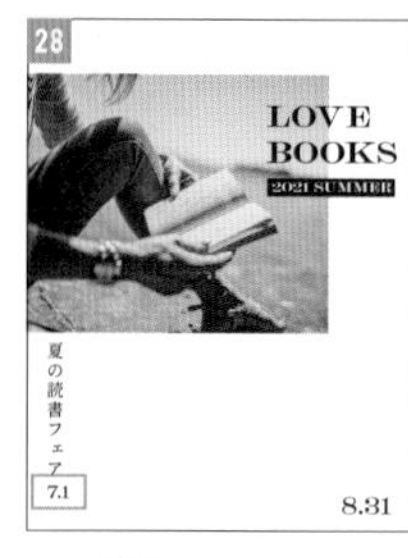

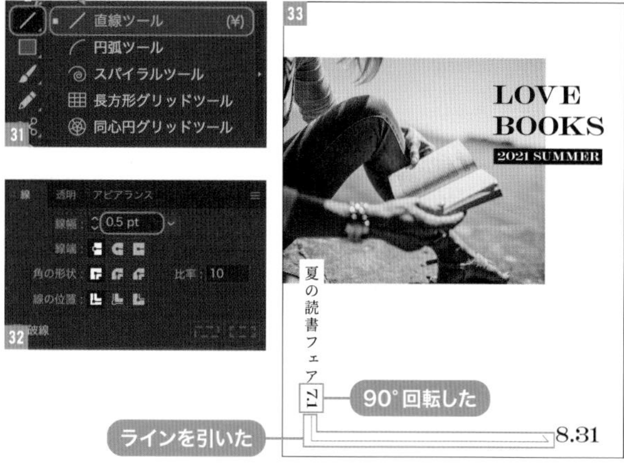

07 小さな本文を配置する

最後に細かい情報を視線の動きの妨げにならないよう気をつけてレイアウトしていきます。
ツールパネルの［文字(縦) ツール］を選び［【夏のおすすめ】］のテキストをペーストします 34。
フォントは［源ノ明朝］［フォントサイズ：10pt］［カーニング：オプティカル］［トラッキング：40］とします 35。
続けてツールパネルの［長方形ツール］で［幅：31mm］［高さ：40mm］の情報を入れる長方形のエリアを作ります 36 37。
［エリア内文字(縦) ツール］を選び 38、長方形の端のパスをクリックし情報「【雪の女王】ハンス・クリスチャン〜」をペーストします。
フォントの設定は 39 を参照ください。
さらに［ウィンドウ］→［書式］→［段落］で段落パネルを表示し、［段落：両端揃え］［禁則処理：強い禁則］［文字組み：行末約物半角］に設定し文字組みを調整しました 40 41。
レイアウトが完成しました。

34

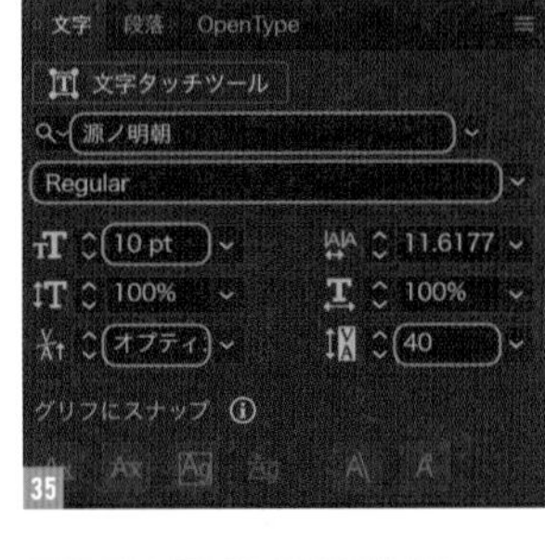

35

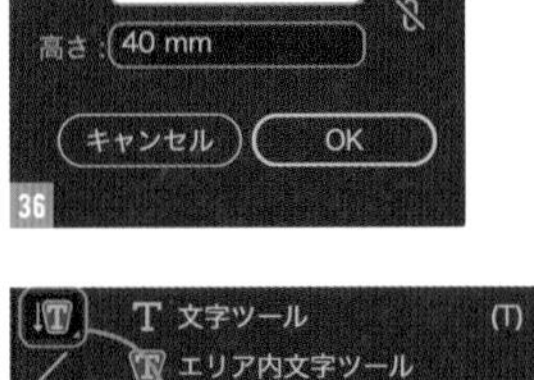

36

37

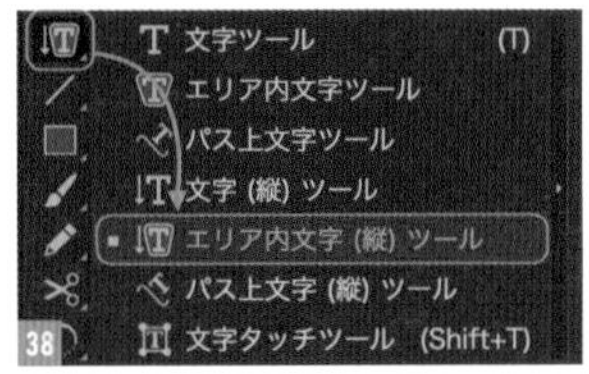

38

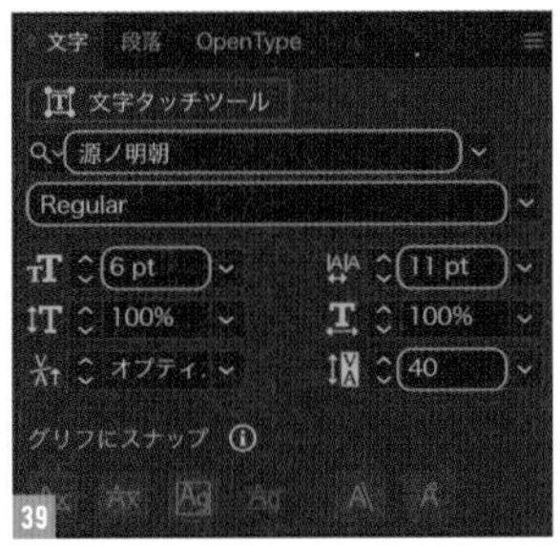

39

40

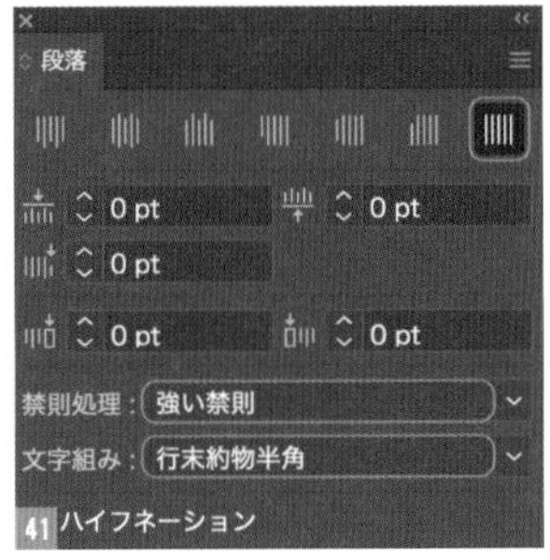

41

Point

［エリア内文字(縦) ツール］が見つからない時はツールパネルの下段の［ツールバーを編集］を選択し、種類の項目から該当のアイコンを見つけてください。アイコンをツールパネルにドラッグすれば使用できるようになります。
これに限らず、ツールパネルに該当のアイコンがない場合はこの方法で確認しておくとよいでしょう。

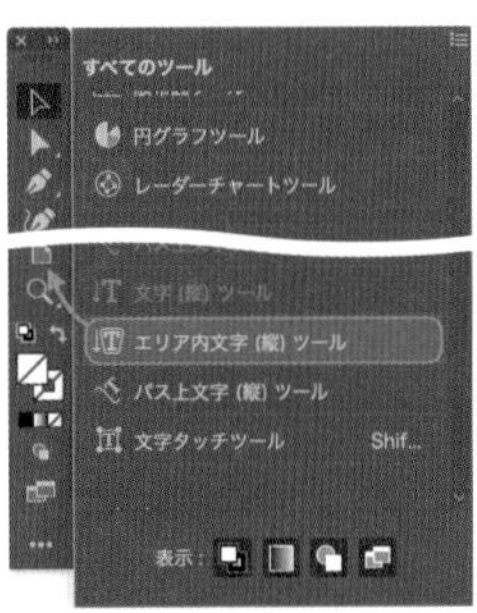

The Life Magazine

Life Style magazine

Comfortable life

ISSUE 01 - AUG 2021

GOOD ITEM

8

2021 August | Table Goods Best Selection

いま欲しい。
暮らしを彩る憧れアイテム

NAMEKISHA MOOK

Recipe

012 イラストをメインにして力強く見せる

イラストや写真などの「1枚絵の良さ」を最大限に引き出したレイアウトを作ってみましょう。

Design methods

01 ファイルを新規作成する

Illustratorを立ち上げて、[ファイル]→[新規]で新規のファイルを作成します。
この作例ではA4サイズの雑誌の表紙を想定しているので、[印刷]タブを選択し、[A4]の項目を選択します。[天、地、左、右：0]にしておきます 01。新規レイヤーを2回選択し、レイヤーを2つ追加します。上からレイヤー名を「text」「photo」「back」とします 02。

素材

01

02 背景を作成し、イラストを大きく配置する

素材のイラストを確認すると、背景に黄色が散りばめられていることがわかります。そこでこのデザインにも背景に黄色を配置し、統一感を持たせることにします。
レイヤー[back]を選択し、ツールパネルの[長方形ツール]を選択します 03。
アートボードの任意の場所をクリックし、[横：210mm][高さ：297mm]とする長方形を作ります。長方形の色はイラストの黄色より少し濃くするイメージで[M：20 Y：90]としています。04。アートボードに合わせて全面に配置しました 05。レイヤー[photo]を選択し、[ファイル]→[配置]で素材[イラスト.psd]を選択し配置します。バウンディングボックスのハンドルで大きさを整えながらイラスト全体を右側に合わせます 06。

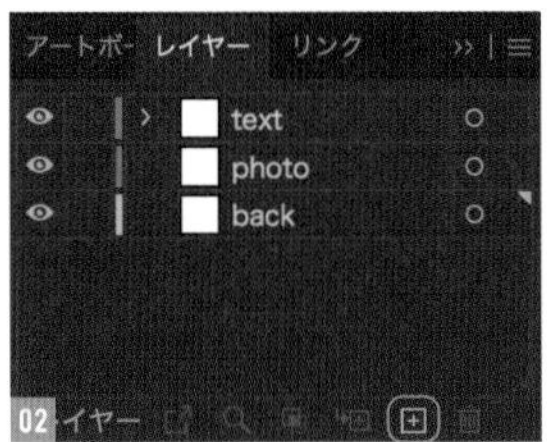

02

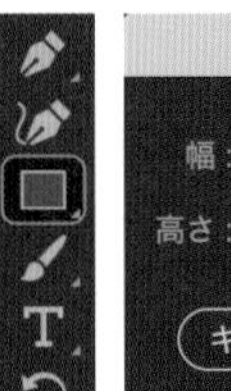
03

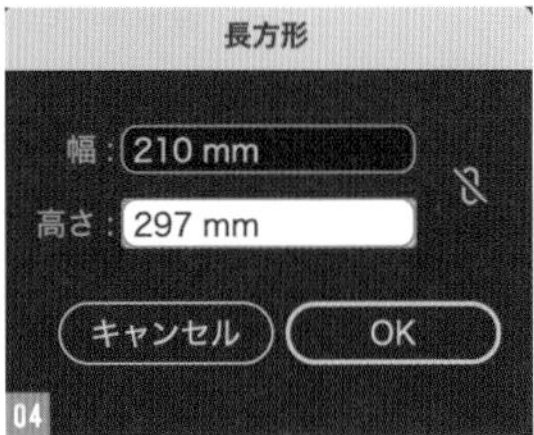

04

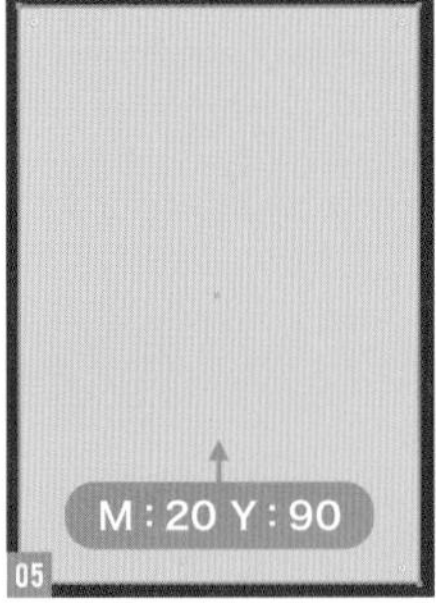

05

06

Point

バウンディングボックスで拡大・縮小する際に shift キーを押しながらドラッグすると縦横の比率を保ったまま拡大･縮小することができます。

03 雑誌のタイトルと出版社名を入れる

素材[テキスト.txt]から各種のテキストをコピー＆ペーストして持ってきます。
雑誌のタイトル「The Life Magazine」を作成します。「Life」の文字の後で改行し、イラストにある青い照明にかからないように配慮して左上にまとめていきます。文字の大きさや詰めは余白やレイアウトに合わせて各パーツを微調整していってください。「The Life」の文字の設定は07のようになっています。

出版社名の「NAMEKISHA MOOK」はタイトルに比べるとあまり目立たせなくてもよい情報です。下部に控えめにレイアウトします08。このように情報に強弱をつけてレイアウトしていくことが大事です。

07

08

控えめに配置

09

04 サブタイトルを入れる

すべてが横書きになると単調に見えてしまうので、「2021 August　Table Goods Best Selection」の文字は縦組みにして、紙面にリズムを作っています09。
「2021 August」の文字をやや小さく、「Table Goods Best Selection」の文字をやや大きくして強弱をつけています。

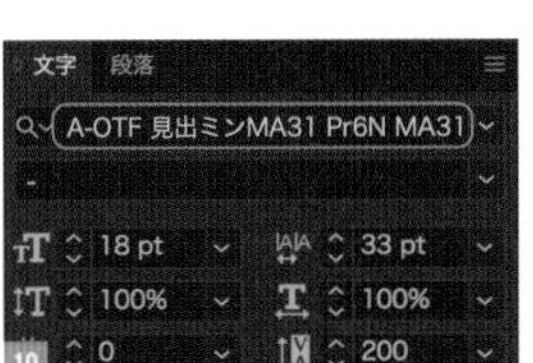

10

11

05 キャッチコピーを入れて完成

キャッチコピー「いま欲しい。暮らしを彩る憧れアイテム」という文字を縦組みで流し込みます。フォントは[見出ミンMA31 Pr6N MA31]を選びました10。
8月を示す「8」マークをイラストにかからない位置に入れて完成です11。

Point

タイトルのフォントは「Garamond Premier Pro Semibold」、サブタイトルのフォントは「Garamond Premier Pro Regular」です。
このように太さの異なる豊富なウエイト（書体の太さ）を揃えたファミリーのフォントを使用することで、紙面を統一された骨格でコントロールすることができます。効果的な方法なのでぜひ覚えておいてください。

Point

イラストや写真を中心としたデザインを作る場合、イラストや写真の中で使用されている色を使ってまとめるのが有効です。
また色の印象を与えない無彩色を使ってまとめることにより、イラストに目がいきやすくなりなるといった方法もあります。

Sponge cake

ショートケーキ

Smoothie

スムージー

2022 Spring

Strawberry Collection

2022.4.1 fri ▷ 4.30 sat

苺なひとときを。

Millefeuille

ミルフィーユ

SWEETS COLME

SINCE 2005

Recipe

013 複数のイラストを上手に使う紙面構成

複数のイラストを活かしたレイアウトを行う方法をご紹介します。

Design methods

01 苺の雰囲気に合わせた背景を作成する

白の額縁のようなイメージで長方形を作ります。Illustratorを起動し、[ファイル]→[新規]を選択します。単位を[ミリメートル]とし、[幅：210mm][高さ：297mm]として[作成]を選択しアートボードを作成します 01。

アートボードの四隅に余白を取るイメージで長方形を作ります。ツールパネルの[長方形ツール]を選択し、アートボードから上下左右10mm短く[幅：190mm][高さ：277mm]の長方形を作成し中央に配置します。色は[M：70% Y：10%]にします 02 03。

⌘（ctrl）＋Cキー、⌘（ctrl）＋Fキーで長方形を前面にコピー＆ペーストします。四隅のハンドルをツールパネルの[ダイレクト選択ツール]で掴み、形を変更しながら 04 のように左上、右下に台形を作成します。色は[M：90% Y：30%]とします。

さらにその上に、横長の長方形を[幅：210 mm][高さ:85mm]として作成し、中心に配置します。色を背景と同様の[M：90% Y：30%]とします。[ウィンドウ]→[透明]で透明パネルを表示し、[不透明度：70%]として横長の長方形を透過させます 05。背景の下地ができました 06。

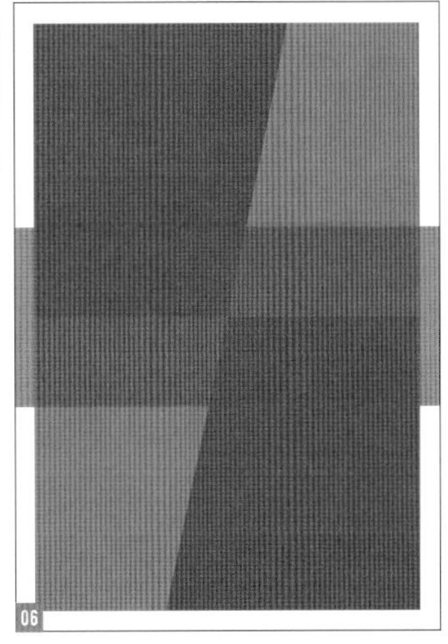

02 タイトルのロゴをデザインする

すごくポップでキャッチーなフォントである[Coquette]の[Bold]を使用してタイトルを作ります 07 。

素材[テキスト.txt]から「Strawberry」と「Collection」をコピー＆ペーストします。2行目の「Collection」の頭にスペースを入れ、文字を上下で少し左右ズラす形にします。さらに「Straw～」の上に少し空間があるので、この部分に「2022 Spring」と入れます。こちらのフォントはウェイトを細くします 08 。 09 のようにロゴがまとまりました。

[ウィンドウ]→[線]で線パネルを表示し、[線幅：1.5mm]とします 10 。カラーを白色にし、[ペンツール]で線を引いて、ロゴにアクセントを作ります。ただ、線を引くだけでなく、フォントの印象に合わせて[効果]→[スタイライズ]→[角を丸くする]で[半径：5mm]に設定し 11 12 、角丸にもしています。線が引けました 13 。

右下の期間に関しては、情報として正しく伝えたかったため、サンセリフ体のフォントである[DIN 2014]の[Demi]でしっかりとまとめました 14 15 。

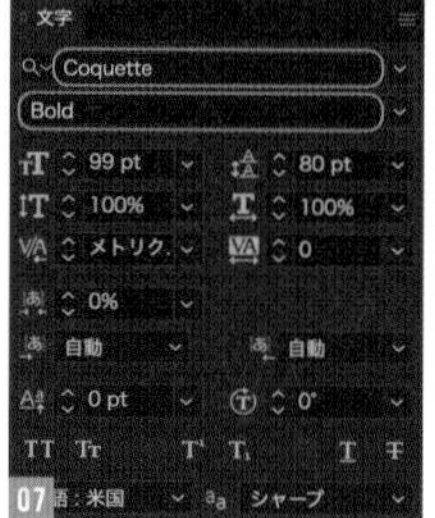

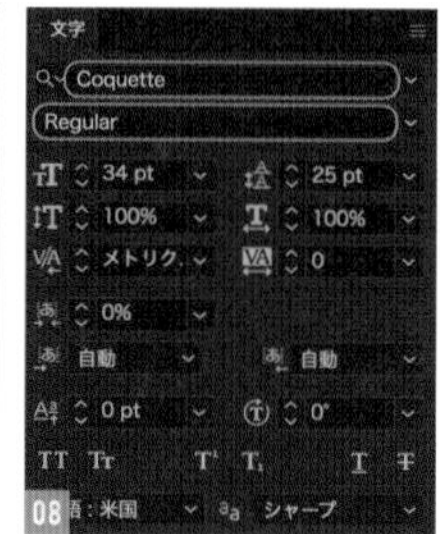

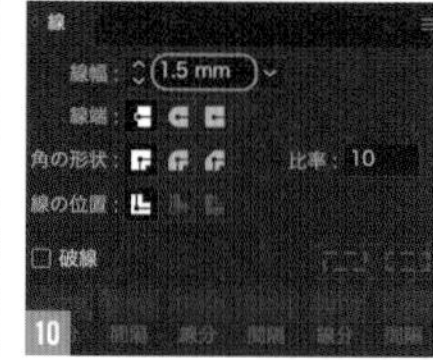

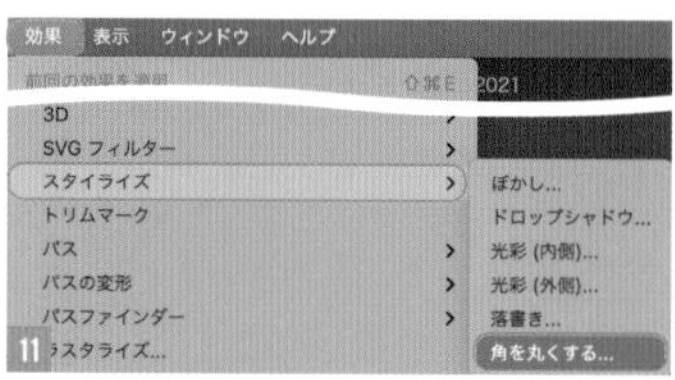

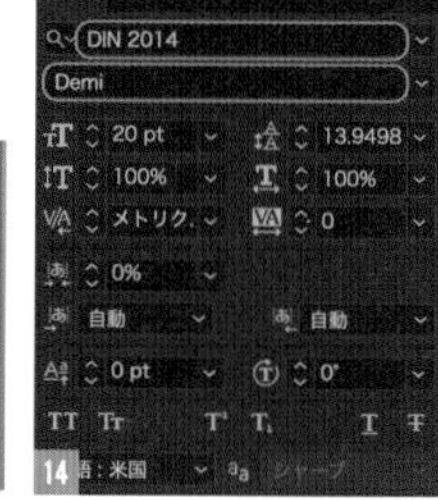

03 モチーフとなるイラストをレイアウトする

[ファイル]→[配置]を選択、素材[ショートケーキ.psd][ミルフィーユ.psd][スムージー.psd]の3点を配置します 16 17 。

上に2つ、下に1つとそれぞれのイラストを収めていきます。この時、イラストをピンクの枠からはみ出させることにより、外側に意識が生まれて、紙面に広がりを持たせることができます。アクセントを作ることで訴求した世界観をより豊かに表現することができます。

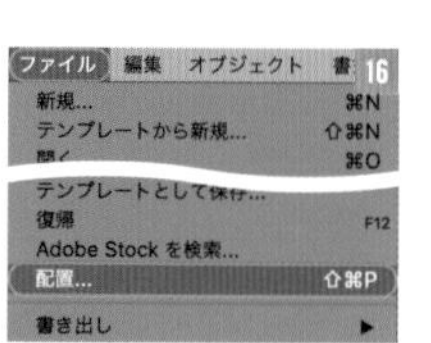

04 空いているスペースに文字を入れる

各商品に商品名を英語と日本語で入れていきます。ここでは英語を大きく、日本語を小さく表示することにより、メリハリをつけて見やすくしています。英語の部分は、フォントをタイトル同様に[Coquette]を使用し、ウエイト違いの[Regular]とします 18。

日本語の部分は、[A-OTF 見出ゴMB31 Pr6N MB31]を使用します 19。

英語と日本語の間に、[線幅：0.3mm]の白色の線を入れます 20。

素材[ロゴ.ai]を左下に配置します。素材[テキスト.txt]からテキストをコピー&ペーストし、ロゴの上部に、四角い白色の帯を作成し、キャッチコピーを入れます。右下にURLを配置し、バランスを整えます 21。

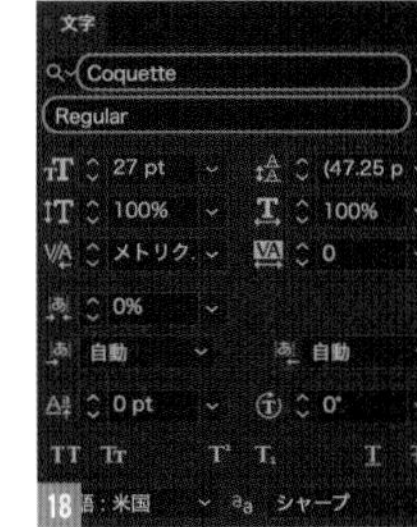

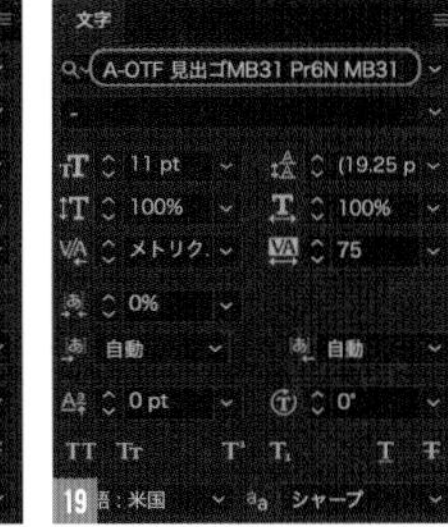

05 五角形のテクスチャーを入れて完成

苺の形状をデフォルメし、角丸の白色の五角形にしました。[ウィンドウ]→[透明]を選択、[不透明度：20%]として 22、文字の邪魔にならないように、あしらいとして配置して完成です 23。

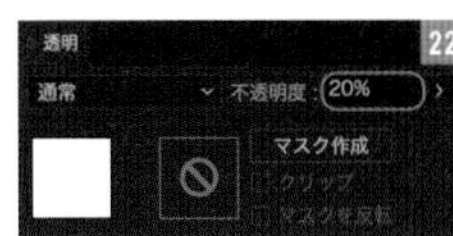

Point

イラストをメインとした紙面にする場合、メインとなる色を1つ決めてデザインを展開させると、イラストが引き立ちやすくなります。

Recipe

014

ジャケットデザインを作る

音楽のアルバムで表示されるような正方形のジャケットのデザインを作ってみましょう。

Design methods

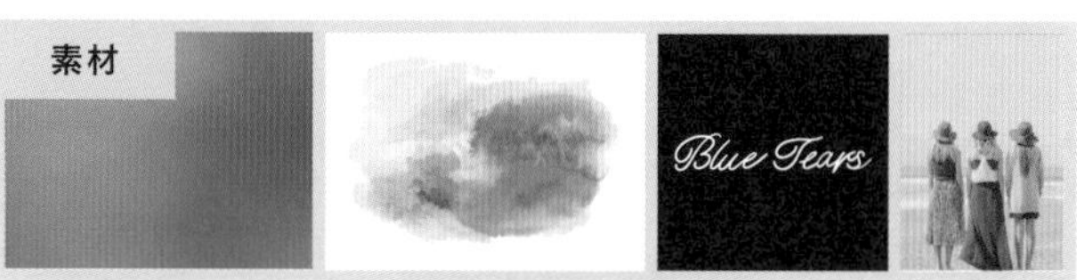

01 人物を正六角形にトリミングする

Illustratorを立ち上げて、素材[レイアウト.ai]を開きます。あらかじめ中央に背景のグラデーション画像と人物の画像を重ねて配置してあります 01 。

ツールバーから[多角形ツール]を選択し 02 、写真の中心から shift キーを押しながら（ shift キーを押すことで正六角形になります）ドラッグして正六角形を作ります 03 。人物を正六角形でトリミングするイメージで、モデル全員がちゃんと入るように行うとよいでしょう。

正六角形と人物を選択し、[オブジェクト]→[クリッピングマスク]→[作成]を選択 04 、マスクを作成し、人物の写真を正六角形にトリミングします 05 。

Point

もし[多角形ツール]で六角形が作れない時は、一度アートボードをクリックして表示される多角形のダイアログで[辺の数：6]に設定し六角形を作ってみましょう。以降は六角形が作れるようになります。

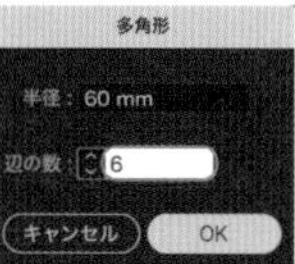

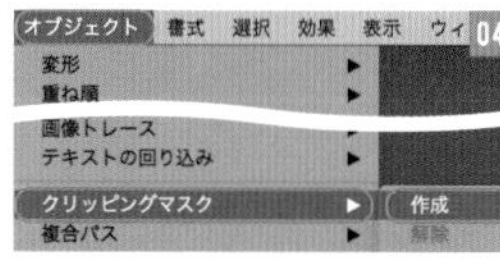

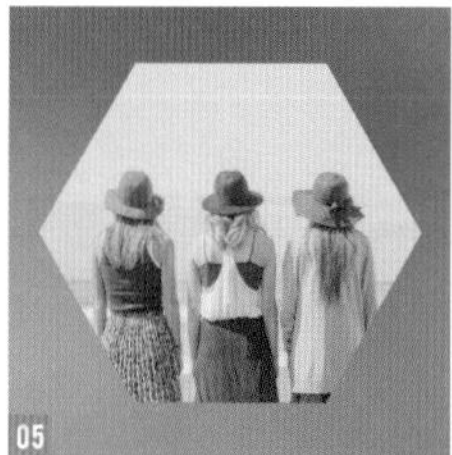

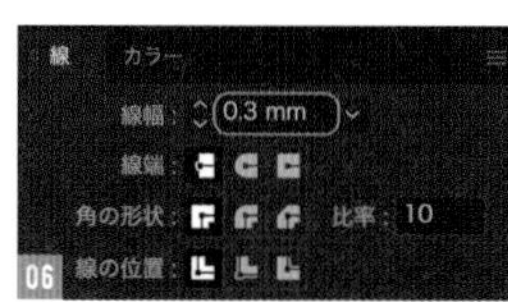

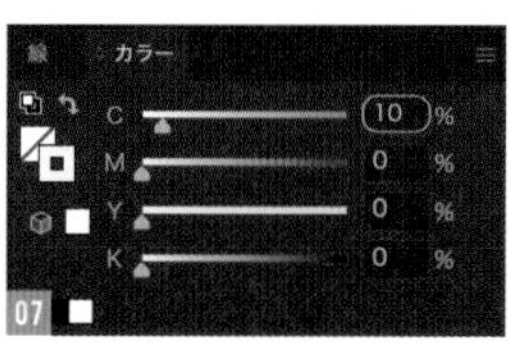

02 辺に合わせてライン引く

ツールパネルから［ペンツール］を選択、［ウィンドウ］→［線］を選択し、［線幅：0.3mm］とします 06。正六角形の辺に沿って、0.3mmの罫線を各辺で作成します。
罫線の色を［C：10%］にします 07。線を伸ばしカメラのシャッターに見えるように仕上げました 08。

03 温かい雰囲気のある手書き文字のタイトル名に入れる

素材［ロゴ.ai］を開き、ロゴをコピー＆ペーストで持ってきます。白にして上部に配置します。
さらにツールパネルから［回転ツール］をダブルクリックし 09、［角度：10°］にします 10 11。

04 テクスチャを入れて文字を見やすくする

ロゴやこの後で作成するアーティスト名の文字が見やすくなるようにアートボードの上と下にテクスチャを配置します。
［ファイル］→［配置］を選択し 12、素材［テクスチャ.psd］を選択し配置します。さらに option（alt）＋ドラッグでテクスチャをコピーし2つにします。テクスチャは［オブジェクト］→［重ね順］→［背面へ］と選択し 13、それぞれ回転調整しながら、上下、適切な位置を見つけてください。ここでは 14 のようにしました。
2つのテクスチャを選択した状態で、［ウィンドウ］→「透明］を選択、［描画モード：乗算］とします 15。テクスチャが透過され背景になじみつつ、ロゴの文字も見えるようになりました 16。
最後にアーティスト名である「THREEBEEZ」の文字を［Futura Medium］のフォントで下部の中央に配置します 17 18。左右にも同じフォントで「Blue Tears／THREEBEEZ」と小さめに入れて完成です 19 20。

Point

罫線の色を白ではなく［C：10%］にした理由は、タイトル名を一番に目立つようにするためです。背景のグラデーションで使われている青系の色を少し罫線に入れることで、印象をおさえることができます。

Point

文字として認識しやすい角度は「15°まで」と決めておくとよいでしょう。また後から角度を編集することもあるため、覚えやすい数字として「5°」を基本とし「5°」「10°」「15°」と紙面にマッチする角度を探しながら作成していくとよいでしょう。

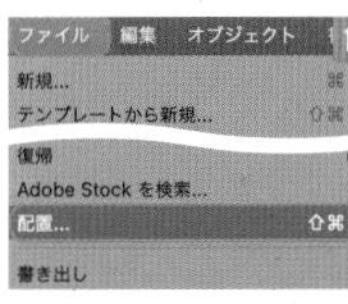

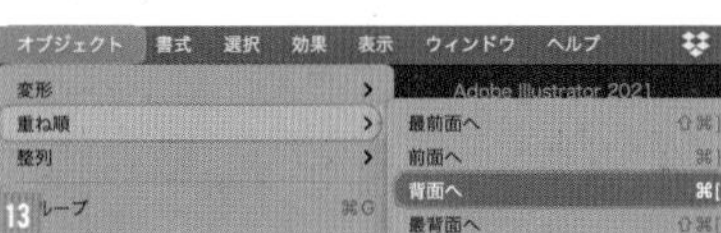

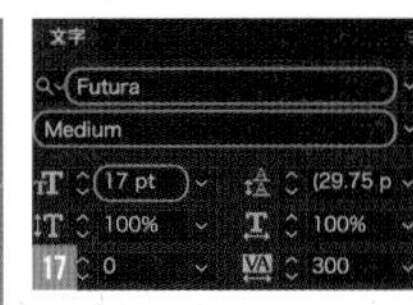

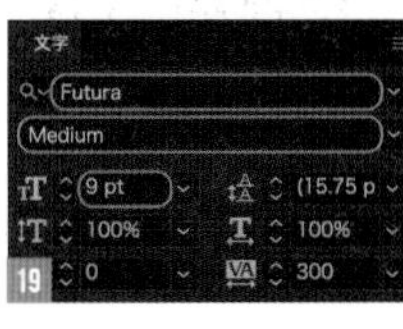

Enjoy Your Life

EXQUISITE GOOD TASTE JUST FOR YOU

AMARY COFFEE CAFE

TOKYO
CHIBA
NAGOYA

OSAKA
KYOTO
KOBE

FUKUOKA
NAGASAKI
MIYAZAKI

AMARY COFFEE CAFE

Recipe

015 紙面からはみ出して インパクトを高める

紙面から少しはみ出したレイアウトを作ることで、写真や文字の強さが際立ちます。勢いのある表現を作ってみましょう。

Design methods

01 画像を配置する

Illustratorを立ち上げます。このRecipeではあらかじめ体裁やガイドを設定しておいた素材から作ってみます。素材[レイアウト.ai]を開きます 01。

レイヤー[photo]を選択します 02。

[ファイル]→[配置]で素材[人物.psd]を配置します 03。このままですと画像がとても大きいのでツールパネルの[選択ツール]を選択し 04、ガイド線を確認しながら写真の配置を決めます 05。

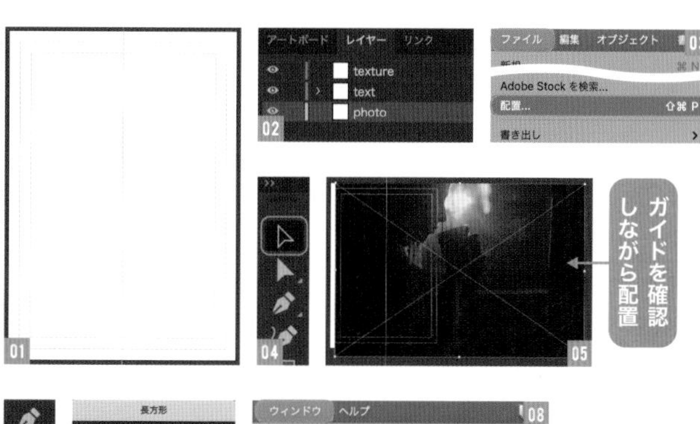

02 マスクで写真をトリミングする

ツールパネルの[長方形ツールを選択]します 06。

アートボードの任意の場所でクリックし、[横：190mm][高さ：267mm]の長方形を作成します 07。

できた長方形をガイドに揃えて写真にマスクをかけていきます。ここでは写真の雰囲気に合わせて柔らかいイメージを出したいので、左下と右下の角を丸くすることにしました。

長方形を選択した状態で、[ウィンドウ]→[変形]を選択 08、[長方形のプロパティ]の[角丸の半径値をリンク]を解除し、左下と右下の角丸の半径を[15mm]とします 09。画像と長方形の両方を選択し 10、[オブジェクト]→[クリッピングマスク]→[作成]で画像にマスクをかけてトリミングします 11。画像の上は紙面の裁ち落としまで残っています。左下、右下は角丸になっている画像が作成できました 12。

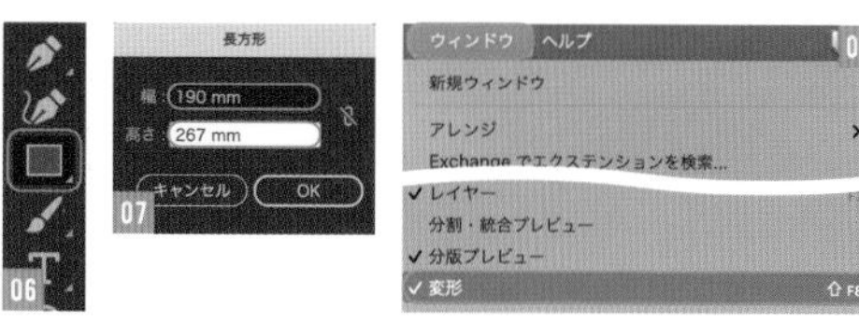

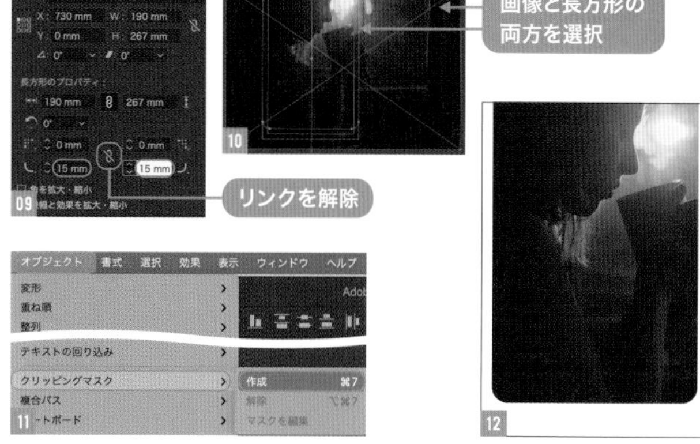

03 キャッチコピーを写真の上に大胆に配置する

文章は素材[テキスト.txt]から随時テキストをコピー＆ペーストしてきます。
レイヤー[text]を選択します13。
ツールパネルの[文字ツール]を選択し、「AMARY COFFEE CAFE」のキャッチコピーを入力します。ここではインパクトのあるキャッチコピーにしたいので、力強いサンセリフ体のフォントである[Gill Sans Bold]を指定しました14。
フォントサイズは[1行目：136pt][2行目：134pt][3行目：137pt]と行ごとに指定を入れ、行間もあまり取らないように行ごとに微調整しています。さらに文字の左右を画像から少しはみ出るぐらいに配置することで、空白の部分とつながりを持たせるようにしています。
こういった一連の調整を行うことで、キャッチコピーにインパクトが出て印象が強まります15。

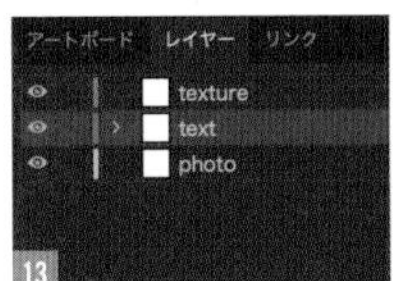

13

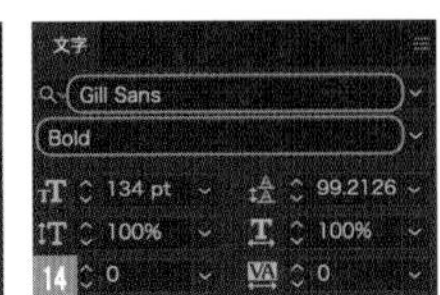

14

15

Point

一番伝えたい文字を太いフォントで大きく扱うことにより、インパクトが出て目に留まりやすくなります。また、紙面から少しはみ出したレイアウトにすることで、紙面に広がりを与え、写真が持つ世界観をより引き立たせることができます。

04 サブコピー、店舗名、ロゴを入れてバランスを取る

素材[テキスト.txt]から「Enjoy Your Life EXQUISITE GOOD TASTE JUST FOR YOU」をコピーしてきます。ツールパネルの[文字ツール]を長押しして出てくる[文字(縦)ツール]を選択します16。フォント[Gill Sans Regular]を使用して、文字を縦組みにレイアウトします17。
キャッチコピーと同じフォントファミリーを使用しウエイト違いで見せることで、デザインは統一され洗練したものになります。サブコピー内でも文字に強弱つけて配置しました18。
再度、素材[テキスト.txt]から都市のテキストをコピーして、キャッチコピーの下段の空いた空間に、店舗がある都市を入れ込んでいきます。こちらはフォント[Gill Sans SemiBold]にしています19。TOKYO、CHIBA、NAGOYAの段が作れたら、option（alt）＋shiftキーを押しながらマウスで右にドラッグし、並行移動させながらコピーし、空きに合わせて3つを配置しましょう20。さらに素材[ロゴ.ai]を開き、ロゴをコピー＆ペーストで持ってきて、レイアウトの下段に配置します21。

16

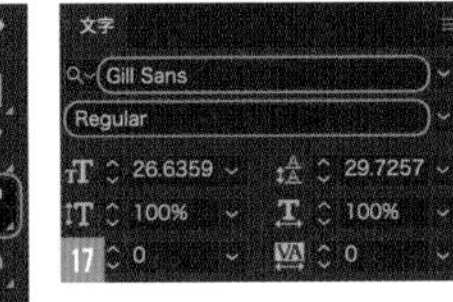

17

18

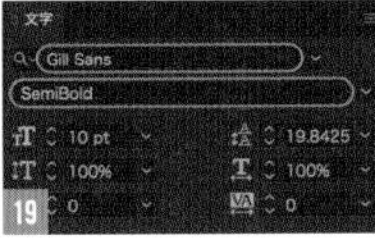

19

20

21

Point

この写真の中で一番目に付く所は、右上の太陽の光が映っているあたりです。ただ、ここはスペースが狭いので文章は入れられないと考えます。そこで写真を見ていくと、ちょうど反対側の左側の部分が陰影で暗くなっているのがわかり、この部分にサブコピーを配置します。このようにしてレイアウトを決めていきます。

05 ザラザラとした質感の雰囲気にして完成

レイヤー[texture]を選択します22。

写真画像の時と同様に[ファイル]→[配置]を選択し、素材[テクスチャ.psd]を選択、テクスチャを配置します。ツールパネルの[長方形ツール]を選択し、[横：210mm][高さ：297mm](紙面の全体のサイズ)の長方形を作成します23。

写真の配置を決めた時のようにテクスチャの幅を枠内に入るように調整します。テクスチャ、長方形の両方を選択した状態で[オブジェクト]→[クリッピングマスク]→[作成]でトリミングします24。

トリミングした画像を最前面に配置しアートボードに合わせます。[ウィンドウ]→[透明]を選択します。[描画モード：乗算][不透明度：80%]とします25。乗算にして白と黒以外の部分が透過されると共に、全体的な色みを付けて明るさも少し抑えることができます。テクスチャを使用して全体的にアナログな質感をプラスすることで、暖かみのある印象に仕上がりました26。

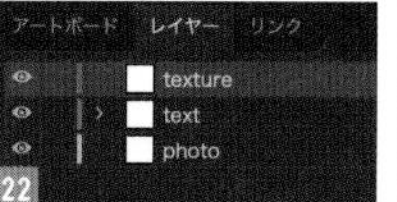

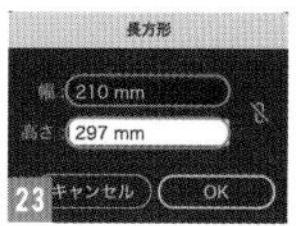

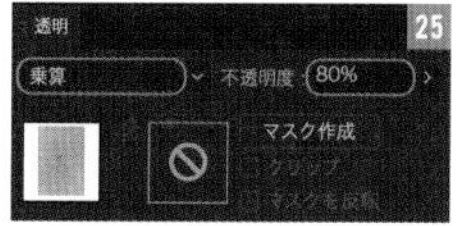

Column

和欧混植にオススメの組合せ

和文フォントと欧文フォントの組み合わせを「和欧混植」と言います。

上手に組み合わせれば、元の和文フォントの中で使われる欧文文字に比べて美しい印象を作ることができます。

ここでは著者が提案するオススメの組み合わせを紹介いたします。

リュウミン × Bodoni	SB Creative から「デザインの作り方 アイデア図鑑」が発売されます。
新ゴ × Futura	SB Creative から「デザインの作り方 アイデア図鑑」が発売されます。
フォーク × Optima	SB Creative から「デザインの作り方 アイデア図鑑」が発売されます。
A1明朝 × Garamond	SB Creative から「デザインの作り方 アイデア図鑑」が発売されます。
Noto Sans × Helvetica	SB Creative から「デザインの作り方 アイデア図鑑」が発売されます。
こぶりなゴシック × Gotham	SB Creative から「デザインの作り方 アイデア図鑑」が発売されます。
ヒラギノ角ゴシック × DIN	SB Creative から「デザインの作り方 アイデア図鑑」が発売されます。

Red currant & Dark cherry
SWEETS RECIPE
01 TART
Beautiful and delicious!
SWEETS.COM

Recipe

016

真上からの構図をデザインに活かす

スイーツレシピのフライヤーを想定してデザインを制作します。カフェやレストランなどの商品の見せ方でよく使われる俯瞰の構図で写真を活かす定番のレイアウトを作ってみましょう。

Design methods

01 ファイルを新規作成する

Illustratorを立ち上げます。
[ファイル]→[新規]を選択し、単位を[ミリメートル]とし、[幅：182][高さ：232][カラーモード：CMYKカラー]、[ラスタライズ効果：高解像度(300ppi)として[作成]をクリックします 01。
レイヤーパネルの[新規レイヤーを作成]をクリックし、レイヤーを追加します 02。
上位からレイヤー[レイアウト][写真]とします 03。

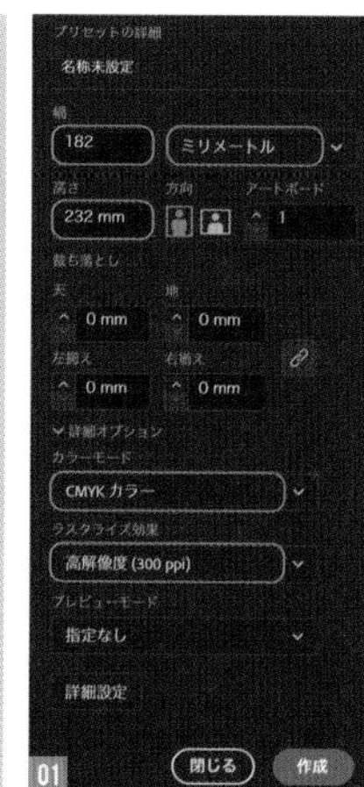

02 写真を配置し、マスクを作成する

レイヤー[写真]を選択します。
[ファイル]→[配置]を選択し、素材[俯瞰.psd]を選びます。アートボードで確認しながら中央からやや下になるように配置します 04。
ツールパネルから[長方形ツール]を選びます 05。
描画エリアで任意の場所をクリックすると数値入力のウィンドウが開きます。アートボードと同じ大きさ[幅：182mm][高さ：232mm]で長方形を作成しアートボード中央に配置します 06 07。

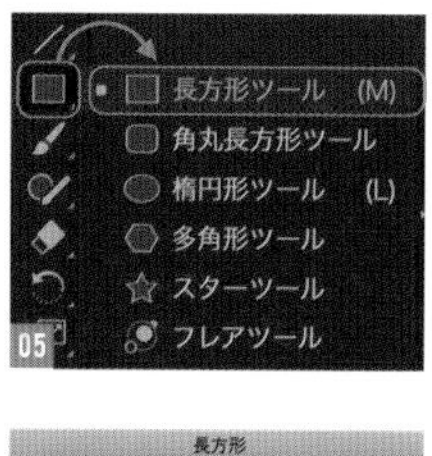

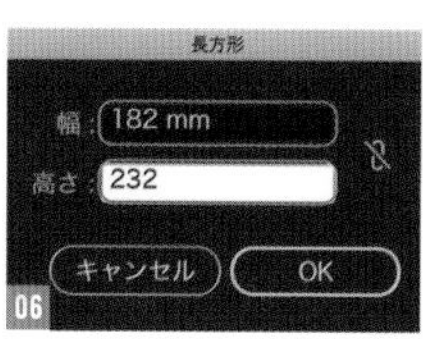

03 マスクをかける

ツールパネルから[選択ツール]を選び 08、先ほど配置した[長方形]と[俯瞰.psd]を選択します 09。
[オブジェクト]→[クリッピングマスク]→[作成]を選択します 10。余計な部分をマスクで隠すことができ写真の配置が完成しました 11。

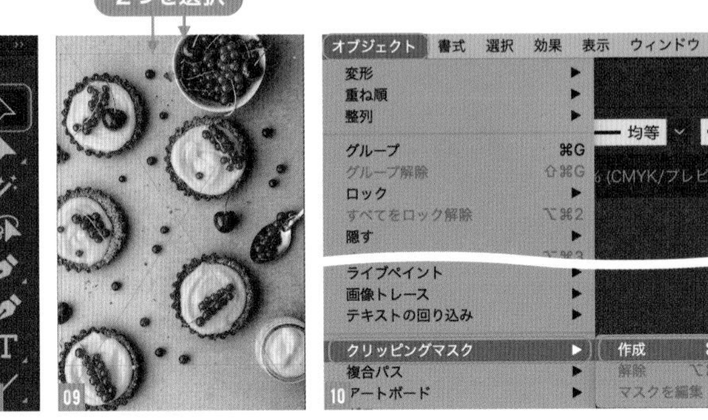

Point

クリッピングマスクを作成はよく使います。ショートカットを覚えておくとよいでしょう。

⌘ (ctrl) + 7 キー

04 ロゴタイトルを配置する

素材[ロゴタイトル.ai]を開き、ツールパネルの[選択ツール]を選び、タイトルのオブジェクトを選択します 12。
[編集]→[コピー](ショートカット:⌘ (ctrl) + C キー)でコピーし、元のIllustratorファイルに戻り[編集]→[ペースト](ショートカット:⌘ (ctrl) + V キー)でペーストします。アートボードの中央に配置しました 13。

05 アドレスを配置する

ツールパネルの[文字ツール]を選択します 14。
アートボード下部に「SWEET.COM」と入力し、[塗り:ホワイト][フォント:DIN Condensed][フォントスタイル:Regular][サイズ:15 pt][カーニング:オプティカル][トラッキング:0][段落:中央揃え]とします 15 16 17。

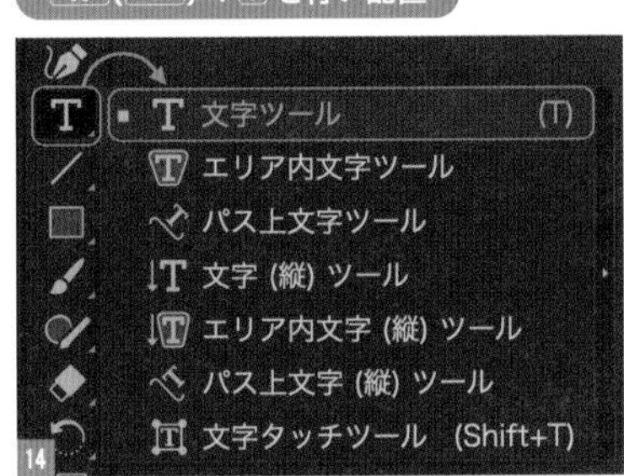

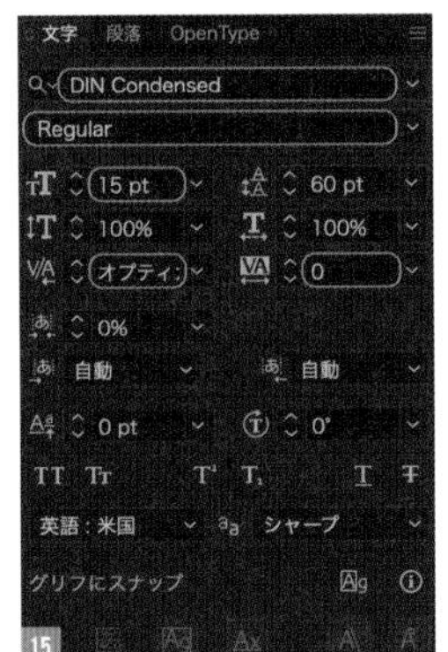

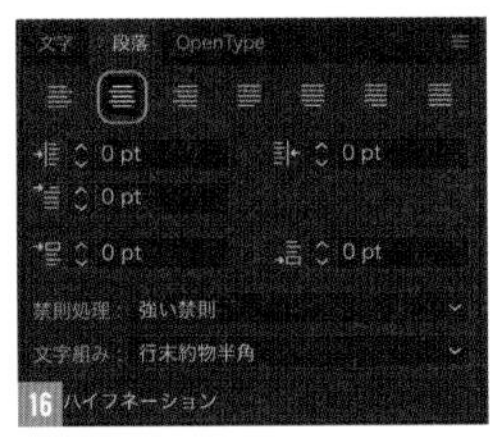

06 俯瞰の写真の要素を活かした文字を配置する

写真のタルトの画像を活かし文字を配置していきます。
ツールパネルから［楕円形ツール］を選択します 18。
画像左上のタルトの形状に合わせてひとまわり大きい正円を作成します 19。
ツールパネルの［パス上文字ツール］を選び 20、作成した正円の最上部のアンカーポイントをクリックします 21。
素材［テキスト.txt］から文字をコピーし、「Red currant & Dark cherry」をペーストします。
文字の設定は［塗り：ホワイト］［フォント：Bistro Script］［フォントスタイル：Regular］［サイズ：17pt］［トラッキング：0］とします。段落の設定は［段落：左揃え］とします 22 23 24 25。
レイアウトに動きを出すため［オブジェクト］→［変形］→［回転］で［-15°］回転します 26 27 28。
同様に画像中央右下のタルトに合わせて素材［テキスト.txt］から文字をコピーし、「Beautiful and delicious!」とペーストし［-10°］回転します。完成です 29。

Point

高いところから見おろす俯瞰の写真は客観的に商品を見せることができるメリットがありますが、その分、引いた印象になりがちです。
タルトの図形的な部分をレイアウトに活かすことで画面にリズム感を出すことができます。

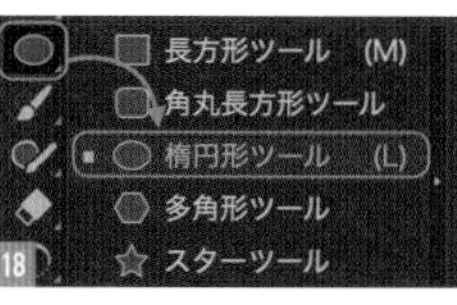

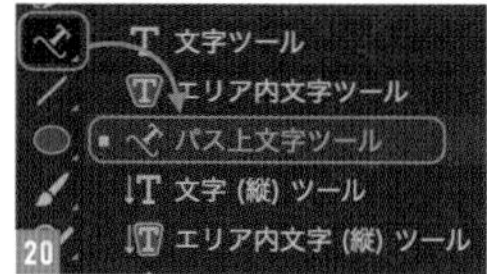

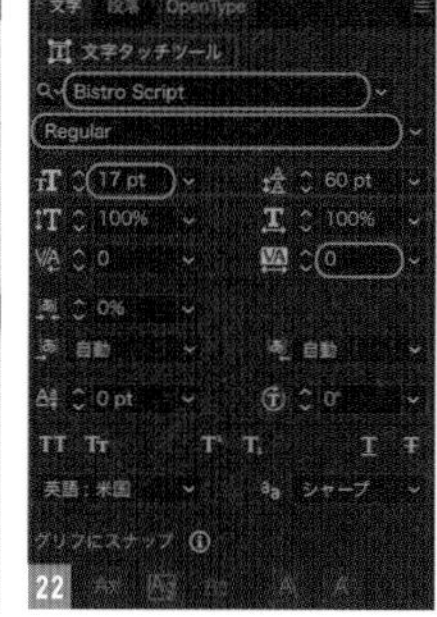

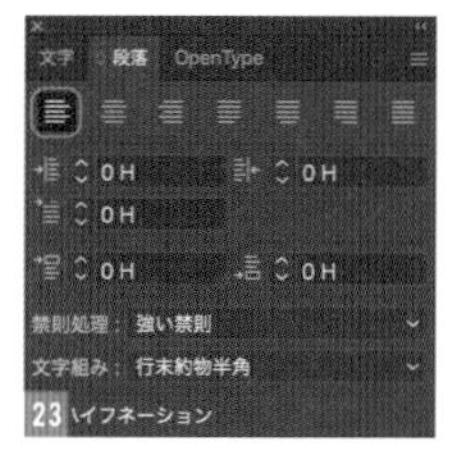

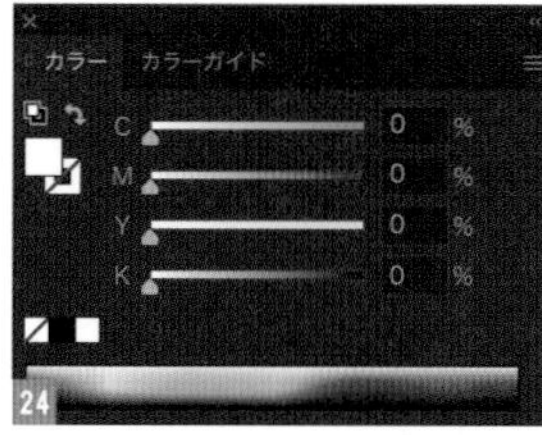

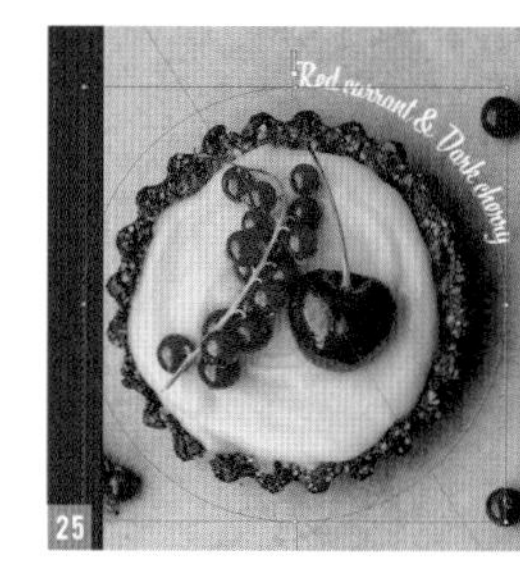

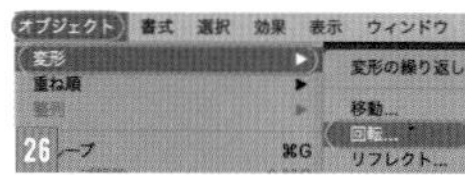

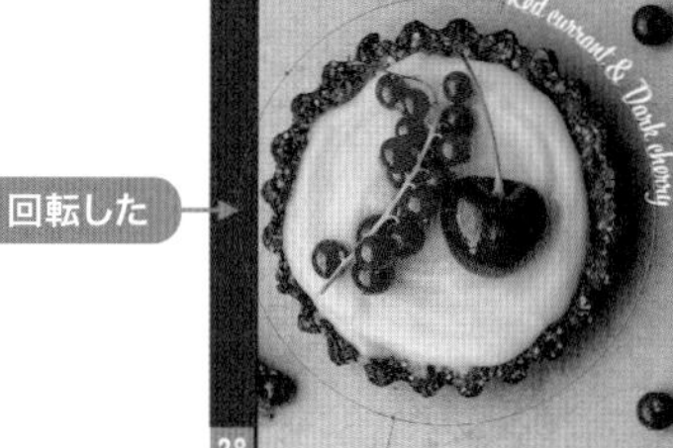

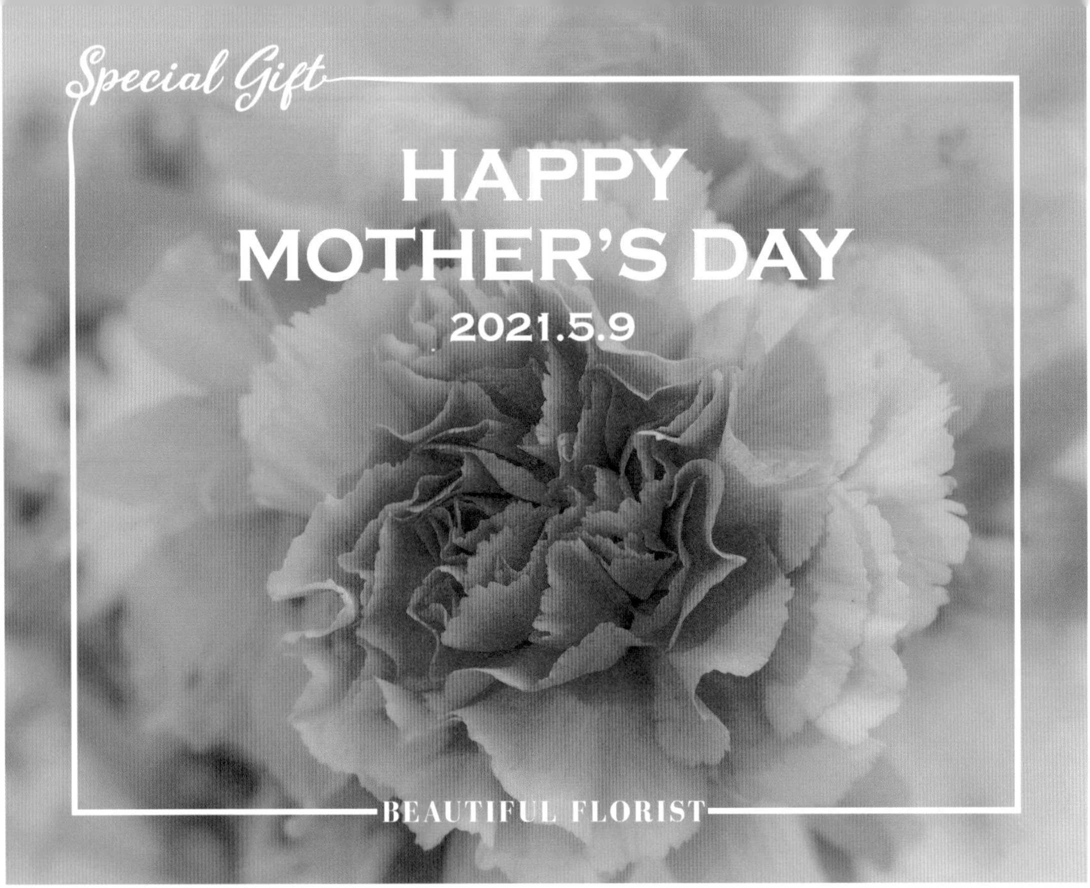

Special Gift
HAPPY
MOTHER'S DAY
2021.5.9
BEAUTIFUL FLORIST

Recipe

017

枠を効果的に使う

枠を使い写真を引き立て、内容を深めていくレイアウトを作成します。デザインはフラワーショップの母の日の広告フライヤーを想定しています。

Design methods

素材

BEAUTIFUL FLORIST

Special Gift

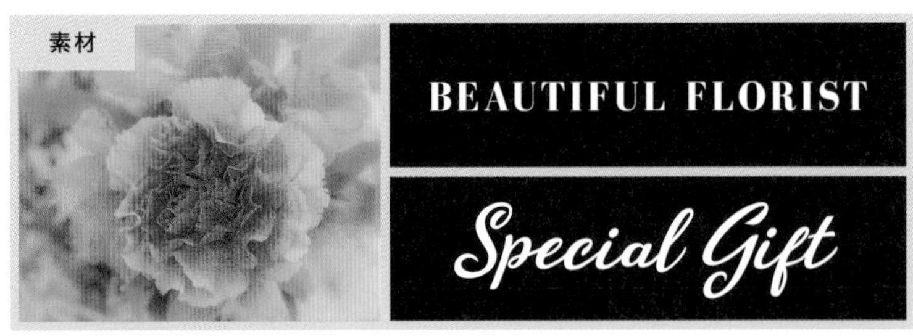

01 ファイルを新規作成する

Illustratorを立ち上げて、[ファイル]→[新規]を選択、単位を[ミリメートル]とし、[幅:232][高さ：182]として[作成]をクリックします01。[新規レイヤーを作成]をクリックし、レイヤーを追加します02。レイヤーを2枚追加し、上位からレイヤー名を[枠][レイアウト][写真]とします03。

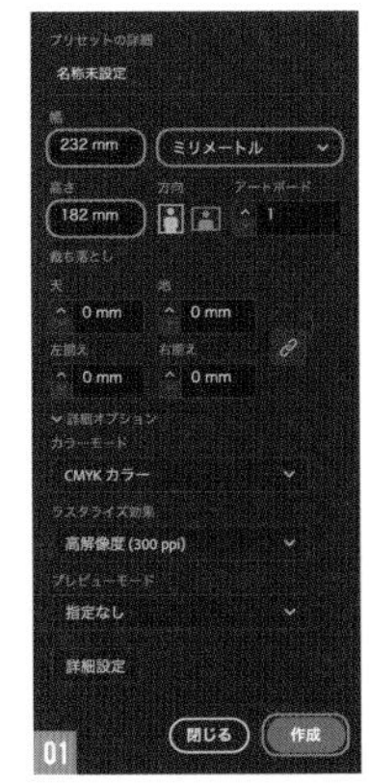
01

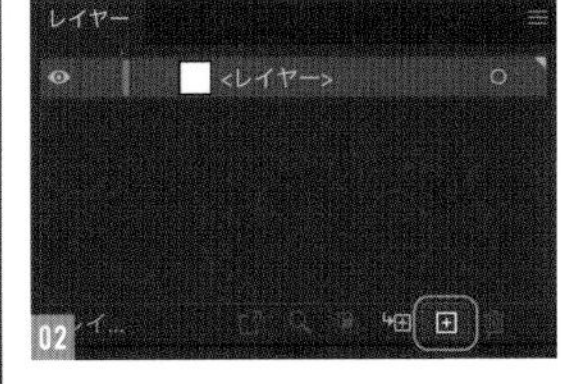

02

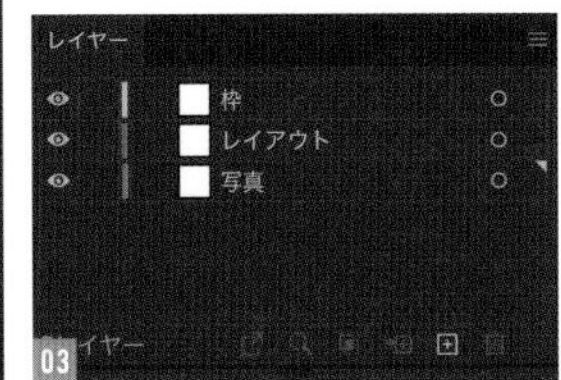

03

02 写真を配置する

レイヤー[写真]を選択します。
[ファイル]→[配置]を選択し、素材[枠.psd]を選びます。アートボードの中央に配置します04。
ツールパネルの[長方形ツール]を選びます05。
描画エリアで任意の場所をクリックすると、数値入力のウィンドウが開きますので、[幅：232mm][高さ：182mm]とし、長方形を作成します06。マウスでドラッグし、アートボード中央に配置しました07。
ツールパネルの[選択ツール]を選び、先ほど配置した「長方形」と「枠.psd」の2つを選択します08 09。複数のオブジェクトを選択する場合はマウスでドラッグして選択するか、shiftキーを押しながら1つひとつ選択するとよいでしょう。
[オブジェクト]→[クリッピングマスク]→[作成]を選択します10。
マスクが作成され写真の配置が完成しました11。

04

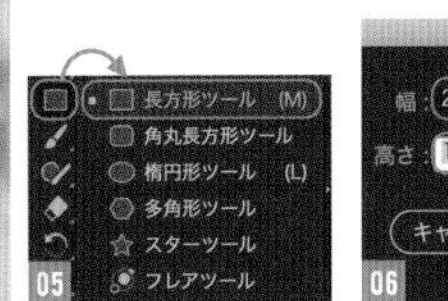

05

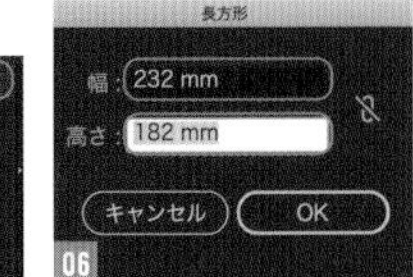

06

07

08

09

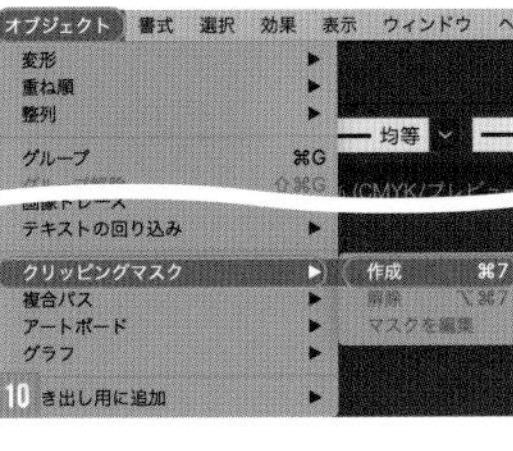

10

11

03 枠をレイアウトする

枠も文字もいきなり作り込まず、全体のバランスを見つつ、レイアウトを決めていきます。
レイヤー[枠]を選択します。
ツールパネルの[長方形ツール]を選び、[幅：202mm][高さ：152mm]の枠をアートボードの中央に配置します12 13。枠の色は[塗り:なし][線：白]、[線幅：3.5pt]とします。配置を調整して、枠のレイアウトができました14 15。

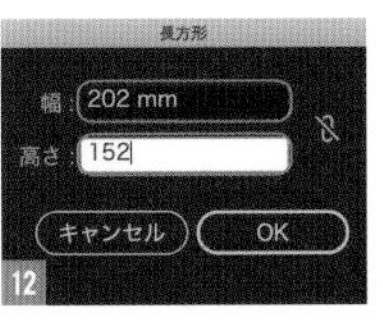

12

13

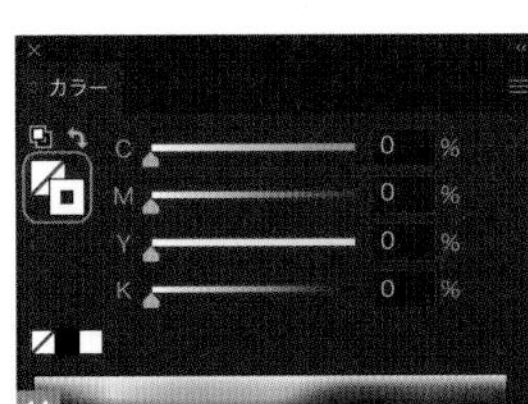

14

15

04 タイトルをレイアウトする

レイヤー[レイアウト]を選択します。
ツールパネルの[文字ツール]を選び 16、素材[テキスト.txt]から「HAPPY MOTHER'S DAY ～」をペーストします。ここでは「HAPPY」と「2021.5.9」の部分で改行を行い、枠の内側上部中央に配置しました 17。
文字の設定は「HAPPY MOTHER'S DAY」の文字色は白で[フォント:Copperplate][フォントスタイル:Bold][フォントサイズ:45pt][行送り:47pt][カーニング:オプティカル][トラッキング:0] 18、[段落:中央揃え][禁則処理:強い禁則][文字組:約物半角]としています 19。
なお、「2021.5.9」のフォントの設定は「HAPPY MOTHER'S DAY」と一緒ですが[フォントサイズ:24pt]としています。全体の配置を調整してタイトルの配置が完成します 20。

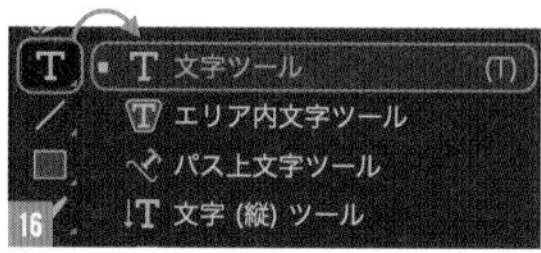

16

17

18

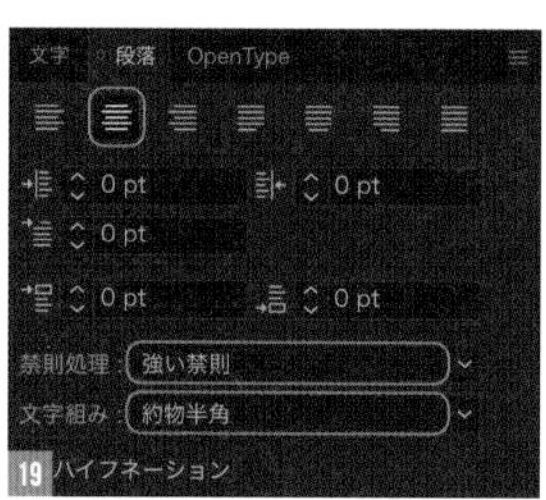

19

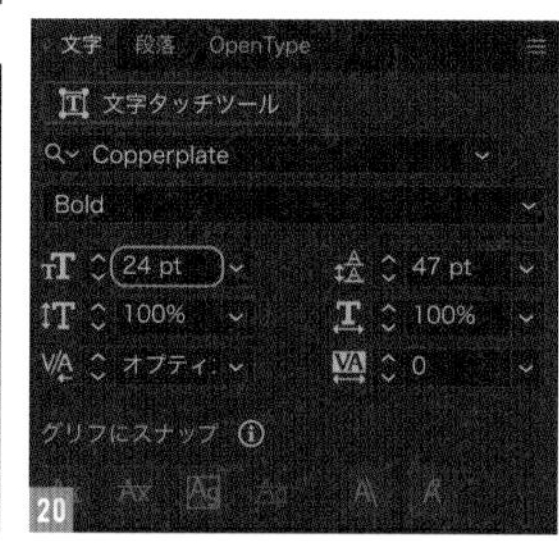

20

05 ロゴをレイアウトする

素材[ロゴ.ai]を開きます 21。
ツールパネルの[選択ツール]を選び、タイトルのオブジェクトを選択し 22、[編集]→[コピー]を選択しコピーします 23。
元のファイルに戻り[編集]→[ペースト]で白枠の中央下部に重なるように配置します 24 25。

21 22

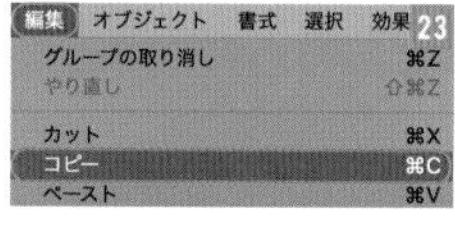

23

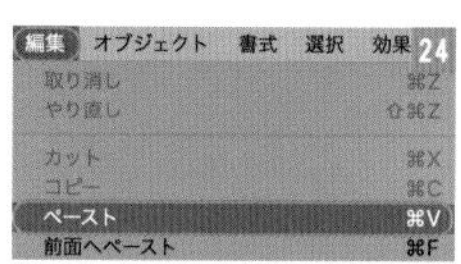

24

25

06 重なりの枠をカットする

ロゴと重なっている枠をカットしロゴが見えるよう調整します。
ツールパネルの[選択ツール]を選び、枠を選択します 26。
ツールパネルの[はさみツール]を選び 27、ロゴと重なっている枠のパスを選択し切断します 28 29。
ツールパネルの[ダイレクト選択ツール]を選び、不要なパスを選択して削除します 30 31。

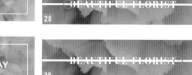

26

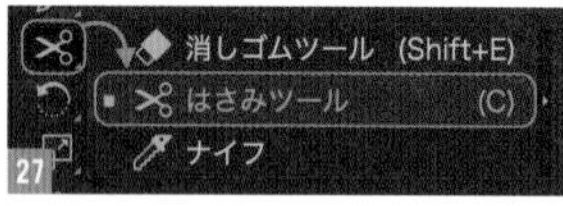

27

28
29

31

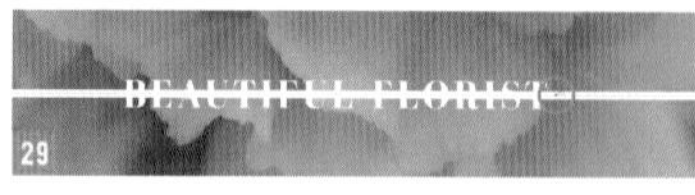
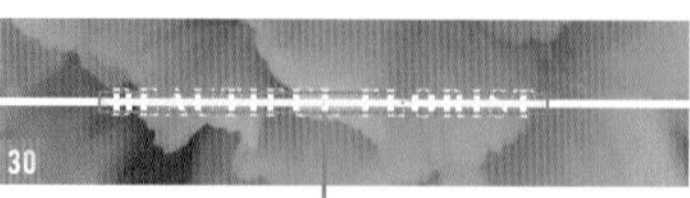

30

07 左肩に文字を配置する

素材[枠文字.ai]を開きます32。
先ほどと同様にオブジェクトをコピーし、元のファイルにペーストします。枠の左肩に重なるように配置します33。
27～31と同様に文字と重なった枠のパスを切断、削除します34 35。
なお、ここではデザインを加えるため、広めにスペースを空けています。タイトルとロゴのレイアウトが完成しました。

08 枠にデザインを加える

ツールパネルの[ペンツール]を選び36、[Special Gift]の「S」の始まりと枠のラインをつなぐように[線幅：3.5pt][線色：白]のラインを作ります37。
ツールパネルの[線幅ツール]を選択し38、「S」の始まりと枠のラインが滑らかにつながるように線幅を調整します。作った線のパスライン上でドラッグすると線幅が変更できます39。滑かにつながりました40。
同様に「Special Gift」の「t」の終わりと枠のラインをつなぐように、[線幅：3.5pt]「線色：白」のラインを作ります41。ツールパネルの[線幅ツール]を選択し、同様に滑らかに繋がるように調整します42。
以上で完成です。

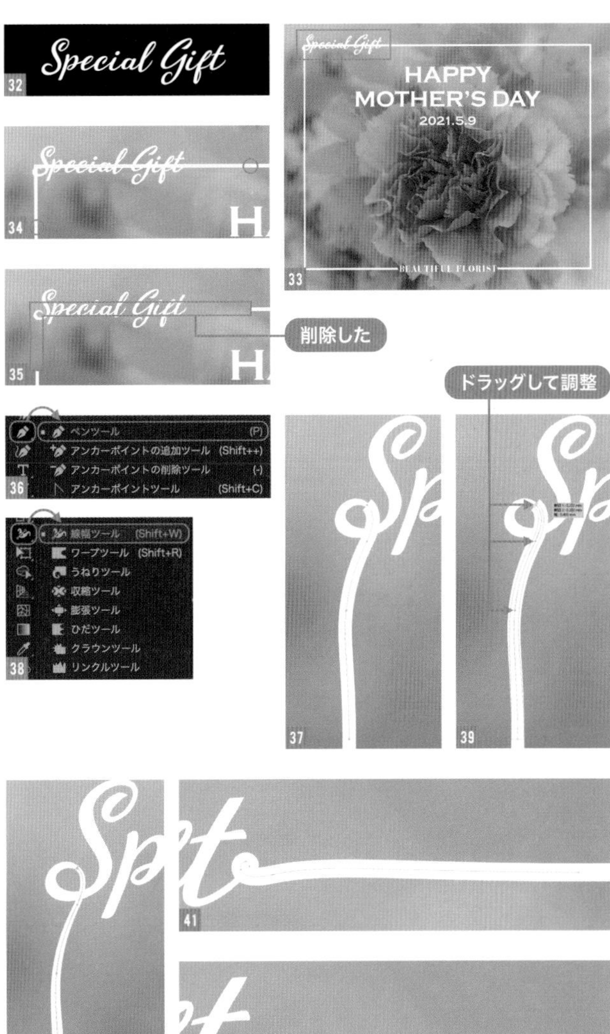

Point

ツールパネルに[はさみツール]や[線幅ツール]が見つからない時はツールパネルの最下段の[ツールバーを編集]を選択し、[すべてのツール]を表示しましょう。この中にあるアイコンを[ツールパネル]にドラッグして持ってくることもできます。

Point

全体のバランスを見て、枠の太さ、大きさなどは見直すようにしましょう。

SPEND TIME
at FOREST

GOOD
CAMPING SITE

Recipe

018

ベタを使って スッキリ見せる

情報量の多い画像をベタ面でスッキリさせて、見せたい情報を目立たせます。

01 ファイルを新規作成する

自然と触れられるキャンプ場のフライヤーを想定してデザインしていきます。

［ファイル］→［新規］を選択、単位を［ミリメートル］とし、［幅：232mm］［高さ：182mm］として［作成］をクリックします 01。

［新規レイヤーを作成］をクリックし、レイヤーを追加していきます 02。レイヤーを２枚追加し、上位からレイヤー名を［レイアウト］［ベタ］［写真］とします 03。

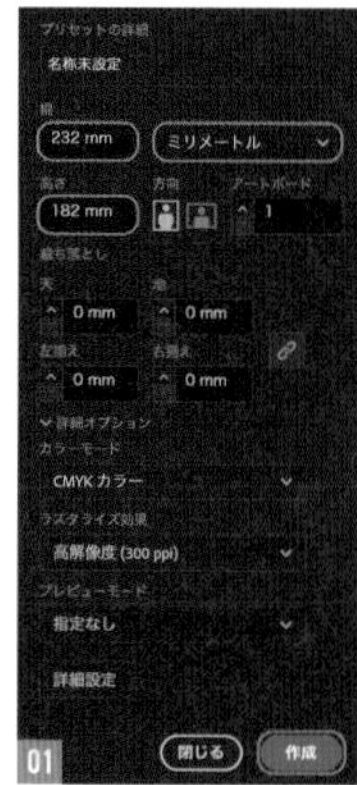

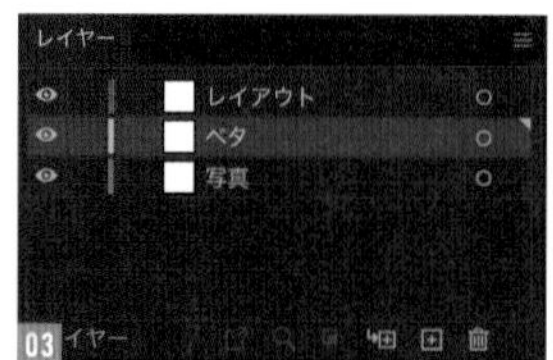

02 写真を配置する

レイヤー[写真]を選択します。
[ファイル]→[配置]を選択し、素材[ベタ.psd]を選びます。アートボードの中央に配置します04。
ツールパネルで[長方形ツール]を選びます05。
描画エリアで任意の場所をクリックすると数値入力のウィンドウが開きます。[幅：232mm][高さ：182mm]で長方形を作成し06、アートボード中央に配置します07。
ツールパネルの[選択ツール]を選び、先ほど配置した[長方形]と[枠.psd]を選択します08 09。
[オブジェクト]→[クリッピングマスク]→[作成]を選択しマスクをかけトリミングします10。これで写真の配置ができました11。

04

05

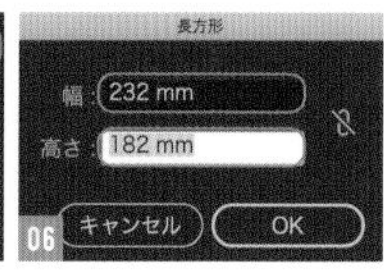

06

07

08

09

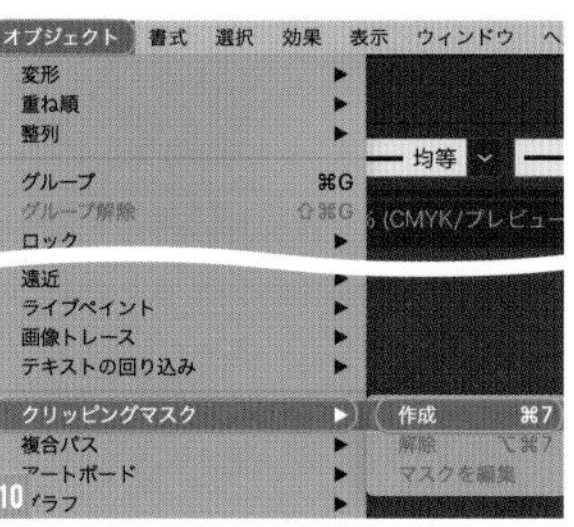

10

11

03 ベタ面をレイアウトする

レイヤー[ベタ]を選択します。
ツールパネルの[長方形ツール]を選び、[幅：145mm][高さ：135mm]の枠をアートボード中央に配置します12 13。ベタの色は[塗り：白]とします。ベタ面のレイアウトができました14。

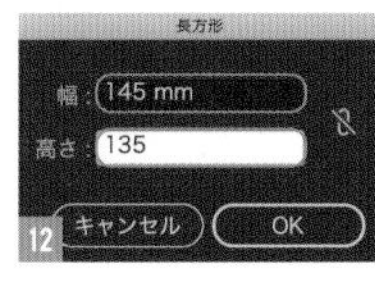

12

13

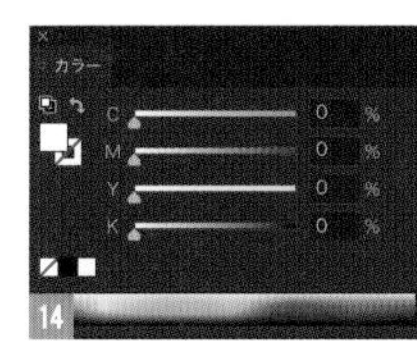

14

Point

ベタ面はパッと見たときに単調に見えないように左右と上下の空きをあえて揃えていません。
また、ベタ面の大きさは画像とのバランスを考慮して決めます。例えば画像を隠しすぎると、情報が足りず何かわかりません15。逆にベタ面の面積が小さすぎると中途半端なレイアウトになりスッキリ見えません16。

15

16

04 タイトルを配置する

レイヤー[レイアウト]を選択します。
ツールパネルの[文字ツール]を選び17、素材[テキスト.txt]から「SPEND TIME at FOREST」をコピー＆ペーストしタイトルを作ります。さらに「TIME」で改行を入れ整えます。
タイトルは一旦、ホワイトのベタ面の左上に配置し、選択したまま return（Enter）キーを押します。出てきた[移動]ダイアログから[水平方向：10mm][垂直方向：10mm]として移動し、上と左から「10mm」ずつ空けて配置します18 19。
文字と段落の設定は[フォント：Bodoni URW][フォントスタイル：Regular][サイズ：42pt][カーニング：オプティカル][行送り：45pt][トラッキング：0][段落：左揃え]としています20 21。塗りは[C：85 Y：100]としています22。

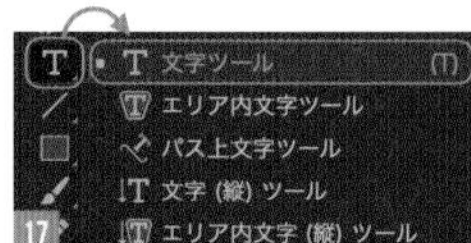

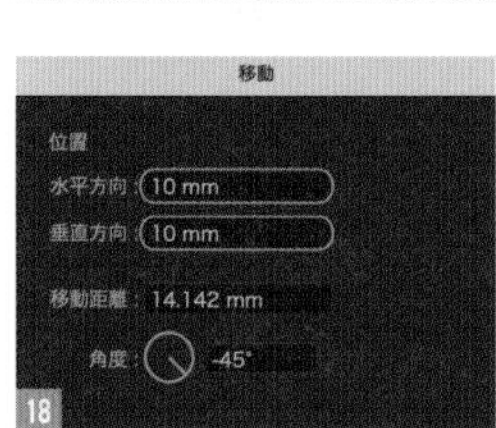

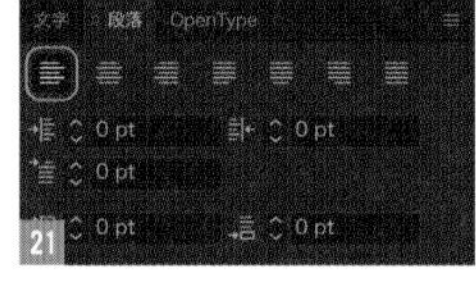

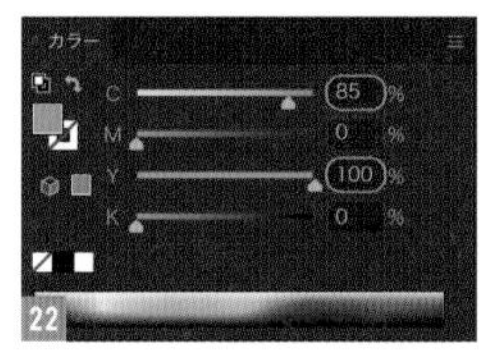

Point

色は背景の写真の緑とキャンプのイメージに合わせ、緑を使用しています。

05 タイトルに変化をつけ、下段にロゴを配置する

このままのテキストですと単調に見えるため、目を引く少しの変化をつけます。「at」の文字のみフォントを[フォントスタイル：Regular Oblique※]に変更、[ベースラインシフト：7pt]とし、文字を少し上に上げ空間を空けます23 24。
空けたスペースにフォントの縦線の太い幅と合わせた長方形[幅：10.3mm][高さ：1.4mm]をラインとして配置します25 26 27。
素材[ロゴ.ai]を開きます28。ツールパネルの[選択ツール]を選び、ロゴのオブジェクトをコピー＆ペーストで元のファイルにペーストします。ベタ面の中央、下から[10mm]の位置に配置して完成です29。

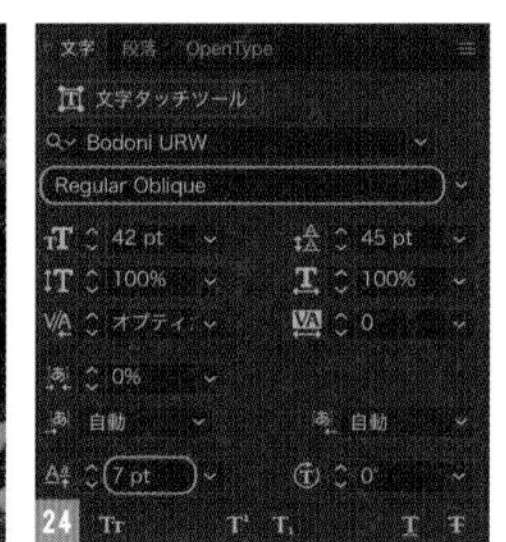

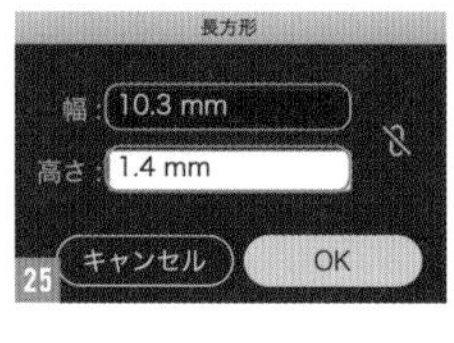

※Obliqueは斜めの意味。ここではアクセントとして使用。

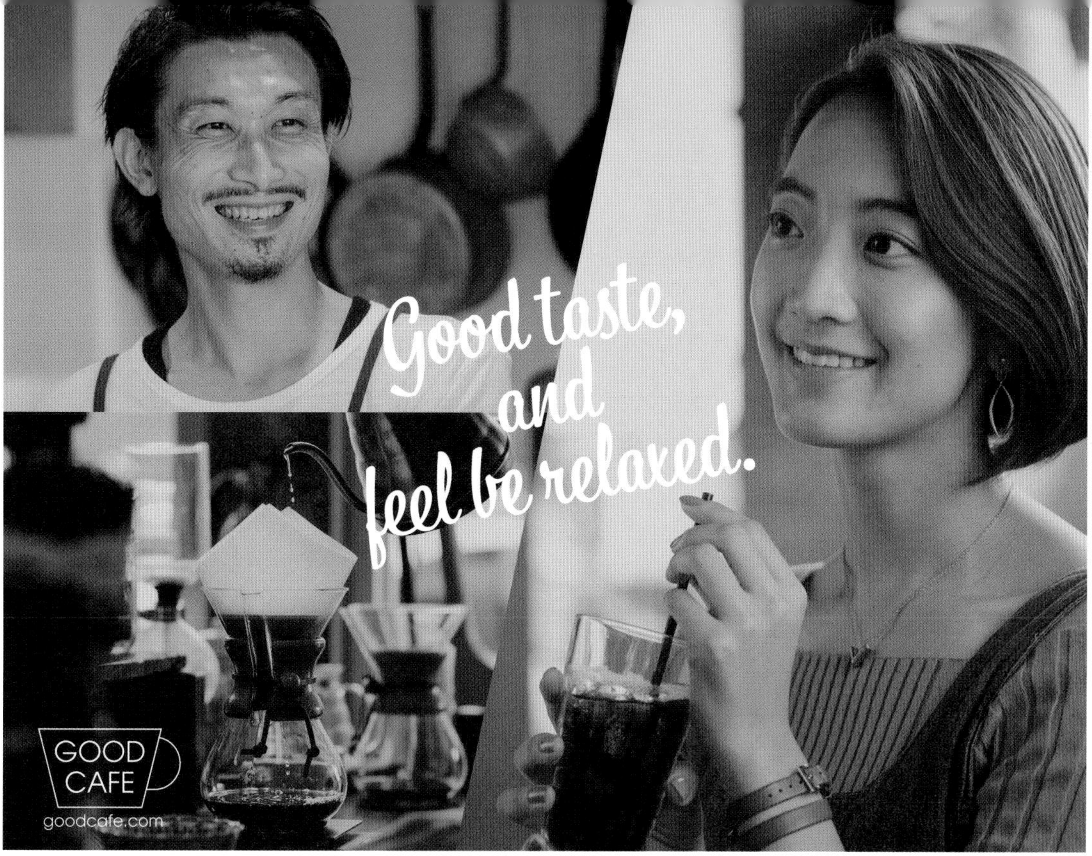

Recipe

019

複数の画像を色とコピーで繋ぐ

テーマに沿った複数の画像を並べ、色とコピーを整えてデザインの関係性を高めレイアウトを繋いでいきます。

Design methods

素材

GOOD
CAFE
goodcafe.com

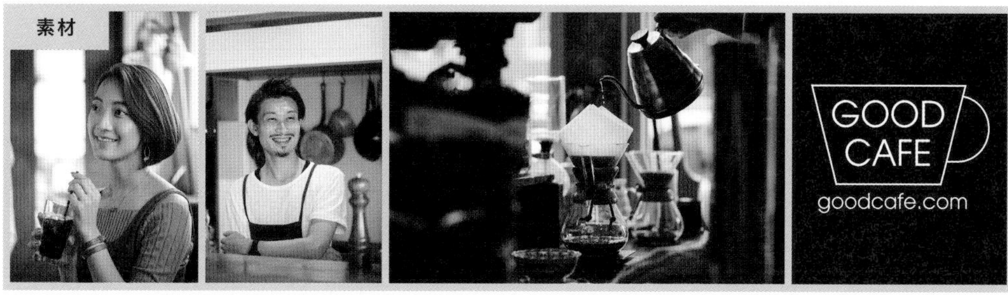

01 ファイルを新規作成する

Illustratorを立ち上げます。[ファイル]→[新規]を選択、単位を[ミリメートル]とし、[幅：232][高さ：182]として[作成]を選択します01。

[新規レイヤーを作成]をクリックし、レイヤーを追加します02。上位からレイヤー名を[レイアウト][写真]とします03。

カフェの雰囲気を伝えるバナー広告を想定して制作します。

02 直線を描く

今回、3点の写真を配置します。配置する前に手書きラフなどを作り、イメージを固めましょう。ここでは04のようにラフを作りました。右側の女性の写真を主役にしたカフェの雰囲気が伝わるレイアウトを制作します。

ツールパネルの[長方形ツール]を選択します05。描画エリアで任意の場所をクリックすると数値入力のウィンドウが開きます。[幅：232mm][高さ：182mm]とし、長方形を作成しアートボード中央に配置します06 07。長方形のカラーは任意でかまいません。ここではわかりやすいよう[M：100]としています08。

ツールパネルの[直線ツール]を選びます09。線のカラーが見やすいよう白にして作業しています10。

長方形の中心を垂直に通り、左右を2つに分けるように直線を描きます11。

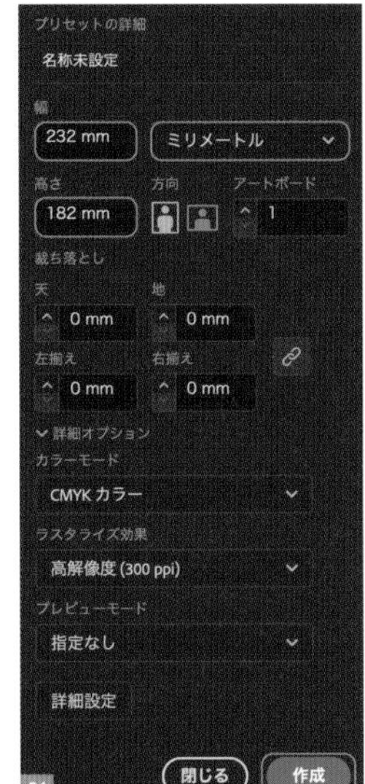

01

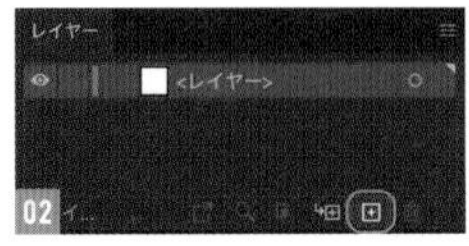

02

03

04

05

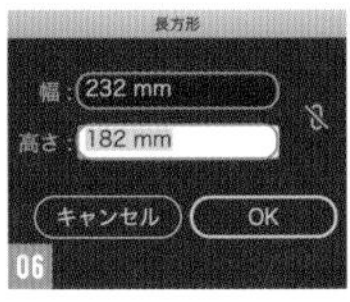

06

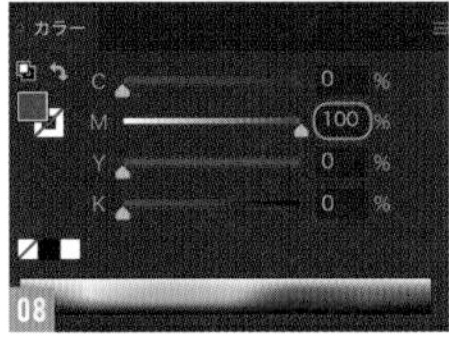

08

07

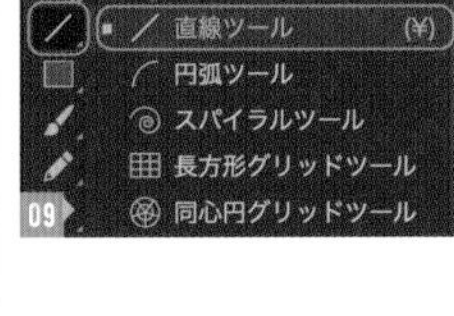

09

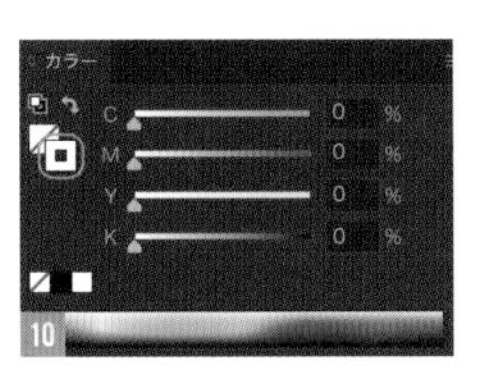

10

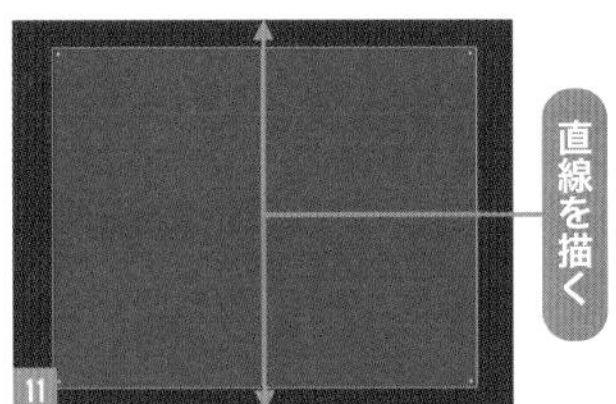

11

Point

複数のオブジェクトを中心に揃えるのが難しい時は[整列]パネルを活用しましょう。[選択ツール]で複数のオブジェクトを選択したら、基準にしたいオブジェクトをもう一度クリックします。[整列]パネルのパネル内の[水平方向中央に整列][垂直方向中央に整列]をクリックすれば基準にしたいオブジェクトの中心に配置できます12。

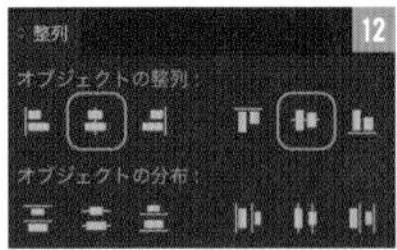

12

03 分割画面を作る

ツールパネルの［選択ツール］で直線を選択し、［オブジェクト］→［変形］→［回転］を選びます13。ダイアログが表示されるので［角度：-12°］とします14 15。

回転した斜線と長方形を選択します16。

［ウィンドウ］→［パスファインダー］を選択し、［パスファインダー］パネルで、［分割］を選択します17 18。長方形が選択した斜線で分割されました19。

04 左側の台形をさらに分割する

今の状態だと分割した長方形がグループ化されているので、長方形を［選択ツール］で選択し、［オブジェクト］→［グループ解除］でグループを解除します20。

左側の台形も前の手順と同様にして上下に2分割にします21。

05 写真を配置する

レイヤー［写真］を選択します。

［ファイル］→［配置］を選択し22、素材［分割_01.psd］を選びます。分割した右側の台形に重なるように配置します23。

写真を選択したまま、［オブジェクト］→［重ね順］→［最背面へ］を選択します24。写真がレイヤー［写真］の中で最背面へ移動しました25。写真と台形を選択し、［オブジェクト］→［クリッピングマスク］→［作成］を選択します26。台形にマスクされた画像ができました27。トリミングの細かい所はツールパネルの［ダイレクト選択ツール］などを使って、位置や大きさなどの調整を行ってください。

同様の手順で他の2点、素材［分割_02.psd］［分割_03.psd］についても配置していきます。写真の配置が完成しました28。

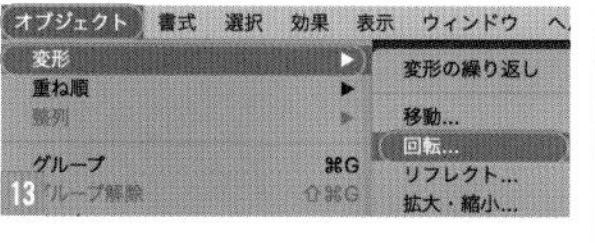

13

15

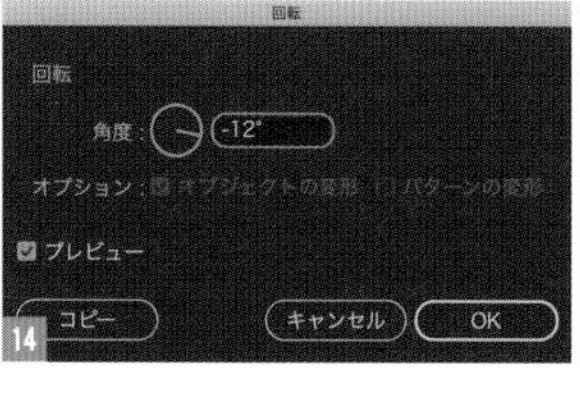

14

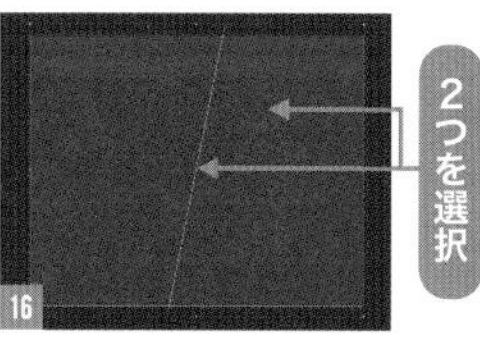

16

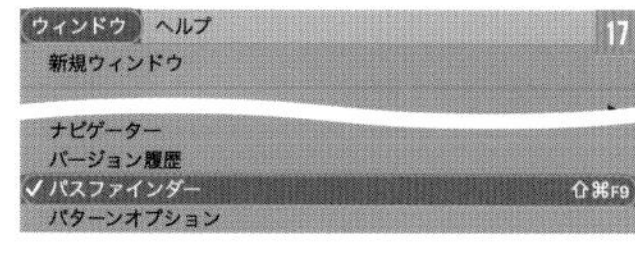

17

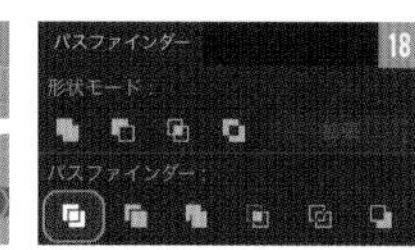

18

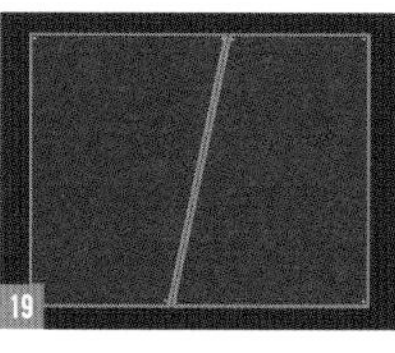
19

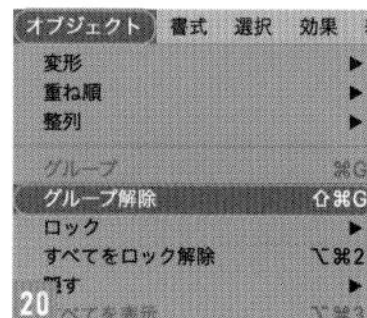

20

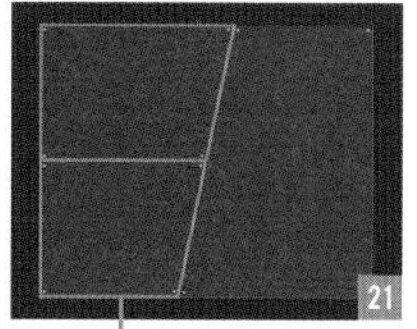

21

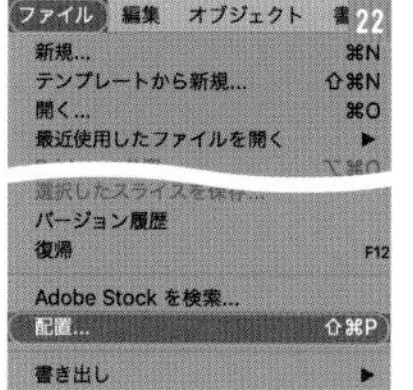

22

23

24

25

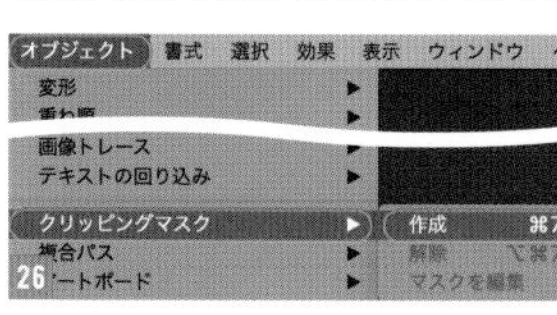

26

27

28

06 全体のトーンを揃える

レイヤー[写真]を選択します。
ツールパネルの[長方形ツール]を選択し、[幅：232mm][高さ：182mm]で長方形を作成しアートボード中央に配置します 29 30 。カラーは[M：20 Y：40]とします 31 。
長方形を選択した状態で、[ウィンドウ]→[透明]を選択し 32 、[描画モード：乗算]を選択します 33 。
全体にコーヒーをイメージした茶系の地色を敷いてトーンが揃いました 34 。

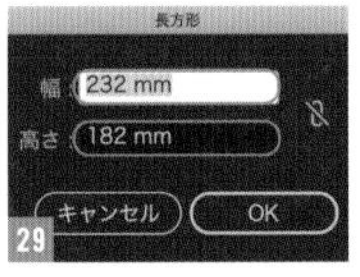

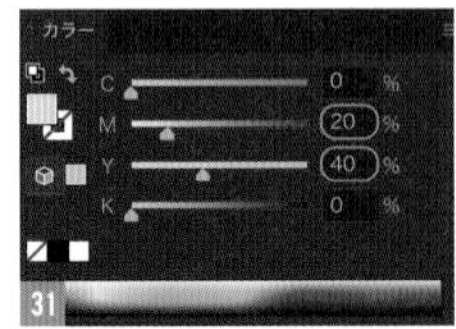

07 文字をレイアウトする

まず、全体の明度を下げ、トーンを作ります。
今回、白文字を配置するため現状のままだと可読性が保てないので色ベタを使い明度を下げます。

レイヤー[レイアウト]を選択します。
ツールパネルの[文字ツール]を選択 35 、素材[テキスト.txt]から「Good taste, and feel be relaxed.」をコピー＆ペーストで持ってきます 36 。文字の設定は[フォント：Bistro Script][フォントスタイル：Regular][サイズ：58pt][行送り：47pt][カーニング：オプティカル][トラッキング：0][段落：中央揃え]としています 37 38 。カラーは白です 39 。

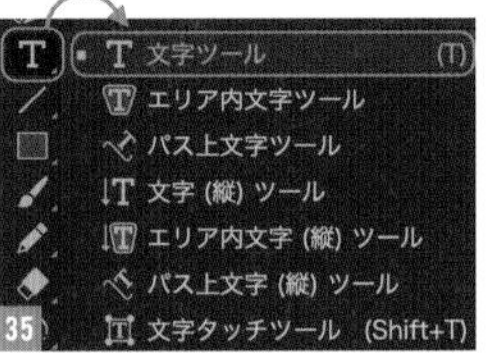

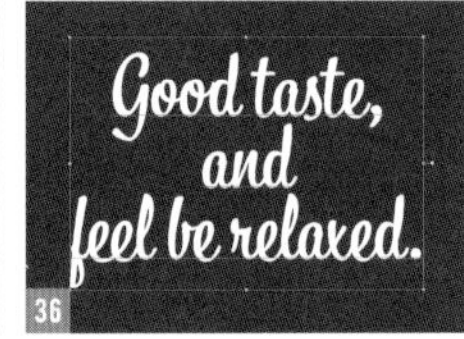

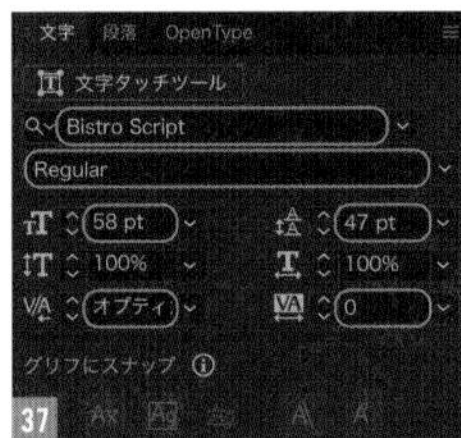

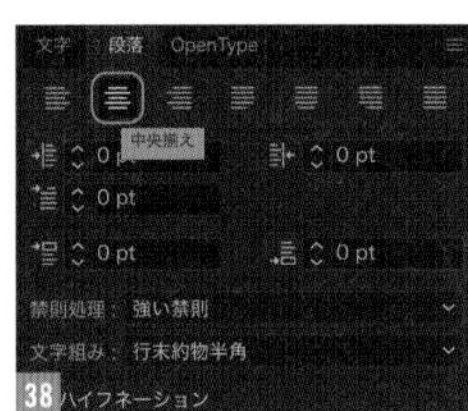

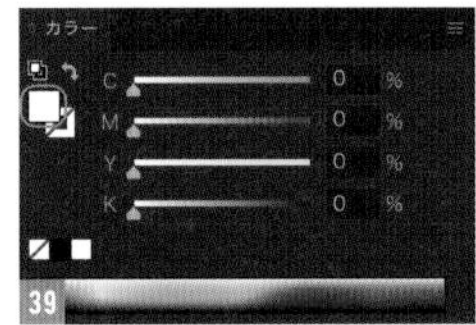

Column

効果的な写真の配置の仕方

この節の写真では、主役として女性を大きく扱っており、女性と男性の目線が合うようにレイアウトをしています。
さらに男性の下にはコーヒードリッパーがあり、男性が淹れるコーヒーを印象づけています。このように写真の配置の仕方で写真同士の関係性を作っていくことができるのです。

さらに[オブジェクト]→[変形]→[回転]で[角度:10°]回転します40 41。42のように、3つの写真をまたぐように配置します。文字のレイアウトができました。

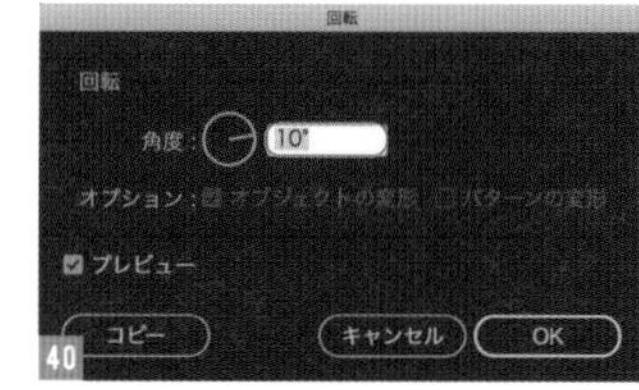

40

41

42

08 ロゴをレイアウトする

最後にショップのロゴを配置します。
素材[ロゴ.ai]を開きます43。
ツールパネルの[選択ツール]を選び、ロゴのオブジェクトを選択し、コピー&ペーストで持ってきましょう。最初に書いた手書きのラフのイメージに従って、アートボード左下44に配置します。
デザインが完成しました。

43

44

Column

効果的なフォントやレイアウト

このRecipeのデザインではカフェの空気感が出るように、雰囲気のある柔らかいスクリプトのフォントを選びました。
また、文字は少し回転させ動きをつけることで、周りの3点の写真に目がいくよう気を配っています01。
仮に写真や文字がすべて水平垂直を基準にデザインすると画面に動きがなく、硬い印象になってしまうことがわかります02。
このようにデザインのテーマや目的に合わせ、より効果的なフォントやレイアウトを活用しましょう。

01
動きがあり3点に目がいく

02
動きがなく硬い印象

with smile,
with you.

SMILE PHOTO STUDIO

Recipe 020 「寄り」と「引き」の写真でストーリーを演出する

同じ場面の「寄り」と「引き」の写真を上下にレイアウトし、1枚のデザインとしてストーリーを演出する方法を解説していきます。

Design methods

01 ファイルを新規作成する

Illustratorを立ち上げて、[ファイル]→[新規]を選択、単位を[ミリメートル]とし、[幅:182mm][高さ:232mm]として[作成]をクリックします 01。

[新規レイヤーを作成]をクリックし、レイヤーを追加します 02。レイヤーを2枚追加し上位からレイヤー名を[レイアウト][枠][写真]とします 03。今回のデザインはカメラマンのスタジオの広告フライヤーを想定しています。

02 写真をピッタリと配置する

レイヤー[写真]を選択します。

[ファイル]→[配置]を選択し 04、素材[寄り.psd]を選びます。アートボードの中央上部ピッタリに配置します 05。再度[ファイル]→[配置]を選択し、素材[引き.psd]を選び[寄り.psd]下に隙間を作らずピッタリと配置します 06。

なお、[表示]→[スマートガイド](⌘(ctrl)+Uキー)にチェックを入れると、角やオブジェクトにピッタリと合い、ずれにくくなります 07。

Point

写真を配置する時は写真の内容を活かすように心がけましょう。

今回、扱う写真は「子供の笑顔の寄り」と「子供を大きく上に掲げている男性の引き」です。高く掲げる男性の動作に合わせ上下に写真を配置し演出することで、見る人に上下の写真の関係性やストーリーを届けることができます。また、ここでは子供の笑顔の理由が下の写真の内容によって明快にもなっています。

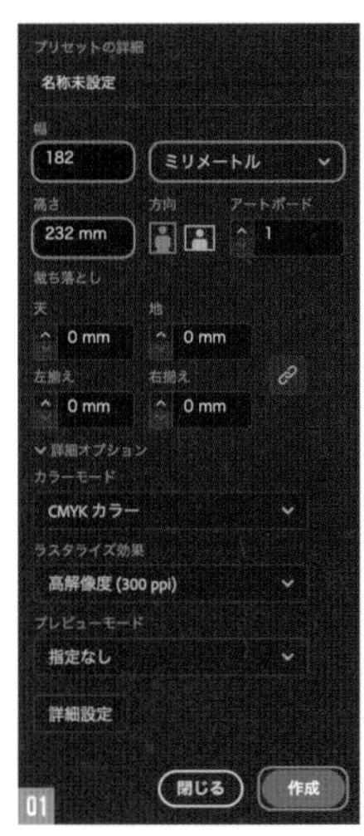

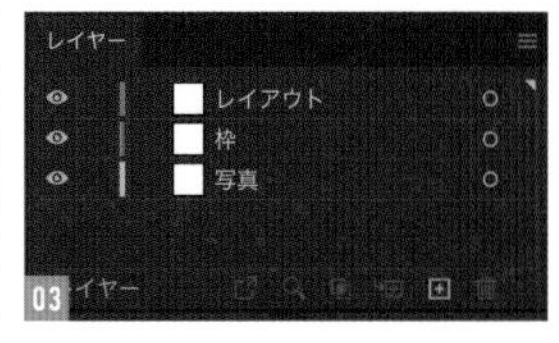

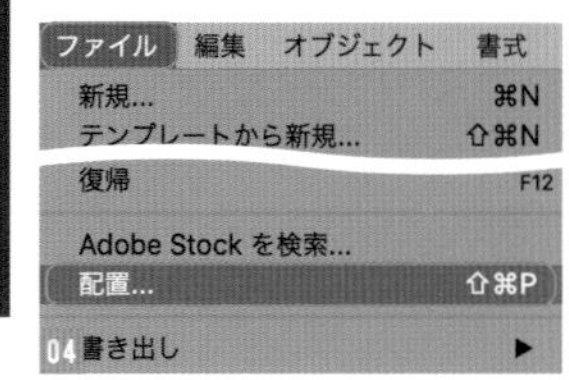

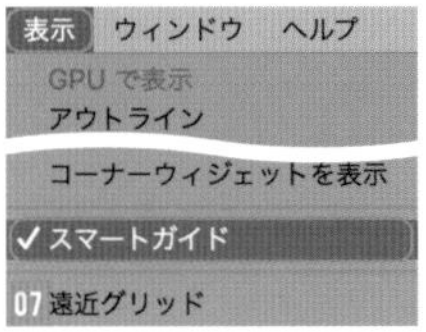

03 写真を囲む外枠を作る

レイヤー[枠]を選択します。

ツールパネルの[長方形ツール]を選び08、描画エリアで任意の場所をクリックし、数値入力のウィンドウを開きます。[幅：182mm][高さ：232mm]長方形の色を[M：30]として長方形を作成しアートボード中央に配置します09 10 11。色は子供の服や肌の色に合わせて明るいピンクを使っています。

さらに[長方形ツール]で[幅：172mm][高さ：217mm]の長方形を作成し、カラーを[白]に設定します12 13。

アートボードの左右中央、上から「5mm」空けて配置します14。白の長方形を選択したまま[効果]→[スタイライズ]→[角を丸くする]を選択し、[半径：3mm]とします15 16。白の長方形の角が丸くなりました17。

続けて[オブジェクト]→[アピアランスを分割]を選択します18。

ツールパネルの[選択ツール]を選び19、作成した長方形2つを選択します20。[オブジェクト]→[複合パス]→[作成]を選択します21。外枠が完成しました22。

Point

今回、子供が被写体のため印象を柔らかくするため、外枠の角を丸くしています。角丸の半径が大きくなればより柔らかく、小さくなればより硬く、印象が変化していきます。作りながら試してみるとよいでしょう。

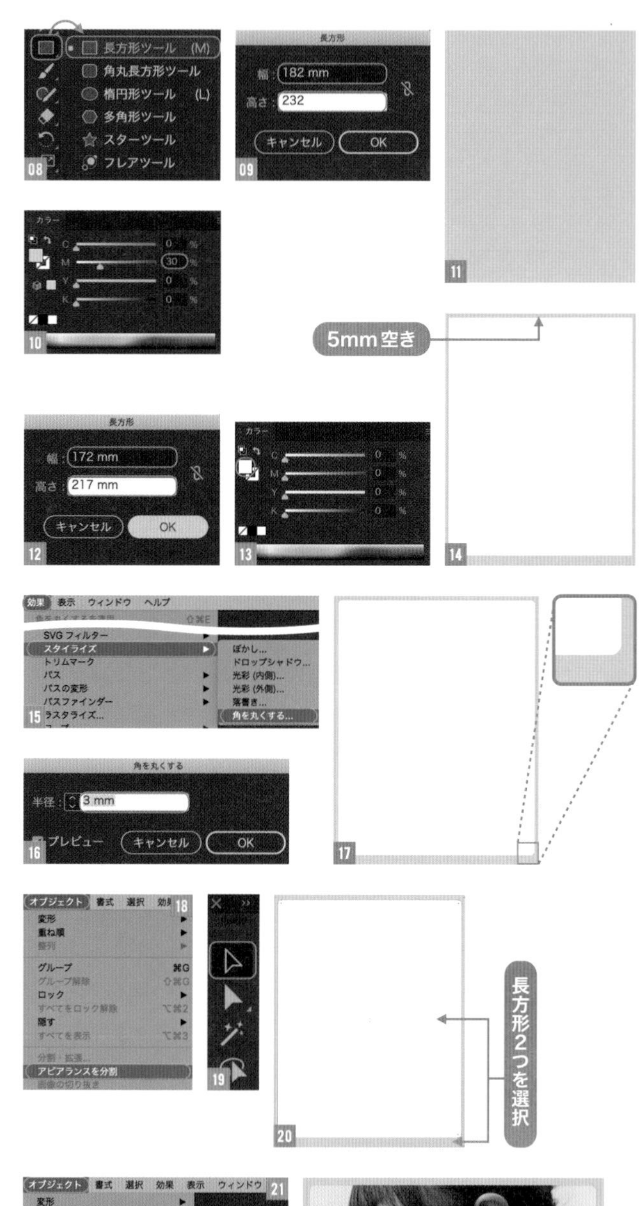

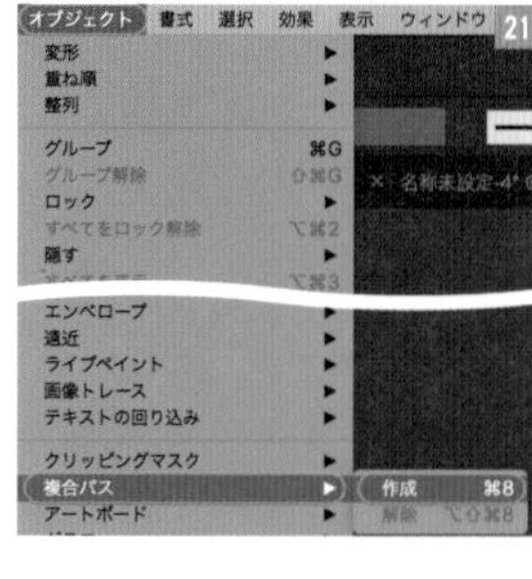

04 テキストとロゴをレイアウトする

レイヤー[レイアウト]を選択します。
ツールパネルの[文字ツール]を選択します23。
素材[テキスト.txt]から「with smile, with you.」をコピー＆ペーストします。「,」で改行し、配置した上下2つの写真をまたぐように文字を配置します24。
文字の設定は[フォント：ITC Avant Garde Gothic Pro Medium][フォントスタイル：Medium][サイズ：18pt][行送り：20pt][トラッキング：20]、カラーを[M：100]としています25 26。
続けて、素材の[ロゴ.ai]を開きます27。
ツールパネルの[選択ツール]を選び、タイトルのオブジェクトを選択、コピーし28、元のファイルに戻りペーストします29 30。
アートボードの中央下部に写真と外枠にまたぐように配置して完成です31 32。

Point

今回使用した上下の写真がなるべく1つの塊に見えるように、周りの枠やテキストの配置を行っています。
また世界観を壊さないようにスッキリしつつ、かわいらしさがあるフォントを選びデザインにも気を配っています。

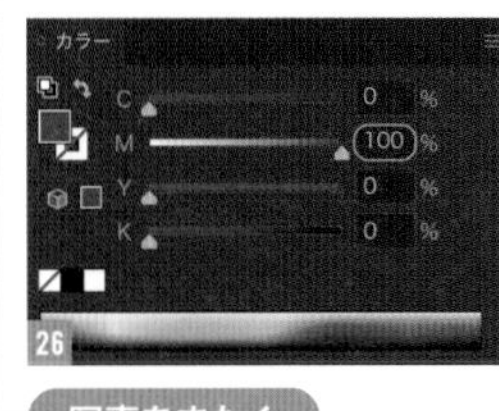

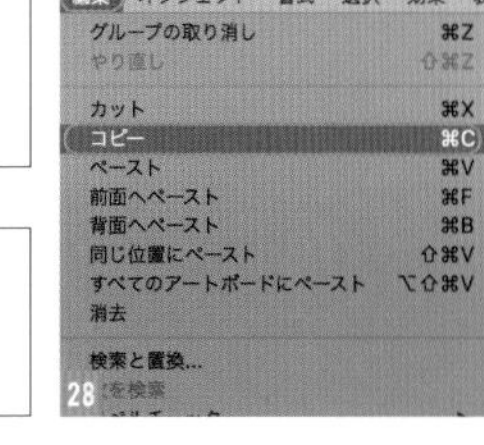

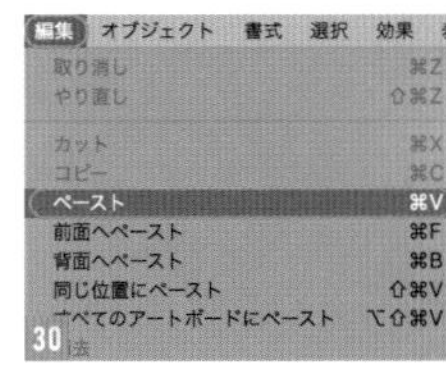

DESIGNER's
HOUSE

販売会開催

人をつなぐ居心地のいい暮らし、居心地がいい時間と空間。

開催期間 2021年10月15日～10月20日

住所：東京都港区六本木2-4-5

Recipe

021

角版写真と切り抜き写真を組み合わせるレイアウト

角版写真※と切り抜き写真を組み合わせることで、見た目にも動きのある楽しげな印象のデザインを作っていきます。

01 切り抜き画像を作成する

家の輪郭にそって切り抜きを行います。
Photoshopを立ち上げて、素材[外観.psd]を開き、ツールパネルの[ペンツール]を選択します01。
ペンツールを選択した状態で[オプションバー]に表示されている[ツールモード]を[パス]に設定します02。家の輪郭に沿ってパスを引いていきます。家を一周してパスを開始した場所まで繋げていきましょう03。
[ウィンドウ]→[パス]でパスパネルを表示し、先ほど引いた[作業用パス]を選択します04。
この状態で[レイヤー]→[ベクトルマスク]→[現在のパス]を選択します05。これでパスで画像にベクトルマスクをかけて、切り抜くことができます06。切り抜いた画像は上書き保存しておきましょう。

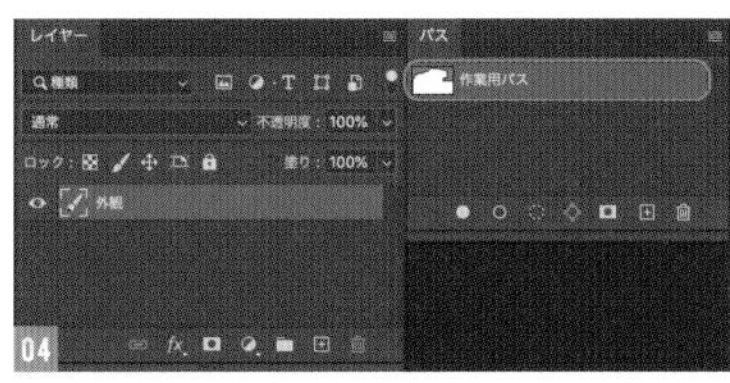

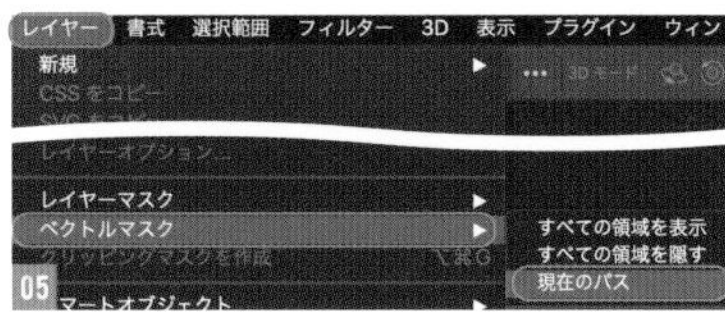

Point

2つの写真を組み合わせる際は写真同士の関係性を意識してレイアウトするとよいでしょう。その意図が見る側に伝わります。
例えばこのRecipeの作例では、角版写真で室内、切り抜き写真で家の外観、といった関係性がある2つの写真を組み合わせています。見る側に家の繋がりが伝わるレイアウトにしています。

同じ家の室内

同じ家の外観

※角版写真…正方形または長方形の形で使用する写真のこと。

02 Illustratorでアートボードを2つに分割する水平線を引く

Illustratorのアートボードを2つに分割して、上部に角版写真、下部に切り抜き写真を配置します。

Illustratorを立ち上げ、[ファイル]→[新規]を選択、[横：182mm][縦：232mm]としてアートボードを作成します07。

ツールパネルの[直線ツール]を選択します08※。その状態でアートボードをクリックします。[直線ツールオプション]が開くので、[長さ：182mm][角度：0°]としてアートボードの横幅と同じ長さの水平線を引きます09。

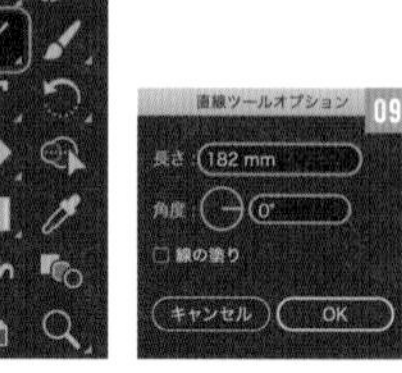

03 アートボードの上下中央に線を配置してガイドにする

線を選択した状態で、[ウィンドウ]→[整列]で[整列]パネルを表示します。右下のアイコンから[アートボードに整列]に設定し、[水平方向中央に整列]と[垂直方向中央に整列]を選択します10。これでアートボードの上下中央に直線が配置されます11。配置された直線を選択した状態で[右クリック]→[ガイドを作成]を選択しガイドにします12。

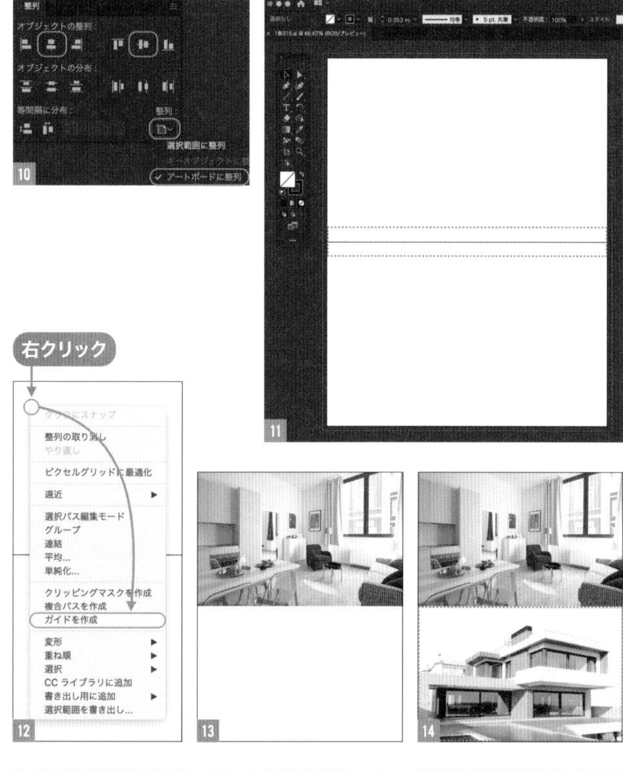

04 室内の写真、外観の写真を配置する

[ファイル]→[配置]で素材[室内.psd]を選択しガイドから上の部分に配置します13。

同様にアートボードの下辺を基準に、[外観.psd]を配置します14。

05 テキストを配置する

ツールパネルの[文字ツール]を選択し、素材「テキスト.txt」から「DESIGNER's HOUSE」をコピー＆ペーストします。室内の画像の左下に配置しました。明るい印象にするため、文字のトラッキングを大きく広げています15。細かな設定は16の通りです。

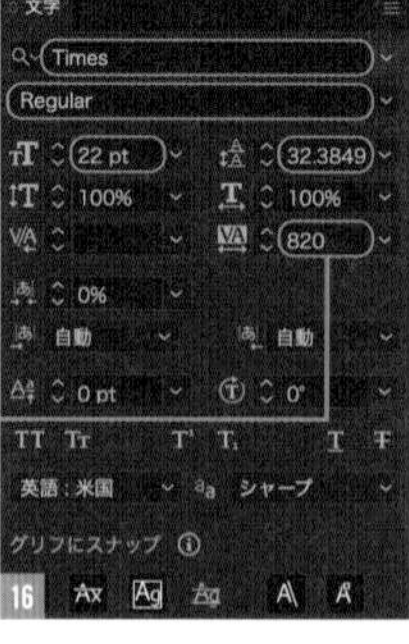

※直線ツール…もし見つからない場合は長方形ツールを長押しすると項目が見つかります。なお、ツールの配置はIllustratorのバージョンによっても変わってきます。

06 白い線でアイキャッチを作る

ツールパネルの［ペンツール］でテキストの左側に［白い線］を加えます 17。これで画像とテキストに目がいくようになります。
線は「DESIGNER's HOUSE」のテキストの幅と同様の空きを考えて配置するとよいでしょう 18。

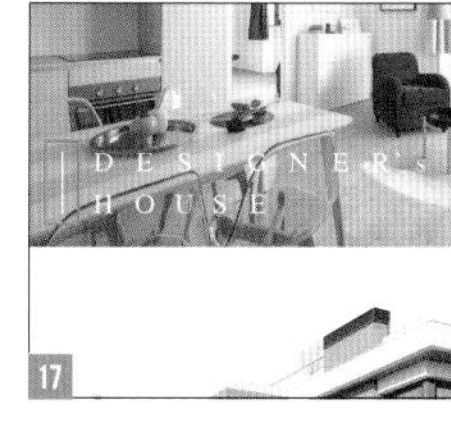
17

18

07 画像と文字の重なる部分に薄い黒のグラデーションを引く

文字の可読性を上げるために画像の上に薄い黒のグラデーションを配置します。ツールパネルの［長方形ツール］を選び 19、アートボード上をクリックして［幅：182mm］［高さ：116mm］の長方形を作ります 20。その長方形の塗りを［グラデーション］パネルで［角度：90°］の［黒と白のグラデーション］に設定します 21。［整列］パネルを使ってアートボードに対して左上を起点 22 にして外観写真に真上の配置します 23。［ウィンドウ］→［透明］を選択し、［描画モード：乗算］［不透明度：20%］に設定 24 すると外観写真に薄いグラデーションが加えられます 25。

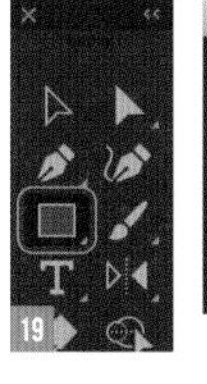
19

20

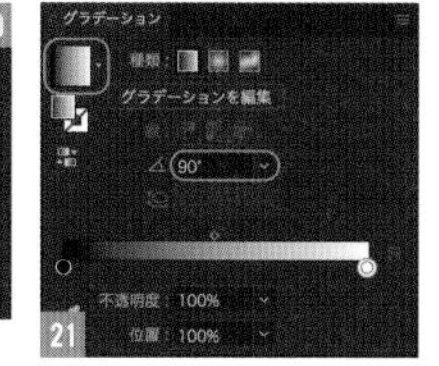

21

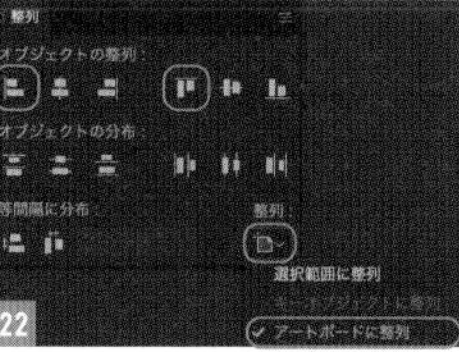

22

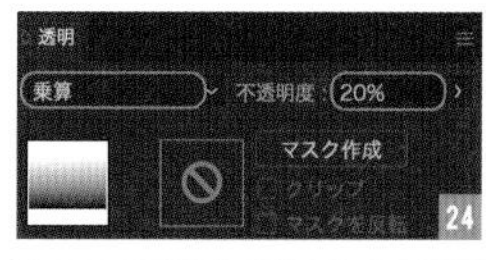

24

23

25

Point

グラデーション無だと画像とテキストのコントラストが少ないため文字が読みづらい状態になっています。比べてみると差は歴然です 26 27。

26

27

08 その他のパーツを配置する

素材［テキスト.txt］から残りのテキストを配置します。画像の輪郭に沿うようにテキストを分割し、ツールパネルの［回転］を使いながらテキストを配置していきます 28。
素材［タイトル.ai］から素材をコピー＆ペーストして持ってきて完成です 29。視線の終点になる下部左には［期間］、［場所］を入れて流れを意識しました。

28

29

『たのしいお家ごはん』

lemon

avocado

egg

Recipe
022 切り抜き写真をレイアウトする

複数枚の切り抜き写真を用いて、見た目に楽しくにぎやかな印象のデザインを作りましょう。

素材

01 Photoshopで料理の写真を切り抜く

料理の写真を輪郭に沿って切り抜きます。Photoshopを立ち上げて、素材[料理-特大.psd]を開きます。ツールパネルの[ペンツール]を選択し 01、[オプションバー]に表示されている[ツールモード]を[パス]に設定します 02。食べ物の輪郭に沿ってパスを引きます 03。
[ウィンドウ]→[パス]を選択し、[パス]パネルで[作業用パス]を選択します。この状態で[レイヤー]→[ベクトルマスク]→[現在のパス]を選択し、切り抜きます。
同様に素材[料理-大.psd][料理-中.psd][料理-小.psd]、その他の野菜や果物の画像なども切り抜いておきます。なお、切り抜きのより詳しいテクニックはChapter03のP.103, 106を参照するとよいでしょう。

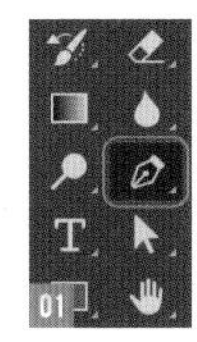
01

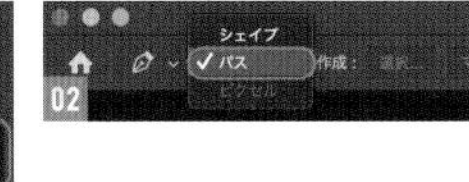

02

03

Point

デザインに切り抜き写真を複数使用する時は、同じ構図から撮影した写真で取り揃えると、デザインとしてまとめるのが楽になります。04 の写真では真上の構図ですべて揃えています。

04

Point

この作例では左上のキャッチコピーを起点として、ユーザーの視線の流れを線でつなげた時に、線がジグザグになるように強弱をつけて配置しています。
このように配置すると、レイアウトの単調さを防ぎ、動きのある楽しげな印象になります 05。

05

02 ファイルを新規作成する

Illustratorを立ち上げて、[ファイル]→[新規]を選択、[横：182mm][縦：232mm]としてアートボードを作成します06。[ファイル]→[配置]から紙のテクスチャの画像、素材[bg.psd]を選択し、アートボードに合わせて配置します07 08。

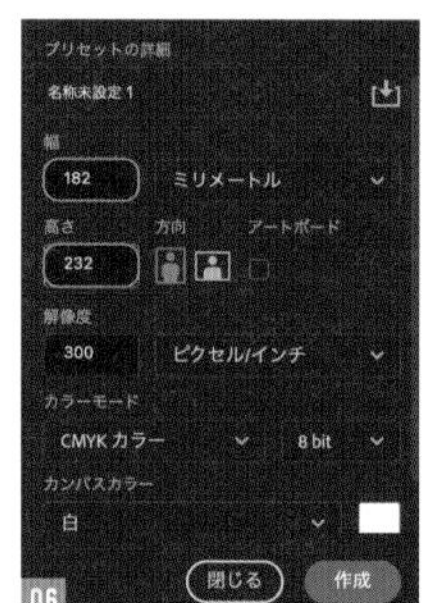

06

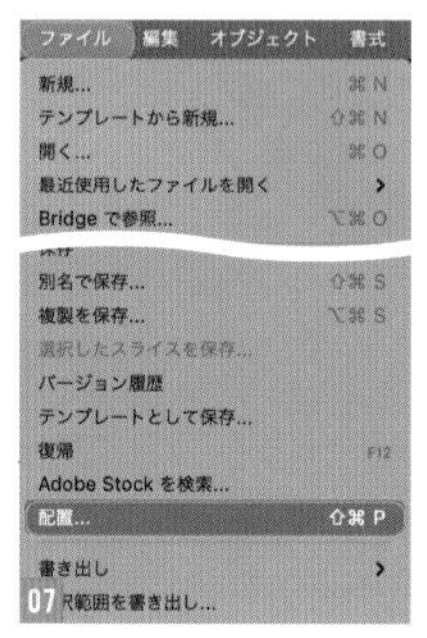

07

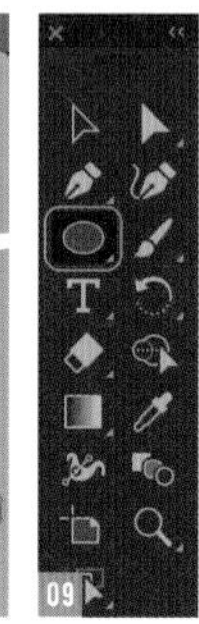
09

08

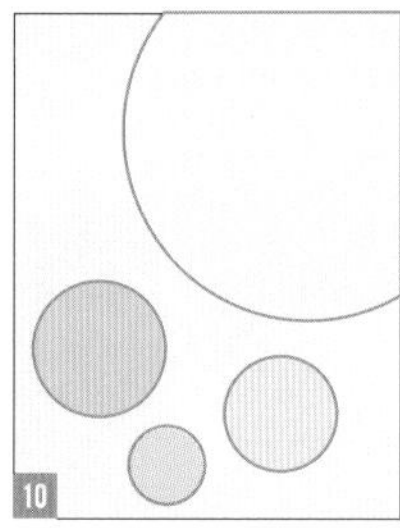
10

14

03 料理の下に置く色の円を配置する

料理の写真を配置する場所に、色の円を配置していきます。ツールパネルの[楕円形ツール]を選択します09※。shiftキーを押しながらマウスカーソルをドラッグすることで、正円を描くことができます。色を変更しながら4つ作っていきます10。

それぞれの円を選択し、[オブジェクト]→[パス]→[パスのオフセット]を選びます11。

[オフセット：4mm]と設定して[OKボタン]を選択します12。これで、それぞれの円の外側に半径4mm大きい円ができます。

内側の円を外側の円よりも上のレイヤーに配置して、[ウィンドウ]→[透明]から[乗算]を選択します13。14のようになりました。

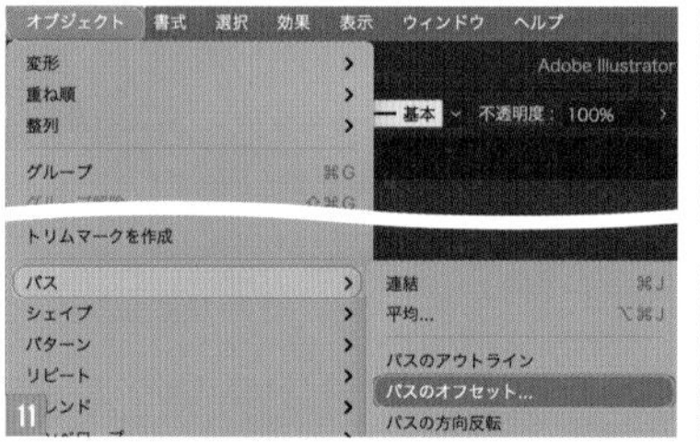

11

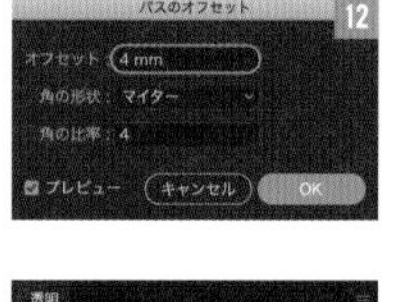

12

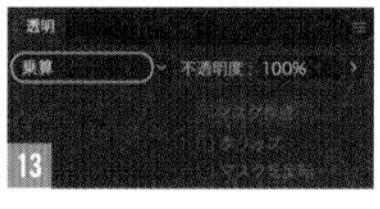

13

04 写真を配置して点線を追加する

[ファイル]→[配置]から[料理-特大.psd][料理-大.psd][料理-中.psd][料理-小.psd]をそれぞれ選択して、先ほど描いた色の円の上に配置していきます。

その際、円の中心と写真の中心を少しずらして配置することで、レイアウトに動きが出ます15。

さらにそれぞれの色の円のフチに沿った点線を加えます。ツールパネルの[楕円形ツール]を選択し16、円を作成します。円は[塗り：なし][K：95%]に設定します17。

さらに、[線]パネルで[線:0.5pt][破線]にチェックをして、[線分：3pt][間隔：5pt]に設定します18。これを各色の円の外側に設定します19。

15

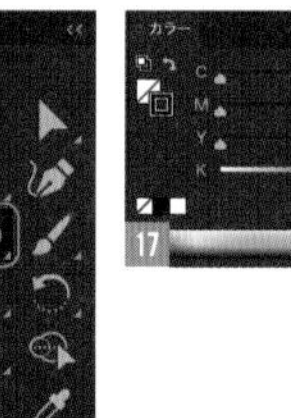
16

17

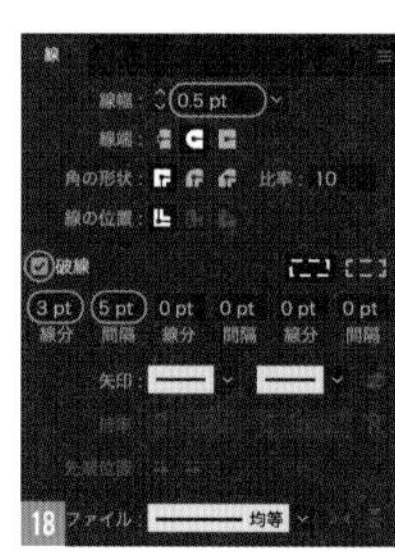

18

19

※ツールパネルの[楕円形ツール]が見つからない時は[長方形ツール]を長押しして表示させてください。

05 点線以外のあしらいを加える

点線以外の線のあしらいを加えていきます。

まずは色の円の外側に正円を描きます。正円が描けたら、円の中で残したい部分の線の両端にツールパネルの［ペンツール］でアンカーポイントを追加します 20 21。［残したい線］の両端以外にある［アンカーポイント］を［ダイレクト選択ツール］22 で選択して［削除］していきます。そうすると［残したい線］の部分だけ残り、他の部分は削除されます 23。［ペンツール］で他の線も作成していきます 24。

なお、円に対して垂直の線のあしらいを加え方はツールパネルの［直線ツール］で作ります 25。円に対して垂直の線を適当な長さで描いていきます 26。さらに線を選択した状態で option（Alt）キーを押しながらドラッグして下方に線を複製します 27。⌘（Ctrl）＋D キーを数回押し、直前の操作を繰り返します 28。そうすると複数の同じ線を平行に描くことができます。その後、［ダイレクト選択ツール］で長さ、角度、本数を微調整して仕上げます 29。

06 直線や雲などのあしらいを追加する

ツールパネルの［長方形ツール］［多角形ツール］［楕円形ツール］を使ってその他の四角や三角、円を作っていきます。雲は円を複数重ねて見せています 30。文字も［フォント：Cooper Std Black］で配置します 31。この辺は素材も用意してあります。

07 野菜の切り抜き写真を配置する

［ファイル］→［配置］から素材［野菜01.psd］［野菜02.psd］［野菜03.psd］［野菜04.psd］［葉01.psd］［葉02.psd］［葉03.psd］［葉04.psd］［レモン01.psd］［レモン02.psd］を似ている写真がかたまりにならないように配置します 32。最後にユーザーが一番最初に目を留めやすい左上にタイトルを配置します 33。これで完成です。

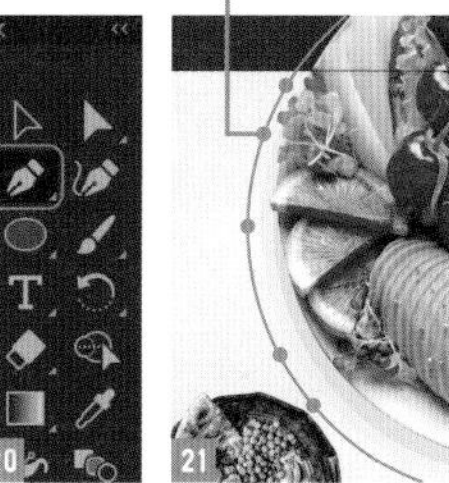

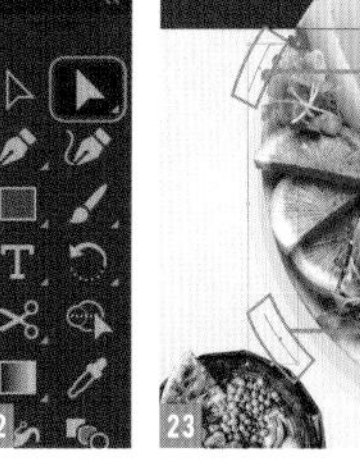

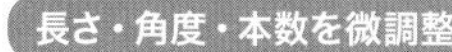

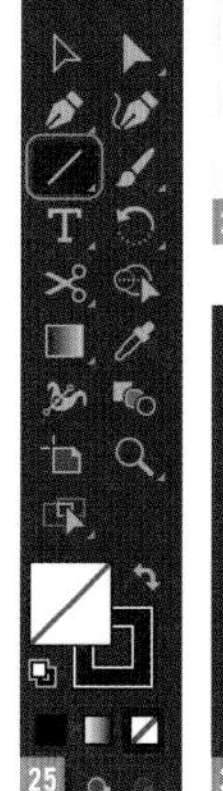

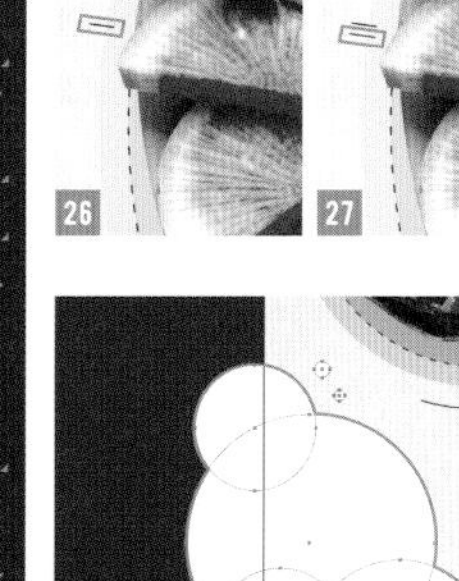

design
event
2021.12.15 - 2021.12.31

Recipe 023 ブロークングリッドのレイアウトを作る

グリッドに整列して配置しつつも、一部を意図的にずらすことでレイアウトに動きを出す「ブロークングリッド」を作ります。

Design methods

素材

01 グリッドのガイドを配置する

Illustratorを立ち上げ、[ファイル]→[新規]を選択し、[横:182mm][縦:232mm]としてアートボードを作成します01。ツールパネルから[長方形ツール]を選択して、アートボードをクリックして[横：182mm][縦：232mm]と入力し、アートボードのサイズピッタリの長方形を作成し、アートボードに合わせて配置します02。
[オブジェクト]→[パス]→[グリッドに分割]を選択し03、表示されたダイアログの列の項目に[段数：6]と入力します04。すると長方形が6つの縦長の長方形に分割されます。6つの長方形を選択したのち、[右クリック]→[ガイドを作成]を選択します05。これでアートボードに対して5本のガイドラインができました06。このガイドが作る格子をグリッドとして考えてパーツを配置していきます。

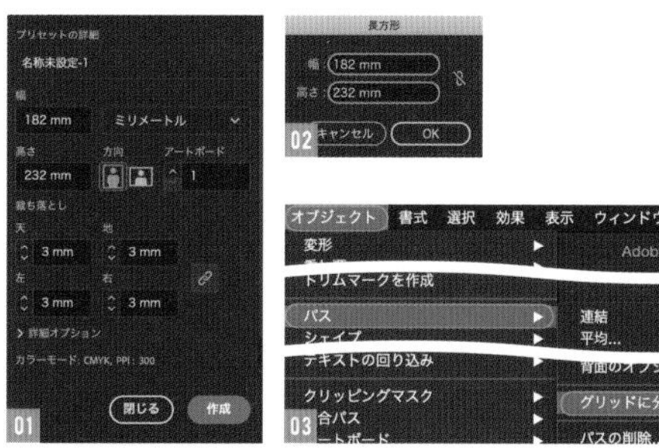

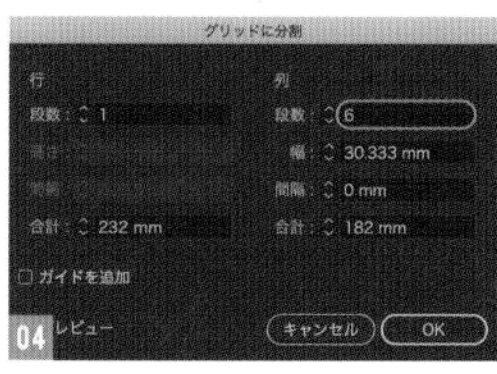

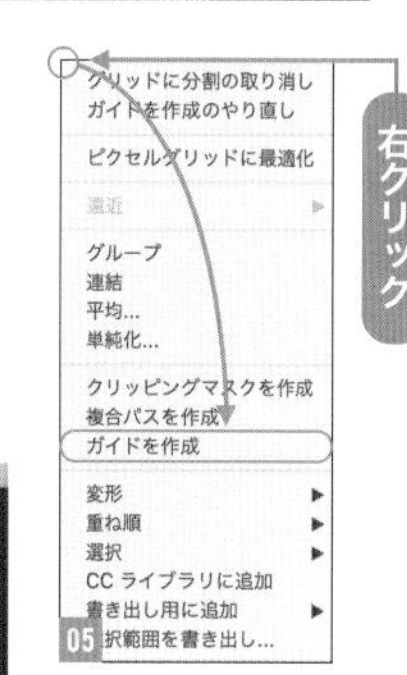

02 グリッドに合わせてラインを引く

グリッドに合わせて線を引きます。ツールパネルから[直線ツール]を選択、アートボードをクリックして[長さ：232mm][角度：90°]と入力し、直線を作成します07。
線を選択した状態でoption（alt）キーを押しながらドラッグすると、同様の線が複製されるので、それぞれガイドに沿って線を5本配置します。線の縦位置を整える時は5本の線を選択した状態で、整列パネルの[整列：アートボードに整列]に設定した状態で[オブジェクトの整列：垂直方向上に整列]を選択することでアートボードの上端に合わせて配置することができます08。

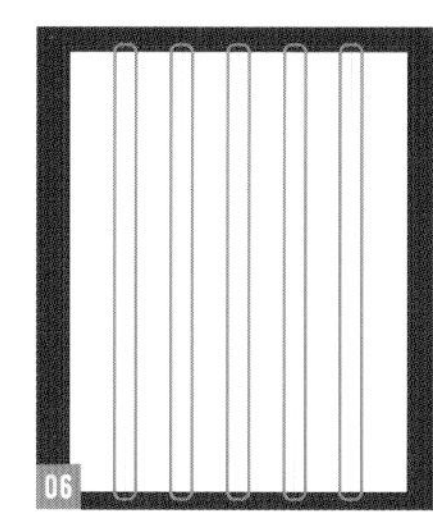

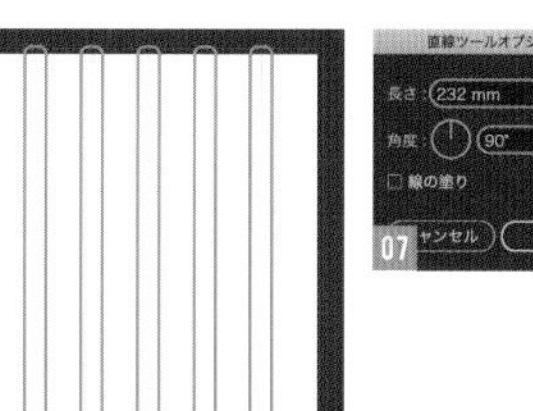

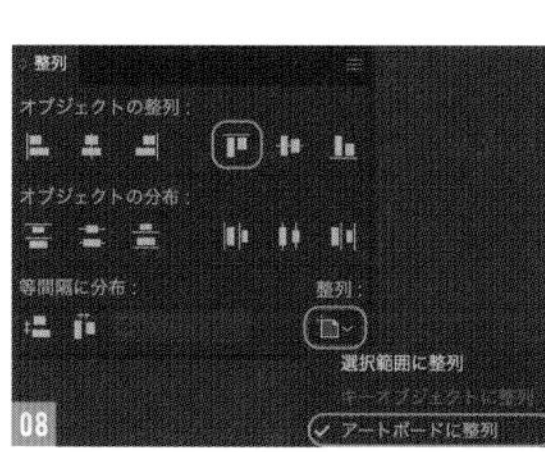

Point

直線をガイドに沿って配置する時はメニューの[表示]→[ポイントにスナップ]にチェックを入れることで、ガイドにマウスで移動して配置しても、ポイントにスナップしてきれいに配置することができます。

03 グリッドを基準に オブジェクトを配置していく

ブロークングリッドレイアウトのコツは「最初にグリッドに合わせて配置した後に、意図的に一部をグリッドから飛び出させる」ことです。これにより動きが生まれます。

作例の円の位置はあくまでもグリッドを基準にしているのですが、グリッドよりも2周り程度大きいサイズにして飛び出して配置しています 09。

「左上の円のオブジェクト」「右下の小さい正方形」「縦長の長方形」をツールパネルの各作成ツールを使い作ります。[塗り] は [ウィンドウ]→[グラデーション]で[線種:線形グラデーション][角度:90°]としています 10。グラデーションの左端の色は [C:100% Y:40%] 11、右端の色は [C:80% M:40%] とします 12。

さらに3つのオブジェクトを選択し、[効果]→[スタライズ]→[ドロップシャドウ] を選択 13、[描画モード:乗算] [不透明度:20%] [X軸オフセット:20mm] [Y軸オフセット:20mm] [ぼかし:5mm] に設定します 14。3つのオブジェクトに対して共通のドロップシャドウが作成されます 15。

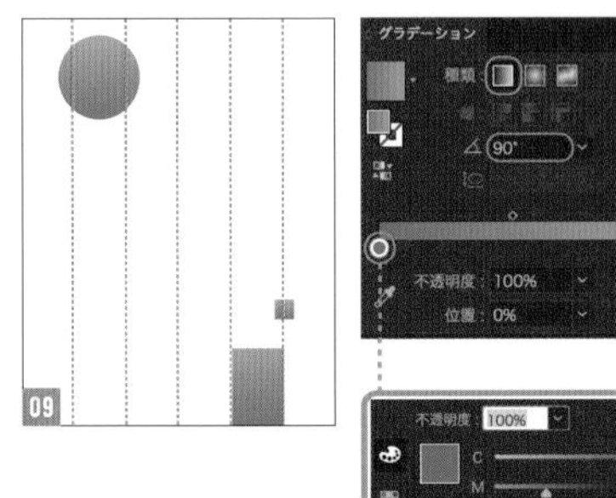

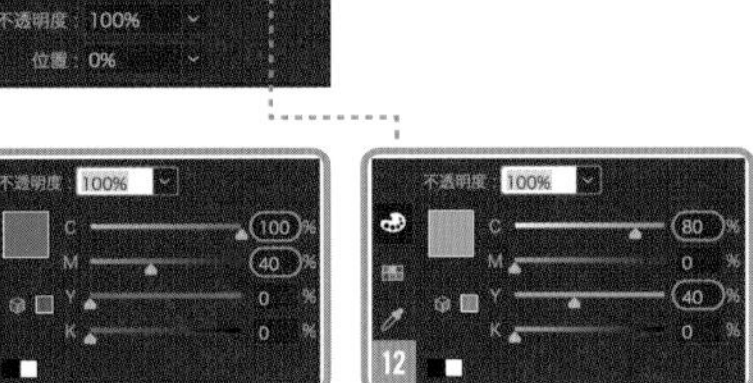

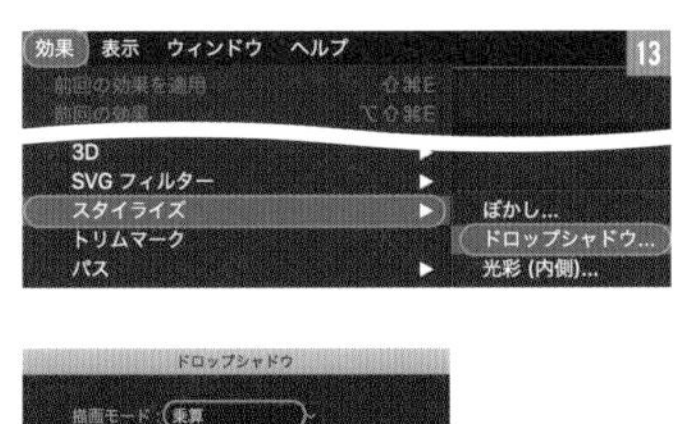

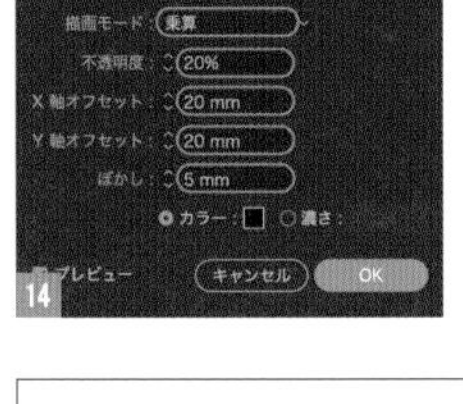

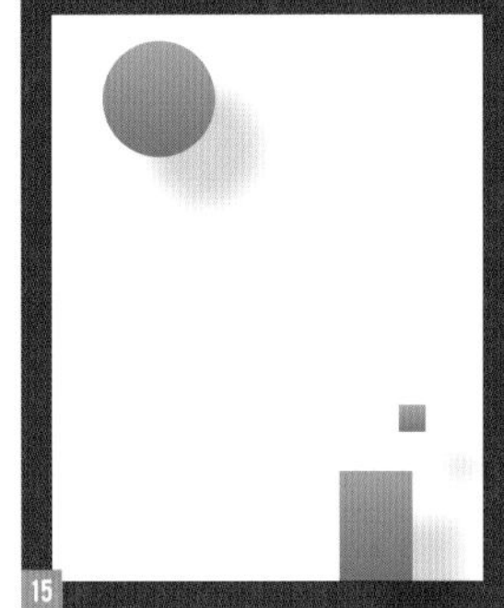

04 グレーの線やオブジェクトを 追加していく

グラデーションとドロップシャドウを適用したオブジェクトを一旦、非表示にしておきます。

グレーの線とオブジェクトを配置していきます 16。基本はグリッドを基準にしつつ、要所要所でグリッドからはみ出させます。太い線については[線] パネルで [線幅] を調整しています 17。弧を描くオブジェクトは円を1/4に分割した形にしています。

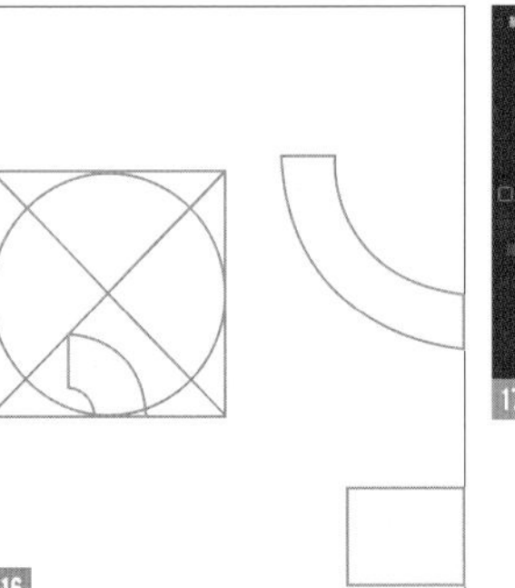

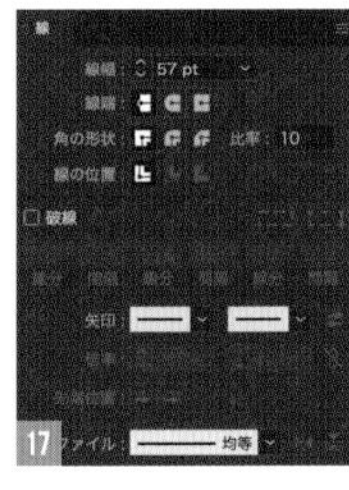

Point

作成中のレイヤーパネルの目アイコンをクリックして非表示にするか、オブジェクトを選択した状態で ⌘ (ctrl) + 3 キーを行うことで非表示にすることができます。

Point

本節ではクールな印象を演出しているブロークングリッドのレイアウトですが、右図のように素材を変えれば暖かな印象にすることもできます。

05 ドロップシャドウの付いた透明なオブジェクトを配置する

白いオブジェクトをグリッドを基準に配置し、ドロップシャドウを設定します18。このドロップシャドウのダイアログには［不透明度：15%］［X軸オフセット：6mm］［Y軸オフセット：6mm］［ぼかし：8mm］に設定しています19。

さらに［ウィンドウ］→［透明］を選択し、［描画モード：乗算］に設定します20。そうすると塗りが透けて見えるようになり、設定したドロップシャドウだけが表示されるようになります21。

06 グラデーションの付いた線を配置する

［グラデーション］パネルで［塗り：なし］［線：グラデーション］を指定します22。グラデーションの値は、［C：80% M：40%］［C：100 M：40%］［角度：0°］としています23 24。

この設定で長方形のオブジェクトを作成します25。さらに、［効果］→［スタライズ］→［ドロップシャドウ］を選択し、ドロップシャドウのダイアログで［描画モード：乗算］［不透明度：90%］［X軸オフセット：10mm］［Y軸オフセット：10mm］［ぼかし：3mm］に設定します26。グラデーションの線にドロップシャドウが付きました27。

07 角版写真とドロップシャドウの付いた切り抜き写真を配置する

素材［机01.psd］［机02.psd］［消しゴム.psd］［ペン01.psd］［ペン02.psd］といった角版写真と切り抜き写真を配置します28。

角版写真についてはグリッドを基準にして配置し、切り抜き写真についてはグリッドを無視して配置することで、紙面全体に動きが付きます。さらにドロップシャドウを［描画モード：乗算］［不透明度：20%］［X軸オフセット：30mm］［Y軸オフセット：30mm］［ぼかし：3mm］と設定します29。

最後に強弱をつけてテキストを配置し完了です30。

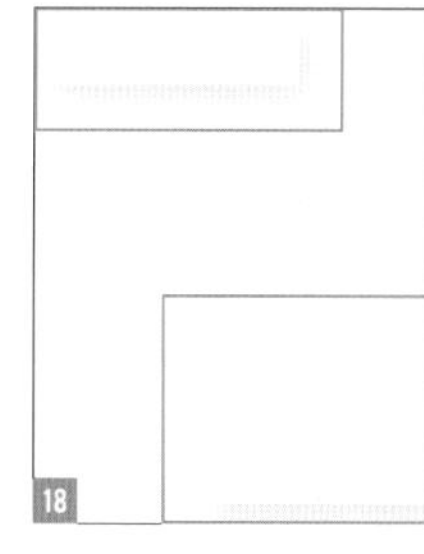
18

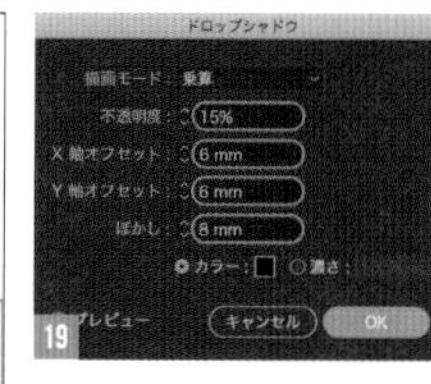

19

20

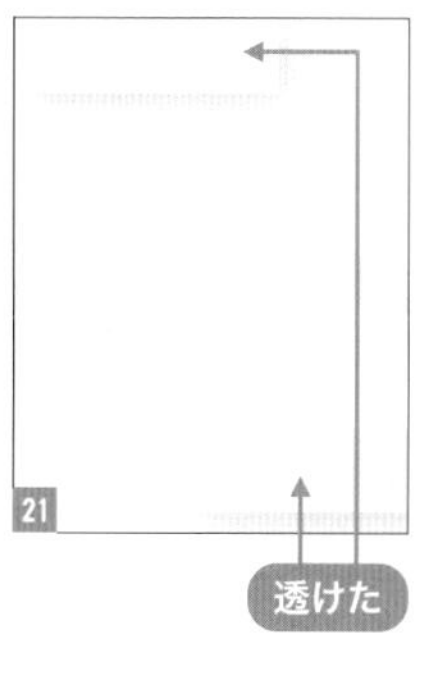

21

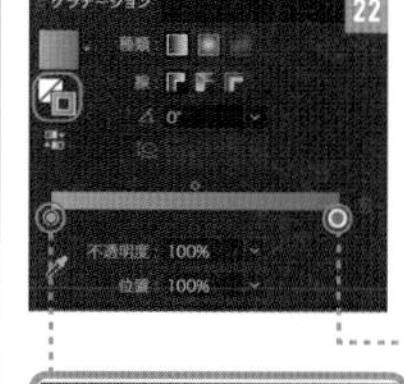

22

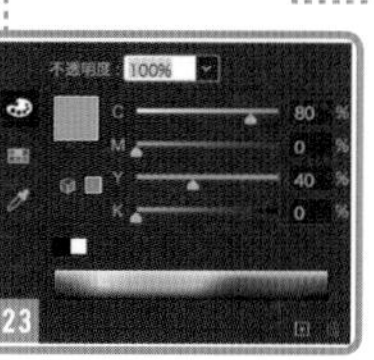

23

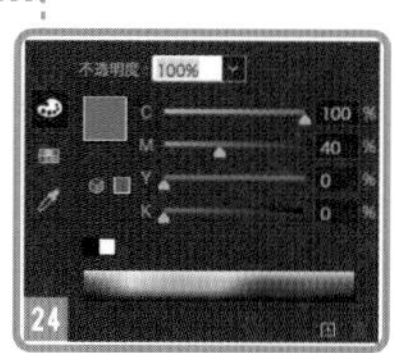

24

25

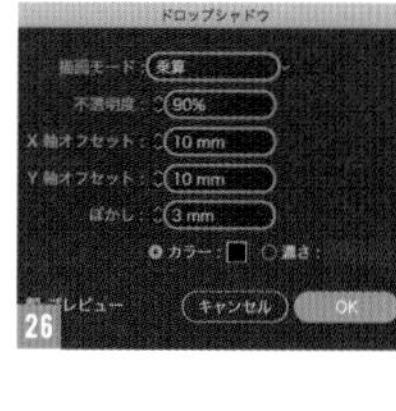

26

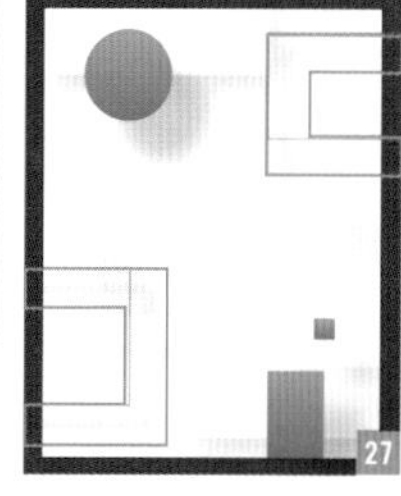
27

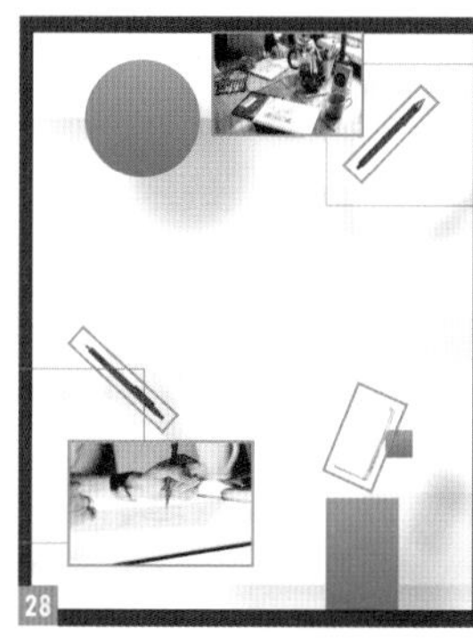
28

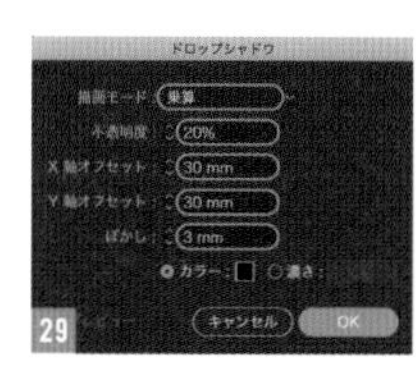

29

design
event
2021.12.15 - 2021.12.31

30

MOUNT FASHION

Recipe

024 奥行きを意識したダイナミックなレイアウト

前後を意識しながら要素を配置して、メリハリがあり、楽しげな印象になる紙面を作っていきます。

Design methods

01 要素の前後関係を意識してレイアウトを考える

レイアウトは縦軸、横軸だけで考えがちですが、さらにもう1軸、「奥行き」を意識してレイアウトを考えるとデザインの幅がさらに広がり、メリハリがあるデザインを制作することができます 01。

この作例では漫画的なコマ割りをモチーフにしてデザインを制作していきます。

02 視線をジグザグに動かすをことを意識してレイアウトをする

縦軸と横軸も使い、見ていて目が飽きないようなレイアウトを意識して作ります。
右図は完成形のデザインに視線の動きの矢印をのせたものですが、一番大きなタイトルの開始場所の左下を起点として、左下→右下→左上→右上と視線の動きをつなげた時に、線がジグザグになるように配置しています。
このようにレイアウトをしていくと単調さを防ぎ、ダイナミックで動きのある楽しげな印象になっていきます 02。

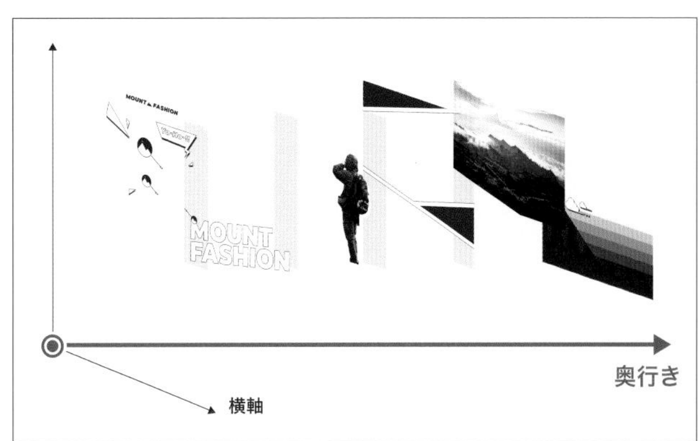

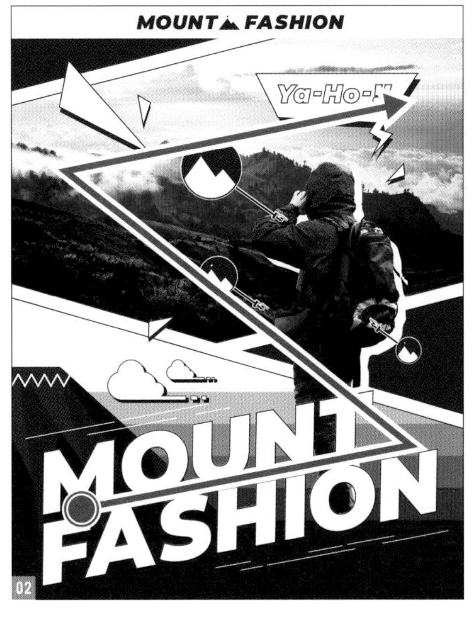

03 漫画のコマ割りを意識した枠を作る

Illustratorを立ち上げ、[ファイル]→[新規]を選択します。[横：182mm][高さ：232mm]としてアートボードを作成します03。

ツールパネルの[直線ツール]を選択し04、アートボード上に線を引いていきます。線の色は白05にします。線の太さは適当でよいですがここでは[線幅：5pt]と設定しています06。

要素を配置するブロックを漫画のコマ割りを意識してを白い太線でアートボードを区切っていきます07。

アートボードにコマ割りの境界線ができたら、白い線を選択した状態で、[オブジェクト]→[パスのアウトライン]で線をアウトライン化して白のオブジェクトにします08。

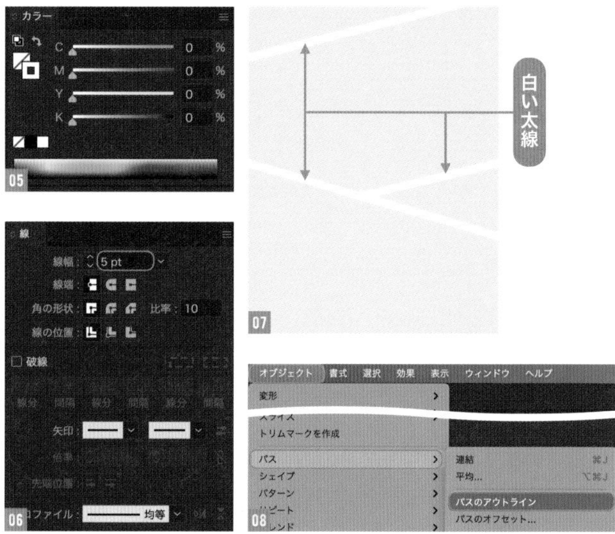

04 黒い線をつけてより漫画のコマのように見せる

外側に黒い線をつけてより漫画のコマ割りのような雰囲気にします。

白いオブジェクトを選択した状態でツールパネルの[線]を[K100]にします09。

さらに、白いオブジェクト同士が重なっているところは[ウィンドウ]→[パスファインダー]を選択し、[合体]10で一体化して、黒い線が1つの白いオブジェクトに沿うようにします11。漫画のコマ割りができました12。

05 風景と人物を配置する

コマ割りした一番面積の大きいブロックに素材[風景.psd]を配置し、コマに合わせてマスクをかけます13。さらにツールパネルの[ペンツール]を使い、左上、右下に[C：100 M：40 Y：0 K：80]のオブジェクトを作成しています14 15。

区切り線の手前に素材[人.psd]の写真を配置します16。奥行きの順番としては奥から「風景写真」「コマ割りフチ」「人」というイメージになります。

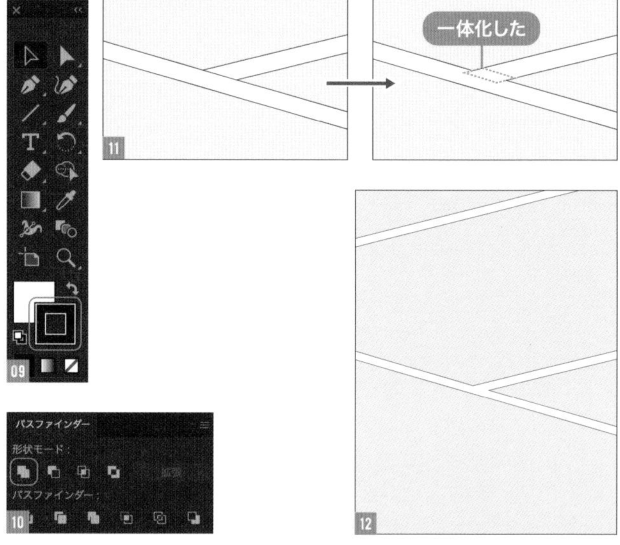

06 タイトルを人の写真の手前に配置する

素材[テキスト.txt]から「MOUNT FASHION」のタイトルをコピー&ペーストします。人の写真の手前に配置します。ここのフォントはフリーフォントの「MONTSERRAT BLACK ITALIC FONT」を使用しました 17 18。ツールパネルから[回転ツール]を選択 19、ダブルクリックして、[角度：10°]でタイトルを回転させます 20 21。フォントがなければ素材[ロゴ-01.ai]をお使いください。

07 隙間に山のイラストを配置する

[ペンツール]を使い、タイトル左上の空きの部分にシンプルな山や雲のイラストを作成します。色は紺色系でまとめましょう。奥行きの順番としては[風景.psd]のさらに奥とします 22。
ロゴ周りが若干寂しく感じるので、ロゴの傾斜に沿って数本の線を加えます 23。

08 吹き出しや飛び出している要素を作り雰囲気を出す

一番前面の上部にメーカー「MOUNT FASHION」のロゴである素材[ロゴ-02.ai]を配置し、メーカーのロゴを指す吹き出し、「Ya-HO-!!」の吹き出し、三角などを作成します。あしらいの素材を用意しておいたのでそちらを配置してもよいでしょう。完成です 24。

Point

この節では解説していませんが、奥行きをつけるため、各階層のデータごとにレイヤー分けを行ってもよいでしょう。完成データも参考にしてみてください。
また、[オブジェクト]→[重ね順]でレイヤー内の順番を調整できます。意識して使うとよいでしょう。

13

14

15

16

17

18

19

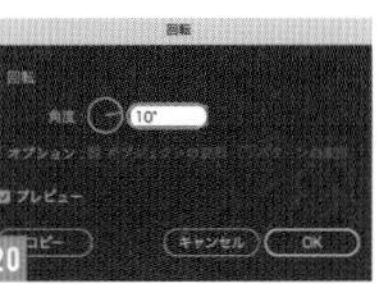

20

22

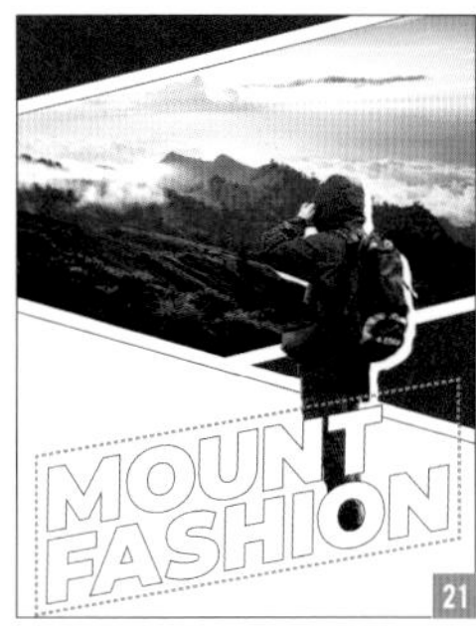

21

23

24

Point

前後関係を使ってレイアウトする時、各要素の主役になる部分が手前の要素に隠れないように配置します。下図で説明しているように◉部分が各要素の主役となりますが、手前の要素に被らないように配置しています。

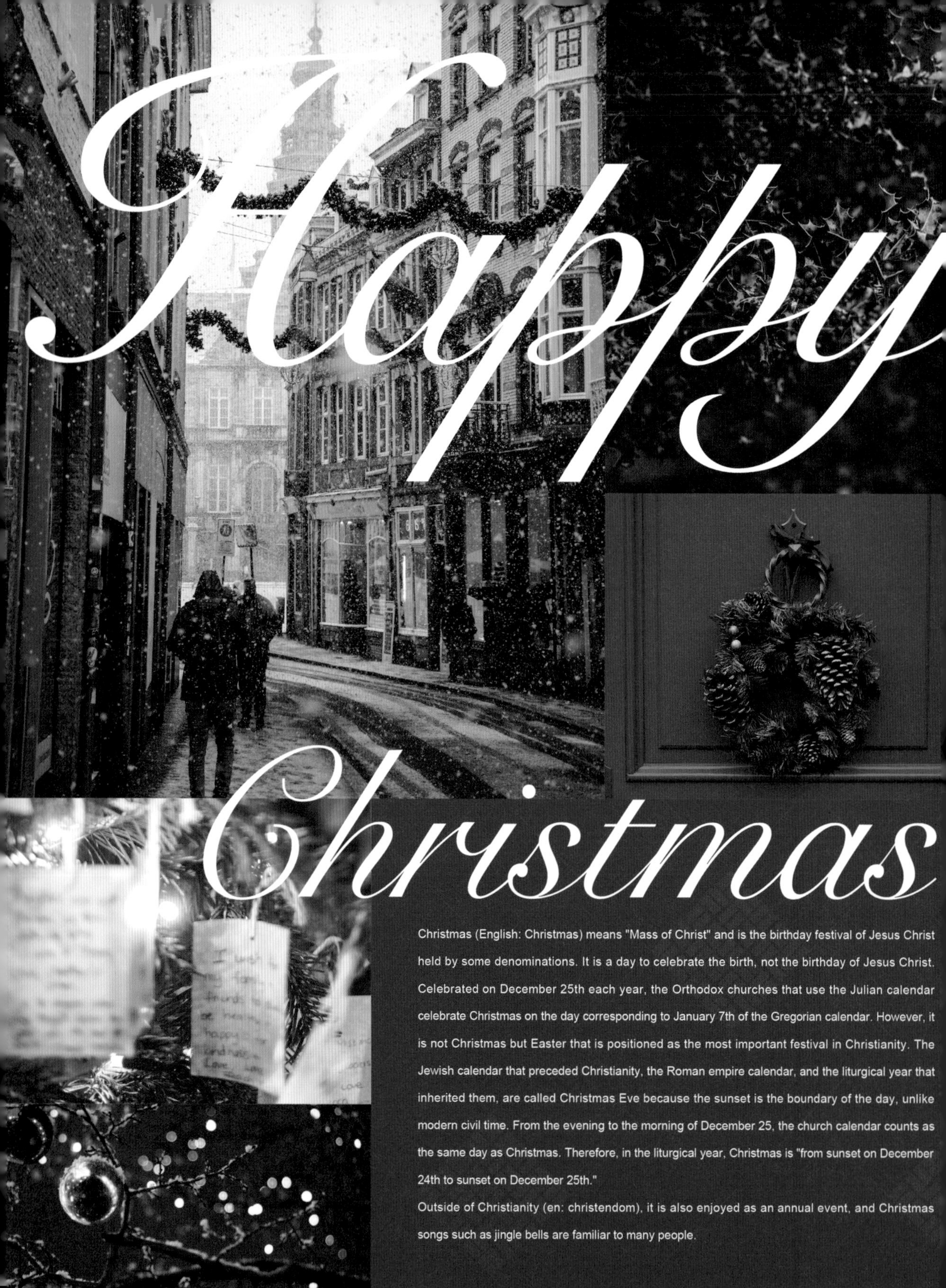

Happy Christmas

Christmas (English: Christmas) means "Mass of Christ" and is the birthday festival of Jesus Christ held by some denominations. It is a day to celebrate the birth, not the birthday of Jesus Christ. Celebrated on December 25th each year, the Orthodox churches that use the Julian calendar celebrate Christmas on the day corresponding to January 7th of the Gregorian calendar. However, it is not Christmas but Easter that is positioned as the most important festival in Christianity. The Jewish calendar that preceded Christianity, the Roman empire calendar, and the liturgical year that inherited them, are called Christmas Eve because the sunset is the boundary of the day, unlike modern civil time. From the evening to the morning of December 25, the church calendar counts as the same day as Christmas. Therefore, in the liturgical year, Christmas is "from sunset on December 24th to sunset on December 25th."

Outside of Christianity (en: christendom), it is also enjoyed as an annual event, and Christmas songs such as jingle bells are familiar to many people.

Recipe

025 黄金比を使ったデザイン

古来より人間が最も美しいと感じる比率として「黄金比」があります。黄金比を利用してデザインを作ってみましょう。

Design methods

01 黄金比を測るための定規を作る

Illustratorを立ち上げます。[ファイル]→[新規]を選択、[横：182mm][縦：232mm]としてアートボードを作成します01。

黄金比は「1：1.61（近似値）」の比率です。02の図をベースにして、アートボードにガイドを作成していきます。

まず、100mmの直線を作成します。ツールパネルの[直線ツール]を選択し03、アートボードをクリックします。[直線ツール]のダイアログが表示されたら、[長さ：100mm][角度：90°][線の塗り：チェック]としてOKボタンをクリックすると垂直な100mmの長さの線ができます04。再度[直線ツール]でクリックし、[長さ：161mm][角度：90°][線の塗り：チェック]として、161mmの垂直な直線を作成します05。

「100mm」と「161mm」の線の色をそれぞれに変えてわかりやすくします06。線の端を合わせて、「黄金比を図るための定規」を作ります07。

この定規を使ってアートボードの縦と横の黄金比となる場所を測っていきます。

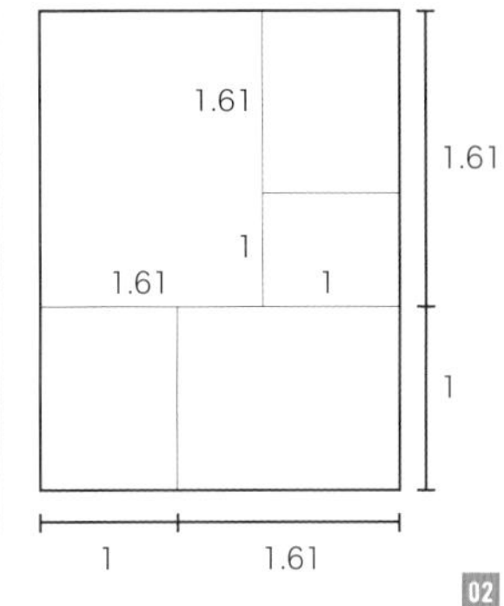

02

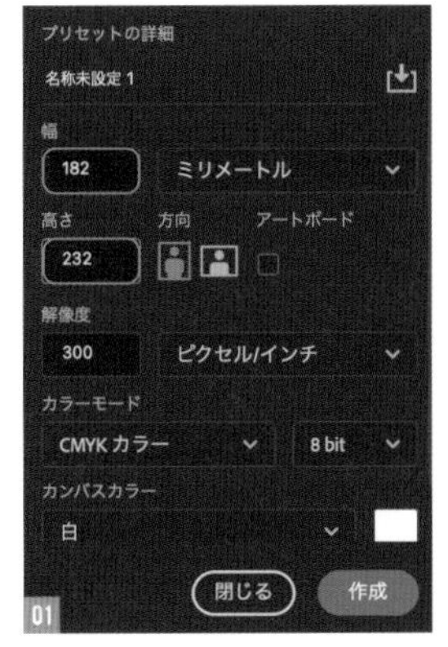

01

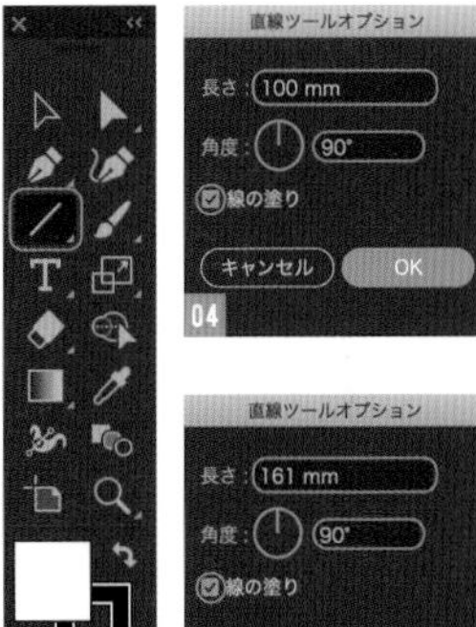

03

04

05

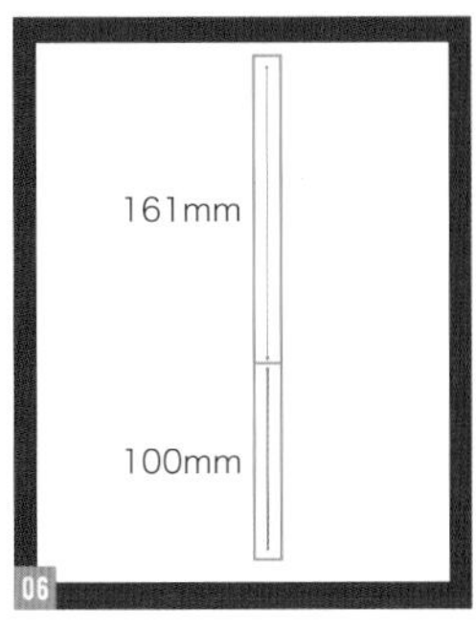

06

07

Point

端を合わせる時は直線の端のアンカーポイントを掴み、もう片方の直線のアンカーポイントにフィットさせればOKです。

もしダイアログの設定で行いたい場合は、2つの線を選択した状態でさらにもう一度片方の線を選択します。[整列]パネルの[等間隔に分布]で[間隔値：0mm]に設定した状態で[垂直方向等間隔に分布][水平方向等間隔に分布]をクリックすると線の端と端がピッタリとくっつきます。

02 アートボードの縦辺の黄金比の場所を測り、ガイドを引く

２つの線（黄金比を測るための定規）を選択した状態で［⌘］（［ctrl］）＋［G］でグループ化します。［ウィンドウ］→［プロパティ］を選択し 08、高さの項目［H：232mm］と入力します 09。こうすることで、グループ化した線の長さをアートボードの高さに揃えることができます。

［ウィンドウ］→［整列］を選択し［整列］パネルを表示します。定規を選択し、［アートボードに整列］の設定にした状態で［垂直方向上に整列］を選択します 10。定規を横や下に置き、黄金比の該当の場所がわかったらその位置に対して、ガイドを引きます。ガイドの引き方は黄金比の位置に水平に直線を引き、引いた直線を選択した状態で［右クリック］→［ガイドを作成］ 11 でガイドに変換することができます 12。

アートボードの横辺の黄金比を測る時は定規を選択した状態でツールパネルの［回転ツール］で90°回転させます。アートボードの横辺に合わせ、［プロパティ］パネルの横幅の項目、［W：182mm］と入力すると、アートボードの横辺に合った定規になります。縦辺と同様に黄金比の位置を確認して垂直にガイドを引きます 13。同様の要領でさらに小さな黄金比の位置を特定しガイドを引いて、14 のようにガイドが作れました。

03 それぞれの位置に写真を配置し、マスクをしていく

各エリアのサイズに合わせた素材［ph01.psd］～［ph06.psd］を配置していきます（15 は素材［ph01.psd］を配置している状態）。写真の上に写真の余計な部分をトリミングするためのガイドに合わせた長方形を作成します。写真と長方形の２つを選択した状態で［右クリック］→［クリッピングマスクを作成］を選択します 16。長方形のサイズに合わせて写真がマスクされます 17。

同様に他のエリアでも、写真の配置→長方形の作成→クリッピングマスクを繰り返します。写真のマスクができました 18。

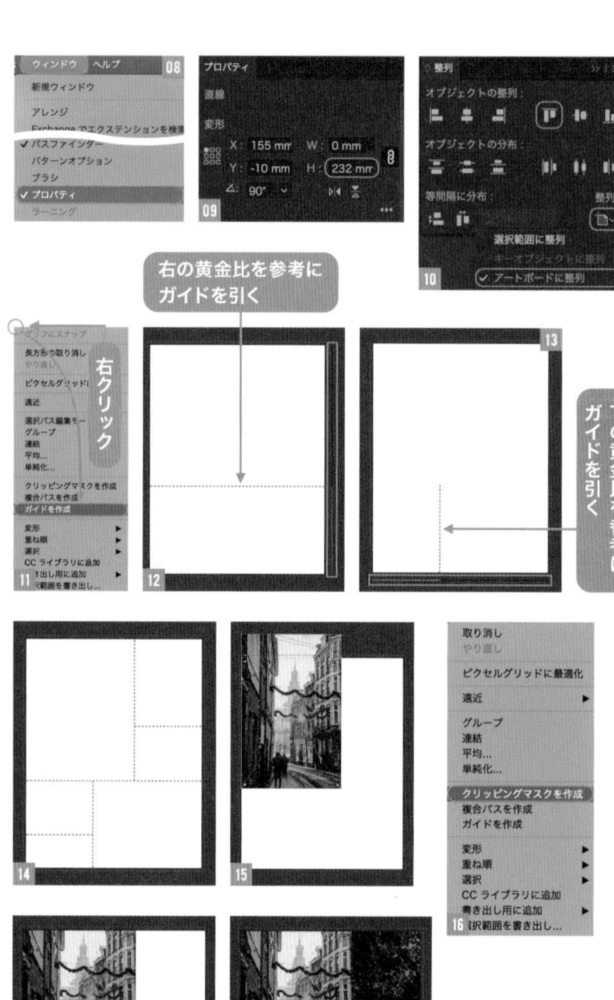

Point

ガイドに合ったサイズの長方形を作る時は［表示］→［ポイントにスナップ］にチェックを入れておきます 19。そうすることで長方形ツールでドラッグしながらでもガイドにポインターがスナップするので、正確なサイズの長方形が作れます。

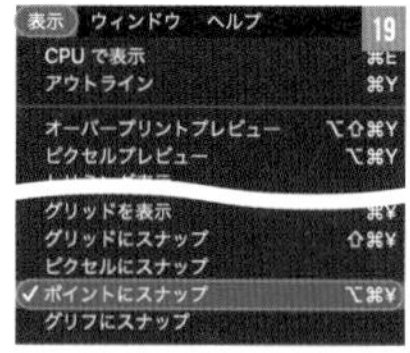

05 残りのエリアにパターンを配置する

素材[パターン.ai] を開き、オブジェクトをコピー&ペーストします。空いている箇所の右下に配置します20。

06 テキストを配置する

素材[テキスト.txt] からテキストをコピー&ペーストして随時持ってきます。
ツールパネルから [文字ツール] を選択し、タイトルを配置します。全体の雰囲気から考えて、スクリプト体の白抜きの文字にしました。
テキストを選択した状態で [右クリック] →[アウトラインを作成] でアウトライン化します21 22。
アウトライン化した後に「H」を少し大きくしてタイトルにメリハリをつけています23。右下の本文は[文字ツール]をドラッグしてテキストボックスを作り、テキストを流し込んでいます24。

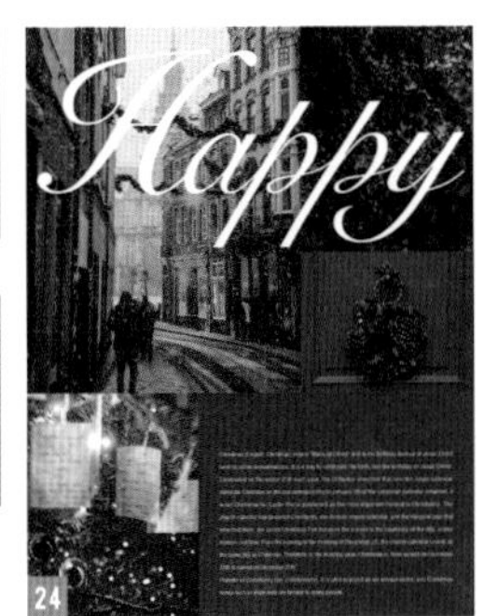

Column

パターンの作成の仕方

この節では長方形を組み合わせたデザインのパターンを使っています。パターンの作り方を学んでみましょう。
パターンの元となる素材を作成します01。その素材を [スウォッチパネル] にドラッグすると02、パターンとして塗りや線に適用することが可能になります03。
パターンを作成したのち、ツールパネルの [拡大・縮小] をダブルクリックして [オブジェクトの変形] のチェックを外し、[パターンの変形] にチェックを入れるとオブジェクトのサイズは変化せず、パターンのみサイズが [拡大・縮小] できます04。
さらにツールパネルの [回転] をダブルクリックし、オブジェクトの変形のチェックを外し、パターンの変形のチェックを入れてOKを選択するとオブジェクトは回転せず、パターンだけ傾きます05。このようにパターン内で調整することも可能になります06。

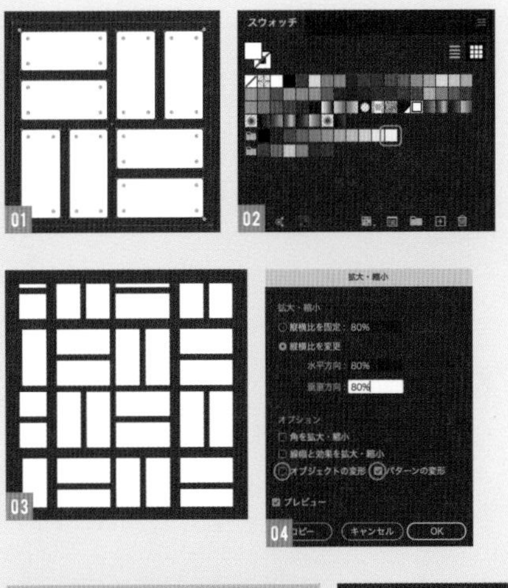

NEXT
STYLE
BOOK
coffee
001

Recipe
026
トリミングをグリッドに合わせてテーマを深掘りする

1枚のトリミングした写真の中にグリッドで切り取られた写真を合わせてテーマを深掘りしていきます。

Design methods

01 ファイルを新規作成する

今回、ファッションモデルの写真で1冊まとめるスタイルブックの表紙を想定して制作します。モノクロのトリミングしたモデルの写真と、グリッド上に配置した彼女の日常を切り取ったスナップ写真を組み合わせて見応えのあるビジュアルを目指します。
Illustratorを立ち上げて、[ファイル]→[新規]を選択、単位を[ミリメートル]とし、[幅:182][高さ：232]として[作成]をクリックします01。
[新規レイヤーを作成]をクリックし、レイヤーを追加します02。レイヤーを3枚追加し、上位からレイヤー名を[レイアウト][グリッド][写真][背景]とします03。

02 写真を配置しシルエットのパスを作る

レイヤー[写真]を選択します。[ファイル]→[配置]を選択し04、素材[トリミング.psd]を選びます。アートボードの中央に配置します05。
配置した写真のモデルのシルエットのパスを作ります。ツールパネルの[ペンツール]を選びます06。
始点を決めてシルエット上にパスを作っていきます。始点の位置は任意でかまいません。07のエッジのあるところから今回作っていきます。また見やすいよう線のカラーを白に08、線幅を[0.3pt]にしています09。

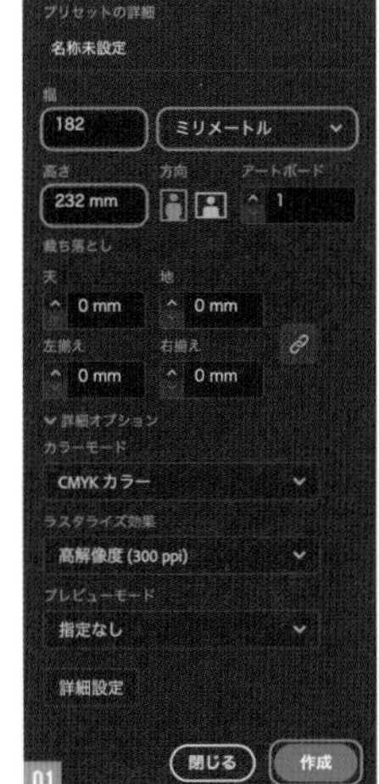

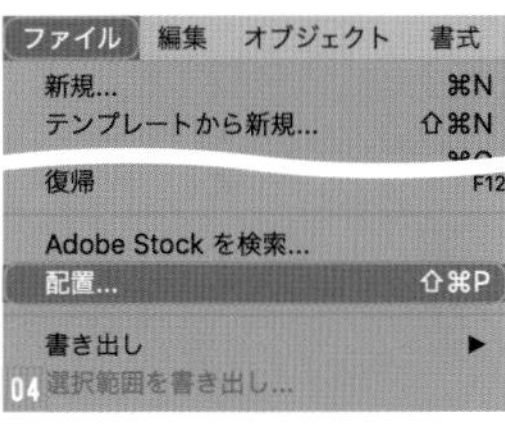

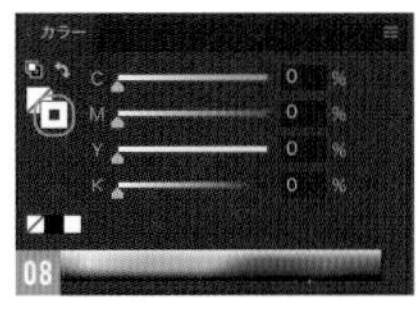

03 輪郭のパスを作る

輪郭のパスを作るときは少しシルエットの内側を通るように意識して作業します10。これはマスクをしたときに背景が残り仕上がり汚くなるのを防ぐためです。
また今回11のようにボケた部分や髪の毛の細かい部分は省略してパスを作っていきます。
12のように画面の下に空間ができるようパスを作りました。
シルエットのパスが完成したら、動かさないようレイヤー［写真］をロックします。ロックはレイヤーパネルの目のアイコン右側のマスをクリックすると鍵アイコンが表示されロックされます13。再度、鍵アイコンをクリックするとロックが解除されます。

04 モデルの写真を活かすようにグリッドを作る

レイヤー［グリッド］を選択します。
ツールパネルの［直線ツール］を選び14、モデルのシルエット上にグリッドを作っていきます。
線が分かりやすいよう線のカラーは白15、［線幅：3pt］とします16。
今回はファッションがテーマなので整然と並んだグリッドではなく17、不規則に並んで視線が動くグリッドを採用しました18。

Point

不規則さを出す場合はアートボードの中心を通る線や19、上下左右一直線にシルエットを分ける線20は避けた方がよいでしょう。
また、こういったトリミングを行う場合、モデルの目や口といった写真の中で注意を引くポイントに線を入れてしまうとビジュアルの魅力が減ってしまうので気をつけてください21。
オススメの作業としては最初から細かくグリッドを区切っていくのではなく、22～24のように大まかに区切り、後から細かく区切っていきます。この方が調整しやすくなります。
今回は、24のようになるべく同じ形のマスができないよう気をつけてグリッドを作りました。

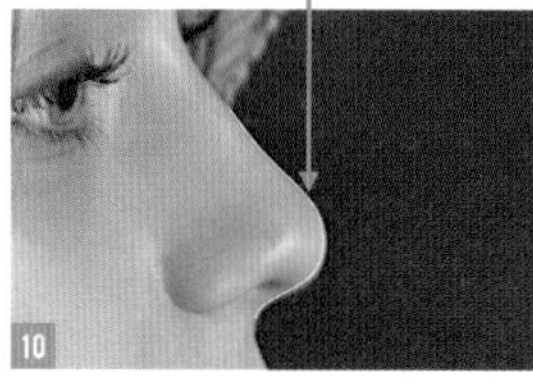

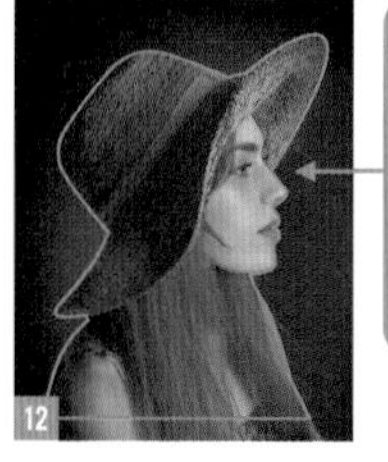

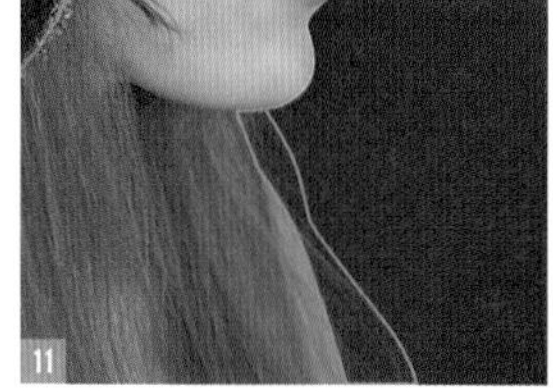

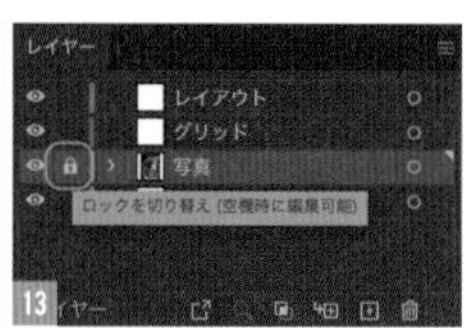

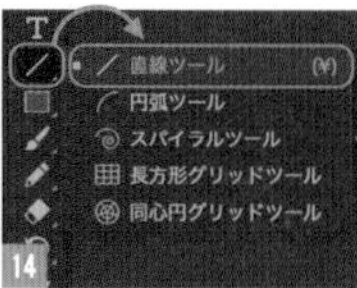

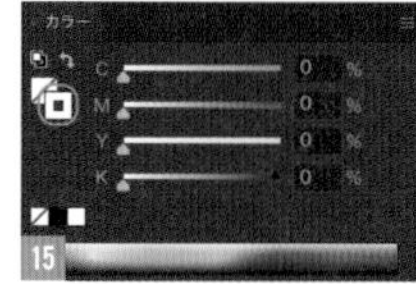

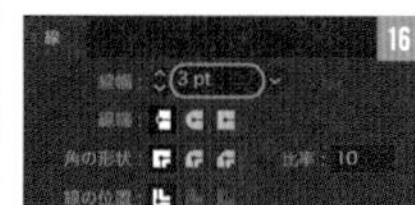

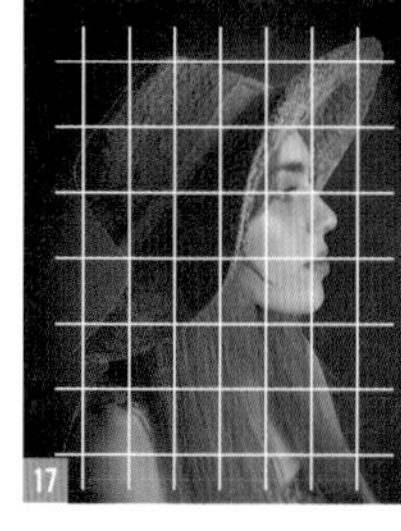

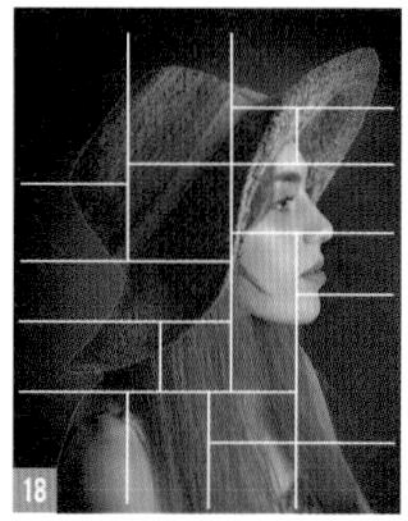

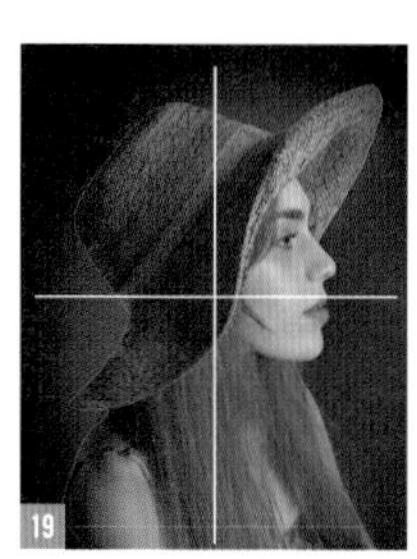

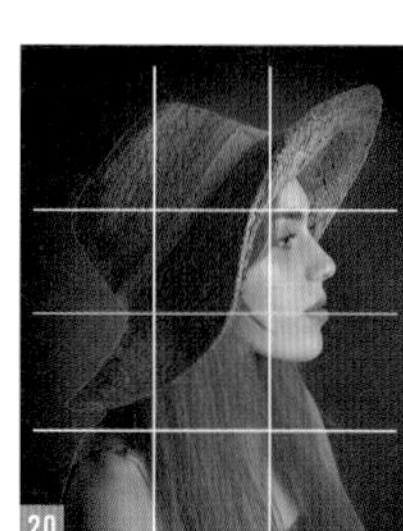

05 シルエットのオブジェクトを移動する

先に作ったシルエットのオブジェクトをレイヤー［グリッド］に移動します。
まずレイヤー［写真］のロックを解除し、ツールパネルの［選択ツール］でシルエットのオブジェクトを選択します 25 26。そのままレイヤー［グリッド］を選択します 27。
［オブジェクト］→［重ね順］→［選択しているレイヤーに移動］を選択します 28。シルエットのオブジェクトがレイヤー［グリッド］に移動しました。

06 グリッドの線でマスク用のオブジェクトを作る

次にグリッドの線をすべて選択します 29。線がきちんと繋がっていなかったり 30、はみ出して凸凹していないか 31、線の端がシルエットの外側に出ているか 32、確認してください。
［オブジェクト］→［パス］→［パスのアウトライン］を選択します 33。線が線幅の長方形のオブジェクトに変わりました 34。
［ウィンドウ］→［パスファインダー］を選択し 35、［形状モード：合体］を選択し、選択したオブジェクトを合体させます 36。
続けて［オブジェクト］→［複合パス］→［作成］を選択し 37、［オブジェクト］→［重ね順］→［最前面へ］を選び、シルエットのオブジェクトの前に移動します 38。
シルエットのオブジェクトとグリッドのパスを選択し 39、［パスファインダー］パネルの［形状モード：前面のオブジェクトで型抜き］を選びます 40。
［オブジェクト］→［複合パス］→［作成］を選びマスク用のオブジェクトが完成しました。わかりやすいよう塗りのカラーを［C：100］とします 41 42。

25

26

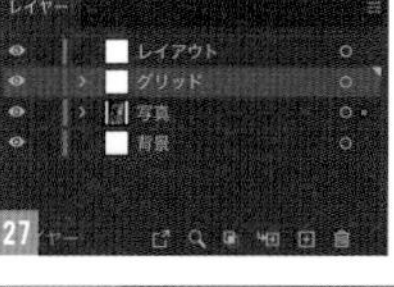

27

28

29

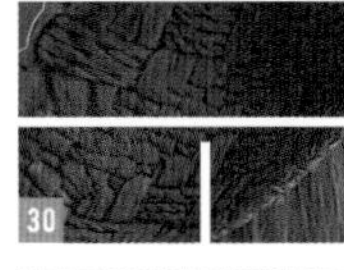
30

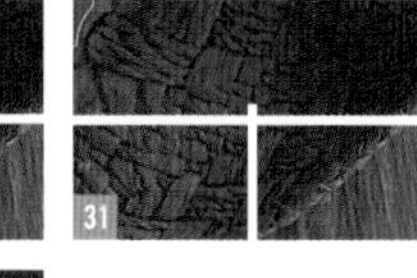
31

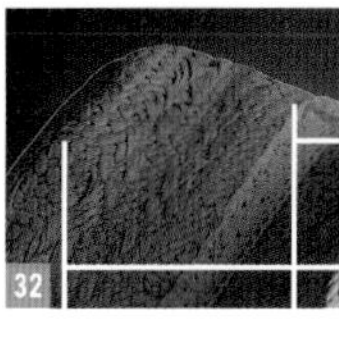
32

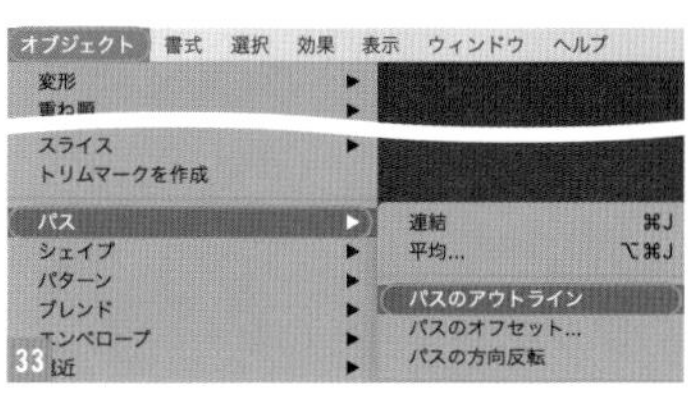

33

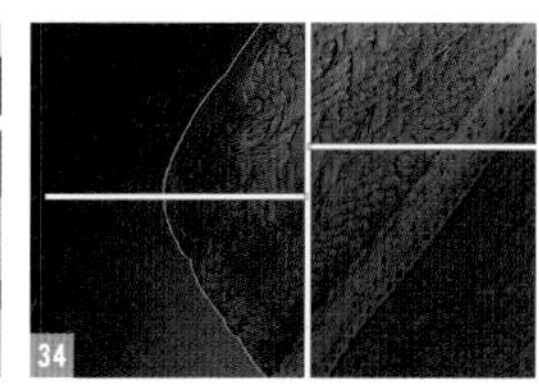
34

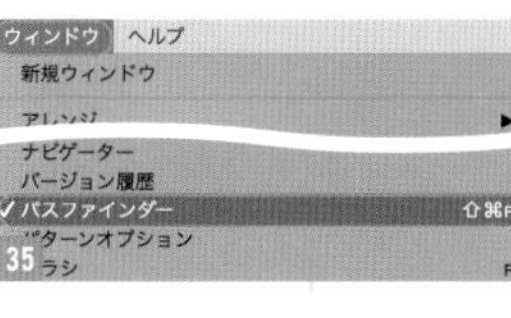

35

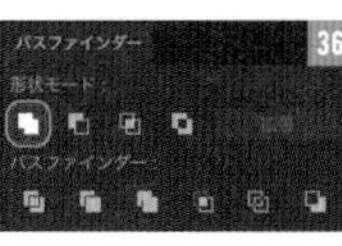

36

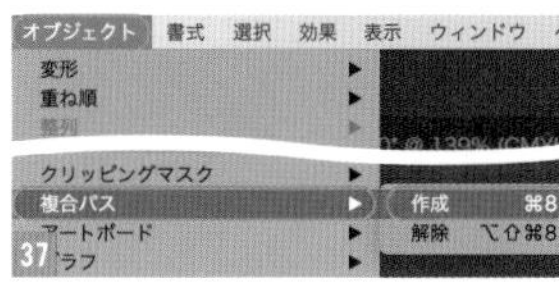

37

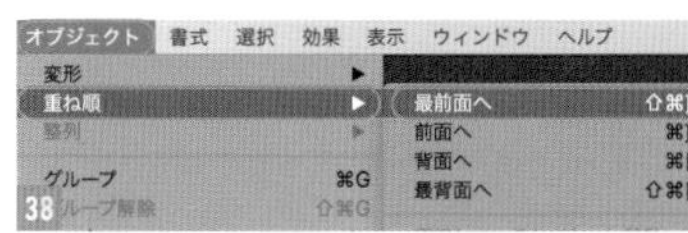

38

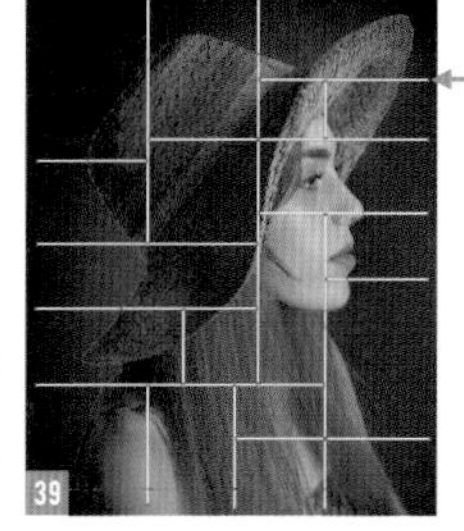
39

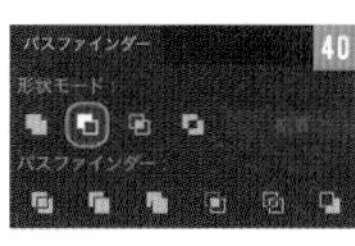

40

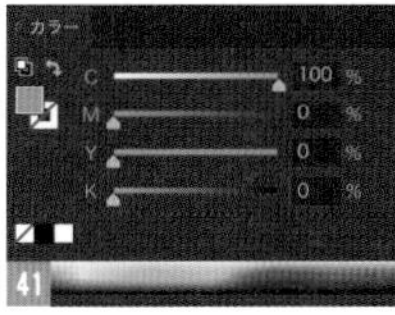

41

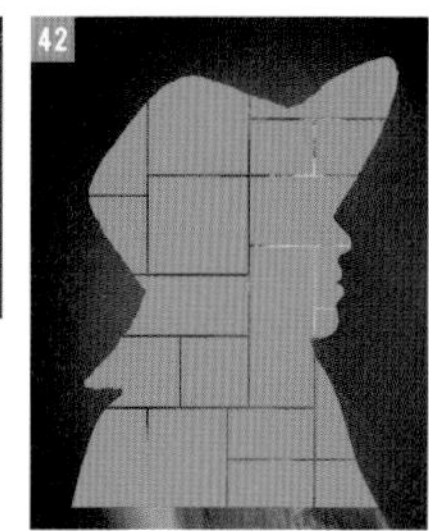
42

07 モデルの写真とスナップ写真にマスクをかける

マスク用のオブジェクトを選択し、[編集]→[コピー]を選択43、続けて[編集]→[前面へペースト]を選びます44。選択した同じ位置にオブジェクトを複製できました。

レイヤー[写真]のロックを解除します。前面のオブジェクトを選択し、レイヤー[写真]を選びます。[オブジェクト]→[重ね順]→[選択しているレイヤーに移動]を選び、モデルの写真と同じレイヤー[写真]に移動します。見づらいので一度レイヤー[グリッド]の[目]アイコンをクリックして消してモニター上見えないようにします45。

モデルの写真とマスク用オブジェクトを選択し、[オブジェクト]→[クリッピングマスク]→[作成]を選びます46。

マスクをかけたモデルの写真ができました47。

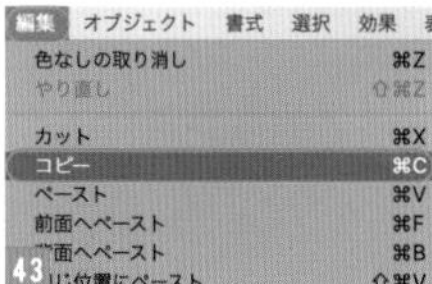

43

44

45

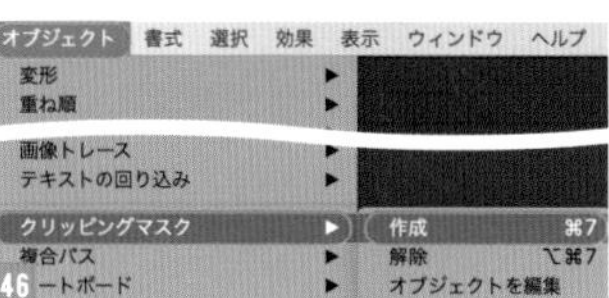

46

47

Point

[複合パス]にすると複数のパスを1つのパスとして認識させることができます。グループ化と異なりパスの型抜きや写真のマスクができます。

08 スナップ写真を入れる場所を決める

レイヤー[グリッド]の目のアイコン部分をクリックし、モニター上で表示させます。

マスク用のオブジェクトを選択し[オブジェクト]→[複合パス]→[解除]で、マスごとにそれぞれオブジェクトを分けます48。

スナップ写真を入れるマスを決めて、それ以外のマスを Delete キーを押して削除します。

なお、モデルの目や口などポイントとなる点は見えるように配慮していきましょう。スナップ写真はそれ以外の場所に配置します。

今回は49のように選定しました。

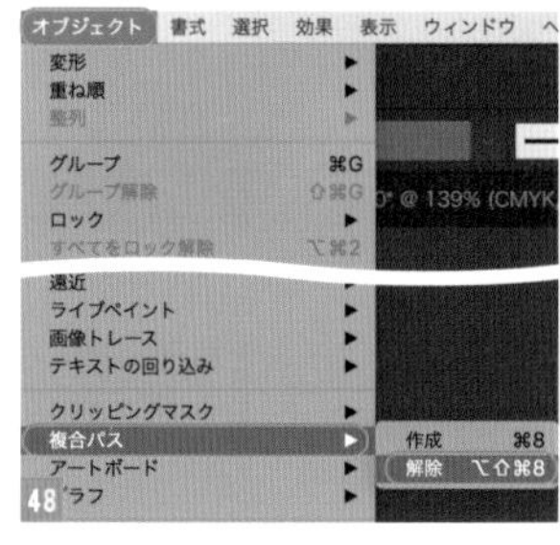

48

49

Column

本書で作業する色空間(CMYKとRGB)と単位(mmとpx)

本書では紙媒体・Web媒体を問わずデザインを作成できるように、色空間や単位は作例に合わせて変更しています。

ただ、Illustratorでの作業は紙向けが多いため「CMYK、mm」、PhotoshopはWeb向けも多いため「RGB、px」といったよく利用するシーンをメインとしてまとめています。

なお、最近では紙向けの画像もRGBで制作することも多くなっています。RGBの方が使える色が多く綺麗なので、RGBで入稿し、印刷所でできるだけ色を合わせるようにCMYKに変換してもらう形です。使う媒体や仕事によって色空間や単位を合わせるのもデザイナーの仕事です。

09 スナップ写真をあてはめていく

[ファイル]→[配置]を選択、素材[グリッド_01.psd]を選択します。50の赤の部分に入れるため、マスの上に被るように写真を移動します。
写真を選択し、[オブジェクト]→[重ね順]→[最背面へ]でマスのオブジェクトの背面へ移動させます51 52。
マスのオブジェクトと写真を選択し、[オブジェクト]→[クリッピングマスク]→[作成]を選びます53 54。
同様にその他の素材も55のように配置します。モデルの写真の上にグリッドに沿ってスナップ写真が配置されたレイアウトが完成しました。

10 アクセントを作る

ビジュアルのアクセントを付けるため、グリッドのマスに色をつけます。
ツールパネルの[グループ選択ツール]を選びます56。色を付けたいマスのオブジェクトを選択します57。
[編集]→[コピー]後、[編集]→[前面へペースト]し、オブジェクトのカラーを[M：60]とします58 59。色はモノクロの画像とモデルの雰囲気から選んでいます。
同様の方法で60のようにアクセントの色を入れたいマスを配置しました。

50

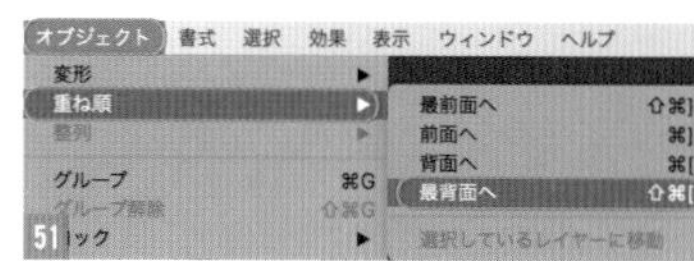

51

52

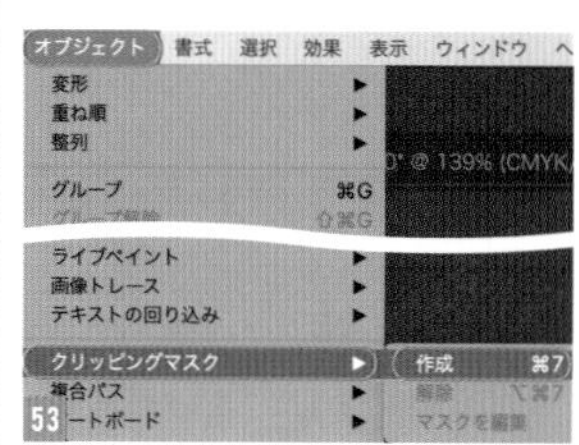

53

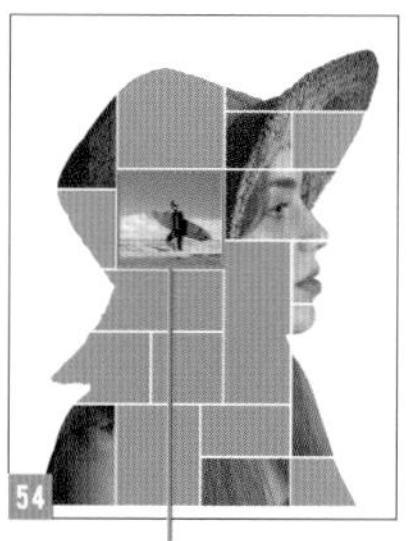
54

マスクが作成できた

55

56

57

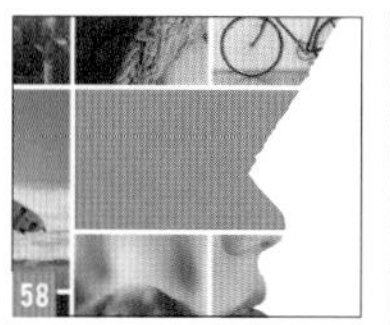
58

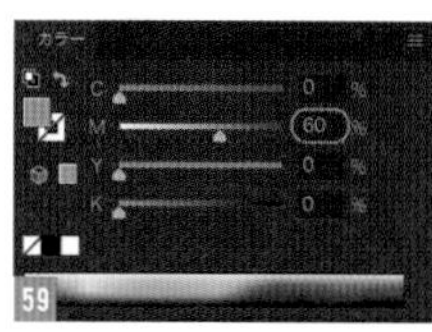

59

60

11 ピンクのオブジェクトを透明にする

作ったピンクのオブジェクトをすべて選択します。オブジェクトをレイヤー[グリッド]に移動します。[ウィンドウ]→[透明]を選択し[透明]パネルを表示し61、[描画モード：乗算]に設定します62。
アクセントが付いたビジュアルが作成できました63。

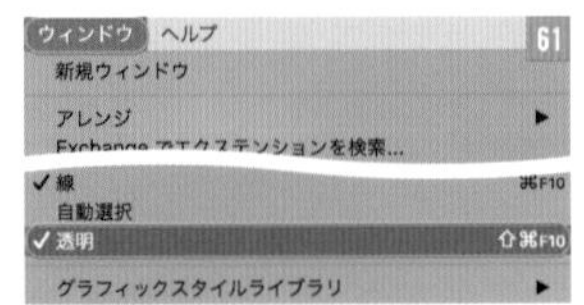

61

62

63

12 背景と文字をレイアウトする

レイヤー[背景]を選択します。ツールパネルの[長方形ツール]を選択します64。
描画エリアで任意の場所をクリック、ダイアログで[幅：182mm][高さ：232mm]で長方形を作成しアートボード中央に配置します65 66。今回はアクセントに入れた色に合うようカラーを[M：50 Y：30]としました67。
レイヤー[レイアウト]選択します。
ツールパネルの[文字ツール]を選び68、素材[テキスト.txt]から「NEXT STYLE BOOK」をコピー&ペーストします。1単語ずつ改行入れます。69のように配置します。文字の指定は次の通りです。[フォント：DIN Condensed][フォントスタイル：Regular][サイズ：93pt][行送り：70pt][カーニング：オプティカル][トラッキング：0][段落：左揃え]としています70 71。塗りは[白]です。
さらに同じ設定の文字で「001」と入力します。レイアウトは「NEXT STYLE BOOK」の左端に合わせて72のように左下に配置します。
これで完成しました。

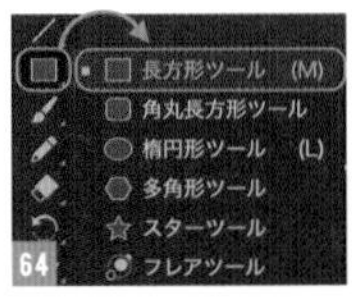

64

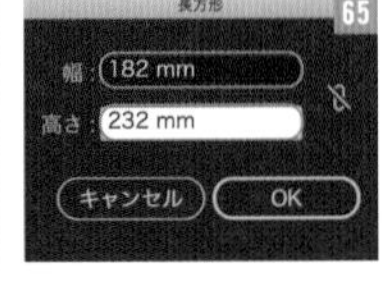

65

66

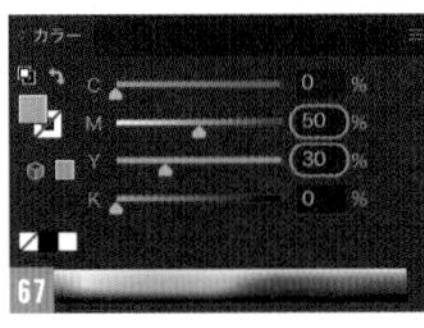

67

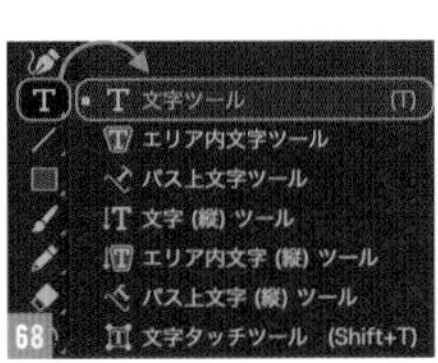

68

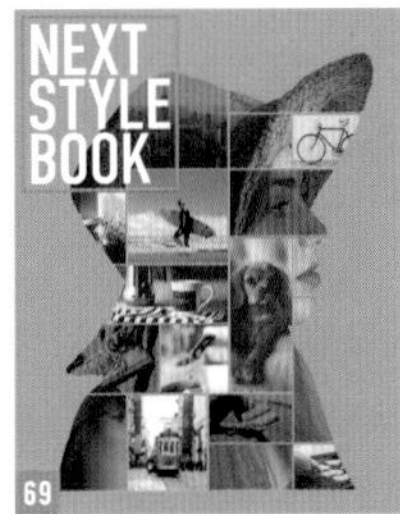

69

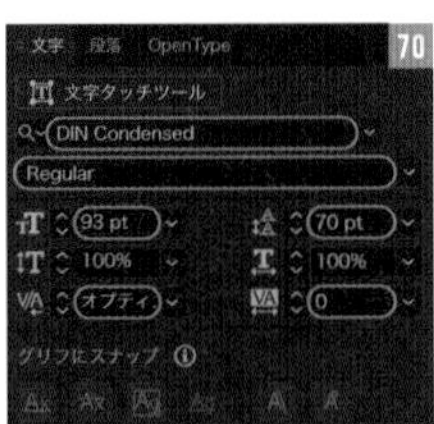

70

71

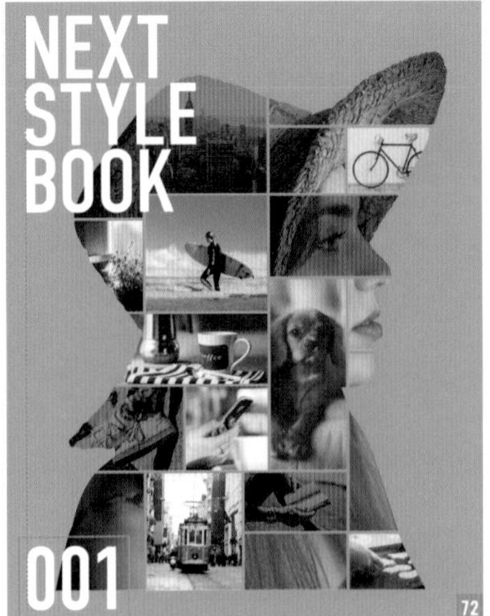

72

Chapter 03

写真

「写真」はデザインを作る上で最もよく使う素材の１つです。しっかり作られたビジュアルはデザインの主役にもなり得るほど重要な要素です。
この章ではデザイナーなら絶対に覚えておきたい、[選択][切り抜き][人物補正]といった簡単なレタッチから、それだけで主役になるビジュアルの作り方まで幅広い知識が学べます。

Photography

Recipe

027

トーンカーブを使って メリハリのある画像を作る

トーンカーブを使った定番の高コントラスト補正の方法を紹介します。

Design methods

01 トーンカーブを使った定番の高コントラスト補正

Photoshopを立ち上げて素材[子供.jpg]を開きます 01。

[イメージ]→[色調補正]→[トーンカーブ]を選択します 02。

「左下」「中央」「右上」の3点にコントロールポイントを追加し、03 のように「ゆるいS字」を描くように調整します。

作例ではコントロールポイントを、左下[入力：85 出力：53] 03、右上[入力：176 出力：205] 04 としています。

簡単な工程で高コントラストの補正が可能です 05。

01

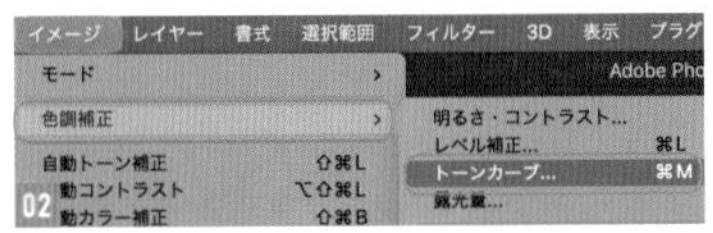

02

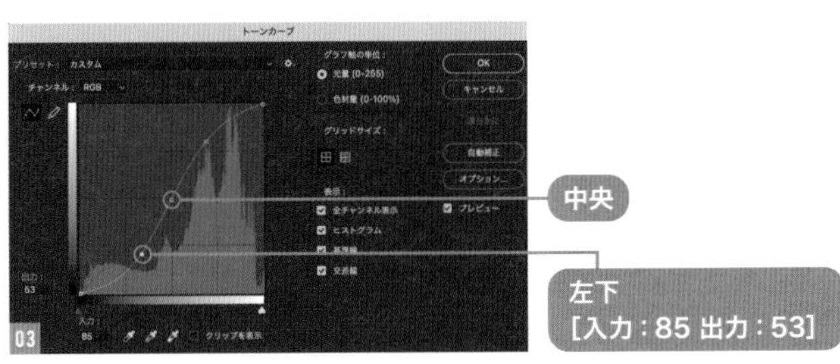

03

04

05

Point

トーンカーブの左側はシャドウの部分を補正できます。右側はハイライトの部分を補正できます。

つまり、このRecipeのように補正を行うとシャドウ部分はより暗く、明るい部分はより明るくなり、コントラストが付きます。

最初のうちは「メリハリを付けるにはトーンカーブをS字にする」と覚えておくとよいでしょう。デザイナーなら覚えておきたい補正です。

Recipe

028

Camera Rawを使って深みがある画像を作る

詳細な補正が可能なCamera Rawを使って細部まで気を配ったメリハリのある画像を作ってみましょう。

素材

Design methods

01 どのように補正したいか目的を持つ

「Camera Raw」は多機能で詳細な補正が可能な分、項目が多く、少し複雑な操作が必要となります。

そこで、あらかじめどのように補正したいかという目的を持って作業するとよいでしょう。

このRecipeでは

- 明度を調整したコントラストの補正
- 人物と背景の色相のコントラスト

を意識します。人物を主役とした鮮やかで高コントラストな補正を行っていきます。

02 「シャドウ」「中間調」「ハイライト」を個別に強調する

Photoshopを立ち上げて、素材[子供.jpg] を開きます 01。[フィルター] →[Camera Rawフィルター] を選択します 02。[Camere Rawフィルター] のウィンドウが立ち上がります 03。ウィンドウの右側にある[カラーグレーティング] タブを開き、[シャドウ] [中間調] [ハイライト] のスライダーをそれぞれ 04 のように左右に振ります。[シャドウ] [中間調] を最も暗く、[ハイライト] を明るく補正しています。05 のようになりました。

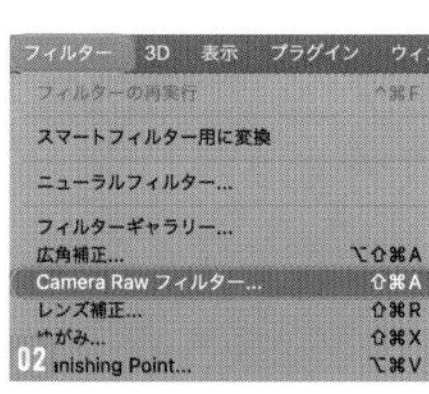

Camera Rawフィルターが立ち上がった

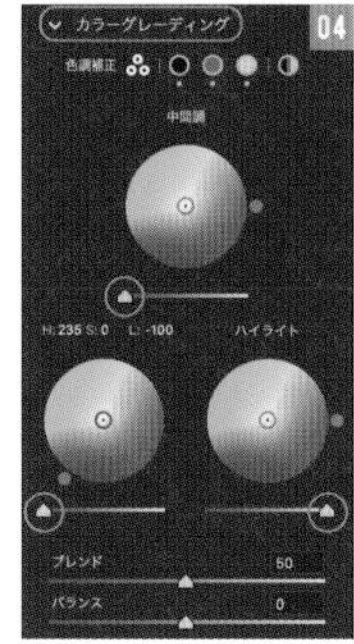

03 各カラーを調整する

[カラーミキサー] タブを選択し開きます。[色相] を選択し06のように設定します。
[レッド：-50] は女の子の服の色を濃く、[イエロー：+50] は男の子の服の色を明るく、[アクア：+20] [ブルー：+30] は背景に薄く青色を入れることで、薄い印象や遠くにあるような印象を目指しています。これらを行うことで手前の人物が強調されたように見えます07。
[彩度] を選択し、08のように設定します。
[イエロー：+50] は男の子の服の彩度、[アクア：+50] [ブルー：+50] は背景の彩度を調整しています09。
[輝度] を選択し10のように設定します。
[レッド：+60] は女の子の服を明るく、[イエロー：-60] は男の子の服を暗く、[アクア：+50] [ブルー：+50] は背景を明るくしています11
[基本補正] を選択し、12のように設定します。
[コントラスト：+30] は少しコントラストを高くし、[白レベル：-50] は白飛びした部分を抑えるため、とくに男の子の顔の輪郭がわかるくらいを目安にハイライトを暗くしています。[明瞭度：+20] はコントラストとシャープさを追加するために加えています13。OKを選択し完成です。

Point

Camera Rawはたくさんの設定項目があり、少し難しい所もありますが、詳細な調整ができますので、上手に活用できれば画像の完成度が上がります。「この画像だけは見栄えよいものにしたい」といった時など、上手に活用するとよいでしょう。
なお、Camera Rawはバージョンアップごとに様々な機能が追加されています。Photoshopのバージョンが更新された際は簡単に確認しておくとよいでしょう。

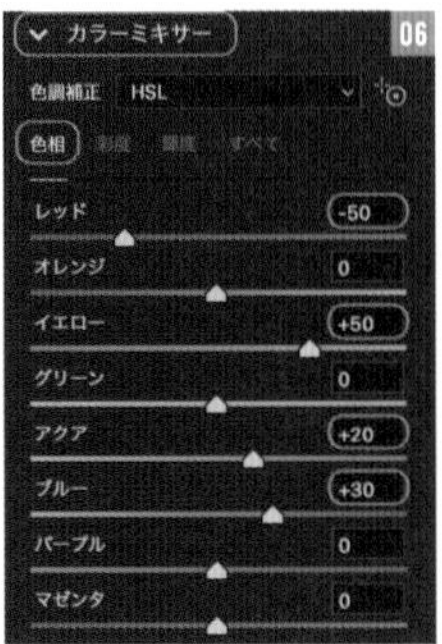

07

09

11

13

Recipe

029

[被写体を選択]を使った切り抜きのテクニック

デザインを制作する上で写真の一部を切り抜いて使うことは多いでしょう。ここでは［被写体を選択］を使った切り抜き方法を紹介します。

01 被写体選択を使って選択範囲を作る

Photoshopを立ち上げて、素材[人物.jpg]を開きます 01。[選択範囲]→[被写体を選択]を選択します 02。自動的に被写体が解析され、人物に沿って選択範囲が作成されます 05。

02 選択範囲を確認して調整する

この写真では、ほぼ正確に被写体の選択範囲を作成できていますが、よく確認すると左の腰あたりに、選択できていない範囲があります 06。ツールパネルの[なげなわツール] 07 を選択し、Shift キー＋ドラッグで選択範囲を追加します 08。Shift キーを押しながら選択すればその部分を選択範囲に追加、反対に option（alt）キーを押しながら選択すればその部分を削除できます。

選択範囲を整えたら、右クリックを行い[選択範囲をコピーしたレイヤー]を選択し、レイヤーに切り出します 09 10。

写真によっては[被写体を選択]の1クリックで選択範囲を作成できるのでとても便利です。また、一部選択範囲が作成されない場合は[なげなわツール]などを使い調整しましょう。[ファイル]→[別名で保存]でpsdの拡張子で保存すれば完成です 11。

01

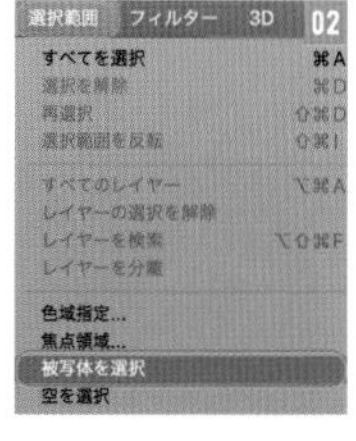

02

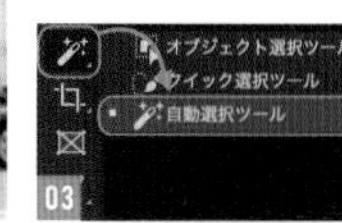

03

04

Point

[オブジェクト選択ツール][クイック選択ツール][自動選択ツール] 03 のいずれかを選択した際にオプションバーに表示される[被写体を選択] 04 でも同様のことができます。

05

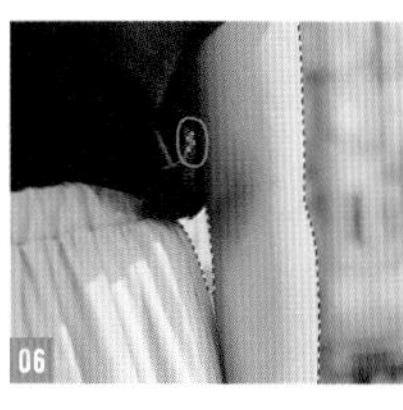
06

07

08

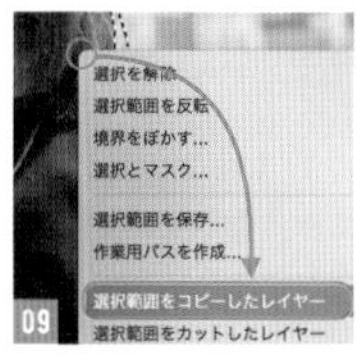

09

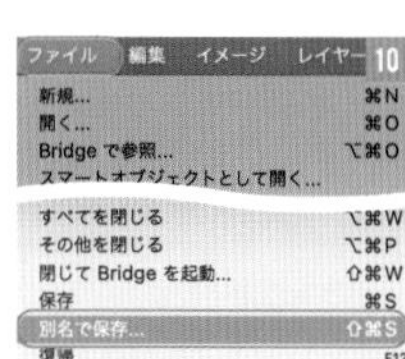

10

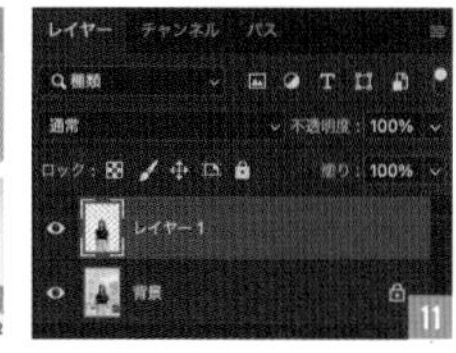

11

Recipe

030

淡い色の写真を作る

風景をぼかし、色を浅くして背景を淡くマットな質感の写真に補正します。主役の人物も併せて補正し、強調したイメージに仕上げましょう。

Design methods

素材

01 背景を浅く補正する

Photoshopを立ち上げて、素材[ポートレート.psd]を開きます。主役となる人物は別にしておいた方がよいので、切り抜きをするとよいでしょう。ここではあらかじめ、レイヤー[背景]と切り抜いたレイヤー[人物]を用意しています 01 02。切り抜きの方法についてはP.103を参照してください。

レイヤー[背景]を選択します。

[イメージ]→[色調補正]→[レベル補正]を選択し 03、04 のように設定します。

[出力レベル]シャドウ側を[150]とし、暗い色みを大幅にカットして、ハイライト側を[240]とし、少しだけ落ち着かせると淡くマットな質感になります 05。

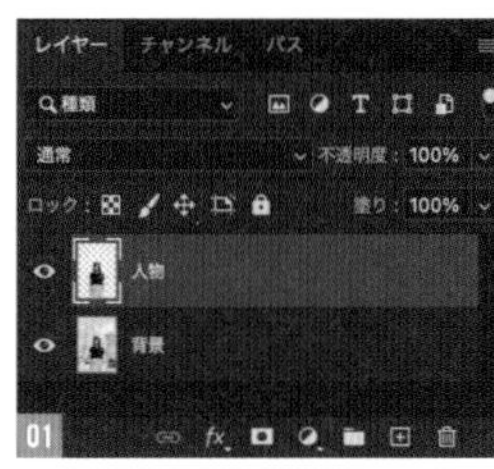

01

02

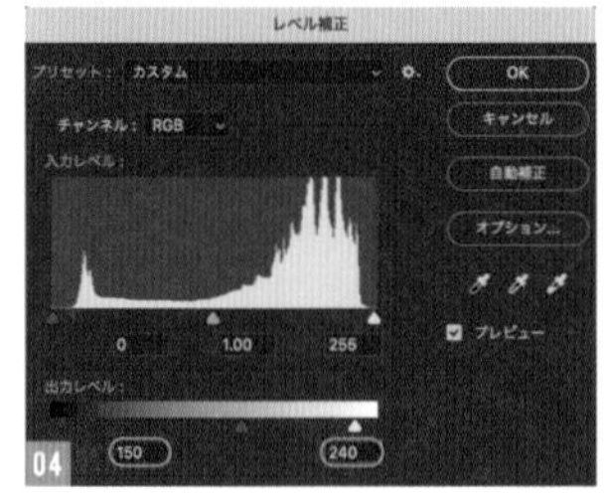

03

04

05

02 ぼかしと、背景の色にメリハリを加える

[フィルター] →[ぼかし] →[ぼかし（ガウス）] を選択します06。

[半径：10pixel] でぼかしを加えます07。全体が浅く主役が目立つ状態になりました08。

ただ、少し落ち着いてフラットな印象にもなっています。

水色の空が綺麗な写真だったのでシアン成分だけを持ち上げ、色みで少しメリハリを出します。

レイヤー[背景] を選択し、[イメージ] →[色調補正] →[特定色域の選択] を選択します09。

[カラー：レッド系] を選択し、10のように設定します。水色を強調したいので、シアンを上げて人物の右腕の横周辺にある赤色を抑えています。

[カラー：シアン系] を選択し、11のように設定します。イエローで青の色みを調整しつつ空や建物の青を強調しています12。

03 人物を明るく補正する

レイヤー[人物] を選択し、[イメージ] →[色調補正] →[レベル補正] を13のように適用します。

[入力レベル] の中間調を [1.20]、ハイライトを [230] として、明るくクリアな印象に補正しました14。

作例では、[長方形ツール] を使って四角のシェイプを人物の後ろに配置し、立体的に枠を作成しました。[フォント：HT Neon] を使用し、テキストで装飾して完成としました15。

Point

枠とテキストの配置は青色で示したように、人物の頭頂部から画面の左右の上端までをつないでできる三角形をおおまかな目安としています16。

16

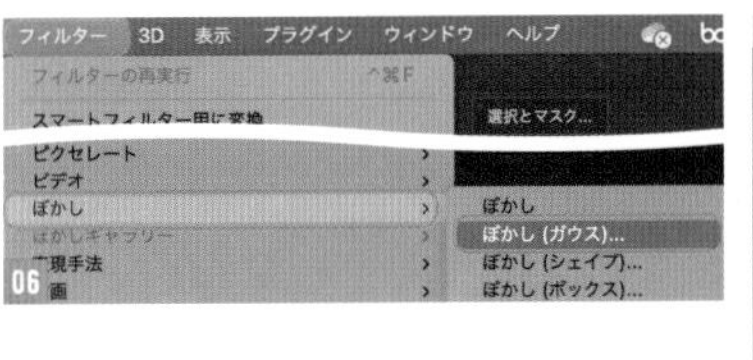

06

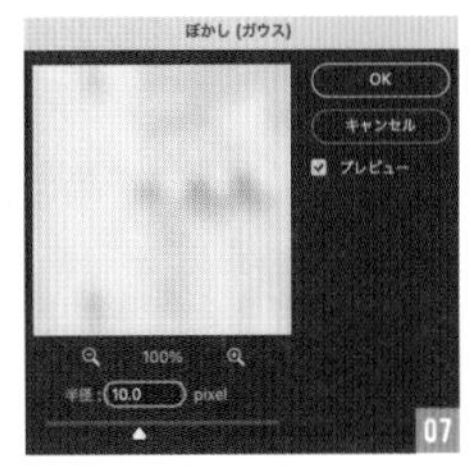

07

08

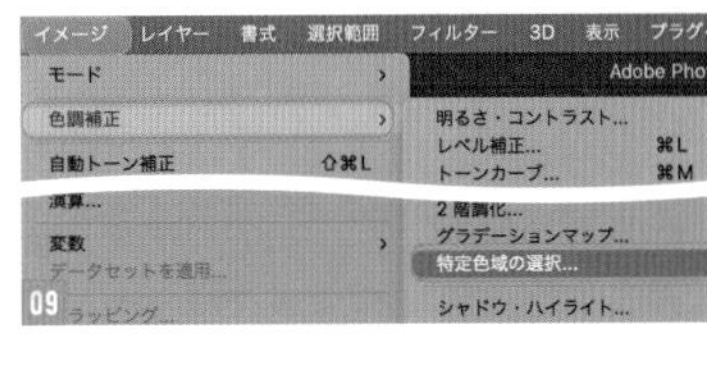

09

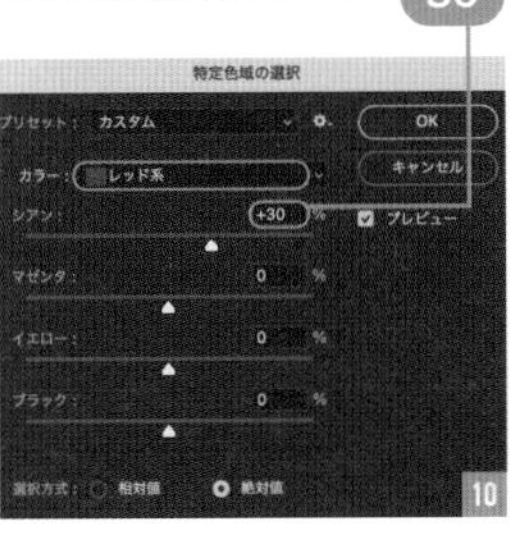

10

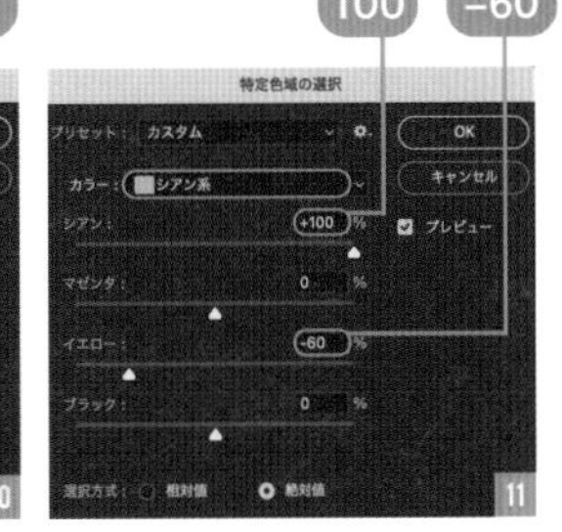

11

12

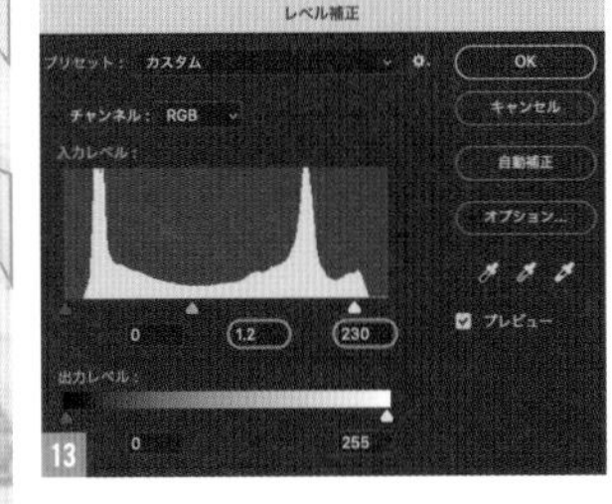

13

14
15

Recipe

031

細かな素材の切り抜きのテクニック

人の髪や動物の毛など、細かい部分の切り抜きを行うこともあるかと思います。ここでは［被写体を選択］に［選択とマスク］を組み合わせてより細かな調整を行える切り抜き方法を紹介します。

Design methods

01 ［被写体を選択］で選択する

Photoshopを立ち上げて、素材［人物.jpg］を開きます 01。

P.103と同じように、［被写体を選択］を使って選択範囲を作成します 02。

このまま［選択範囲をコピーしたレイヤー］で切り抜きを行うと、03 のように髪の毛の隙間が切り抜けていない状態になってしまいます。

02 ［選択とマスク］で調整をしていく

選択範囲を作成した状態で［選択範囲］→［選択とマスク］04（または、手順01と同様に、各種選択ツールを選択時に表示されるオプションバーから［選択とマスク］05）を選択します。

専用の画面に切り替わります。［属性］パネルを設定していきます。

［表示モード］を［オーバーレイ］、［不透明度：60%］とします 06。07 のようになりました。背景が赤になり、選択範囲がどこになっているかわかりやすくなります。

08 のように髪の毛に背景が残っている部分が確認できます。

ウィンドウ上の［オプションバー］から［髪の毛を調整］09 を選択すると、自動的に髪の毛を認識し選択範囲が調整されます 10。

03 最後の調整をしていく

髪の毛は綺麗に調整されましたが、左右の肩が少し消えてしまいました 11。ツールパネルから［ブラシツール］を選択します 12。［ブラシサイズ：15］前後に設定し、肩の消えてしまった部分をドラッグします 13。範囲を多く取りすぎてしまった場合は option（alt）キーを押しながらドラッグします。調整できたら［OK］を押して確定します。

選択範囲が作成されるので 14、右クリックを行い［選択範囲をコピーしたレイヤー］（または［選択範囲をカットしたレイヤー］）を選択し、レイヤーに切り出します 15。保存して完成です。

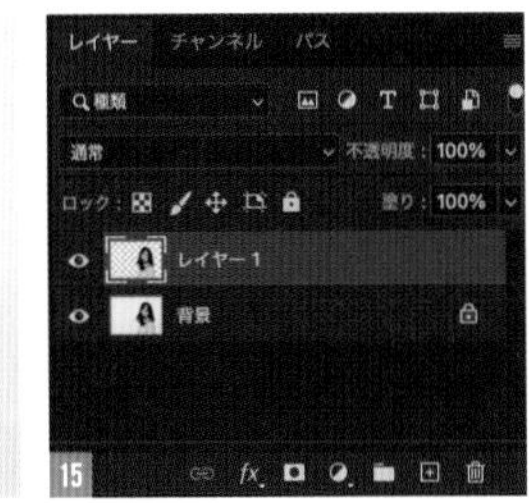

Column

和文のオススメフォント

和文のオススメのフォントを紹介いたします。一部有料のものもありますが、実用的で美しいフォントです。デザイナーを目指すならチェックしておくとよいでしょう。

和文のおすすめのフォント

01 A1ゴシック（モリサワ）

オールドタイプのゴシック体です。縦横交わった部分の墨だまりによる表現が柔らかさを演出しています。柔らかくも字面自体はオーソドックなため、知的な大人らしさがあり、会社案内やエディトリアルデザインなどのタイトルや見出し周りなどで使えます。

02 A1明朝（モリサワ）

凛としたたたずまいを持ちつつ、縦横交わった部分の墨だまりが、柔らかな印象と自然な温かみを感じさせます。かなの優美な表情が生み出す味わいある書体で、「A1明朝が合うデザインをしていきたい」というデザイナーもいるほど人気です。

03 UD角ゴ（フォントワークス）

美しく、また万能なモダンゴシックなので場所を選ばなく読みやすい文字組みを作ることができる書体です。情報媒体全般、ビジネスカジュアルなど、一般的なイメージがあります。ビジネス資料作りなどにも最適です。

04 はんなり明朝（フリーフォント）

やさしくふんわりとしていて、落ち着いた華やかさと上品さを併せ持ったフリーフォントです。京ことばの「はんなり」という名前にふさわしく、レトロや和風な雰囲気のものによく合い、画像と合わせて使っても喧嘩せずにスッと馴染んでくれるのも魅力です。

05 うつくし明朝（フリーフォント）

ストロークがつながった部分が多く、なめらかで美しく、上品なイメージを持った書体です。個人の制作物だけでなく、女性向けの広告やパッケージなど、プロも頻繁に使用している人気のフリーフォントです。

01
A1ゴシック

02
A1明朝

03
UD角ゴ

04
はんなり明朝

05
うつくし明朝

Recipe

032

陰影をつけて顔立ちを整える

人物はデザインを作成する上で非常によく出てくる素材です。顔立ちを整えるレタッチの仕方も覚えておいて損はないでしょう。人物に陰影を付けて、立体的で艶のある雰囲気に仕上げます。

Design methods

01 全体に薄くぼかしを加える

素材[人物.jpg]を開きます01。
[フィルター]→[ぼかし]→[ぼかし(表面)]を選択します02。
[半径:30pixel][しきい値:6レベル]で適用します03。
ぼかしを入れることで肌が滑らかに見えます。

02 顎のラインに影を入れてシャープに見せる

上位に新規レイヤー[顔の影]を作成し、[描画モード:ソフトライト]とします04。
ツールパネルの[ブラシツール]を選択します。
オプションバーで[ソフト円ブラシ]を選択し、[ブラシサイズ:70px]前後で調整しながら、[描画色:#000000][不透明度:10%]の、とても薄い色で描画していきます05。
フェイスラインの少し内側から顎の下の範囲に、何度も重ね塗りしながら描画します06。
影を入れることでフェイスラインがシャープな印象になります。

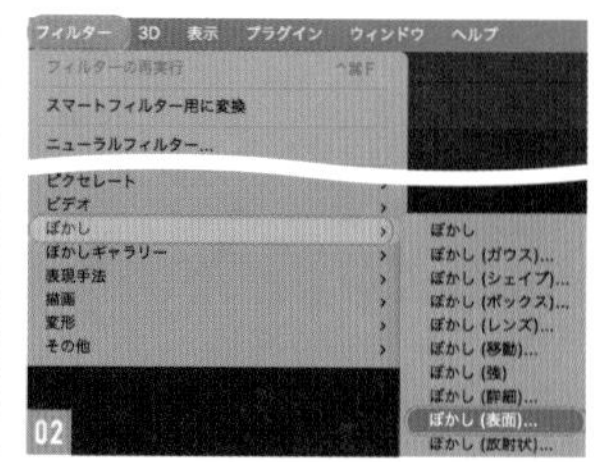

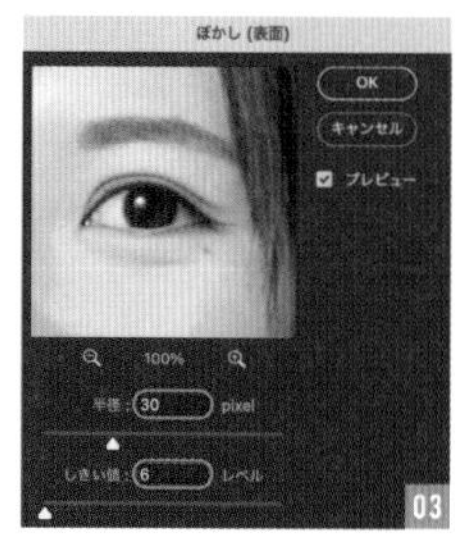

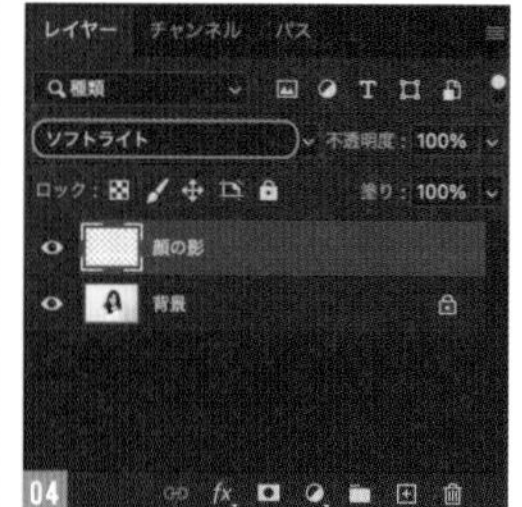

03 顔に光を入れて、肌を滑らかにしつつ立体感を出す

額、頬、鼻筋、目のキャッチライトに光を入れます。上位に新規レイヤー[顔の光]を作成し、[描画モード：オーバーレイ]とします07。
影と同じように[ブラシツール]を選択し[ソフト円ブラシ][不透明度：10%]を選択します。
[描画色：#ffffff]を選択し、パーツごとにブラシサイズを変えながら描画していきます。
額や頬などの広い面積は[ブラシサイズ：50～60px]程度で光を描画します。
鼻先は[ブラシサイズ：30px]程度を選択し、ポンポンとドラッグせずに何度もクリックし光を追加します。次に鼻筋をドラッグして描画します。
目の光は鼻先と同じように、ドラッグせずに何度もクリックし、光を追加します08。

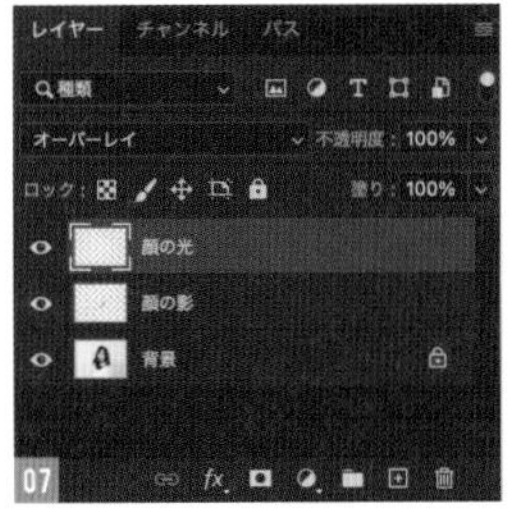

07

08

04 唇に色みと光を足す

[描画色：#ffb3a5][ブラシサイズ：15px]程度に設定し、唇を明るくしつつ色みを足します。
下唇の元々光があたっている部分には[描画色：#ffffff]で光を追加します09。

09

05 髪の毛に陰影を付け、立体的にする

上位に新規レイヤー[髪の影]を[描画モード：ソフトライト]で作成、さらに新規レイヤー[髪の光]を[描画モード：オーバーレイ]で作成します10。[ソフト円ブラシ]を選択し、[不透明度：20%]とします。
レイヤー[髪の影]は[描画色：#000000]とし、[ブラシサイズ：50px]程度にして、画面左側のフェイスラインにかかっている髪の毛より左側(奥)を暗く立体的にします11。
次に[ブラシサイズ：10px]程度にして、髪の毛の流れを強調するように影を描画します。
元々影になっている部分を強調するようにすると描画しやすいでしょう12。レイヤー[髪の光]を選択し、[描画色：#ffffff]とし、[ブラシサイズ：20px]程度にして元々光があたっている部分を強調するように描画します13。

10

11

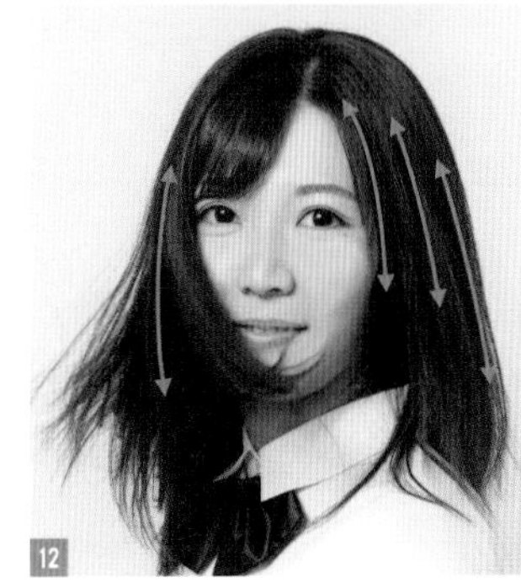
12

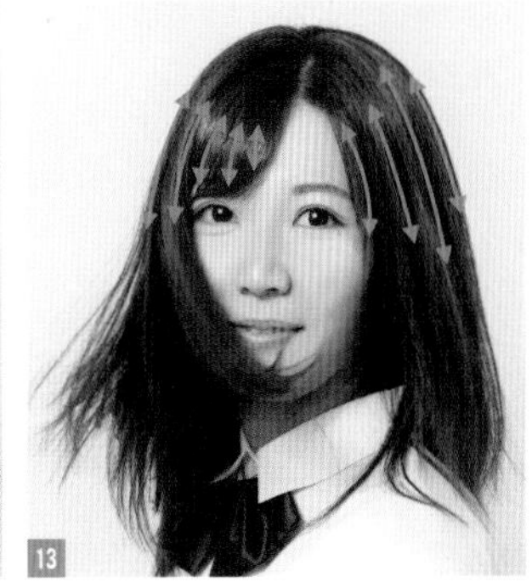
13

Recipe

033

パペットワープを使った変形

パペットワープを使った変形を紹介します。回転を利用して滑らかに人物の視線を変更します。

Design methods

01 素材を開く

Photoshopを立ち上げて、素材[人物.psd]を開きます 01。
あらかじめ、レイヤー[背景][人物]の2つのレイヤーを用意しています。
また、レイヤー[人物]は何度も修正できるように[スマートオブジェクト化]※しています 02。
レイヤー[人物]を選択し、[編集]→[パペットワープ]を選択します 03。
専用のモードになり、人物の上にメッシュが表示されます 04。

01

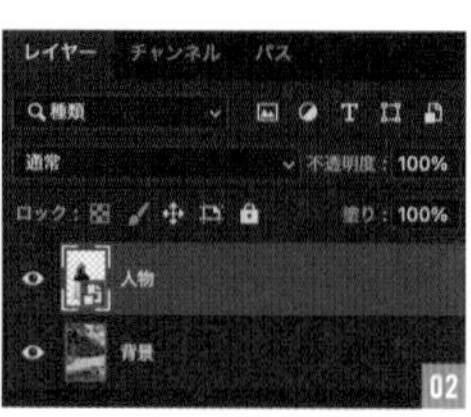

02

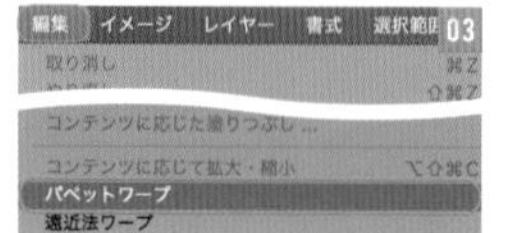

03

04

※スマートオブジェクト…レイヤーを選択し右クリック→[スマートオブジェクトに変換]で利用できる。元の画質を損なわずに変形ができる形式。

02 首の付け根のピンを中心に回転する

両肩、首の付け根、膝、足元の5か所をクリックしピンを打ちます 05。
首の付け根あたりに追加したピンを選択します 06。
option（Alt）キーを押すとピンの周りに円が表示されます 07。
そのままドラッグすることでピンを中心に回転させることができます 08。[-50°] 程度回転します。

05

06

07

08

option（Alt）を押してドラッグ

03 肩や頭を調整する

画面右上を見上げているようにしたいので、人物の左肩を少し上方向に、右肩を少し下方向にドラッグします 09。
首の角度を変えたことで顔が長くゆがんでしまうので、頭頂部にピンを追加します。下方向にドラッグし、顔の形を整えます 10。
両肩、首、頭頂部それぞれのピンを [回転] や [ドラッグ] し微調整して、ゆがみが無いように整えます 11。
人物の視線を変更できました。

09

10

11

NEW SUMMER!
NEW TASTE!

FRESH!!!

Recipe

034

水しぶきやボケを足して爽快感を演出する

青空の写真に水しぶきやボケを合成して爽快感を演出します。

Design methods

素材

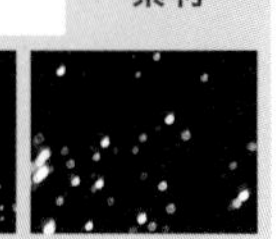

01 人物と雲を合成し雲をぼかす

Photoshopを立ち上げて、素材[人物.psd]を開きます01。素材[雲.psd]を開き、画像を[人物.psd]に移動して画面全体を覆うように配置します02。

人物の写真となじむように[フィルター]→[ぼかし]→[ぼかし(ガウス)]を選択し03、[半径:7.0]とします04。

01

02

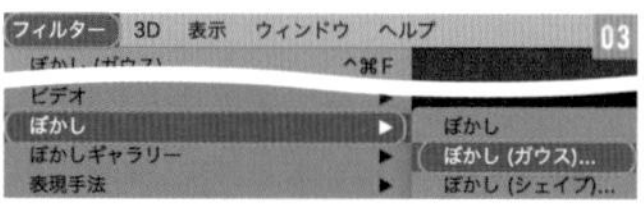

03

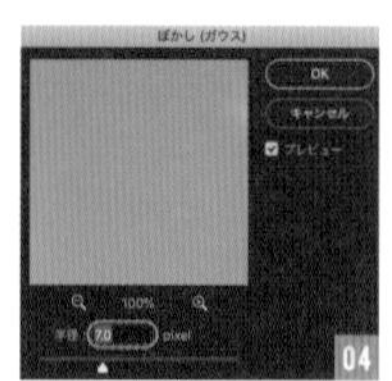

04

02 レイヤーマスクで人物をくり抜く

レイヤー[雲]を選択し、[レイヤーマスクを追加]します 05 06。レイヤー[背景]が見えるようにレイヤー[雲]を非表示にします 07。
レイヤー[背景]を選択し、[選択範囲]→[被写体を選択] 08 で人物のシルエットの選択範囲を作ります 09。
レイヤー[雲]を表示し、先ほど作った[レイヤーマスクサムネール]を選択します 10 11。
[編集]→[塗りつぶし]を選び 12、[内容：ブラック][描画モード：通常][不透明度：100%]とします 13。
[レイヤーマスクサムネール]が人物のシルエットの選択範囲で塗りつぶされ人物の形だけくり抜かれ、人物と雲の合成ができました 14。選択範囲は[選択範囲]→[選択範囲を解除]で解除しておきます。

03 水しぶきを合成し、スクリーンに設定する

水しぶきを人物の奥、手前、さらに手前と3段階で合成してキラキラした水しぶきを表現します。はじめに奥と手前の水しぶきを合成します。
素材[水しぶき_01.psd]を開き[人物.psd]に移動し 15、画面全体を覆うよう配置します 16。レイヤーの描画モードを[スクリーン]に設定します 17。水しぶきが合成できました 18。
人物にかかっている水しぶきを取るため[レイヤーパネル]→[メニュー]→「クリッピングマスクを作成」を選択します 19 20。

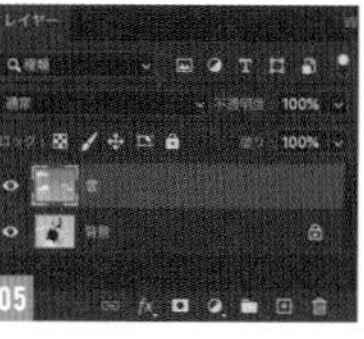

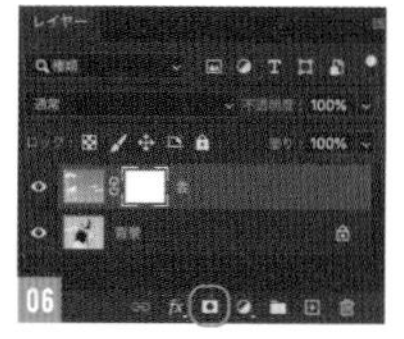

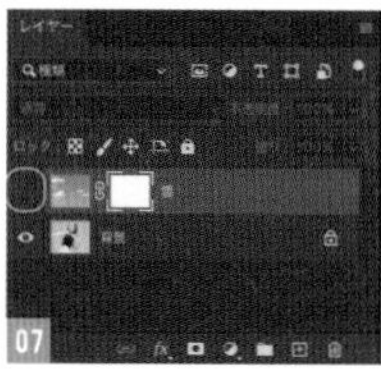

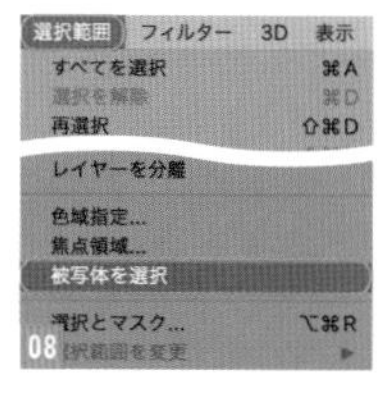

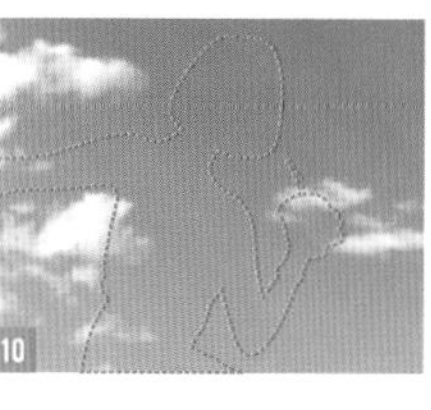

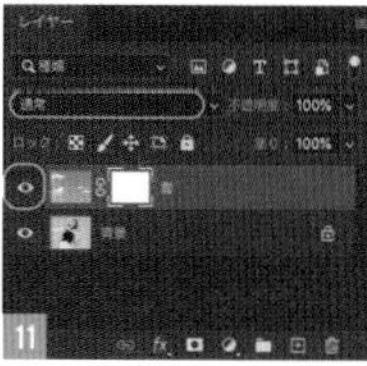

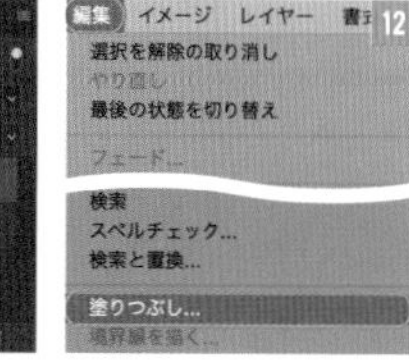

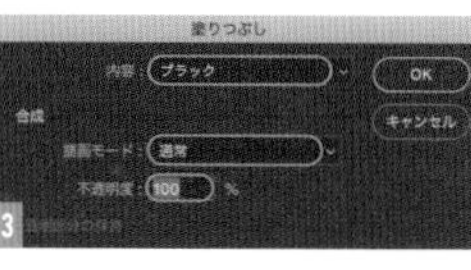

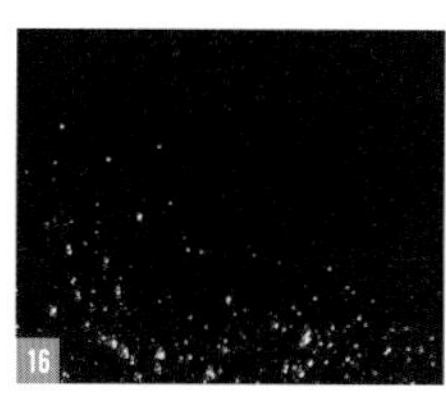

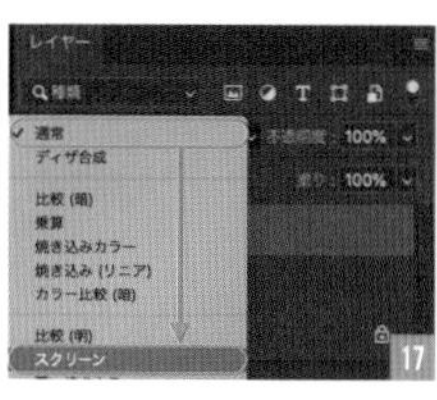

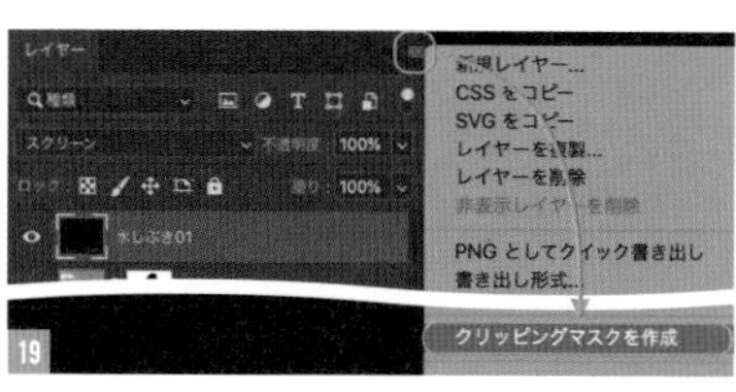

同様に素材[水しぶき_02.psd]を[人物.psd]に移動、画面全体を覆うよう配置し21 22、レイヤーの描画モードを[スクリーン]に設定します23。水しぶきの合成ができました24。

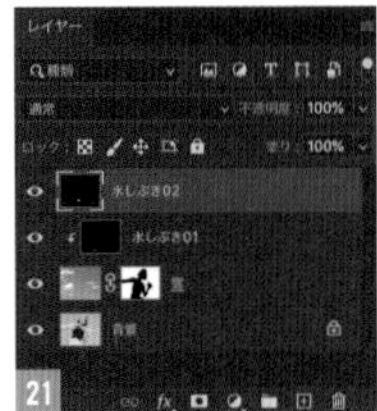

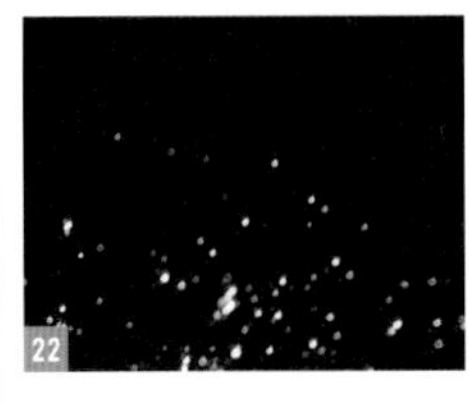

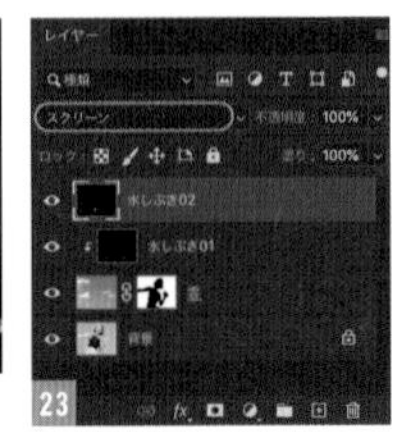

04 最前面の水しぶきを合成する

最後に最前面の水しぶきを合成します。[フィルター]の[ぼかし(レンズ)]を使い、より臨場感のあるビジュアルを作ります。

素材[水しぶき_03.psd]を[人物.psd]に移動、画面全体を覆うよう配置します25 26。

[フィルター]→[ぼかし]→[ぼかし(レンズ)]を選択します27。虹彩絞り[形状:六角形][半径:90][絞りの円形度:50][回転:0]、スペキュラハイライト[明るさ:50][しきい値:80]、ノイズ[ノイズの量:0]とします28 29。

レイヤーの描画モードを[スクリーン]に設定し、[不透明度:70%]にします30。

雲と白と青空のコントラストに、水しぶきのキラキラした感じが加わり爽やかなビジュアルが完成しました31。

作例では夏のドリンクの告知フライヤーを想定しています。水しぶきの勢いを活かし、斜体が入った太いゴシックでキャッチを作り爽快感を際立たせています。

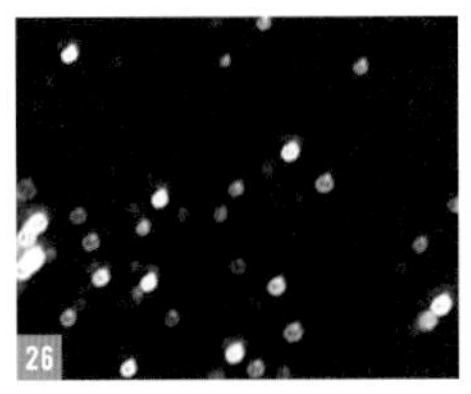

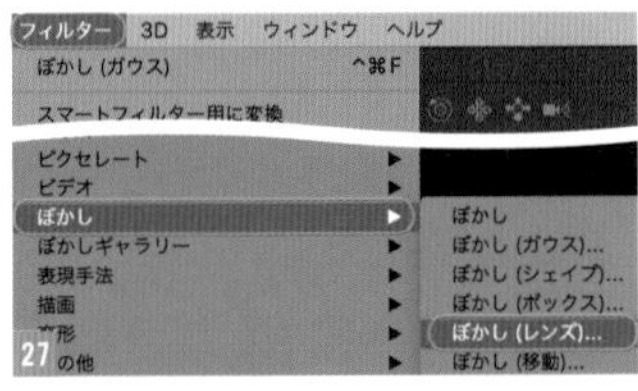

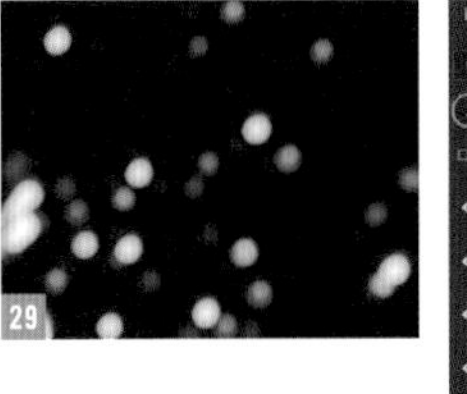

新しい旅、
新しい自分。

NEW TRAVEL.com

素材

Recipe

035

個別の画像で遠近感を出していくテクニック

個別にボケや色を調整し、遠近感を出していきます。

Design methods

01 花を配置する

Photoshopを立ち上げて、素材[人物.psd] を開きます 01 。

素材[素材集.psd] を開き、レイヤー[花ボケ01] [花ボケ02] [花ボケ03] [花ボケ04] を[人物.psd] へ移動し、02 のようにレイアウトします。

なお、ここでは全体のバランスを取るため [花ボケ01] [花ボケ04] を2回使って調整しました 03 。

01

02

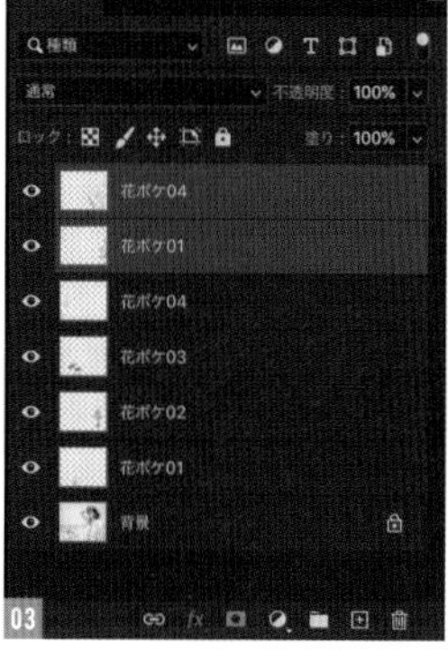

03

Point

素材を配置する際、人物やピントが合っている部分から無理に避けようとすると、不自然な絵や遠近感が出ない絵になりがちです04。
手前と奥の意識を強く持ち、大きさにメリハリを付けて思い切った配置にしてみるとよいでしょう。

02 花のボケを個別に調節する

配置した花のボケ具合を調節して手前と奥の距離感にメリハリを付けます。
レイヤー[背景]と[花ボケ01]以外のレイヤーを非表示にします05。
下位のレイヤー[花ボケ01]を選択し、[フィルター]→[ぼかし]→[ぼかし(ガウス)]06で、[半径：3.5pixel]とします07。[花ボケ01]がボケました08。
他のレイヤーの花のボケを調整していきます。レイヤー[花ボケ02]09は、[フィルター]→[ぼかし(ガウス)]で、[半径：6.0pixel]とします10 11。
レイヤー[花ボケ03]12は、[半径：15.0pixel]とします13 14。
以下同様に下位のレイヤー[花ボケ04]は、[半径：6.0]とします。上位のレイヤー[花ボケ01]は、[半径：14.0pixel]とします。上位のレイヤー[花ボケ04]は、[半径：40.0pixel]とします。手前のボケが生きて、ビジュアルに奥行きができました15。

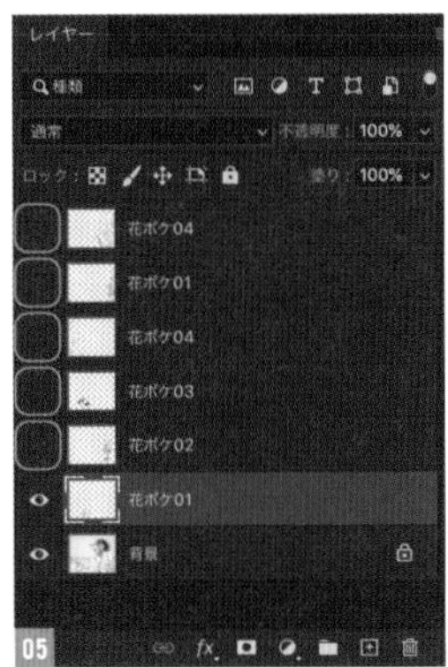

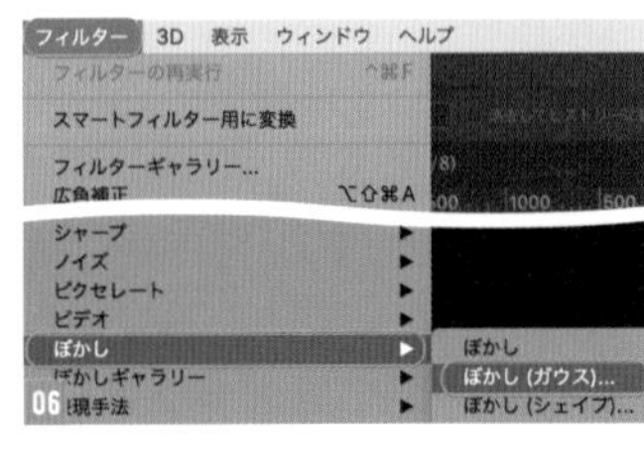

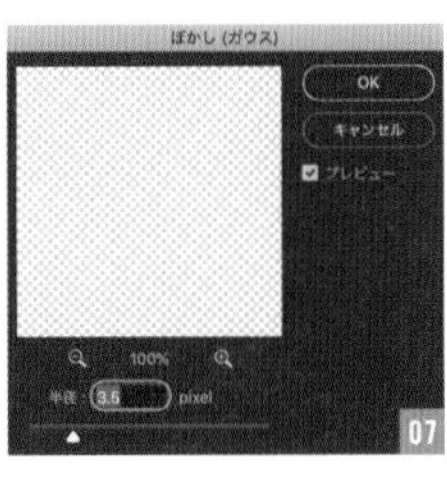

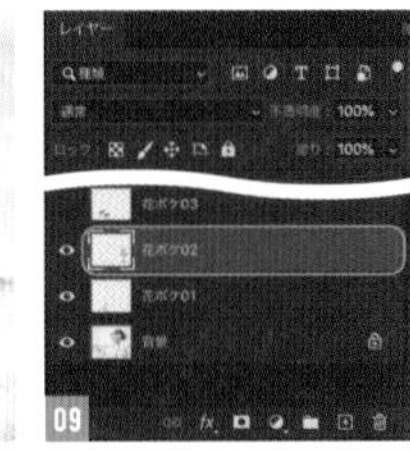

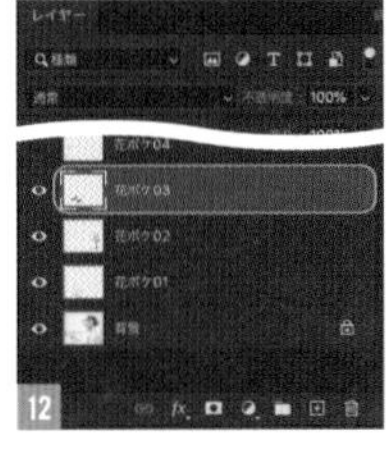

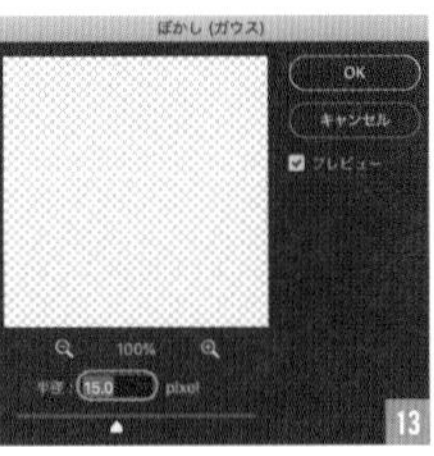

03 色調が馴染まない花を調整していく

色調が馴染まない花を調整していきます。背景の写真は日差しがある気持ちのよい印象なので、この雰囲気を崩さないように調整をかけます。
下位のレイヤー[花ボケ01]を選択し、[イメージ]→[色調補正]→[トーンカーブ] 16 で、ポインタを2つ追加します。左から[入力:80][出力:60] 17、[入力:155][出力:150] 18 とします。
以下も同様にレイヤー[花ボケ02]は、ポインタを2つ追加し左から[入力:77][出力:67] 19、[入力:173][出力:192] 20 とします。
レイヤー[花ボケ03]は、ポインタを1つ追加し[入力:90][出力:170] 21 とします。
下位のレイヤー[花ボケ04]は、ポインタを1つ追加し[入力:115][出力:140] 22 とします。
上位のレイヤー[花ボケ01]は調整の必要がないのでそのままです。
上位のレイヤー[花ボケ04]は、ポインタを1つ追加し[入力:115][出力:140] 23 とします。
調整できました 24。

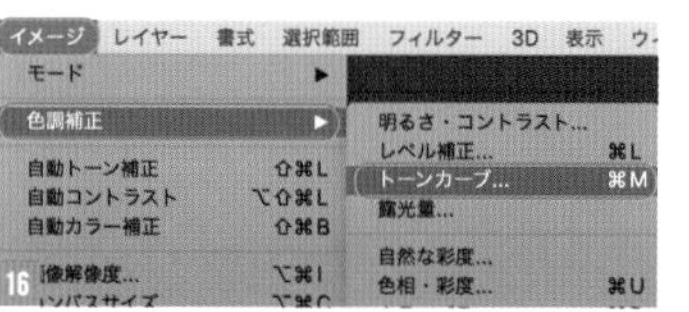

16

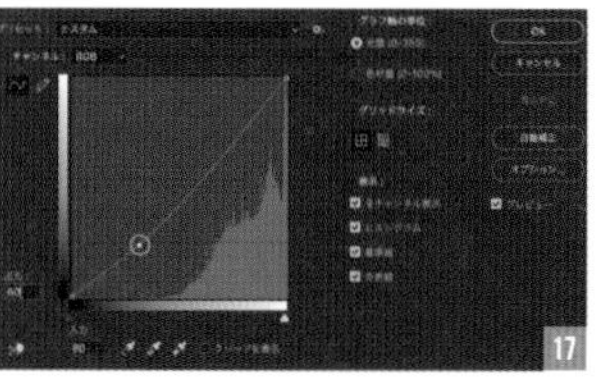
17

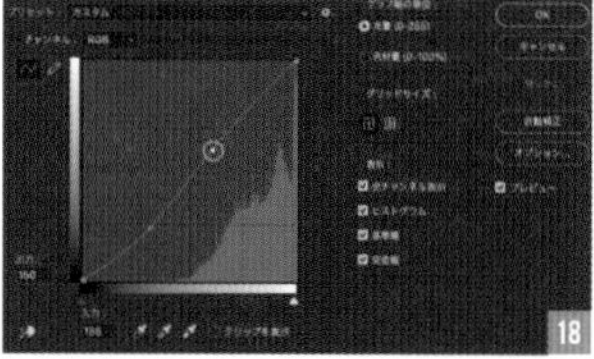
18

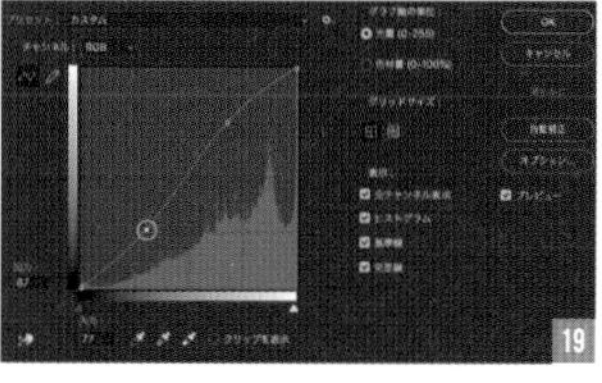
19

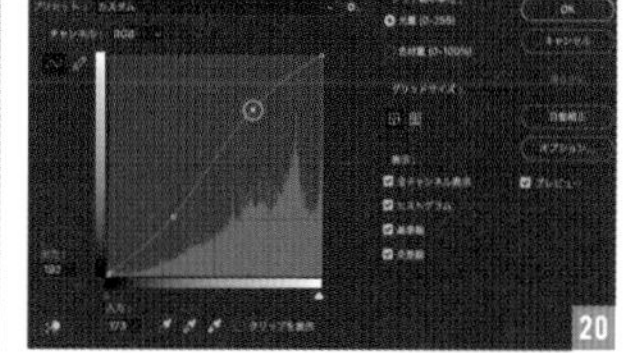
20

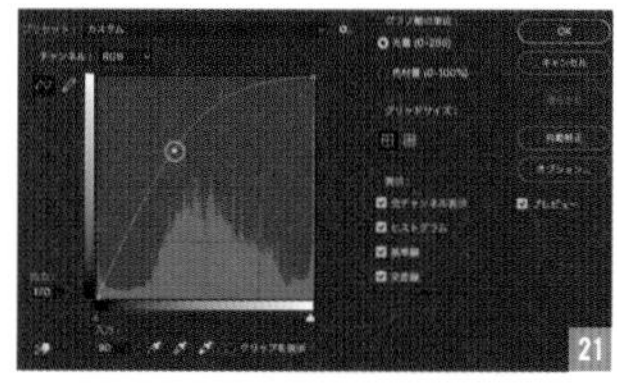
21

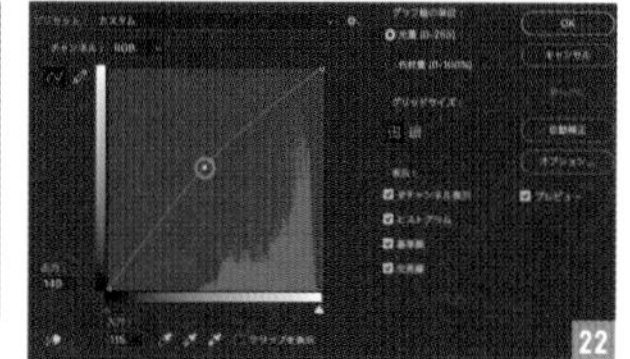
22

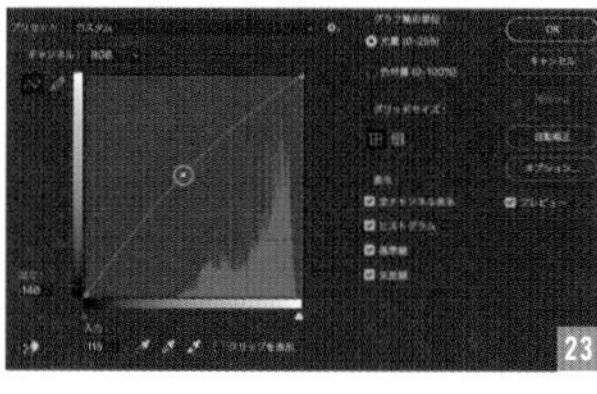
23

24

04 花の色相・彩度を調整する

レイヤー[花ボケ03]の花の青の色みが浮いているので、[イメージ]→[色調補正]→[色相・彩度] 25 を選び[色相:+10][明度:+15]とします 26。青を整え、明るく馴染むように調整しました。日差しを感じる奥行きのあるビジュアルが完成しました 27。
作例のビジュアルは旅行会社の告知フライヤーを想定しています。細めの帯とコピーのみで、写真の奥行きを邪魔しないように意識しています。

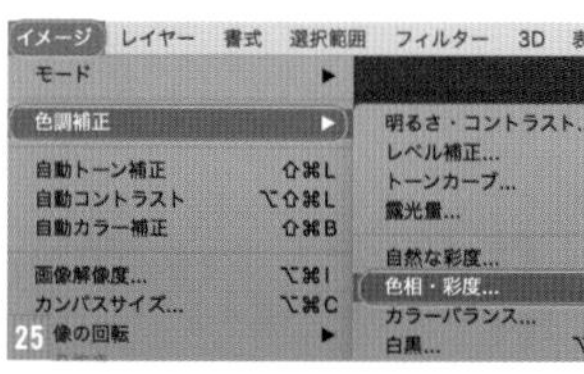

25

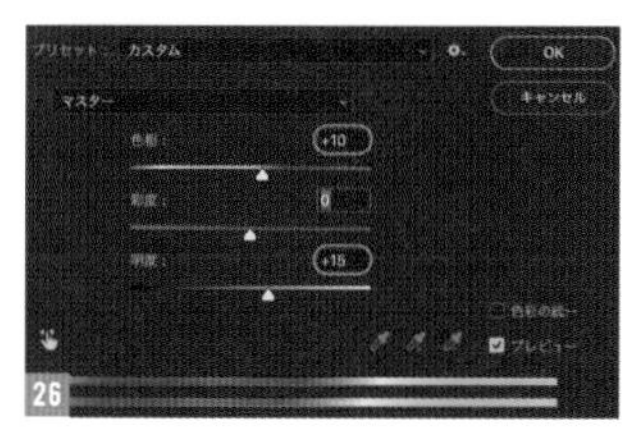

26

27

Point

トーンカーブは様々な色調補正ができる万能のツールです。デザイナーがすべてのことを学んでいくのは大変ですが、ここで活用している使い方などを一例にして、色々と試してみましょう。
闇雲に使うのではなく、目指したい完成形に向かって調整をしていけるようになるのが大事です。

素材

Recipe

036 画像を切り抜かずに馴染ませる合成テクニック

花畑の画像など、複雑で切り抜きが難しい素材があります。そういった際に切り抜かずにうまく馴染ませるテクニックを紹介します。

Design methods

01 風景と花畑の素材を重ねる

Photoshopを立ち上げて、素材[風景.jpg]と[花畑.jpg]を開きます。[花畑.jpg]を風景の上位に移動させます。レイヤーを把握しやすいように、レイヤー名を[花畑][風景]とします 01 02。

レイヤー[花畑]を選択し、描画モードを[比較(明)]とします 03 04。

[比較(明)]は下位のレイヤーと比較し、明るい色が適用されるので、花畑と風景手前の草むらが混ざり合ったような状態となります。

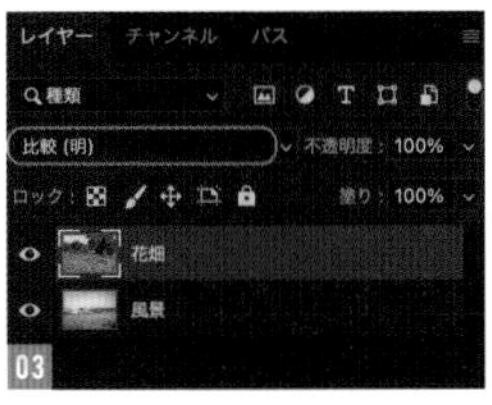

02 花畑にマスクを追加し、不要な部分を隠す

レイヤー[風景]を選択し、[クイック選択ツール] 05 などを使用して、車より手前の草むら部分の選択範囲を作成します 06。

選択範囲を作成したら、レイヤー[花畑]を選択し、レイヤーパネル下部の[レイヤーマスクを追加]を選択しマスクします 07 08。

03 風景と花畑の明るさを調整し馴染ませる

この作例のポイントは描画モード[比較(明)]で合成する点にあります。

[比較(明)]は下のレイヤーと比較し、明るい色が適用されるので、風景を暗くすることで、花畑が強調されて見えることになります。

レイヤー[風景]を選択し、[イメージ]→[色調補正]→[レベル補正]を 09 のように適用します。風景が暗くなったことで花畑が強調されました 10。

より馴染ませるために、レイヤー[花畑]を選択し、[イメージ]→[色調補正]→[レベル補正]を 11 のように適用します。コントラストを高くしたことでレイヤー[花畑]の暗い部分がより暗くなり、描画モード[比較(明)]の効果によって削除されたような状態となります 12。

04 花の色を変えて馴染ませる

レイヤー[花畑]を選択し、[イメージ]→[色調補正]→[色相・彩度]を選びます。[レッド系]を 13 のように設定し黄色に変えます。[イエロー系]を 14 のように設定し、茎部分を暗くすることで花を強調させます。

最後に[マスター]を 15 のように設定し、黄色よりに強調します 16。

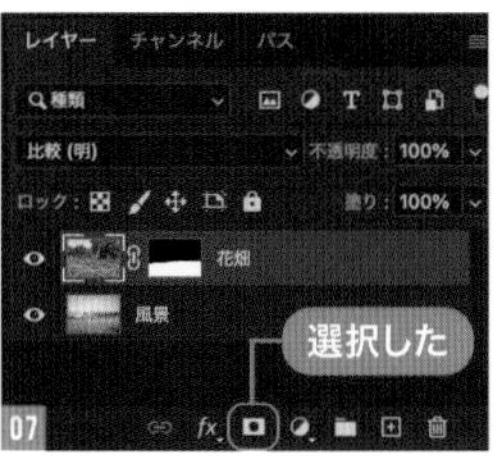

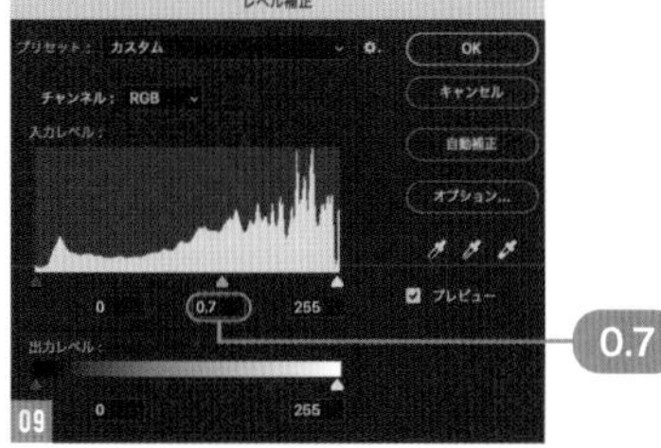

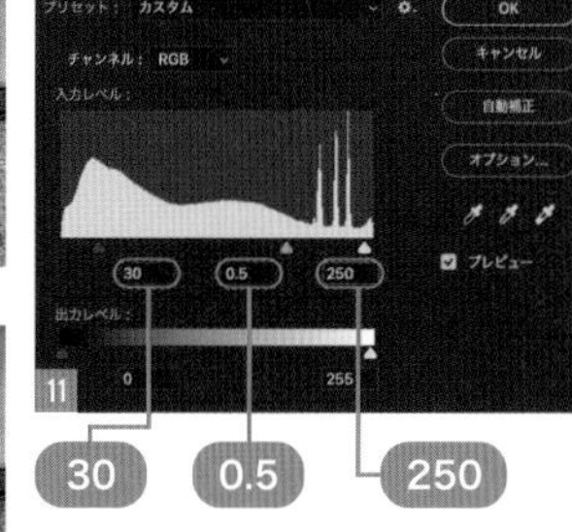

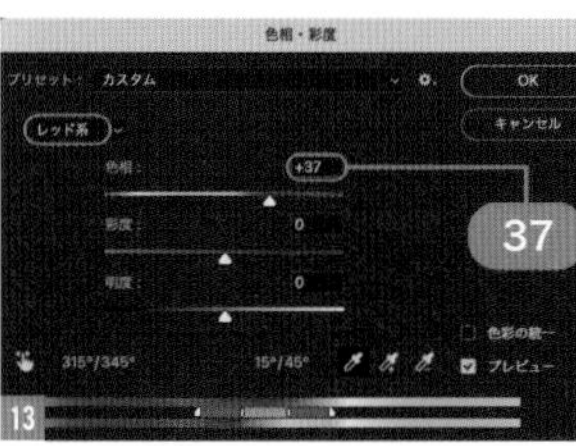

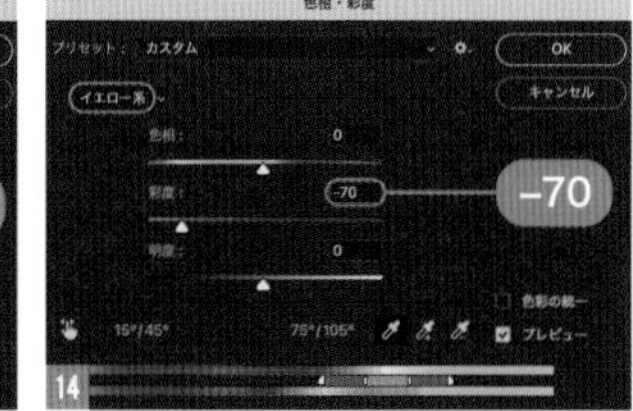

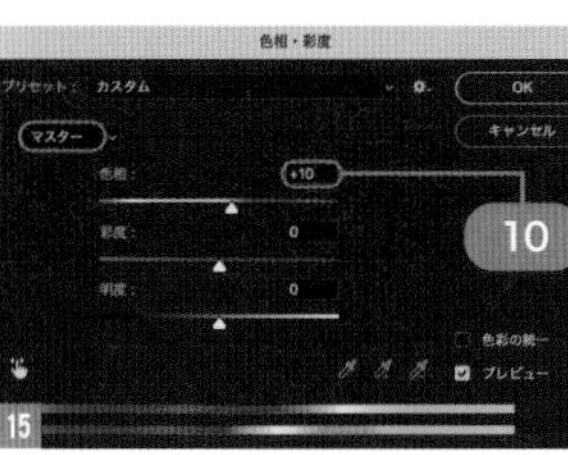

16

05 花畑に風景に合わせたぼかしを加える

一旦レイヤー[花畑]を非表示にし、風景のボケ具合を確認します17。

レイヤー[花畑]を選択し、[フィルター]→[ぼかしギャラリー]→[フィールドぼかし]を選択します18。

[フィールドぼかし]の画面が立ち上がります。[フィールドぼかし]にチェックを入れ、中心に2点にポイントを追加します19。手前側を[ぼかし：50px]、奥を[ぼかし：0px]とし適用します。手前の花畑がぼけて立体感が出ました20。

06 全体を明るく補正する

花畑を馴染ませるために、全体を暗く補正しているので、明るくします。

レイヤー[花畑]を選択し、レイヤーパネルから[塗りつぶしまたは調整レイヤーを新規作成]→[トーンカーブ]21を選択し、22のように中央にコントロールポイントを追加し[入力:115 出力:142]と設定し適用します23。

全体のトーンを落ち着かせたいので、同じようにもう一度[塗りつぶしまたは調整レイヤーを新規作成]→[トーンカーブ]を追加し、24のように左下のコントロールポイントを[入力：0/出力：15]と設定し適用します25。

最後に[塗りつぶしまたは調整レイヤーを新規作成]→[自然な彩度]を選択し、[自然な彩度：50][彩度：5]と設定します26。全体の彩度を整えました27。

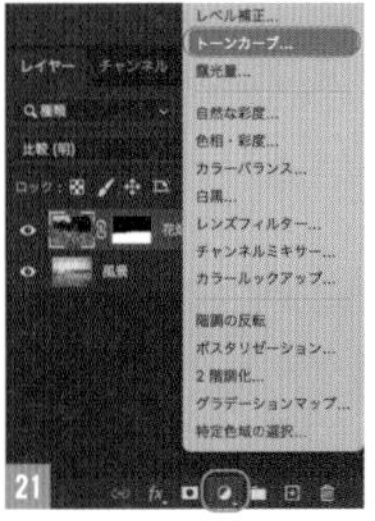

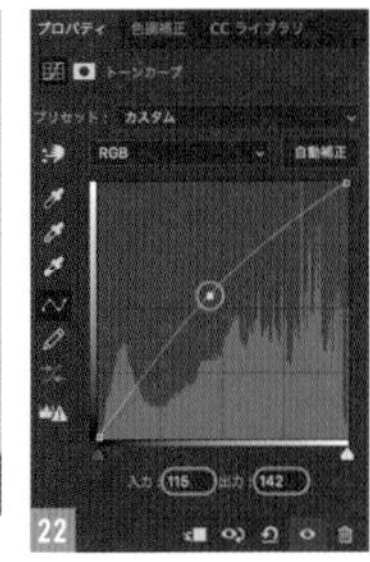

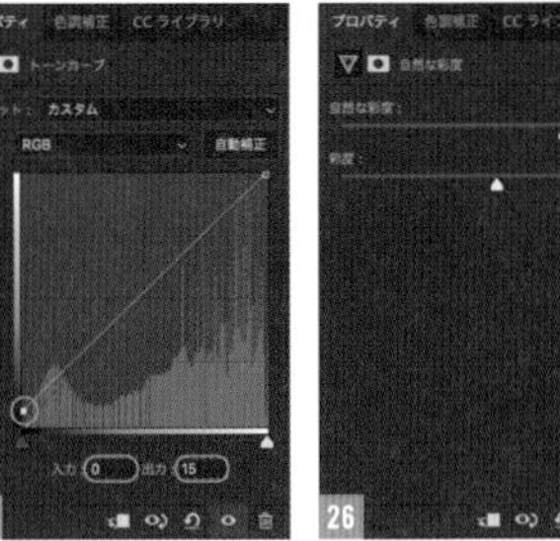

Recipe

037

違和感のない合成テクニック

デザインを作成している中で、空きスペースに異なる写真を合成したい時もあるでしょう。ここでは異なる質感の写真を合成した際に自然に見せる方法を紹介します。

Design methods

01 素材を開く

人物の写真01と風景の写真02を合成します。Photoshopを立ち上げて、あらかじめ人物を切り抜いて配置まで作業を行っている素材[風景.psd]を開きます03。

02 人物を風景と馴染ませる

現状では人物の黒の要素が風景に対して濃く馴染んでいない印象があります。
そこでレイヤー[人物]を選択し、[イメージ]→[色調補正]→[トーンカーブ]を開き、左下のコントロールポイントを[出力:24][入力:0]とし、人物の黒の要素を風景に近い具合まで馴染ませます04。さらに少しだけ人物のコントラストを高く調整したいので、コントロールポイントを追加し[出力：43][入力：25]とします05。人物が明るくなりました06。

01

02

03

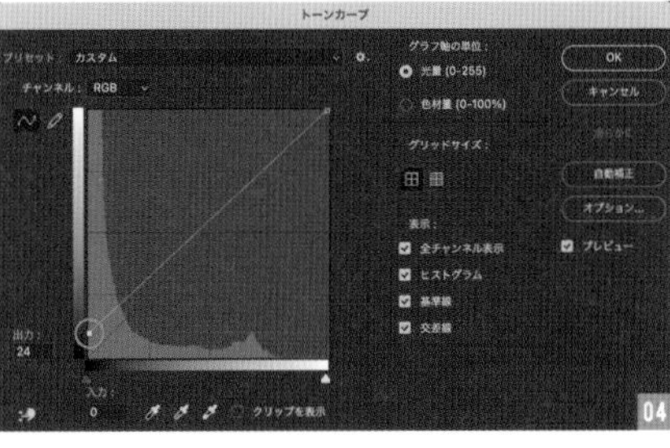

04

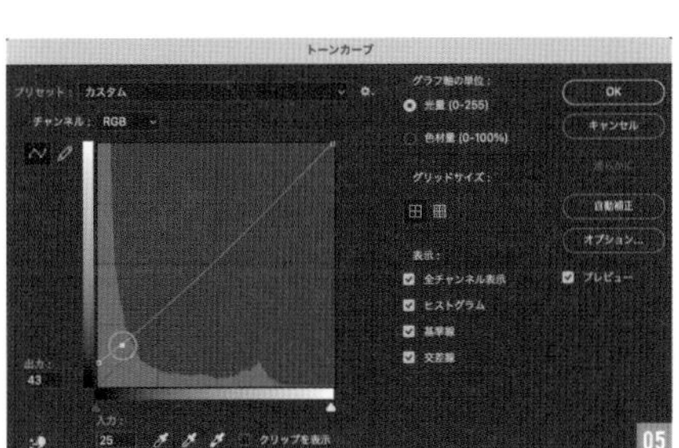

05

06

03 レンズフィルターを使って風景の色みを人物に加える

[イメージ]→[色調補正]→[レンズフィルター]を選択します 07。背景のグレーの色みを人物に加えたいので、[カスタム]にチェックし、すぐ右のカスタムフィルターカラーを選択し 08、[カラー：#6a6866]とします 09。このカラーは絶対の数値ではなく、人物周辺の道路の色からピックアップしています。

[適用量：70%]とし、風景のグレーの色みを人物に追加します 10。

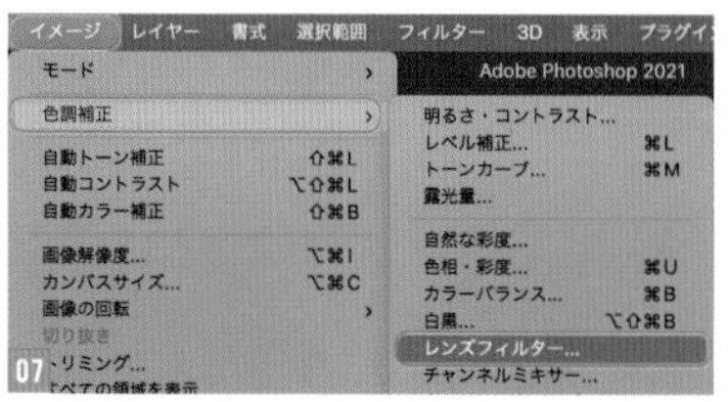

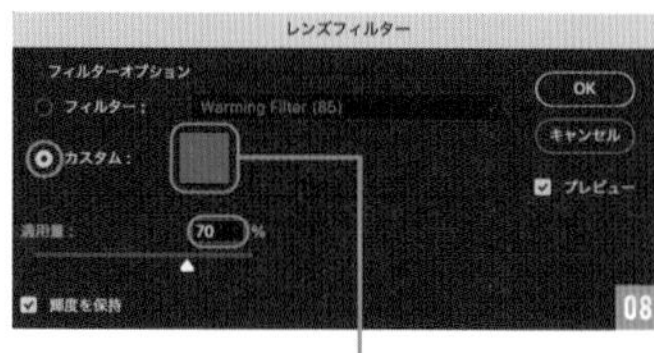
カスタムフィルターカラーを選択

#6a6866

04 フィールドぼかしを選択する

レイヤー[風景]を選択し、[フィルター]→[ぼかしギャラリー]→[フィールドぼかし]を選択します。専用の画面に切り替わります 11。

右側のタブから[フィールドぼかし]にチェックを入れ、プレビューにカーソルを合わせます。すると 12 のように[ピンと+]マークが表示されます。マウスでクリックすればピンが追加できます。

Point

もし右側にタブがない場合は右上にある[ぼかしギャラリーをリセット]を行うとよいでしょう。

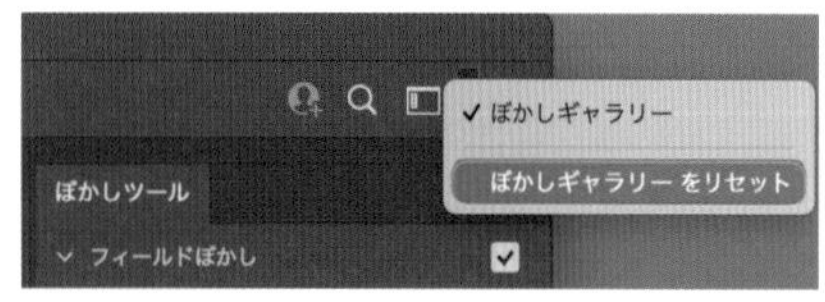

05 ぼかしとノイズを加える

初期の状態では中心部分にピンがありますので、人物の腰あたりにピンをマウスでドラッグして移動し、フィールドぼかしを［ぼかし：5px］とします 13。道路の奥のほうにピンを追加しフィールドぼかしを［ぼかし：8px］とします 14。人物にピントが合った状態で、手前より奥が若干ぼけの強い状態を意識しました 15。
さらに風景と人物にノイズを加えて質感を揃えたいので、右側のタブから［ノイズ］を選択し、16 のように設定します 17。

06 人物にノイズを加える

レイヤー［人物］を選択し、［フィルター］→［ノイズ］→［ノイズを加える］を選択します。
［量：3%］［ガウス分布］を選択し［OK］します 18 19。風景と人物にノイズを加えることでそれぞれの画像の質感を統一しています。

07 全体にレンズフィルターやトーンカーブを加える

画像全体を馴染ませる目的でフィルターを加えます。レイヤー［人物］を選択し、レイヤーパネル下部から［塗りつぶしまたは調整レイヤーを新規作成］→［レンズフィルター］を選択します 20。
［カスタム］にチェックを入れ、［#2b323f］を選択し、［適用量：70%］とします 21。
全体の色みを統一する役割なので、カラーは好みで選択してかまいません。作例では彩度の低いブルーで落ち着いた印象を出すように選んでいます 22。
レイヤーパネル下部から［塗りつぶしまたは調整レイヤーを新規作成］→［トーンカーブ］を選択します。最終的な明るさの調整として使用します。作例ではコントロールポイントを2点追加し、左下から［入力：0 出力：12］23、［入力：18 出力：25］24、［入力：120 出力：132］25 としました 26。

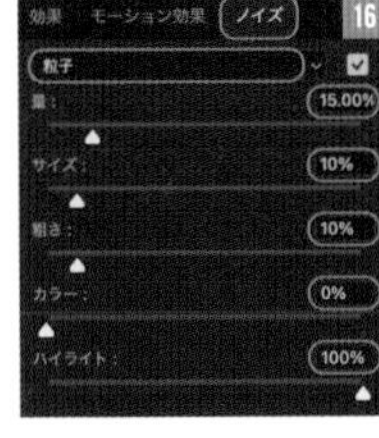

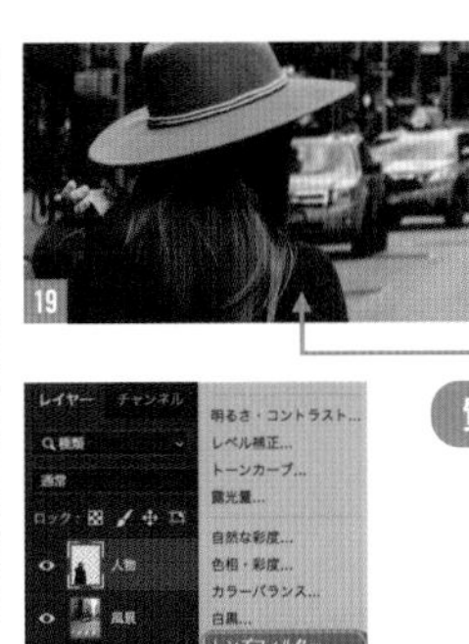

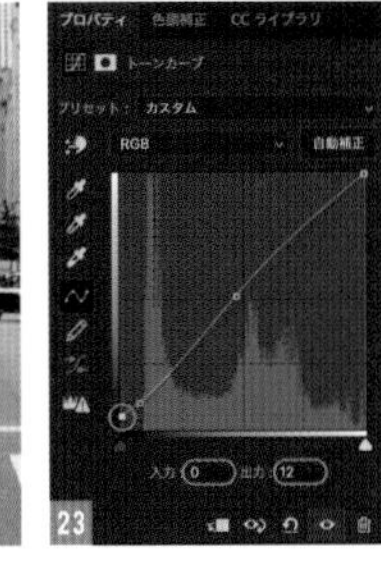

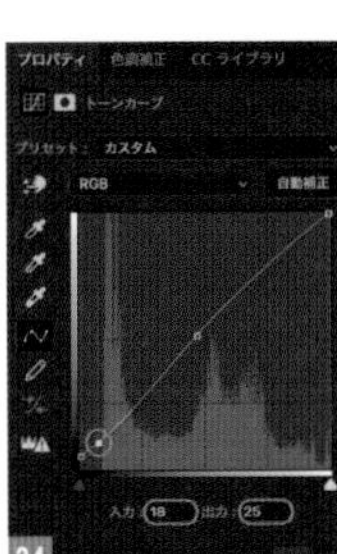

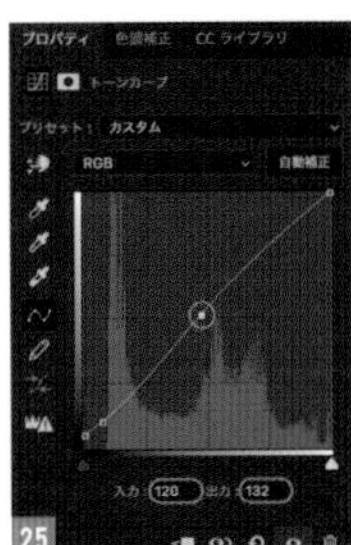

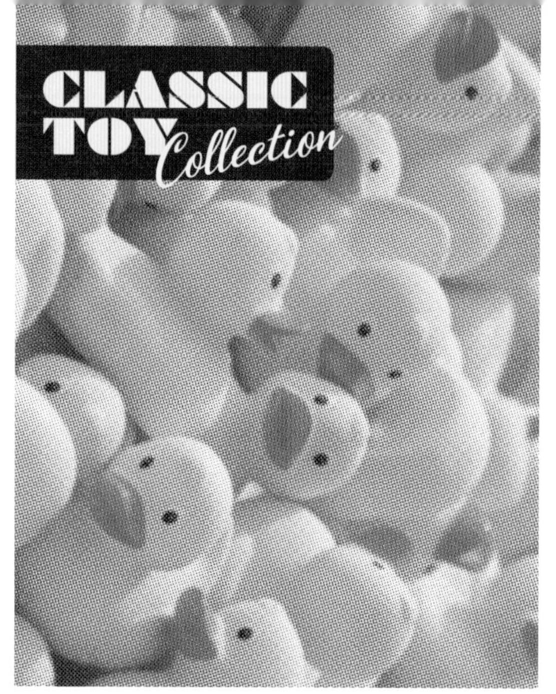

Recipe

038

印刷の網点を出して レトロ感を出す

Photoshopの機能を使い目の荒い印刷の網点を再現します。レトロ感を演出したいときに使えます。

Design methods

01 目の粗い印刷の網点を再現する

Photoshopを立ち上げて、素材[素材.psd]を開きます 01。[フィルター]→[ピクセレート]→[カラーハーフトーン]を選択します 02。
[最大半径：8pixel][チャンネル1：108][チャンネル2：162][チャンネル3：90][チャンネル4：45]とします 03。網点が再現されました 04。

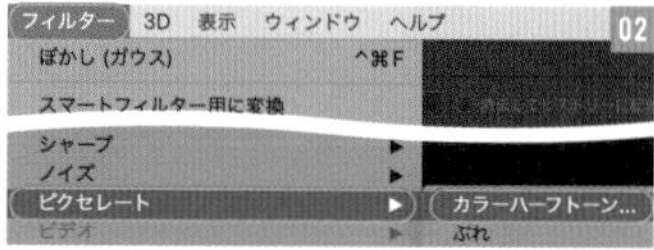

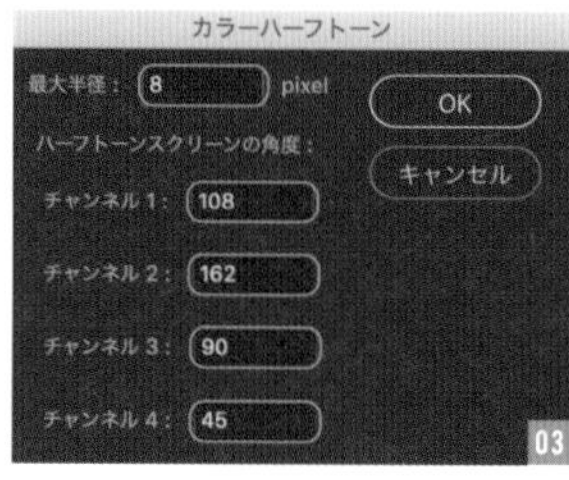

Point

「最大半径」の数値を変更すると網点の大きさが変わります。数値を小さくすれば網点が小さく、数値を大きくすれば網点が大きくなります。

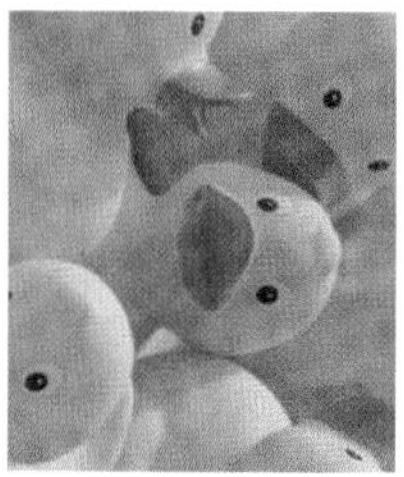

最大半径を「4」に設定。小さくしすぎて、少しざらついて見えるだけでわかりにくいビジュアルになる。

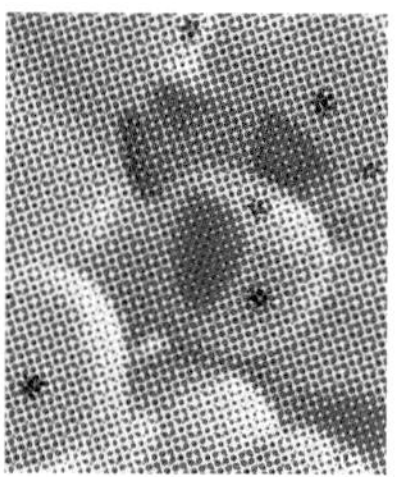

最大半径「16」に設定。大きくしすぎて、網目がわざとらしいビジュアルになる。

02 レトロ感を出すため色調補正する

レトロ感を演出するため、濃度を下げ日に焼けた印象を出します。
[イメージ]→[色調補正]→[トーンカーブ]を選択します 05。右上のポインタを選択し[入力：100][出力：85]とします 06 07。
さらに[レイヤー]→[新規塗りつぶしレイヤー]→[ベタ塗り]を選択 08、レイヤー名を[乗算]とし、色を[R：255 G：253 B：229]とします 09 10。
レイヤー[乗算]を選択し、[描画モード：乗算]にします 11。
レトロ感のある、目の粗い印刷を再現したビジュアルが完成しました 12。

作例では、古いおもちゃを特集した冊子イメージで作っています。網点をかわいい書体やチョコレートカラーと組み合わせることでレトロ感を演出しています。

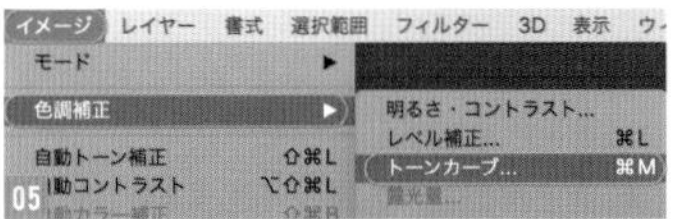

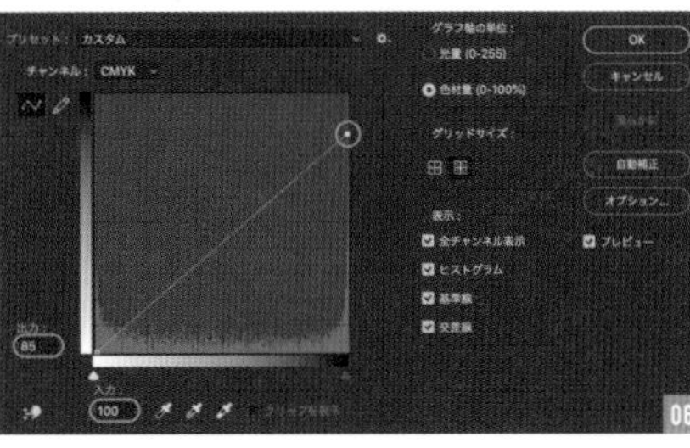

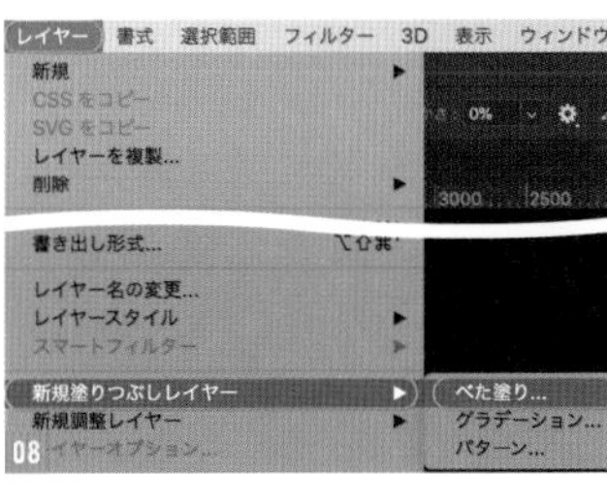

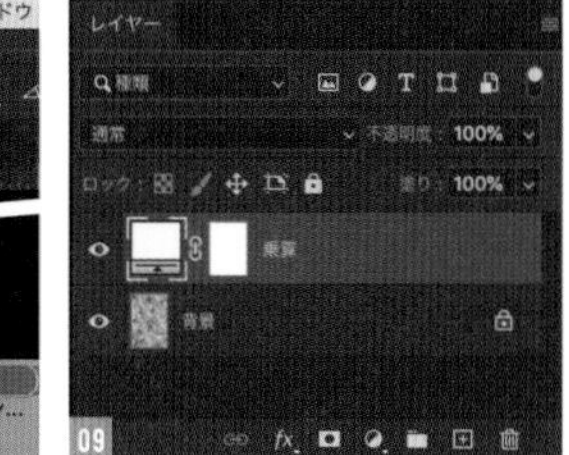

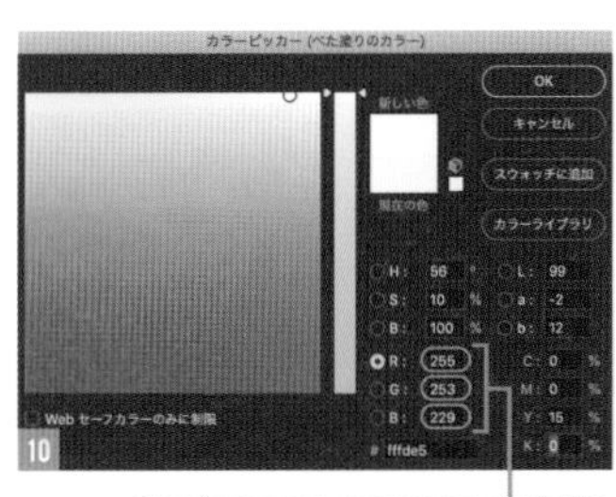

R：255 G：253 B：229

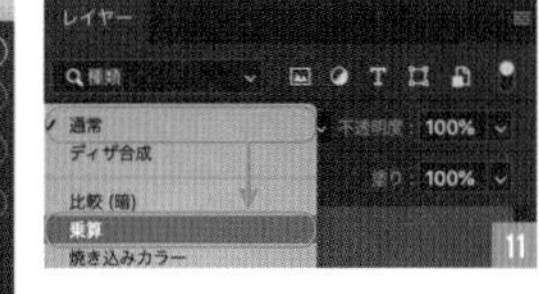

Column

欧文のオススメフォント

01 Roboto（フリーフォント）

完成度が高いサンセリフ体の書体です。洗練されたベーシックさを持っており、小さく使うことも大きく使うこともできる汎用性の高いフリーフォントです。

02 Montserrat（フリーフォント）

少し平体がかった書体でポップな印象のフリーフォントです。小さいサイズでも大きいサイズでも可読性が高く様々な場面で使用することができます。

01 Roboto

02 Montserrat

Recipe

039

ガラス越しの風景

何気ないスナップ写真を加工して、店内などでガラス越しに撮影したように見せるテクニックを紹介します。

Design methods

01 スナップと店内の写真を重ねる

Photoshopを立ち上げて、素材[人物.jpg]を開きます01。
素材[カフェ.jpg]を開き、[人物.jpg]の上位に配置します。レイヤー名を[カフェ]とし[描画モード：スクリーン]とします02 03。

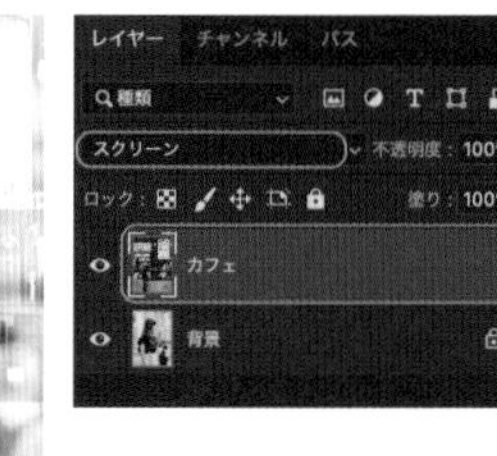

02 映り込みの具合を調整する

レイヤー[カフェ]を選択します。
[フィルター]→[ぼかし]→[ぼかし（ガウス）]を選択し04、[半径：10pixel]で適用しぼかします05 06。
[イメージ]→[色調補正]→[レベル補正]を選択します07。
映り込み具合が明るく、人物が目立たなくなっているので、[出力レベル]でハイライト部分を抑えています。[描画モード：スクリーン]の「暗いトーンは下位レイヤーに透ける」という特徴を使って[入力レベル]は暗い部分をより暗くしています08。

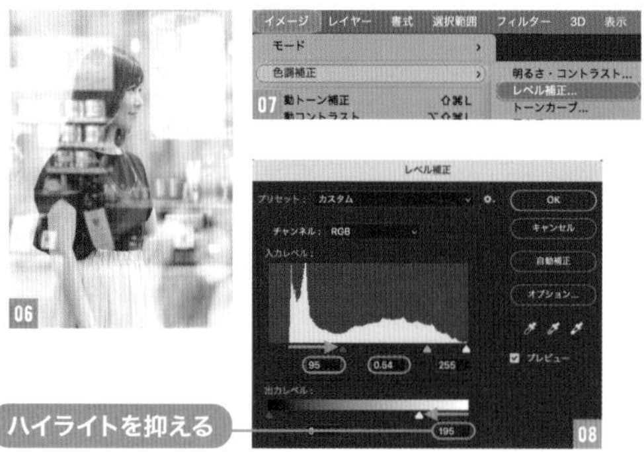

03 色相・彩度で調整する

レベル補正で整えた所から調整します 09。[イメージ] →[色調補正] →[色相・彩度] を選択します 10。
店内の赤やオレンジの要素の映り込みが強いので、[彩度：-60] とし、落ち着かせます 11。
各補正で映り込みがすっきりとした印象に落ち着き、ガラス越しに見える自然な風景に仕上がりました 12。

09

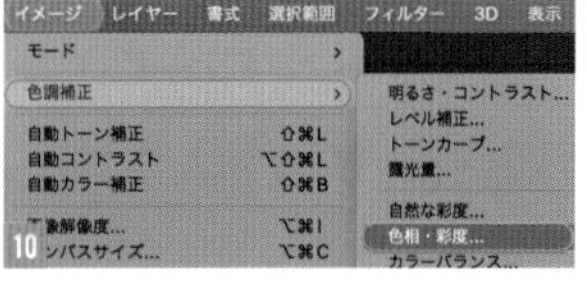

10

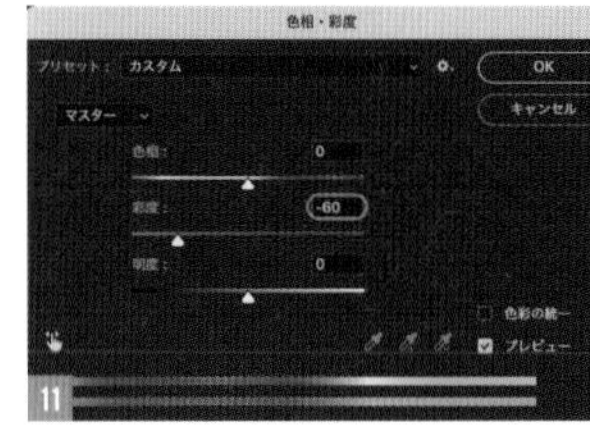

11

12

Column

カラーバランスで色を合わせる

右図は「雨の日限定バザー」をテーマに制作したポスターです。
人物の背景には女性らしさを象徴するピンクや、雨を連想させる青や紫、雨と相性のよい緑といった色のグラデーションの画像が配置されています。
この背景の画像の色に合わせて各所で配置されている小物（女性がつけているバンダナ、右上のサングラス、左下のマニキュア、女性が履いている靴）の色も合わせています。
色の調整はPhotoshopで選択範囲を取り、[イメージ] →[色調補正] →[カラーバランス] で近い色になるように整えています。また、上下の文字の「RAINY BAZAAR」の文字色についても背景のグラデーションと色を揃えています。
このようにして画像も文字も世界観を統一させるように意識してデザインを作っていくとよいでしょう。

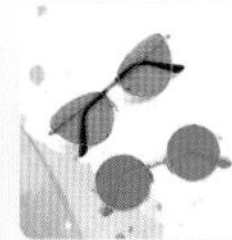

素材

Recipe

040

自然風景の遠近感を出す

風景の写真はデザインにおいてもよく使います。風景を距離ごとに分けて補正することで遠近感を強調するテクニックを紹介します。

Design methods

01 遠くの山を切り取る

Photoshopを立ち上げて、素材[風景.jpg]を開きます。
ツールパネルの[クイック選択ツール]を選択します 01。
02 のように、奥にある山の選択範囲を作成し、[右クリック]→[選択範囲をコピーしたレイヤー]を選択し、レイヤーを作成します 03。コピーしたレイヤーはレイヤー名を[山01]とします 04。

Point

選択範囲をコピーしたレイヤーのショートカット
⌘ (Ctrl) + J キー

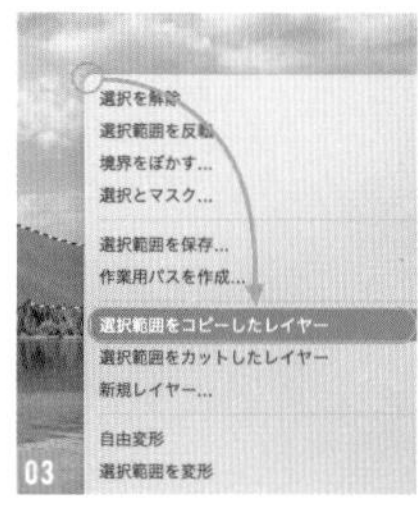

02 山全体を遠くに感じるように明るさとカラーを調整する

レイヤー[山01]を選択し、[イメージ]→[色調補正]→[レベル補正]を05のように適用します。浅い印象にすることで、山が遠くに感じるようになります06。

次に[イメージ]→[色調補正]→[カラーバランス]を選択し、中間調を07のように設定します。

空の色を意識して青みを追加しています。空の色に近づけることで、より遠くに溶け込んだような印象になります08。

ツールパネルの[クイック選択ツール]を使って、09のように右側の遠くの山を選択します。

レイヤー[山01]を選択し、手順01と同じように、[右クリック]→[選択範囲をコピーしたレイヤー]を選択します。作成したレイヤー名は[山02]とします10。

レイヤー[山02]を選択し、[イメージ]→[色調補正]→[レベル補正]を11のように適用します。さらに浅い印象に補正したことで、より遠くに感じられるようになります12。

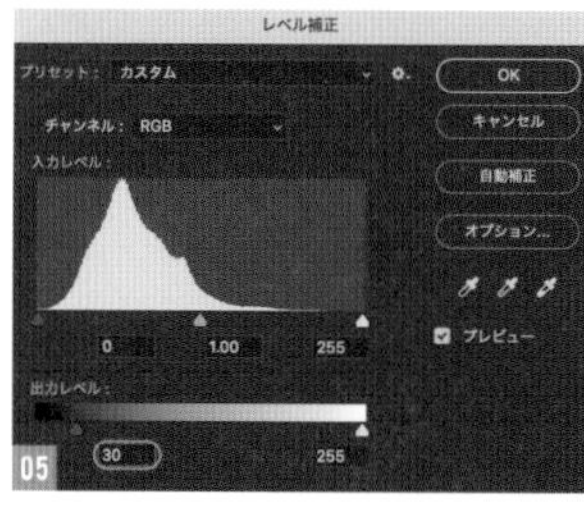
05

06

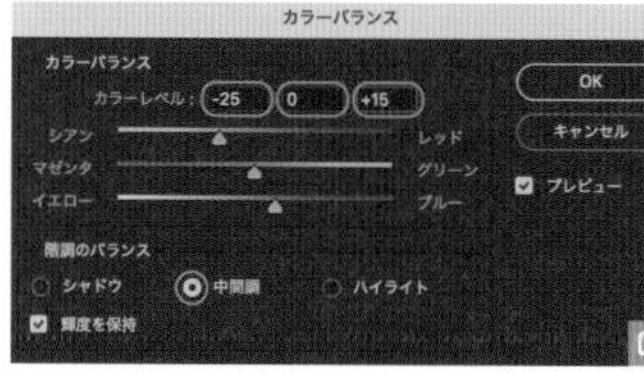
07

08

09

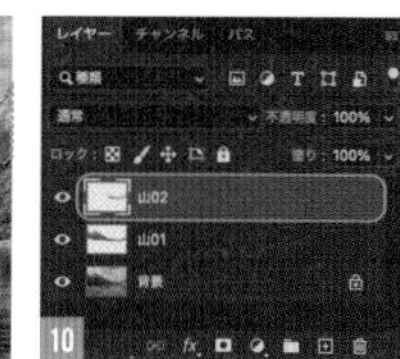
10

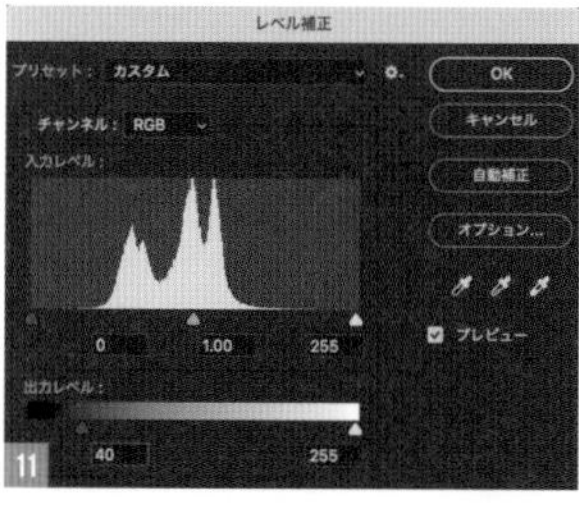
11

12

03 森と山の境界にモヤを描画して距離感を演出する

最上位に新規レイヤー[モヤ]を作成します13。

レイヤー[山01]に対してだけ描画されるように、レイヤーパネルでレイヤー[山02][モヤ]を選択し[右クリック]→[クリッピングマスクを作成]を選択します14。レイヤー[山01]に対してクリッピングマスクが作成されます15。

レイヤー[モヤ]を選択します。[ブラシツール]を選択し[描画色：#ffffff][ソフト円ブラシ]を使って16のように境界を白く描画します。描画のコツは[ブラシサイズ：350px]前後の大きめのブラシを使い[不透明度：10～20%]くらいの薄いブラシを使って描くことです17。

直線のストロークを使わず、トントンと点を置くように描くか、クルクルと円を描くように描画します。モヤを描いたら、モヤの具合を見てレイヤーの不透明度を調整し馴染ませます。作例では[不透明度：70%]としました18。

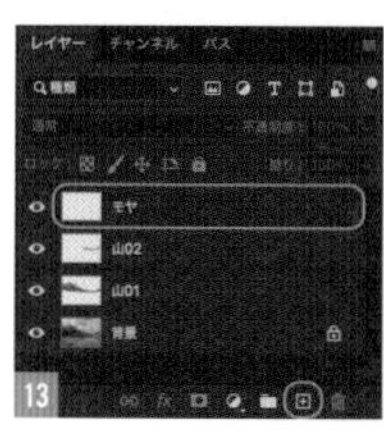
13

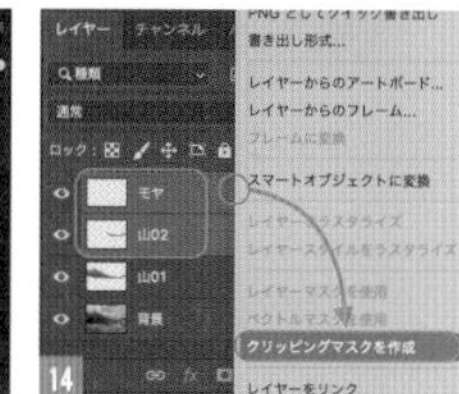
14

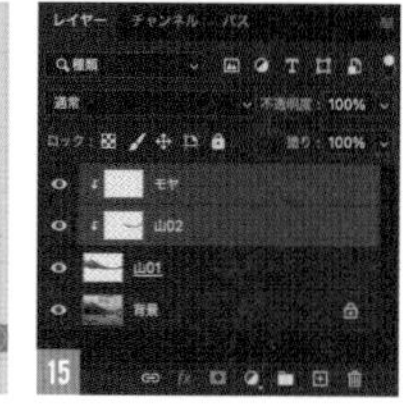
15

16

17

18

素材

Recipe

041 街並みの遠近感を出す

遠くの風景を浅く補正したり、光の入れ方や影の付け方で遠近感を強調したり、あらゆる方法を使って遠近感を出すテクニックを紹介します。

Design methods

01 街並みの奥の建物だけを浅く補正する

Photoshopを立ち上げ、素材［街並み.jpg］を開きます 01。
ツールパネルの［ペンツール］を使って 02 のように奥の建物のパスを作成します（見やすいようにパスの範囲内をブルーにしています）。作例では、手前4つの建物より奥を目安に選択しました。
パスを作成したら、［ペンツール］を選択した状態のまま［右クリック］→［選択範囲を作成］とします 03 04。
上位に新規レイヤー［建物の光］を作成し、［塗りつぶしツール］を選択し［描画色：#ffffff］で塗りつぶします 05。レイヤーを［不透明度：30%］とします 06 07。
［フィルター］→［ぼかし］→［ぼかし（ガウス）］を［5.0pixel］で適用します 08。［イメージ］→［色調補正］→［色相・彩度］を 09 のように［色彩の統一］にチェックを入れて適用します。
直線的だった［建物の光］をぼかし、カラーも背景と馴染むようにイエローに補正しています 10。

02 建物の光を描画して、奥行きを強調する

上位に新規レイヤー［ポイントの光］を作成し、［描画モード：オーバーレイ］とします 11。
ツールパネルの［ブラシツール］を選択し、［描画色：#ffffff］［ソフト円ブラシ］の設定で、左右の建物ではなく、最も奥のこちらを向いている建物周辺を光らせるように描画します 12。

01

02
03

04

05

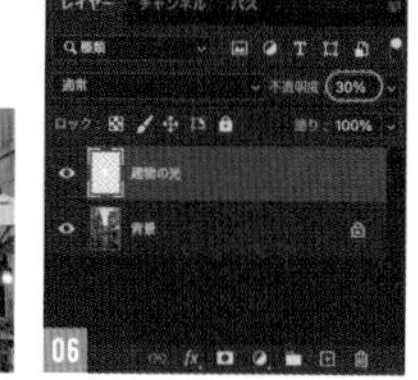

06

07

09

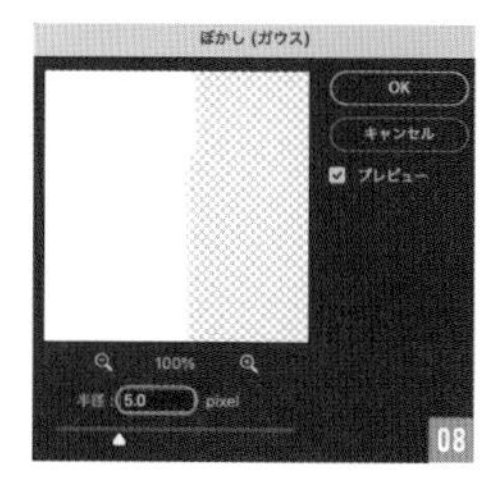

08

10

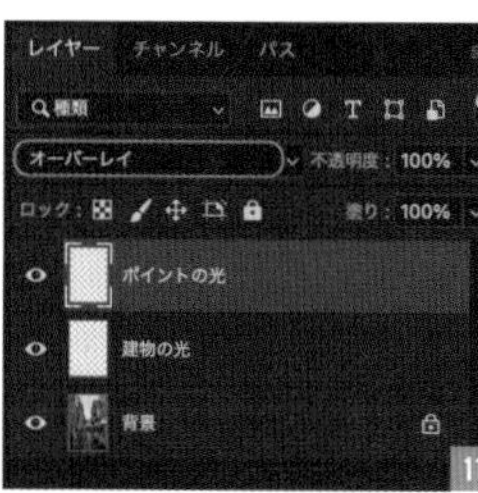

11

12

03 縁石や光の線を描画する

手前から奥に直線を描いている縁石や、人物と人物の間にできている光の線など、風景の中で奥行きが強調されるポイントを探し描画します13。光を描いたら、レイヤーの不透明度を調整し馴染ませます14。作例では、[不透明度：60%] としました。

04 人物から手前に伸びる影を強調し遠近感を出す

最上位に新規レイヤー[人物の影] を作成します。ツールパネルの [ペンツール] [なげなわツール] [ブラシツール] など好みのツールを使って、人物から手前に伸びる影を描きます15。元々ある影を少し大げさに強調するようなイメージで選択範囲を作成するとよいでしょう。

レイヤーを [描画モード：ソフトライト] [不透明度：25%] とし馴染ませます16。

05 逆光を追加して、遠近感を出す

最上位に新規レイヤー[逆光] を作成します。ツールパネルの[塗りつぶしツール]を使って[描画色：#000000] で塗りつぶします17。

[フィルター] →[描画] →[逆光] を選択します18。

[逆光] ウィンドウが開くので、19のように光の中心が揃うようにウィンドウ内でドラッグして位置を整えます。

レイヤーを [描画モード：スクリーン] にして下位レイヤーと馴染ませます20。

このままだと逆光の光の輪郭がはっきりしすぎているので、[フィルター] →[ぼかし] →[ぼかし（ガウス）] を21のように [半径：20pixel] で適用し、馴染ませます。

最後に、[イメージ] →[色調補正] →[色相・彩度] を選択し、22のように適用します。

少し彩度を上げて、イエローを強くすることで、光を強調しつつ、夕方の雰囲気を足しました23。

このようにあらゆる方法を使うことで、よりドラマチックな遠近感を出すことができます。

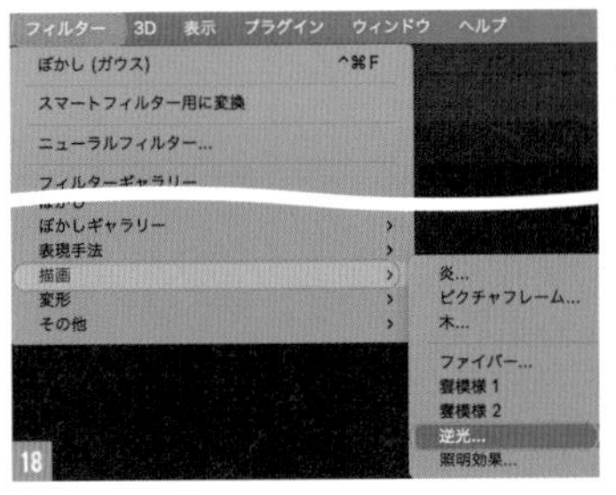

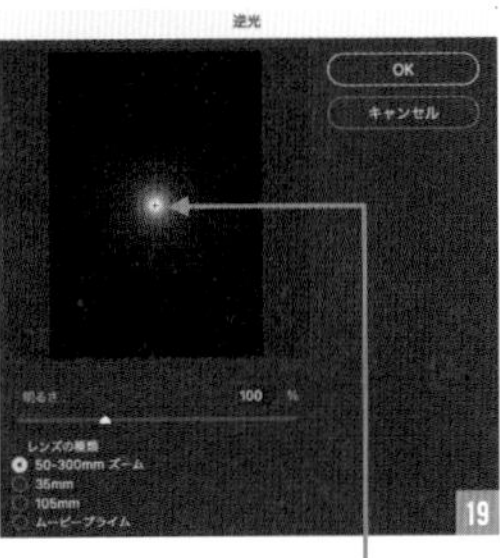

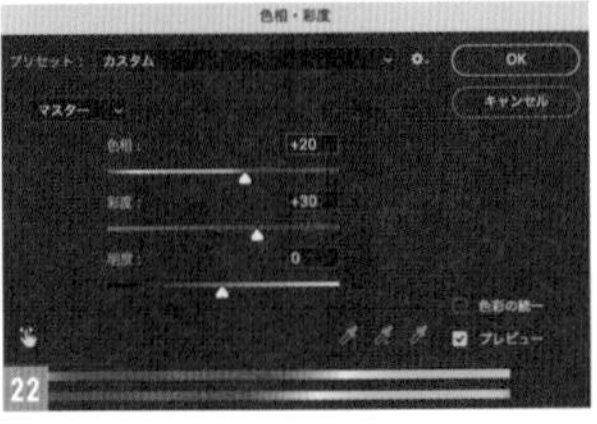

Recipe

042

デュオトーン+シェイプを組み合わせたデザイン

シェイプと画像を組み合わせた素材を作り、グラデーションマップを使って3色で表現します。

Design methods

素材

01

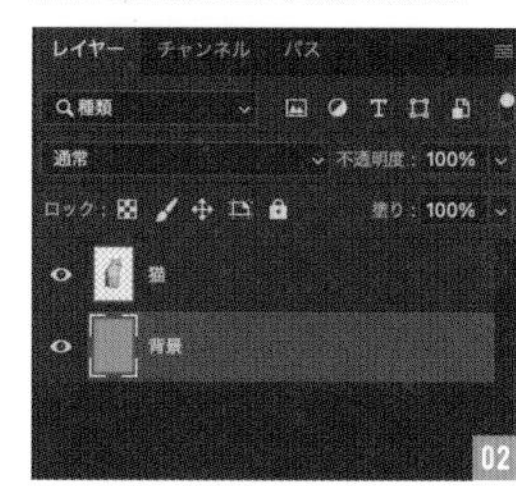

02

03

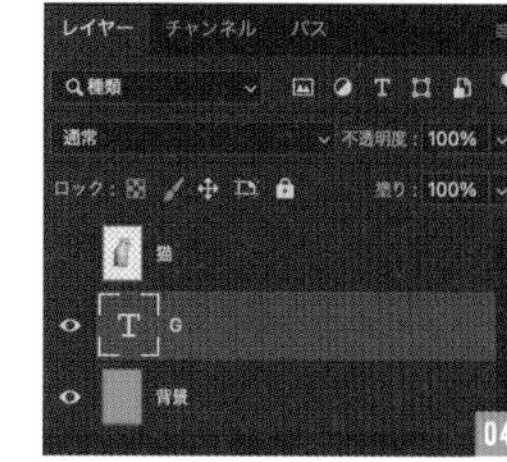

04

01 テキストと猫を重ね、位置を調整する

Photoshopを立ち上げて、素材[猫.psd]を開きます。あらかじめ、レイヤー[背景]と切り抜き済みのレイヤー[猫]を用意しています 01 02。

一旦レイヤー猫を非表示にし、[横書き文字ツール]を使って「G」と入力します 03 04。

使用フォントは[Azo Sans][スタイル：Medium][フォントサイズ：560pt][カラー：#000000]に設定します 05。

「G」の文字に対して、猫の耳だけが手前に表示されるようにしたいので、レイヤー[猫]を表示・非表示と切り替えながら、06 を参考に位置を調整してください。

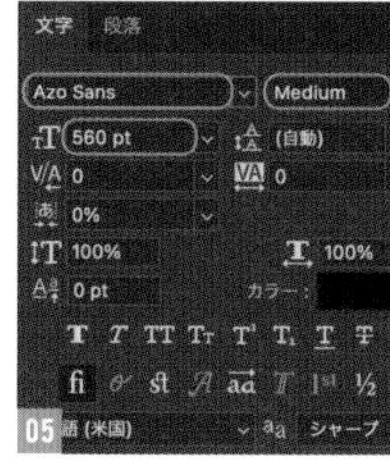

05

06

02 猫にマスクを追加する

テキストレイヤー[G]を選択し、[右クリック]→[シェイプに変換]します 07。
レイヤー[猫]を選択し、レイヤーパネルから[レイヤーマスクを追加]します 08 09。レイヤー[G]のレイヤーサムネールを ⌘ (Ctrl) +クリックし、選択範囲を作成します 10。
レイヤー[猫]のレイヤーマスクを選択します。
ツールパネルの[ブラシツール]を選択し、[直径：300px程度][ブラシの種類：ハード円ブラシ][不透明度：100%][流量：100%]とします 11。
[描画色：#000000]を選択し、選択範囲内で猫の頭以外の部分を描画します 12。
選択範囲を解除し、「G」の下側にはみだしている猫の足も描画します 13。
猫が「G」の中から顔を出しているようになりました。

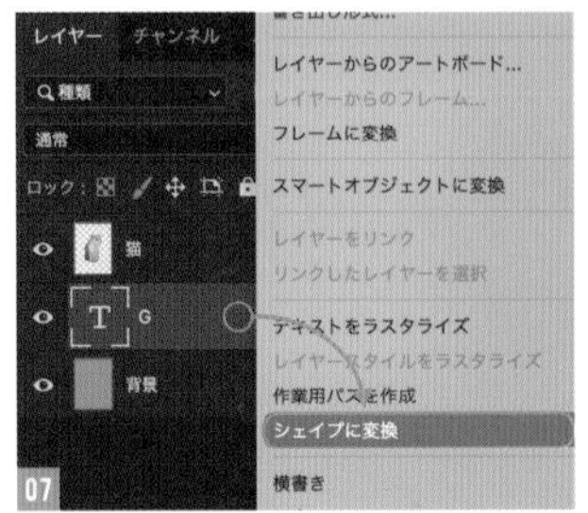

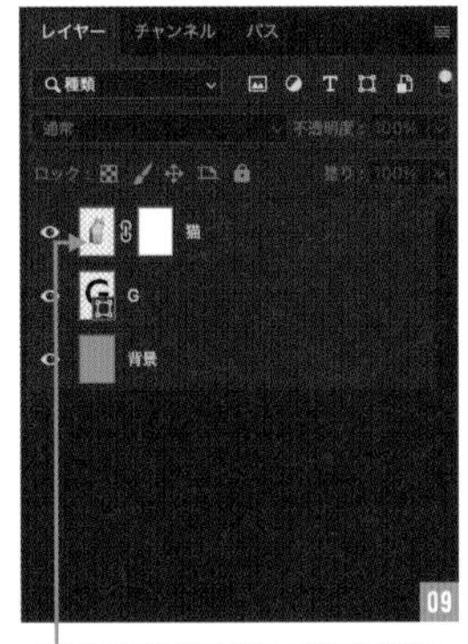

03 グラデーションマップを作成する

レイヤーパネルから[塗りつぶしまたは調整レイヤーを新規作成]→[グラデーションマップ]を追加し 14、最上位に配置します 15。
レイヤー[グラデーションマップ 1]を選択し、[プロパティ]パネル 16 のグラデーション部分をクリックします。

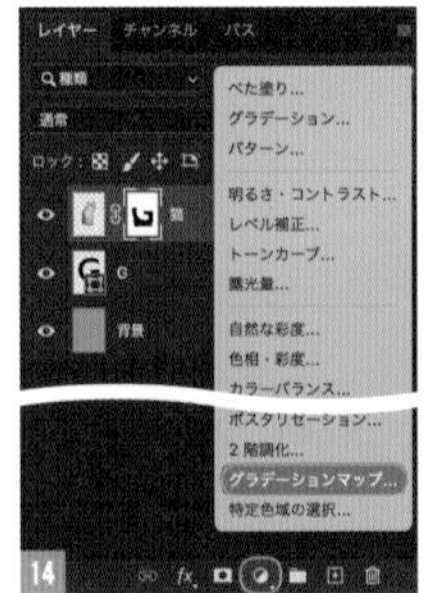

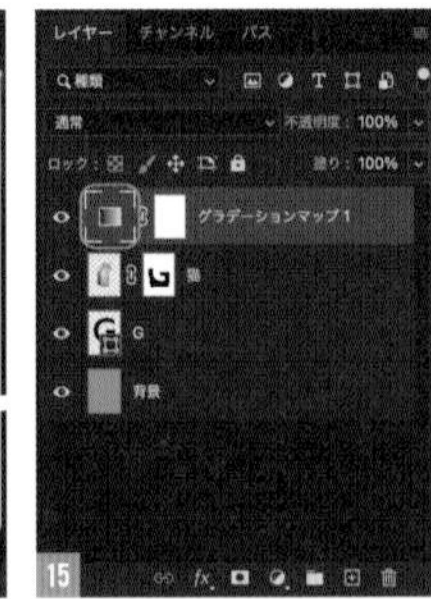

グラデーションエディターを開きます17。[カラー分岐点] を左から [#201f32]、真ん中に分岐点を追加し [#1f8b97]、右の分岐点を [#ffeb90] とします18。
グラデーションを編集すると、連動してカンバス上のグラデーションが変更されていきます19。
猫の印象が薄くなってしまっているので、[イメージ] →[色調補正] →[レベル補正] を選択し、20のようにコントラストを高く補正します21。

作例では囲みの装飾を付けて「Gradient Map」とテキストを入力して完成としました。
なお、グラデーションのカラーを変更するだけで、簡単に印象を変えることができます22。
使用カラーは分岐点左から [#25264c] [#c13d72] [#ffeb90] 23、グラデーションのハイライト側を暗くすると24のような表現もできます。使用カラーは分岐点左から [#fff0bb] [#1e747e] [#191735] になります25。

17 18

19

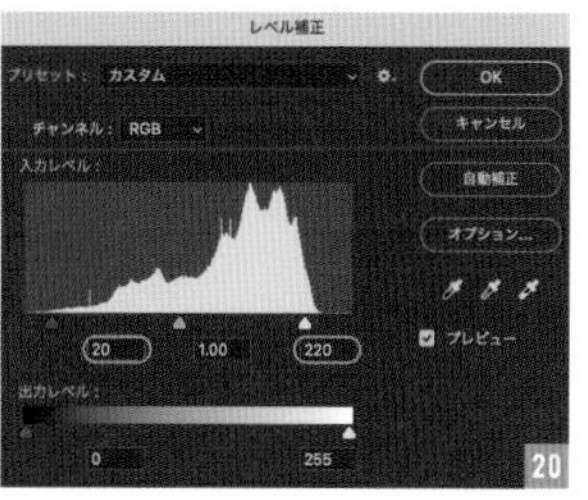

20

21

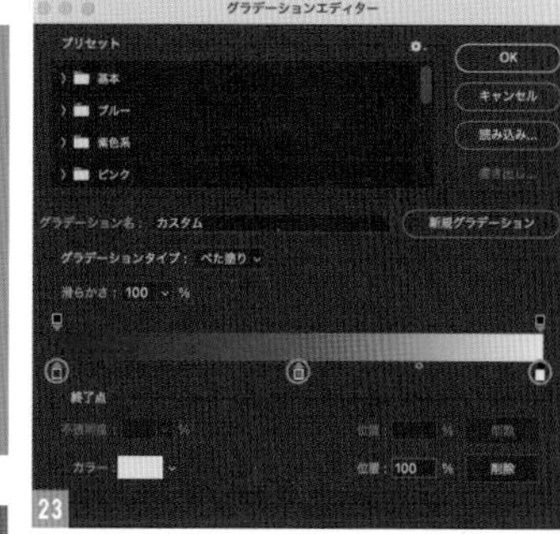

23

22

25

24

TEXT PORTRAIT

Recipe

043 人物の一部をテキストで表現する

人物の半分をテキストで覆った魅力的なデザインを作ります。レイヤーやグループへのマスク、クリッピングマスクを使って制作します。

Design methods

01 人物にマスクを追加する

Photoshopを立ち上げて、素材[人物.psd]を開きます 01。
あらかじめ、レイヤー[背景]と切り抜いたレイヤー[人物]を用意しています 02。
ツールパネルの[長方形選択ツール]を使って、03 のように人物の左半分を選択します。
レイヤー[人物]を選択した状態で、レイヤーパネルの[レイヤーマスクを追加]を選択します 04。
マスクが追加されました 05 06。

01

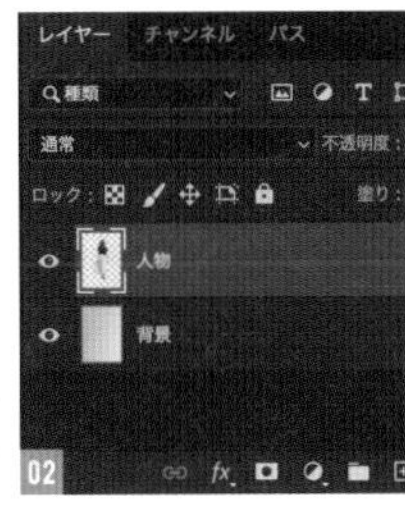

02

03

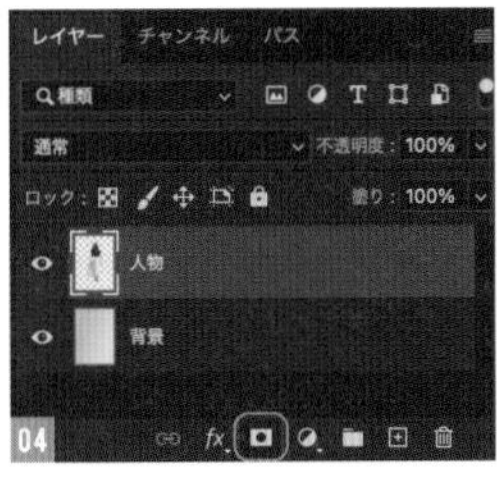

04

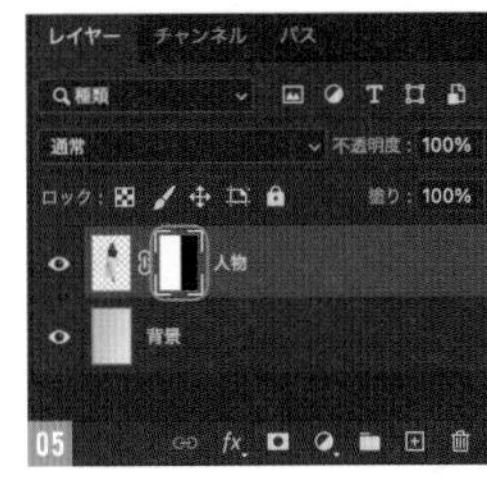

05

02 テキストを作成し テキストを流し込む

ツールパネルの[横書き文字ツール]を選択し、07 のように元の人物のシルエットより少し広い程度の範囲をドラッグしてテキストボックスを作成します。
選択した範囲内だけに文字が表示されるので、ボックス内いっぱいに素材[テキスト.txt]の文章を流し込みます。なお、このような英文のテキストが無い場合はインターネットで「lorem ipsum」などのダミーテキストを検索してみましょう。文章が見つかります。「英文 ダミーテキスト」などで検索しても見つけることができます。
[フォント：Futura PT Cond][スタイル：Medium][サイズ：7pt][行送り：7pt] 08 の設定で文字を入力します 09。

07

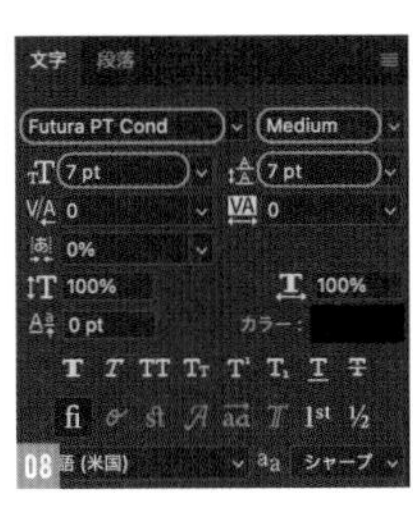

08

09

Point

小さい文字のほうが、細かなレイアウト調整なしで人物のシルエットが再現されやすいのでオススメです。

06

03 グループを作成し、グループに対して人物のシルエットでマスクを追加する

テキストレイヤーの上位に新規グループ［テキスト］を作成し、テキストレイヤーをグループに追加します 10 。

レイヤー［人物］のレイヤーサムネールを ⌘ （ Ctrl ）＋クリックし、選択範囲を作成します 11 。

そのまま、グループ［テキスト］を選択し、レイヤーパネルから［レイヤーマスクを追加］します 12 。人物のシルエット内でテキストが表示されるようになります 13 。

04 グループに対してクリッピングマスクを適用する

レイヤー［人物］を最上位に複製します 14 。レイヤーマスクは不要なので、［右クリック］→［レイヤーマスクを削除］します 15 16 17 。

レイヤー［人物のコピー］を選択し、［右クリック］→［クリッピングマスクを作成］します 18 。

グループに対してクリッピングマスクが適用され、テキストに人物のカラーがのるようになります 19 20 。

下半身や腕部分の色が薄いので、明度・彩度を強く補正します。［イメージ］→［色調補正］→［色相・彩度］を選択し、 21 のように適用します 22 。

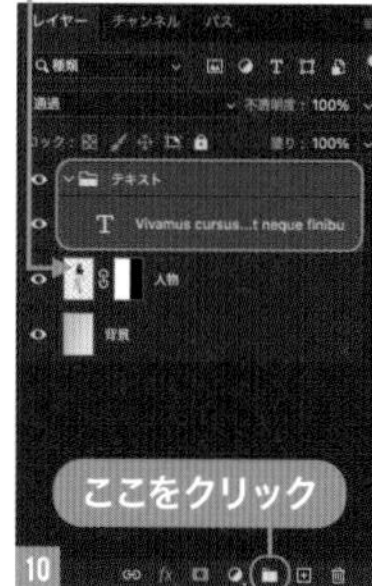

10

11

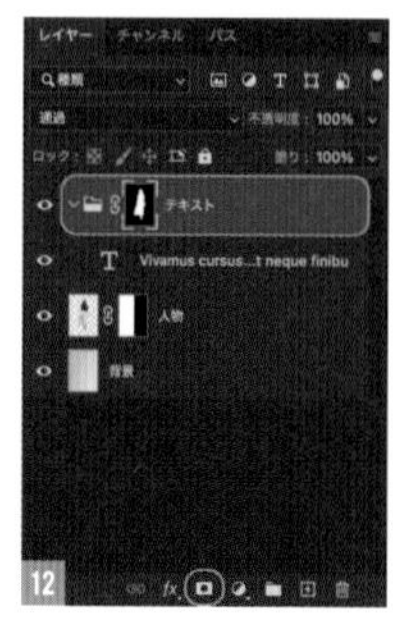
12

13

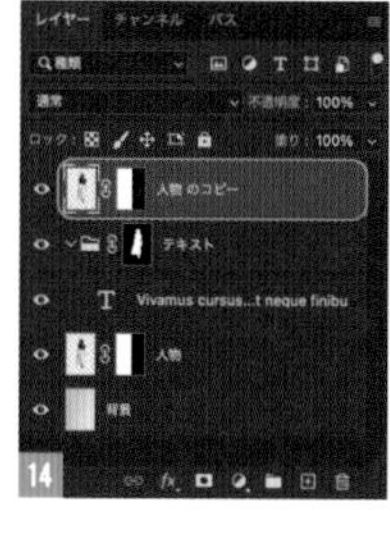
14

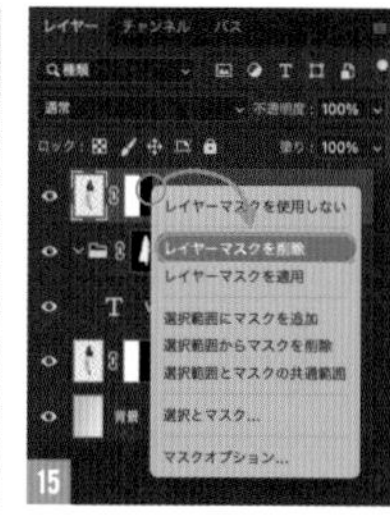
15

16

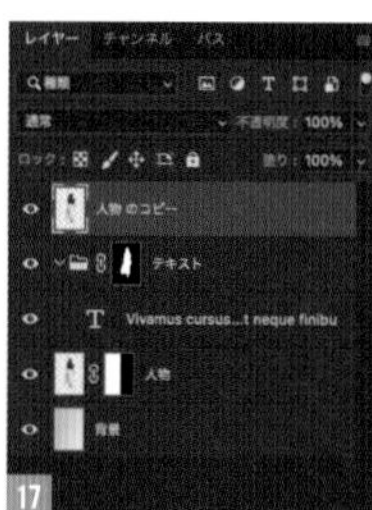
17

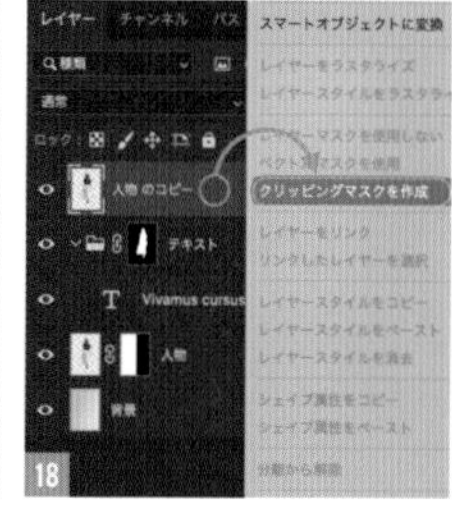
18

19

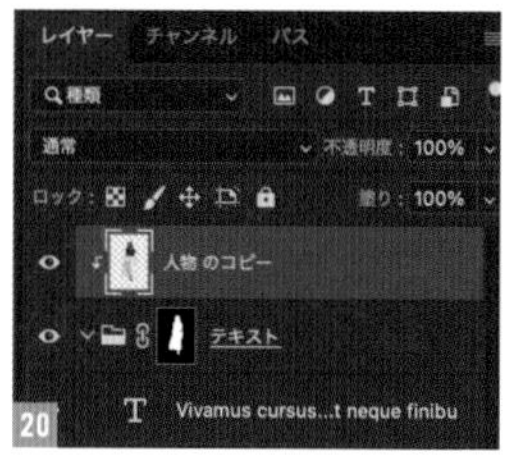

20

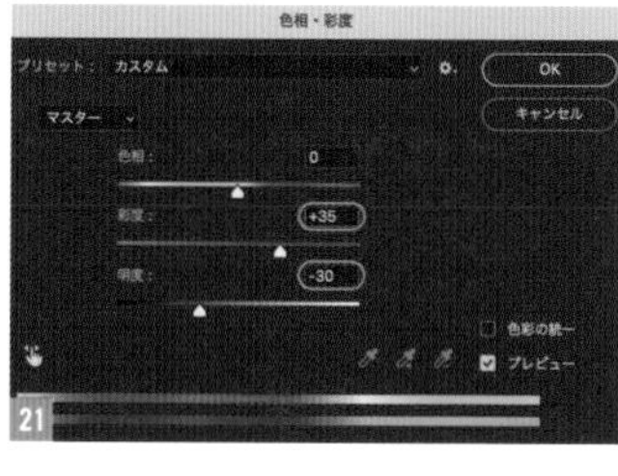

21

22

05 テキストにメリハリを付ける

テキストのデザインにメリハリがないので、部分的に大きな文字を配置します。
まずは、テキストレイヤーを選択し、大きなテキストを配置したい部分を改行しておきます。
23を参考に好みで改行して空間を作ってください。
グループ［テキスト］内に［横書き文字ツール］を使って、先ほど改行した部分にテキストを配置します。
こちらも24を参考に、好みで追加してください。
最後にレイヤー［人物］にドロップシャドウを追加し、立体感を出します。
［レイヤー］→［レイヤースタイル］→［ドロップシャドウ］を選択し25、26のように設定します27。
作例では、レイヤー［人物］の下位に手順02と同じ要領で［テキストボックスを作成］→［ダミーテキストを追加］→［部分改行］→［改行部分に大きな文字（PS）を配置］しました。
人物の後ろにもテキストがあることで立体的に表現しています。

23

24

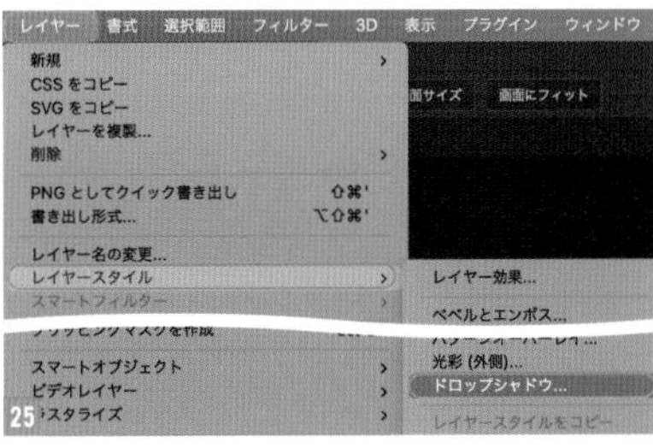

25

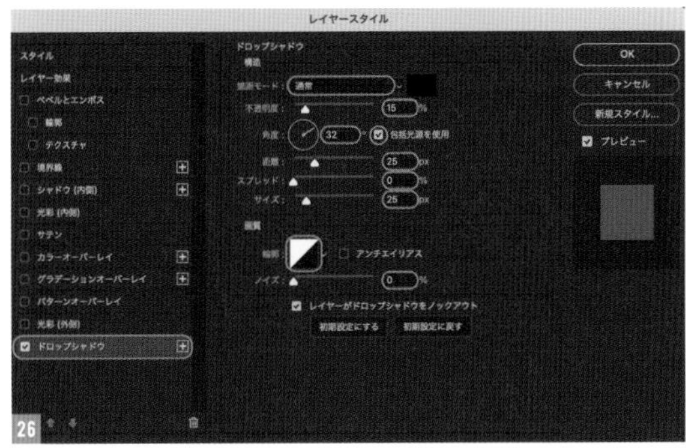

26

27

ALL FLOWERS FOR YOU

BEAUTIFUL FLORIST

Recipe

044 コラージュでインパクトを出す

複数のモチーフを大きさの強弱を付けてコラージュし、1つの塊としてインパクトのあるビジュアルを作ります。

Design methods

01 完成形を考える

このデザインではフラワーショップの告知のフライヤーを想定しています。
先にラフを描いてイメージを固めるとよいでしょう 01。
また、1つひとつ花の位置を決めてコラージュしていくと、途中で位置を動かすのが難しくなることがあります。まずは見せたい部分から配置していくことをオススメします。

02 コラージュを作る

Photoshopを立ち上げて、素材[人物.psd]を開きます 02。
あらかじめ切り抜かれた人物と花を組み合わせてコラージュを作っていきます。素材[素材集.psd]を開き 03、レイヤーごとに分かれている花のレイヤー[花01]〜[花11]を[人物.psd]に移動します。
[人物.psd]に[素材集.psd]のレイヤー[花01〜05]を移動して大まかな位置を決めます 04 05。
人物の前だけでなく後ろにも花を置くことで奥行き感を出しています。
続けて[素材集.psd]の[花06〜08]を配置します。レイヤー[人物.psd]、レイヤー[花02]は写真の下側が切れているので、うまくなじませるように配置の仕方にも気を配っています 06 07。

01

02

03

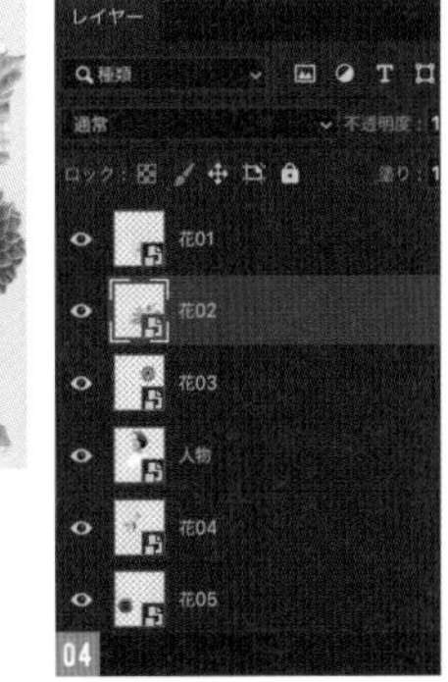

04

05

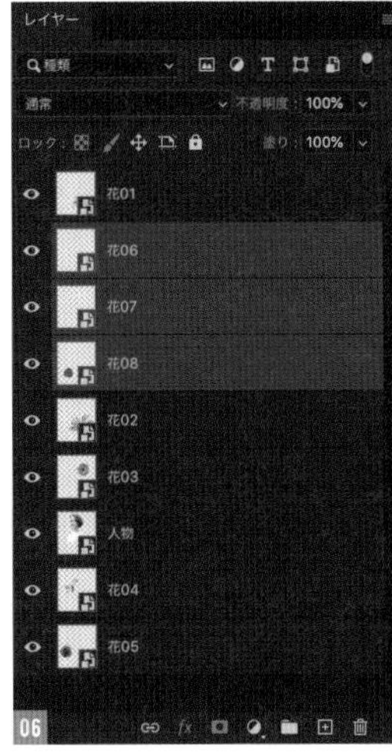

06

07

03 顔の周りに花を配置する

[人物] より下にモチーフが増えて顔に目が行きづらいので、残りのレイヤー[花09～11] で顔の周りに配置してバランスをとります 08 09。インパクトのあるコラージュができました。
[ファイル] →[別名で保存] でファイル名「コラージュ.psd」として保存しておきましょう。

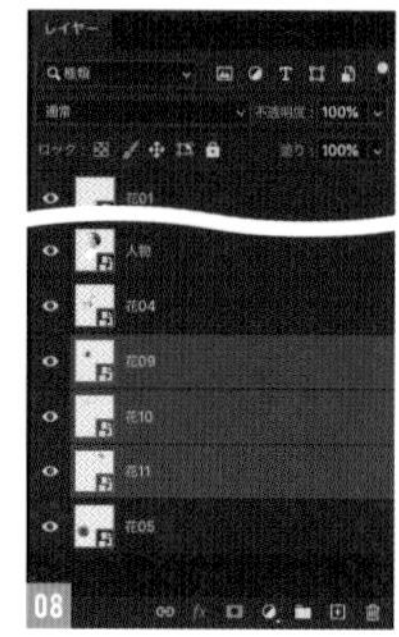

08

09

04 コラージュ画像を入れたレイアウトを作る

Illustrator でのレイアウトも行ってみましょう。Illustrator を立ち上げ、[ファイル] →[新規] を選択し、単位を[ミリメートル] とし、[幅:182mm] [高さ:232mm] として[作成] をクリックします 11。
[新規レイヤーを作成] をクリックし、レイヤーを追加します。レイヤーを2枚追加し、上位からレイヤー名を[レイアウト] [写真] [背景] とします 12。
レイヤー[写真] を選択し、[ファイル] →[配置] から先ほど作った「コラージュ.psd」画像を選択し、配置します。13 のようにアートボードのやや上部に配置しました。
コラージュ画像に白や明るい花があり、シルエットが見えづらいのでレイヤー[背景] に長方形の色ベタを敷きます。
ツールパネルの[長方形ツール] を選択 14、[幅:182mm] [高さ:232mm] で長方形を作成し 15、カラーを[M:70 Y:90] としてアートボード中央に配置します 16 17。
コラージュした花と人物の顔が映えるようになりました。

Point

10 のように色や印象の強さが似ているモチーフ同士を対角線上に配置し単調に見えない様にしています。

10

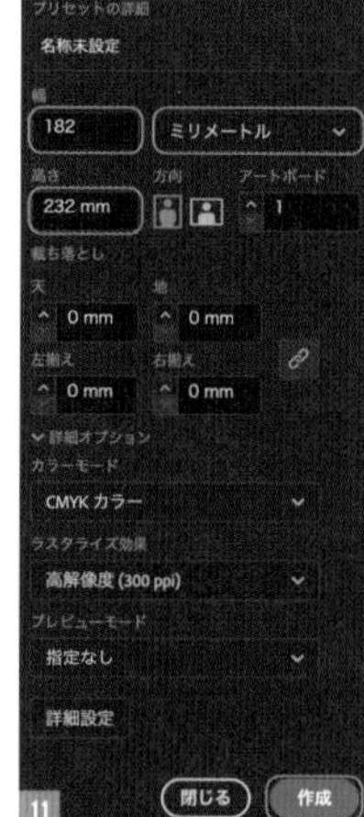

11

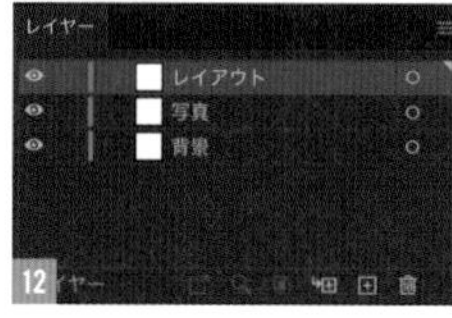

12

13

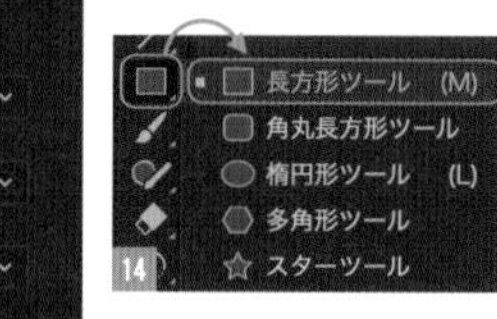

14

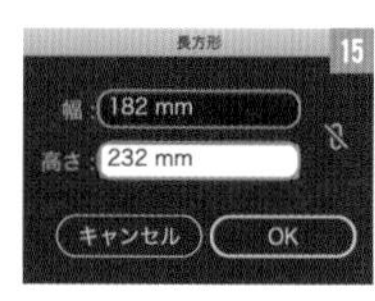

15

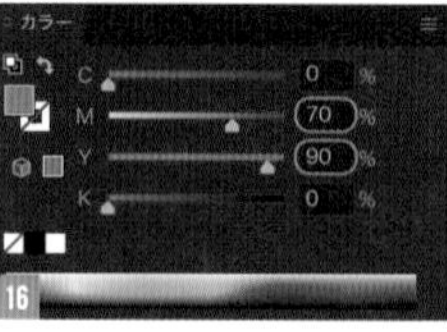

16

17

05 文字をレイアウトする

レイヤー[レイアウト]を選択し、下部に文字をレイアウトしていきます。
ツールパネルの[文字ツール]を選択 18 、ショップ名として素材[テキスト.txt]から「VIVID」をコピー&ペーストします 19 。[フォント:Bodoni URW][フォントスタイル:Medium][サイズ:159pt][カーニング:オプティカル][トラッキング:0]、[段落:中央揃え] 20 21 と設定します。カラーは白です 22 。

18

19

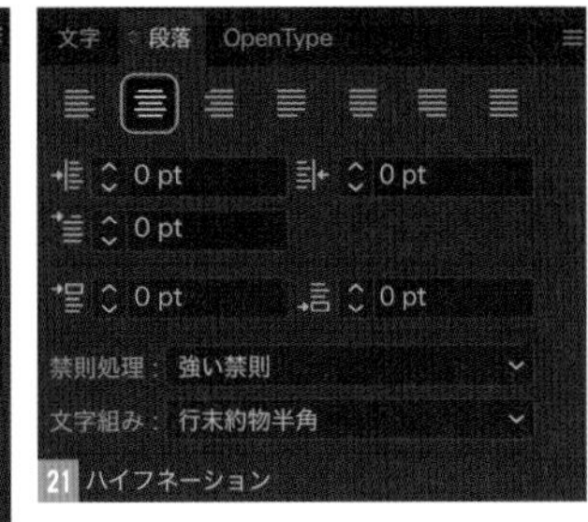

21

20

22

Point

文字とコラージュと分けて配置すると画面が上下に分かれた印象になります。コラージュにあえて重なるように文字を配置して一体感を出しています 23 。

23

最後に下に空けたスペース中央に説明のコピーを入れます。
素材[テキスト.txt]から、「ALL FLOWERS FOR YOU」と「BEAUTIFUL FLORIST」をコピー&ペーストして持ってきます 24 。
「ALL FLOWERS FOR YOU」は、[フォント:Bodoni URW][フォントスタイル:Medium][サイズ:16pt][カーニング:オプティカル][トラッキング:100]「BEAUTIFUL FLORIST」は[フォント:Bodoni URW][フォントスタイル:Medium][サイズ:25pt][カーニング:オプティカル][トラッキング:100]とします。どちらも[段落:中央揃え]で、カラーは白です。
コラージュを使ったデザインが完成しました。

24

Recipe 045

空に反転した都市

ポスターなどのメインビジュアルとしても使えるような品質を目指します。都市の風景を反転させて、壮大な風景に仕上げます。

Design methods

01 空を置き換える

Photoshopを立ち上げて、ベースとなる素材、素材[都市.psd]を開きます。
あらかじめB5サイズのカンバスに、都市の風景を配置しています 01。
[編集]→[空を置き換え]を選択します 02。
[空を置き換え]ウィンドウが表示されるので 03、[空]を選択します。
[青空][壮観][夕暮れ]のフォルダにそれぞれ8つの空のプリセットが用意されています。
[壮観]から 04 の空を選択します。
自動的に[都市]の空を分析し、空が置き換えられます 05。

01

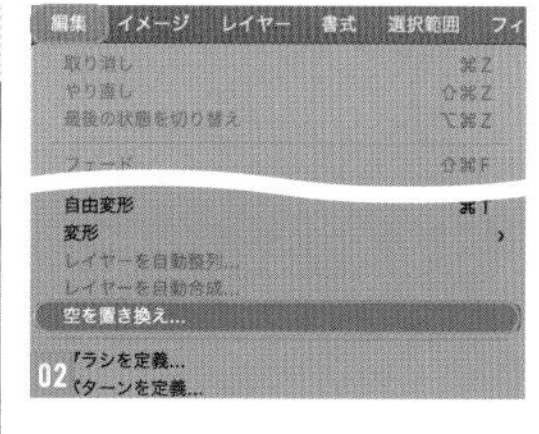

02

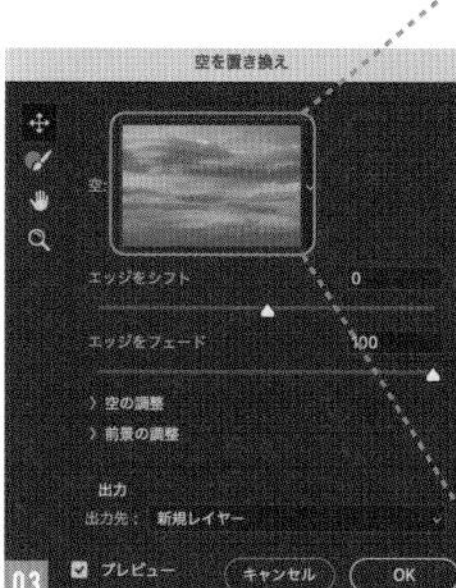

03

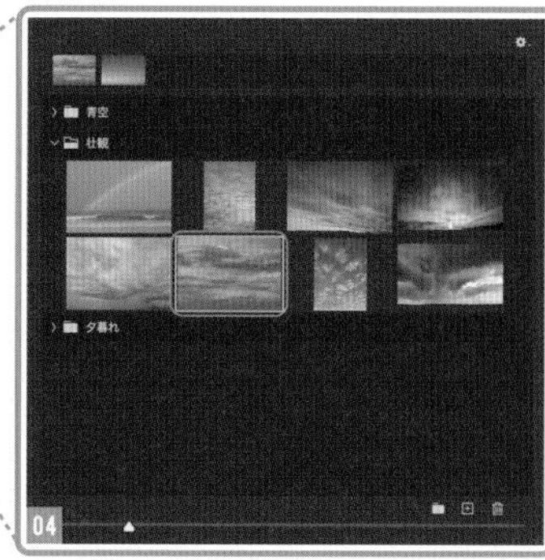

04

05

Point

置き換えられた空は[都市]の画像自体の空が置き換えられるわけではありません。上位に[グループ]として空部分をマスクした状態で作成されているのがわかります 06。

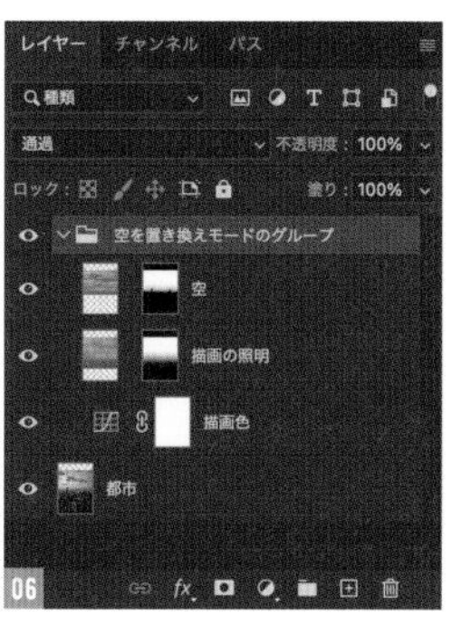

06

02 空を反転する

グループ[空を置き換えモードのグループ]内のレイヤー[空][描画の照明]のレイヤーサムネールとマスクの間をクリックし、[レイヤーのリンク(鎖マーク)]を付けます 07。
グループ[空を置き換えモードのグループ]とレイヤー[都市]を選択し、[編集]→[変形]→[垂直方向に反転]を選択し 08、反転します 09。

07

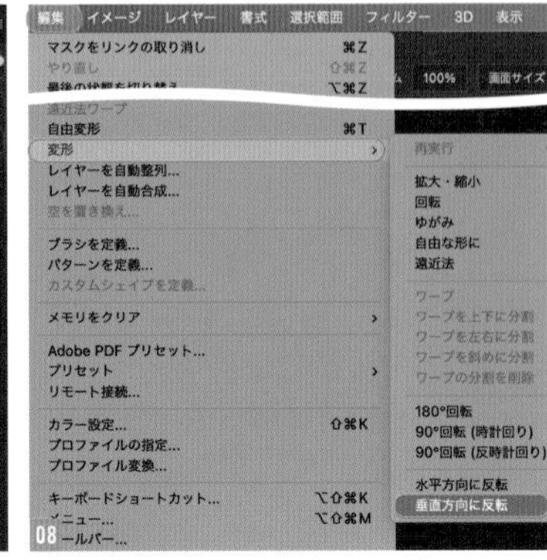

08

09

03 地面に湖の風景を配置する

素材[人物.jpg]を開き、上位に配置します 10。
水平線がシャープすぎるのでこれを弱めるのと、奥行き感を出すために、境界に光を追加します。
上位に新規レイヤー[光]を作成し、描画モード[オーバーレイ]とします 11。
ツールパネルの[ブラシツール]を選択し、[描画色：#ffffff][ブラシ：ソフト円ブラシ]を選択し[ブラシサイズ：50～200px][不透明度：50%]で、境界にラインを描画します。

10

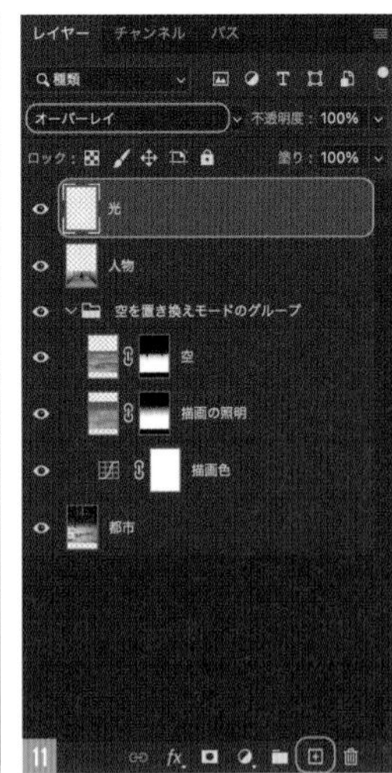

11

Point

Shift キーを押しながら描画すると直線を描くことができます。

水平線あたりに［50px］くらいの細いブラシで、周辺を［200px］くらいの大き目のブラシで描画するとよいでしょう。
画面で最も遠くである水平線位置に光を入れることで、より奥行きを感じるようになります。
加えて画像の境界もぼけ、馴染みます 12。

12

04 グループとレイヤーを複製する

グループ［空を置き換えモードのグループ］と、レイヤー［都市］を選択し 13、［右クリック］→［レイヤーを複製］します 14。［レイヤーとグループを複製］のダイアログが出てくるので、OKを選択します 15。グループ［空を置き換えモードのグループ］と、レイヤー［都市］が複製されました 16。
複製したレイヤーをすべて選択し、［右クリック］→［レイヤーを結合］します 17。

13

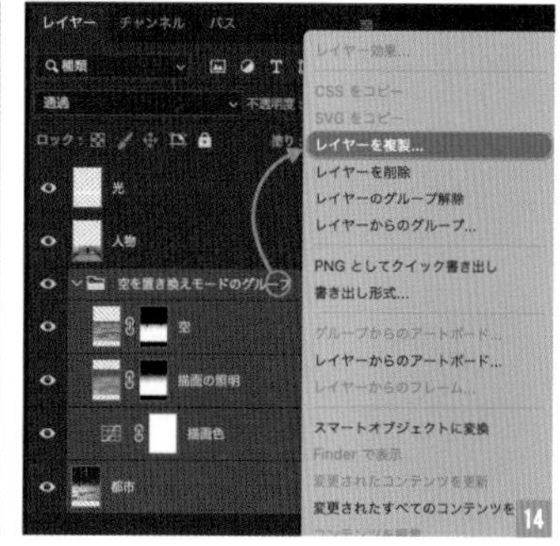

14

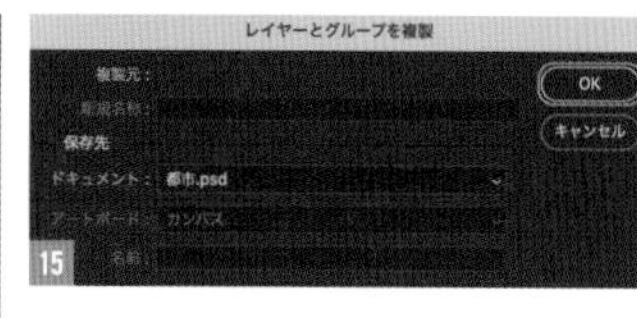

15

16

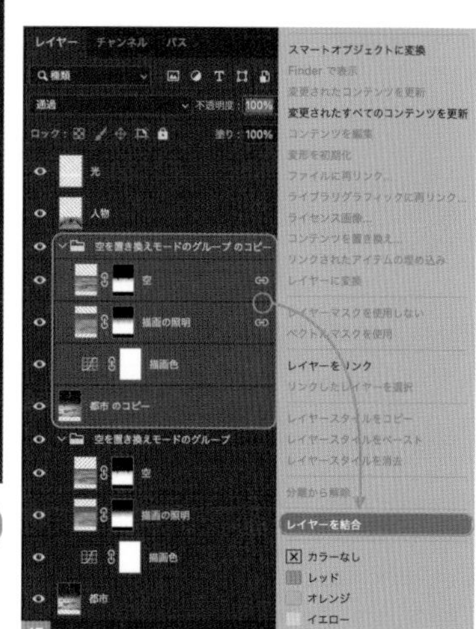

17

05 水面に映り込んだ都市を表現する

結合したレイヤー名は[映り込み]とし、[描画モード:スクリーン]とします18 19。

レイヤー[映り込み]を選択し、[変形]→[垂直方向に反転]し、画面下の方に移動させます20。

一旦レイヤー[映り込み]を非表示にします。水面にだけ映り込みを表示したいので、レイヤー[人物]を選択し、ツールパネルの[クイック選択ツール]を使って水面のみの選択範囲を作成します21。

選択範囲を作成できたら、レイヤー[映り込み]を表示し、レイヤーパネル上で[レイヤーマスクを追加]を選択し、マスクします22 23。

Point

映り込みの位置が気になる場合は、レイヤー[映り込み]のマスクへのリンク(鎖マーク)を外して位置を整えてください。

また、グループ[空を置き換えモードのグループ]内の空の位置が気になる場合も同様にリンク(鎖マーク)を外して位置を整えてください。

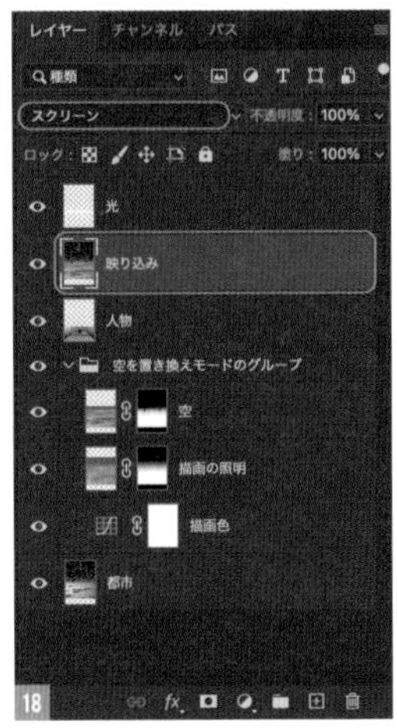

18

19

20

21

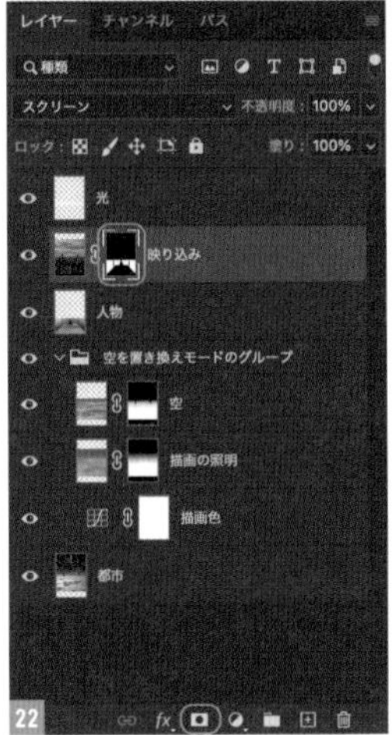

22

23

06 画面全体の色みを調整し、幻想的なカラーにする

最後に、[塗りつぶしまたは調整レイヤーを新規作成]→[特定色域の選択]を最上位に追加します 24 25。

[カラー：レッド系]を 26 のようにし、都市の赤い光を強めます。

[カラー：ブルー系]を 27 のようにし、シアンとマゼンタを強めます。

[カラー：マゼンタ系]を 28 のようにし、主に人物周辺と空の一部のマゼンタの色みを明るくします。

[カラー：白系]を 29 のようにし、水平線周辺の明るさを上げつつ、少しだけイエローを入れます。

[カラー：中間色系]を 30 のようにします。中間色はとくに全体の色みが大きく変わるので慎重に設定しましょう。全体を明るく、シアン、マゼンタを強めるように意識して調整しています。

[カラー：ブラック系]を 31 のようにし、暗い色調を少しだけ明るくしました。完成です 32。

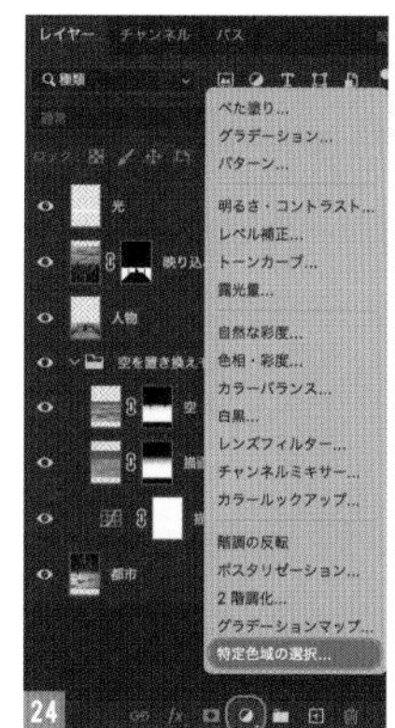

24

25

26

27

28

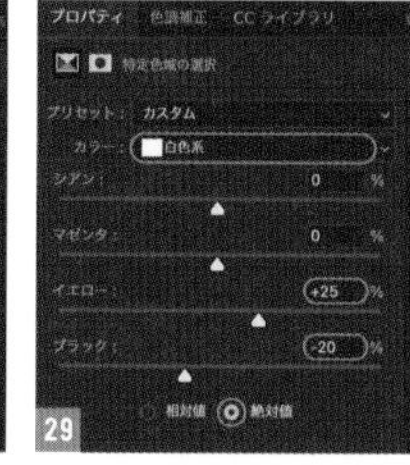

29

30

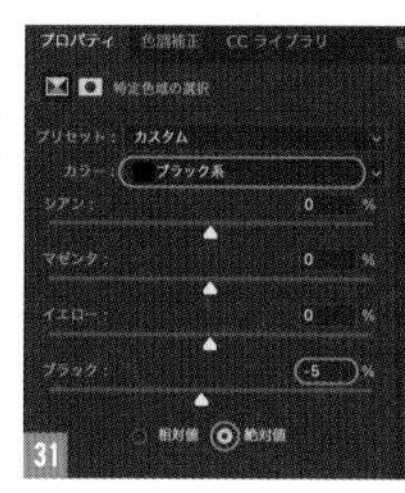

31

32

Column

素材探しのポイント

空に配置する都市と地面に配置する風景の素材を選ぶ際は、それぞれの写真の遠近感ができるだけ近いものを選ぶと簡単に馴染みます。
とはいえ一見しただけでは遠近感の近い写真かどうかの判断は難しいものです。いくつか気になる写真素材を見つけたら、ひとまず空と地面に素材を配置してみましょう。
多くの場合は、なんとなく配置した2枚の画像では遠近感にずれがあり違和感があると思います。

その2枚の画像を重ねてみることで生じる違和感から、「地面の写真はもう少し見下ろしているほうが合いそうだ」「空に配置する都市はもっと奥行きのある写真がいい」といったように、次に探す素材の目安ができてきます。
何度も繰り返すことでおさまりのよい写真素材が見つけやすくなっていき、完成形へと近づきます。なんとなく配置した素材から、明確に必要な素材が見えてくることもあるのです。

WELCOME
ENTRANCE
ENTER HERE

Recipe

046 海底に沈む都市

「レイヤー効果」「描画モード」など複雑なレイヤーの重ね方や、「描画モード」の粗い部分のフォローをどうするかなど確認していきましょう。

Design methods

01 都市と水面の画像を重ねる

Photoshopでベースとなる素材[都市.jpg]を開きます01。あらかじめ切り抜いた素材[素材集.psd]を用意していますのでこれを使って作例を作っていきます02。
レイヤー[水面]を[都市.jpg]に移動させ03のように上位に配置します。
レイヤー[水面]を選択し、レイヤー名の右側で[ダブルクリック]し、[レイヤースタイル]パネルを表示させます04。
[レイヤー効果]→[ブレンド条件]を05のように、[このレイヤー：0/230 255][下になっているレイヤー：0 100/144]とします06。

Point

ブレンド条件の左側の調整ポイントは、調整ポイントの少し右、右側は調整ポイントの少し左でoption(Alt)を押しながらクリックすると、調整ポイントを分割することができます。
ここでは[このレイヤー]であるレイヤー[水面]自体の暗い部分(水面の暗い部分など)を透明にし、[下になっているレイヤー]であるレイヤー[都市]の明るい部分(ビルの明かりなど)に重なっている部分も透明になるように調整をしています。

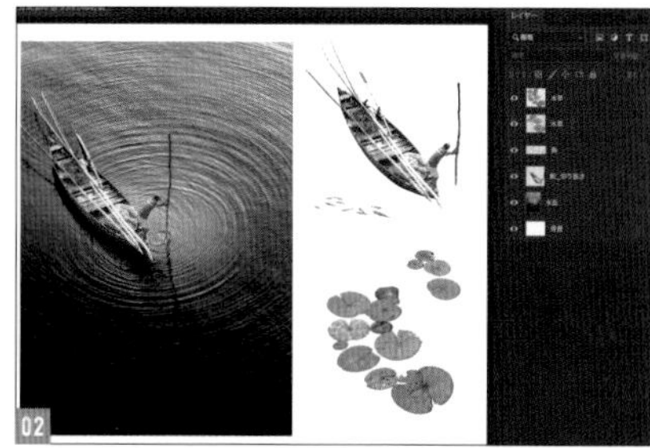

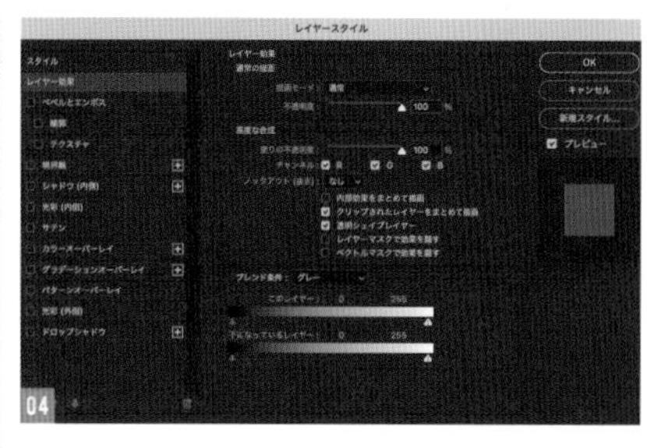

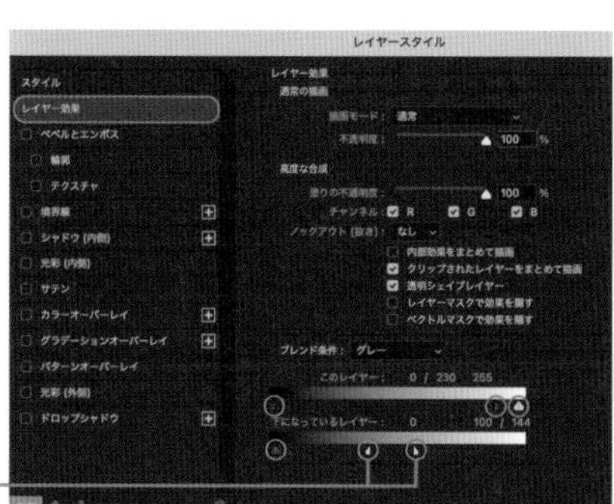

02 レイヤー効果を活かして水面を描画し整える

船より手前部分だけの水中に都市が見えるように表現したいので、船より奥を青色で塗ります。
レイヤー[水面]の下位に、レイヤー[水面の色]を作成します。
ツールパネルの[ブラシツール]を選択し、[ソフト円ブラシ][描画色：#172d64][不透明度：50%前後]を使って、船周辺と、画面奥を塗ります 07。
おおまかでかまいませんが、08 のあたりを描画しています。

07

08

Point

レイヤー[水面]の[レイヤースタイル]→[レイヤー効果]の設定で、レイヤー[水面]の暗い部分は透明になる設定を行っているので、レイヤー[水面]の暗い部分だけが描画した色になるということになります。
かつ、レイヤー[水面の色]は[描画モード：通常]になっているので、下位レイヤーである[都市]は描画色で塗りつぶされます。

03 都市の色を整える

水面と都市の色のカラーバランスを揃えます。
レイヤー[都市]を選択し、[イメージ]→[色調補正]→[カラーバランス]を 09 のように[カラーレベル：−100,28,100]と設定します 10。
これで水面の色に近づきましたが、水中の都市の表現なので遠くに感じるように色を浅くします。
[イメージ]→[色調補正]→[レベル補正]を 11 のように設定します 12。
水面の揺らぎを表現したいので、[フィルター]→[変形]→[波紋]を選択し、13 のように設定します 14。
さらに全体の色みを統一するために、[イメージ]→[色調補正]→[レンズフィルター]を 15 のように設定します。
水中の遠くに都市があるような表現になりました 16。

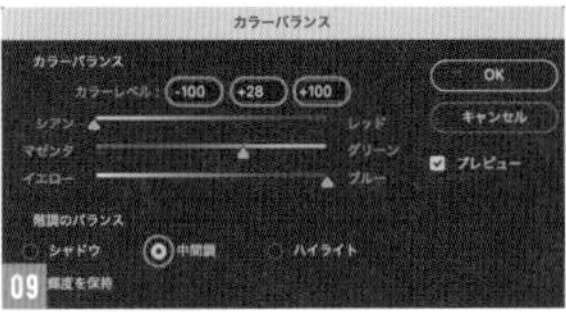

09

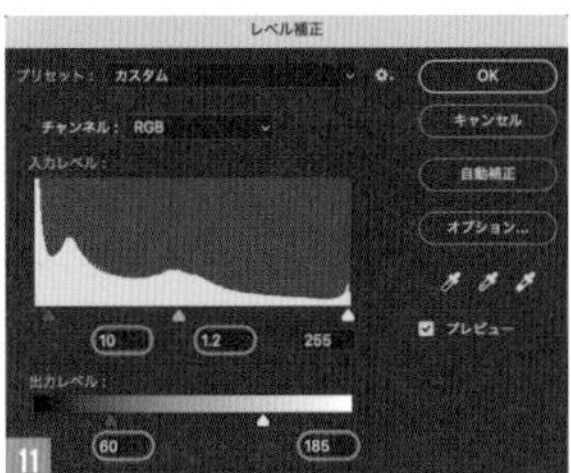

11

10

12

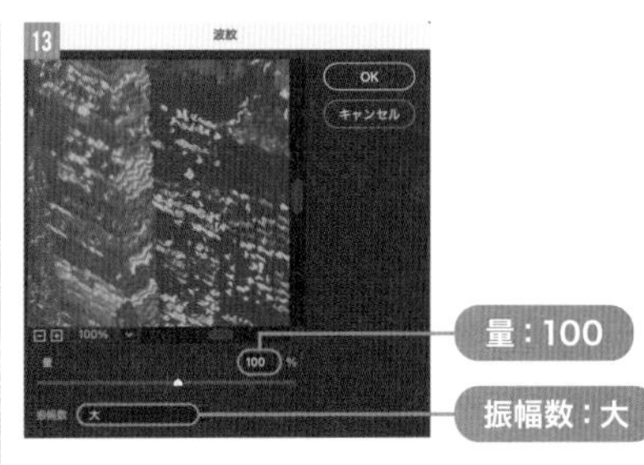

13

14

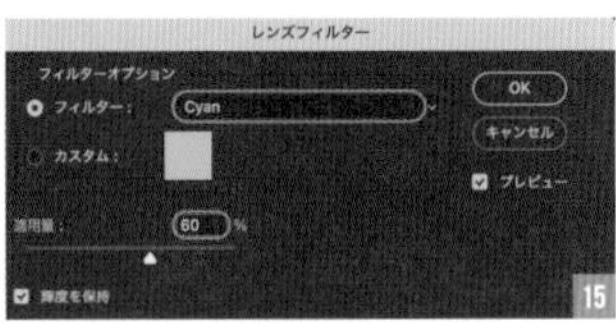

15

16

04 水面の光を強調し、遠近感を出す

レイヤー[水面]の上位に、新規レイヤー[水面の光]を作成し[描画モード：オーバーレイ]とします。さらに[右クリック]→[クリッピングマスクを作成]します 17。

[ブラシツール]を選択し[ソフト円ブラシ][描画色：#ffffff]を選択し、[100～500px][不透明度：25～50%]と調整しながら、船周辺の光を強調するように描画します 18。

波紋に沿って描くようにすると自然な印象になりやすいです。

描画した具合によってレイヤーの不透明度を調整してください。作例では[不透明度：60%]としました。

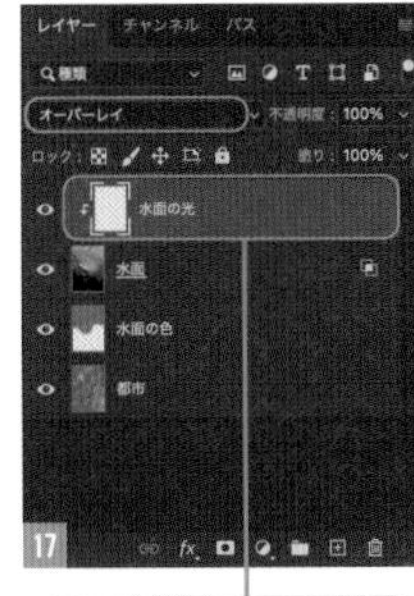

クリッピングマスクをかけた

05 素材を配置する

素材[素材集.psd]から、レイヤー[船_切り抜き]を移動させ、19 のように元々の船と同じ位置に配置します。

[イメージ]→[色調補正]→[レベル補正]を 20、[イメージ]→[色調補正]→[カラーバランス]を 21 のように設定し馴染ませます 22。

最上位にレイヤー[魚][水草]を 23 のように配置します。

船の向きに対して両サイドに水草を配置することで、進行方向や、画面の安定感が出るようにしています。魚は主役の人物に向かって配置することで、目線が主役に行きやすいようにしています。

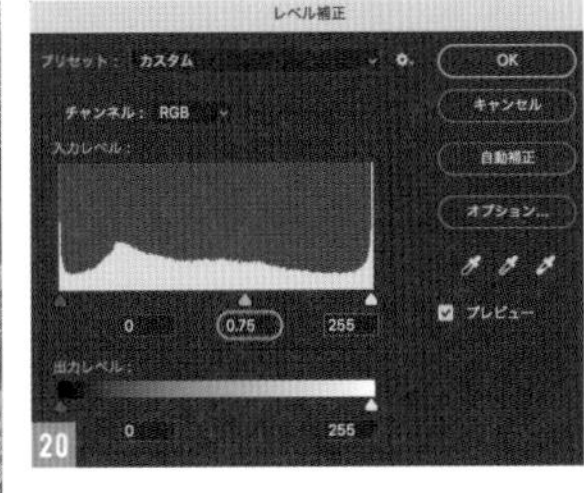

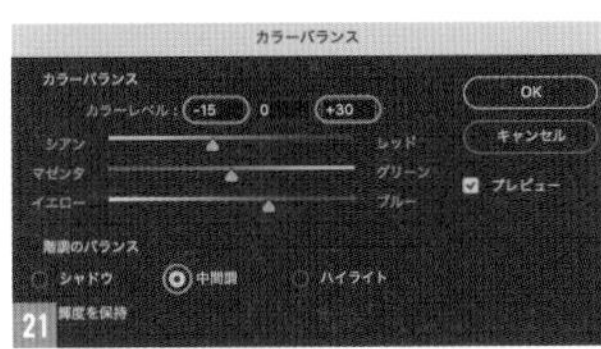

06 グラデーションを使って水面に光を追加する

最上位に新規レイヤー[水面の光_黄]を作成し[描画モード：オーバーレイ]とします。

[描画色：#f8feb7]とし、ツールパネルの[グラデーションツール]を選択し、オプションバーから[グラデーションエディター]を開きます。[プリセット]→[基本]から[描画色から透明に]を選択します。カンバス右上から、左下方向にグラデーションを作成します24。

同じ要領で、上位に新規レイヤー[水面の光_紫]を作成し、[描画モード：通常]とします。

[描画色：#a418f4]を選択し、カンバス右下から左上方向にグラデーションを作成します。少し印象が強すぎたので[不透明度：30%]とします25。さらに上位に新規レイヤー[水面の光_白]を作成し、[描画モード：オーバーレイ]とします。

[描画色：#ffffff]を選択し、カンバス左上から右下方向にグラデーションを作成します26。ここでは船の後ろに少しだけ光を入れるイメージで追加しました。

すべて白色[#ffffff]でグラデーションを作成してもよいのですが、画面に少し色みを感じるようにしたかったので、白以外にも黄と紫の明るい色で作成しています。

07 全体の色みを整える

最上位に新規レイヤー[全体の光]を作成し、[描画モード：オーバーレイ]とします。

[ブラシツール]を選択し、[描画色：#ffffff][ソフト円ブラシ]を使って、部分的に光を入れます。元々光があたっている部分に光を足すように描画すると馴染みやすいです。

船や人物の背中、船の影と水面の境界部分、都市の光が強い部分などを強調するようなイメージで追加すると、全体的に陰影の強弱が付きます。このままでは光が強すぎるので、[不透明度：30%]とします（描画した光の量で%を調整してください）27。

レイヤーパネルから[塗りつぶしまたは調整レイヤーを新規作成]→[カラーバランス]を最上位に追加し28、29のように設定します。

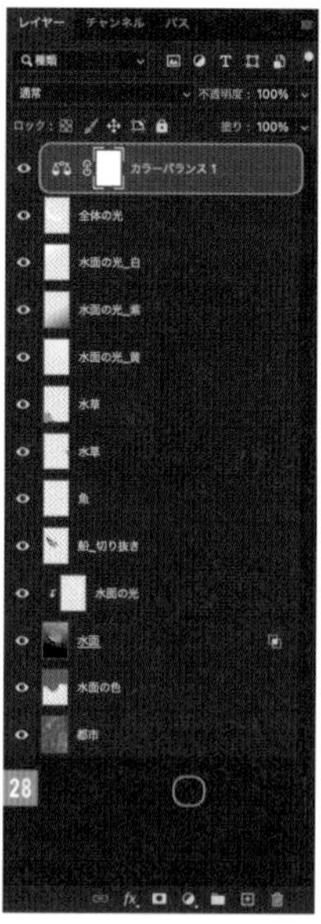

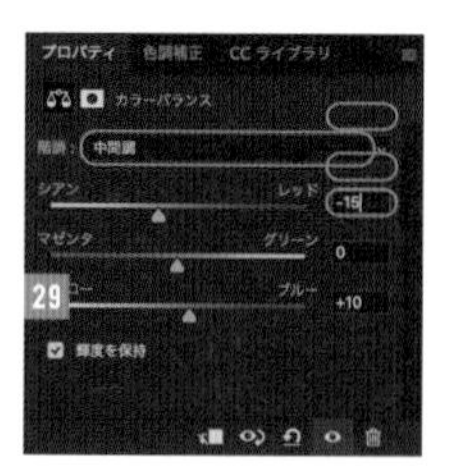

さらに最上位に［塗りつぶしまたは調整レイヤーを新規作成］→［トーンカーブ］を追加し、コントロールポイントを左から［入力：0 出力：26］30、［入力：32 出力：45］31、［入力：124 出力：135］32とします。全体的に少しだけ淡くしつつ、明るい印象に補正しました33。

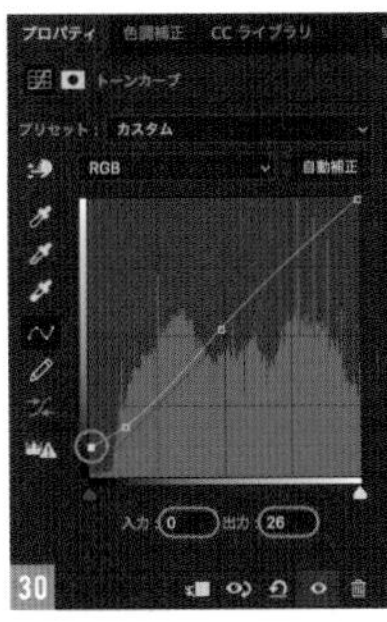

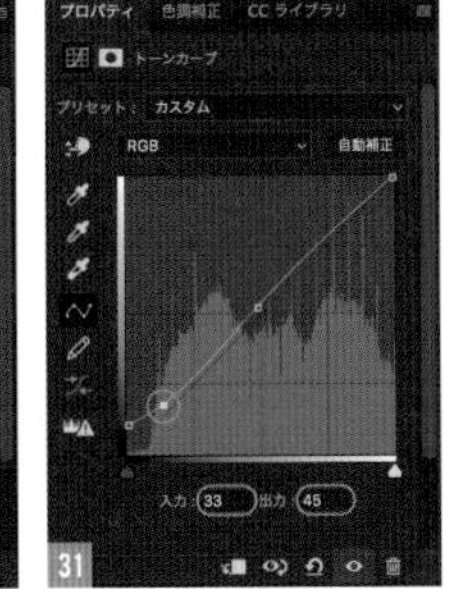

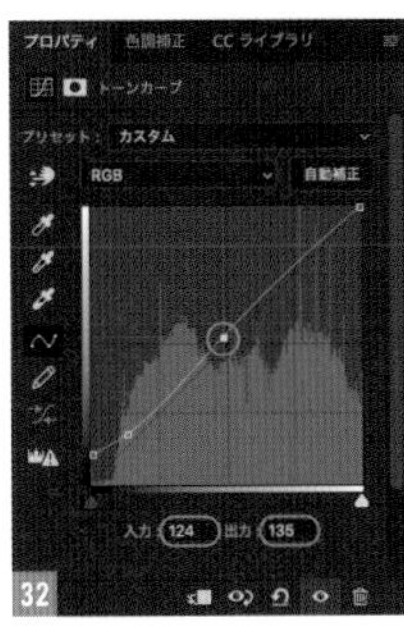

08 テキストを配置する

作例で水面に配置したテキストは、［フォント：Azo Sans（Adobe Fontsからダウンロード可能）］［フォントスタイル：Regular］を使ってレイアウトし34、レイヤーを［右クリック］→［シェイプに変換］35してから、［編集］→［変形］→［自由な形に］を使い、水面に合わせて変形しています36。

最後に一部の文字に動きを感じるようにレイアウトし、完成としました37。

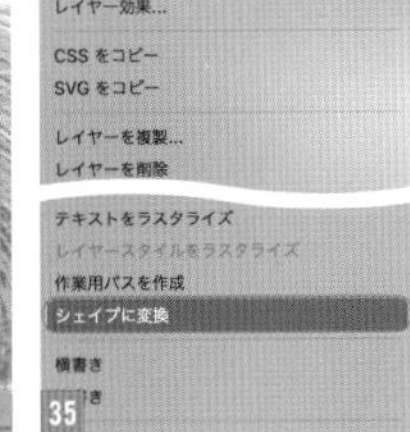

UNKNOWN PLANET

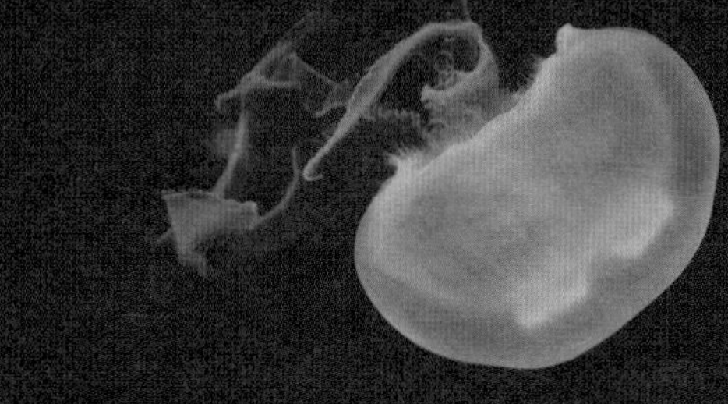

2100.05.10 ON SALE

ALL TIME BEST

ASTRONAUTS

Recipe
047 CDジャケットや広告物をPhotoshopで作る

粗くビンテージな質感で仕上げるSFチックなビジュアルをPhotoshopで作ります。CDジャケットやポスターなどの広告物への展開を想定した流れも見ていきましょう。

Design methods

01 トーンカーブを設定する

Photoshopを立ち上げて、素材[ベース画像.jpg]を開きます01。
あらかじめ切り抜き済みの素材[素材集.psd]からレイヤーを移動させて制作していきます02。
レイヤー[洞窟]を移動させ、03のように配置します。
レイヤーパネルの[塗りつぶしまたは調整レイヤーを新規作成]→[トーンカーブ]04を追加し、コントロールポイントを左から[入力：0 出力：45]05、[入力：37 出力：47]06と設定します07。

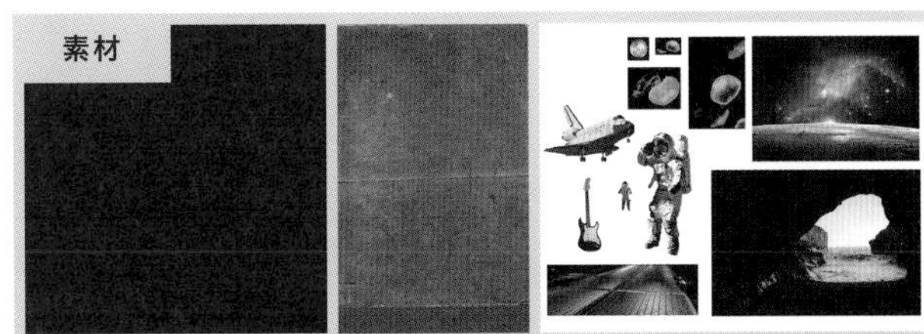

01

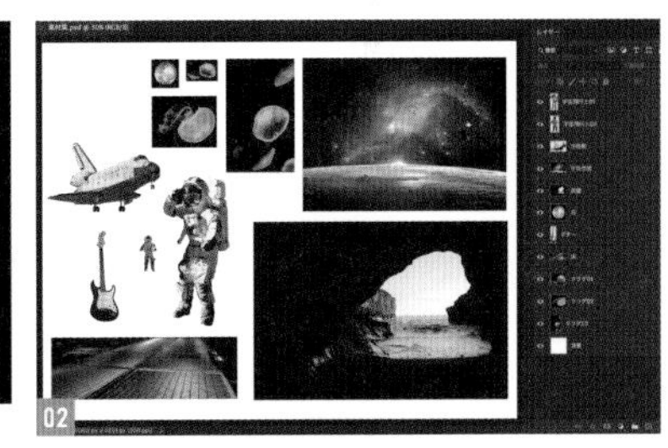
02

03

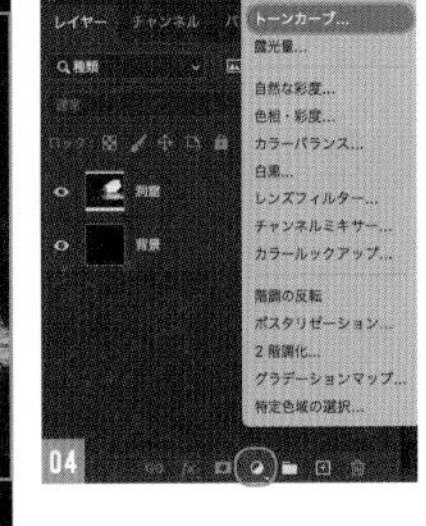

04

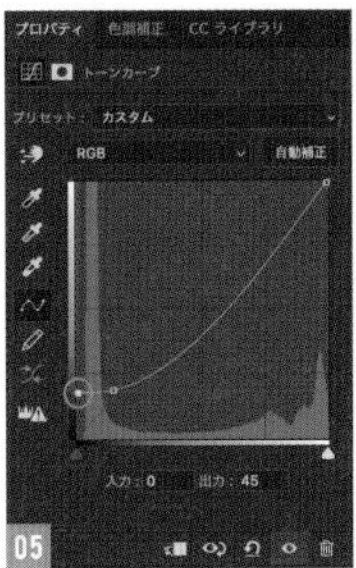

05

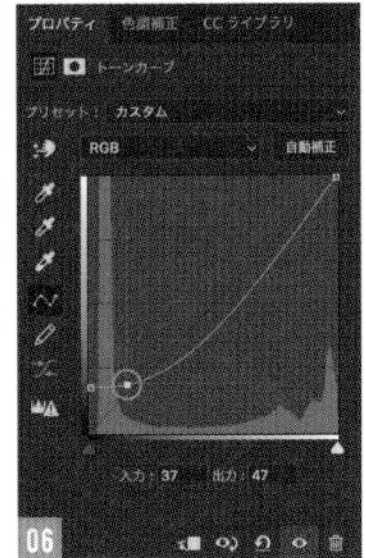

06

07

02 テクスチャを配置する

素材[テクスチャ.jpg]を開き、レイヤーの最上位に配置します 08 09。
[描画モード：ソフトライト][不透明度：50%]とします 10 11。
この設定により、レイヤー[テクスチャ]と調整レイヤー[トーンカーブ1]より下位に配置したレイヤーはすべてマットな質感とビンテージ感のあるテクスチャで統一されます。
なお、画面上部はタイトルが入ることを意識して余白を作った状態で作業を進めます。

03 各素材をコラージュでレイアウトしていく

レイヤー[宇宙空間]をレイヤー[洞窟]の上位に配置します 12。
一旦レイヤー[宇宙空間]を非表示にします。
レイヤー[洞窟]を選択し、ツールパネルの[クイック選択ツール] 13 を使い、空の部分の選択範囲を作成します 14。
選択範囲を作成したまま、レイヤー[宇宙空間]を表示し選択します 15。
レイヤーパネルから[レイヤーマスクを追加]します 16 17。
洞窟内に床を配置します。レイヤー[床]をレイヤー[宇宙空間]の上位に配置します 18。
レイヤーパネルから[レイヤーマスクを追加]します 19。レイヤーマスクサムネールを選択し、ツールパネルで[ブラシツール]を選択します。[ソフト円ブラシ][描画色：#000000]とし、ブラシサイズ(200～500程度)、ブラシの不透明度(50～100%)と調整しながら 20 を参考にマスクを追加します。洞窟内の地面位置にだけ床が残るようにマスクを追加してください。

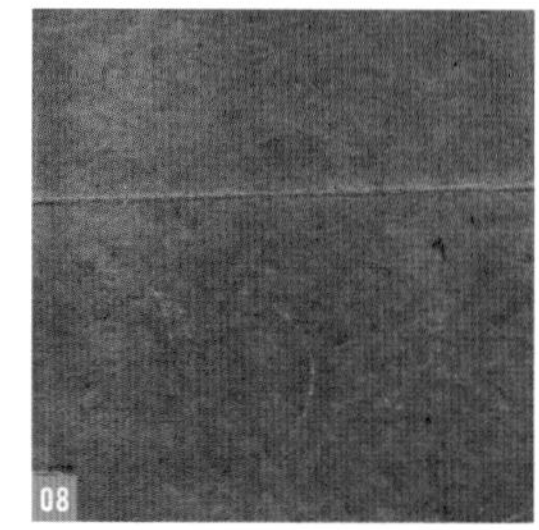
08

09

10

11

12

13

14

15

16

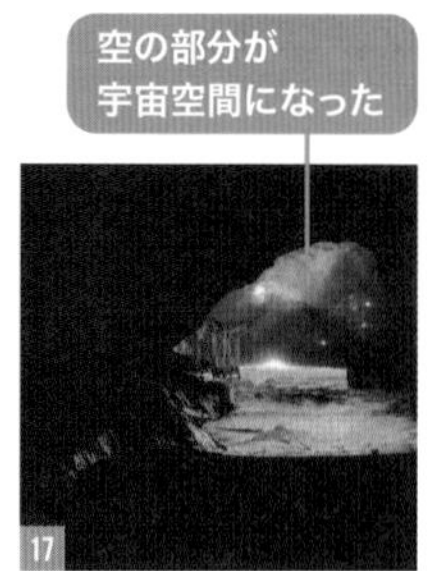

17

18

19

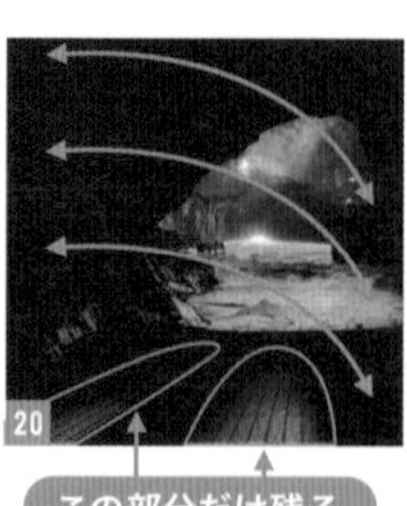

20

04 宇宙船と月を配置する

レイヤー[宇宙船]を配置します。[編集]→[変形]→[垂直方向に反転]と[編集]→[変形]→[回転]を使って配置します21。
レイヤー[宇宙空間]で作成したレイヤーマスクを選択し22、option (Alt) キーを押しながらレイヤー[宇宙船]にドラッグし、レイヤーマスクをコピーします23。
宇宙船が地平線の向こうに行ってしまったので24、右側の崖後ろあたりに見えるようにマスクを調整します。
レイヤー[宇宙船]のレイヤーマスクを選択し、[ブラシツール][ソフト円ブラシ][描画色：#ffffff]を使ってマスクを調整します。
海に浸かっているように見せたいので、海との境界部分は波を意識してマスクします25。
レイヤー[月]を上位に配置します26。
これまでと同じ要領でレイヤー[宇宙空間]のマスクをoption (Alt) +ドラッグでレイヤー[月]にコピーします。
レイヤーを[描画モード：スクリーン]とします27。

05 宇宙飛行士・クラゲを配置する

上位にレイヤー[宇宙飛行士01][宇宙飛行士02]を配置します28。
上位にレイヤー[ギター]を配置し、宇宙飛行士の手元に配置します29。
レイヤー[床]で作成したマスクと同じ要領で、レイヤー[ギター]にレイヤーマスクを追加し30、[ブラシツール]を使って、左手でギターを持っているようにマスクを追加します31。
ギターの画質が鮮明で違和感があるので、[フィルター]→[ノイズ]→[ノイズを加える]32を33のように適用します。

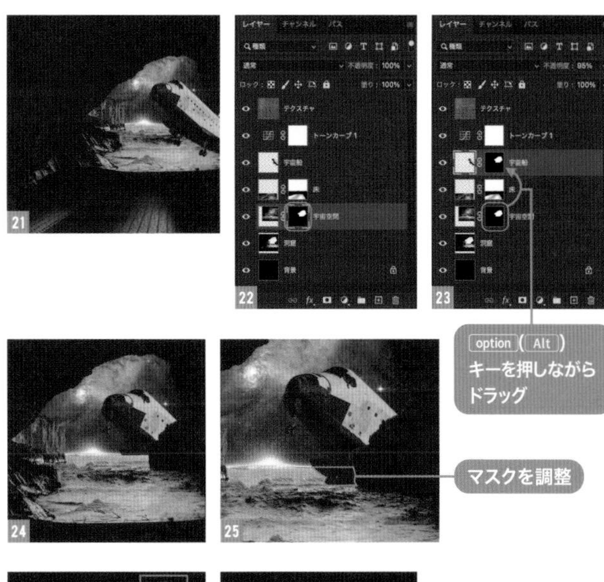

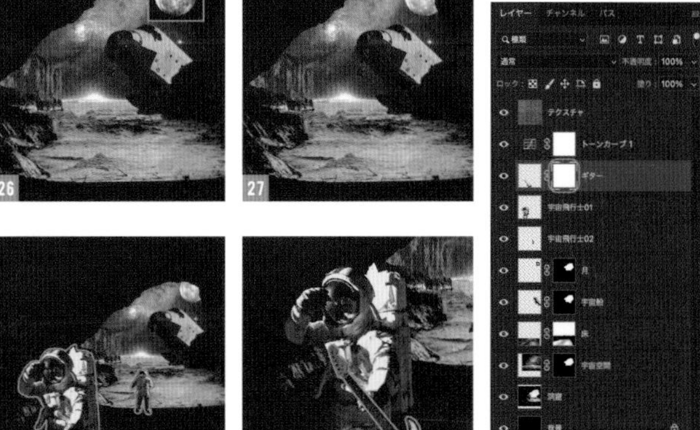

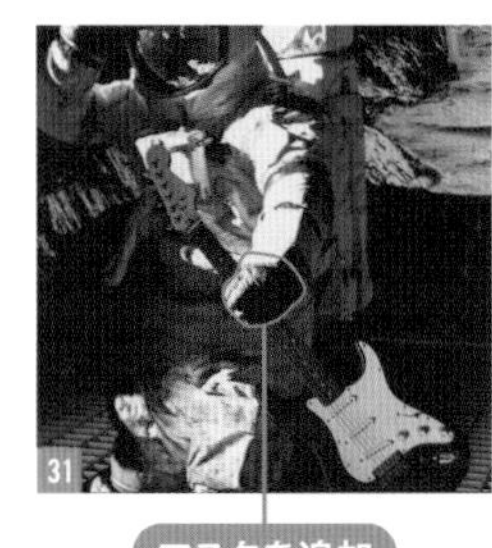

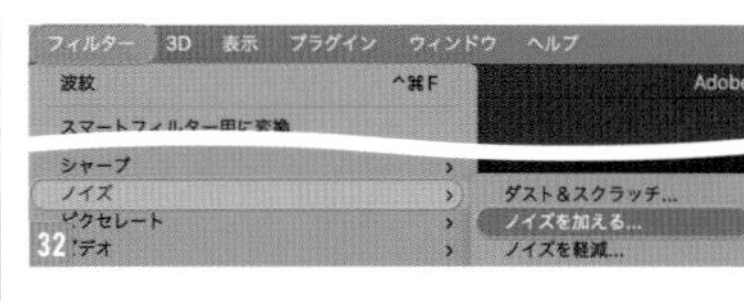

次に[フィルター]→[ぼかし]→[ぼかし(ガウス)] 34 を 35 のように適用します 36。
レイヤー[クラゲ01 〜 03]を上位に配置し、[描画モード：スクリーン]とし馴染ませます 37。

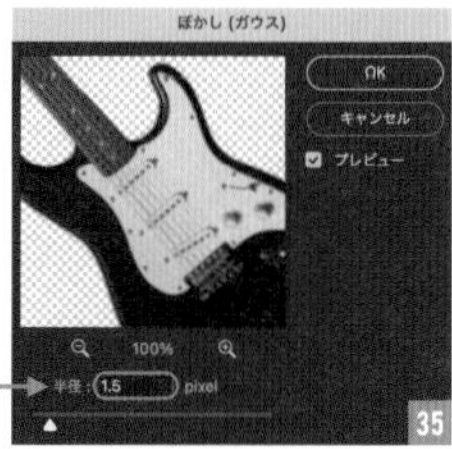

06 赤・青の光で不思議な雰囲気を演出する

宇宙飛行士の目線の先に光源があるという設定にし、その光が宇宙飛行士と床に落ちているように表現します。
上位に新規レイヤー[光_白]を作成し、[描画モード：オーバーレイ]とします。
[ブラシツール]を選択し、[ソフト円ブラシ][描画色：#ffffff]を使い[ブラシサイズ]と[不透明度]を調整しながら、宇宙飛行士の左側と、床に光を描画します 38。描画の具合に合わせてレイヤーの不透明度を変更してください。
同じように上位に新規レイヤー[光_青]を作成し[描画モード：オーバーレイ]とし、[描画色：#04b9e6]を使って、青い光を宇宙飛行士と床全体にあたっているイメージで描画します 39。
さらに同じように、上位に新規レイヤー[光_赤]を作成し、[描画色：#fc5392]を使って赤い光を、宇宙飛行士の左側にあたっているイメージで描画します 40。
目線の先に怪しく光る光源がある雰囲気が出たと思います。

Column

キャラクターの目線を意識してレイアウトする

手前の宇宙飛行士はあえて左端に左向きで配置することで、進行方向を感じやすいようにレイアウトしています。逆に左端に右向きにレイアウトすると目線の先に余白がうまれ、広がりのあるレイアウトになります。その場合は目線の先に目立たせたいアイテムを配置すると効果的に視線を誘導することができます。

07 不要な部分を塗りつぶし文字を配置する

手前の宇宙飛行士を目立たせたいので、左側の洞窟の一部を塗りつぶします。
レイヤー[洞窟]の上位に新規レイヤー[ベタ塗]を作成します。
[ブラシツール][描画色：#000000]を使って 41 のように宇宙飛行士に重なっている洞窟部分を塗りつぶします。ディテールがはっきりし、見やすくなりました。最後に[フォント：Futura PT][スタイル：Light]を使ってタイトルを入れました 42。これでCDジャケットのデザインは完成です。

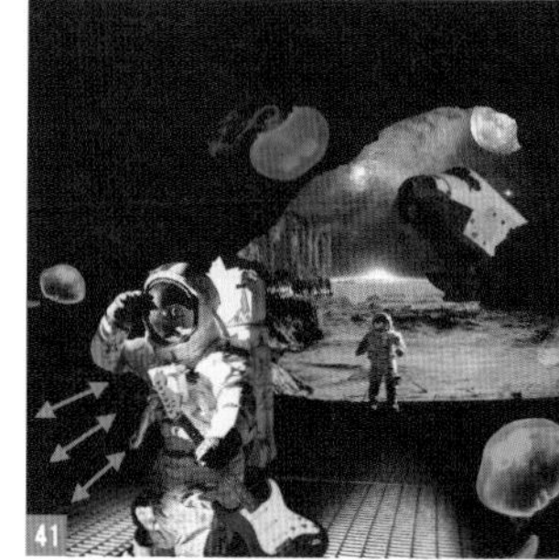

08 ポスター用に再レイアウトする

ベタ塗りやグラデーション、空などの素材で『画面のサイズを伸ばしたい方向を単純な要素で作っておく』と再レイアウトの工程が少なく応用ができます。
この作例では、上方向に伸ばしてポスターとして活用することを見越して作っています。カンバスサイズを上方向に引き伸ばし、テキストとクラゲの再レイアウトだけを行いました 43。

この辺を伸ばして再レイアウトした

Column

完成イメージを合成してみる

実際に印刷してみたら想像していたよりインパクトが弱かった、テキストが読みにくかった、イメージと違っていたという経験がある方も多いのではないかと思います。
パッケージやポスターなどの印刷物として出力する場合、もし時間に余裕があれば、完成のイメージを合成で確認してみるとよいでしょう。完成のイメージを合成することで、画面上だけでは見えなかった、現実に近い見え方を確認することができます。

01　明暗をフラットに補正する

Photoshopを立ち上げて、素材[風景.jpg]を開きます 01 。

01

Recipe

048

色相彩度を統一したビジュアル

画像内のカラーを個別に補正して統一します。セピアやモノクロとは違った不思議な雰囲気に仕上げたい時に活用できます。

Design methods

素材

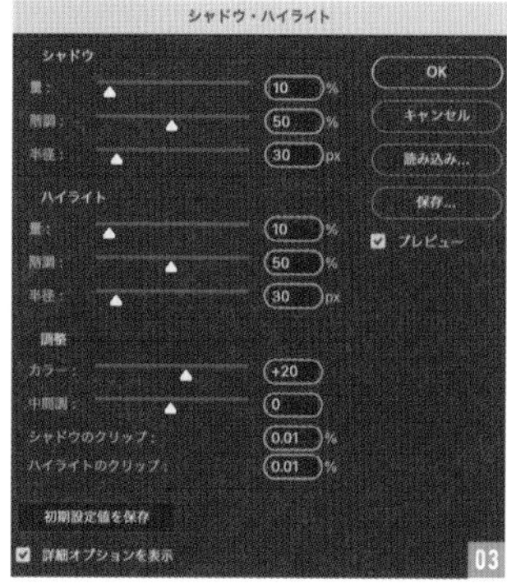

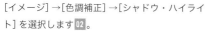

[イメージ] →[色調補正] →[シャドウ・ハイライト] を選択します02。

03のように設定し、画面奥の明るい部分(ハイライト)を暗く、木々の暗い色み(シャドウ)を明るく補正し、全体をフラットな印象にします04。

02 レッド・イエローを抑えて全体の色みを青く統一する

RGB画像はレッド・グリーン・ブルーの3色でできています。レッド・イエローを調整していくことで青系に補正していくことができます。
[イメージ]→[色調補正]→[色相・彩度]を選択します05。
[レッド系]を選択し06のように設定します。
赤の色相を青方向に補正しています。さらに彩度を大きく落とし、明度を上げ、淡くしています07。
[イエロー系]を選択し08のように設定します。
同様に青方向に補正し、彩度を落とし、明度を大きく上げています。
全体が青い色みで統一され、冷たく幻想的な色みになります09。[OK]を押して確定します。
ここまでの作業は、明るさをフラットにして、色みもあえてフラットな青で統一しています(手順03で色をのせやすくする為)。

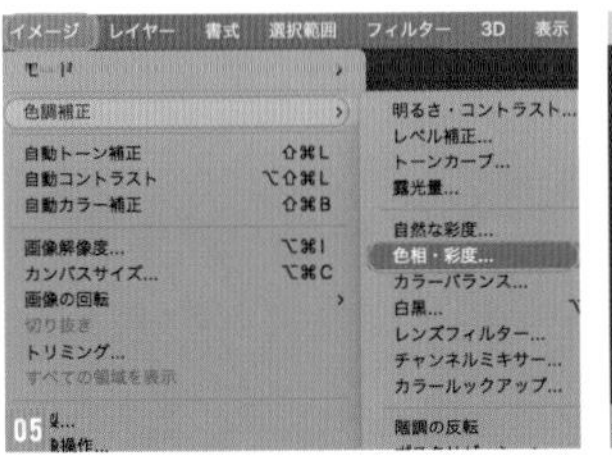

05

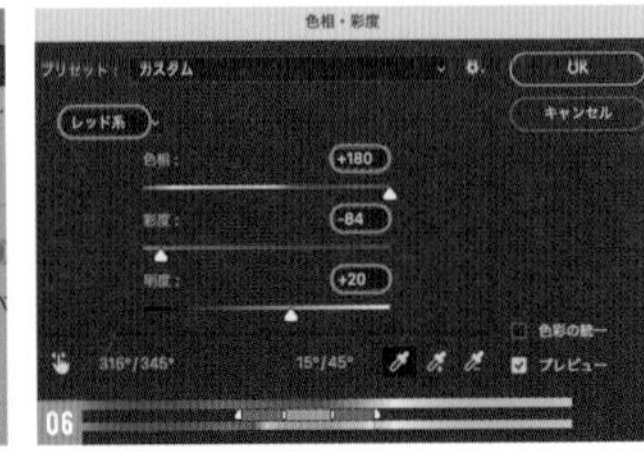

06

07

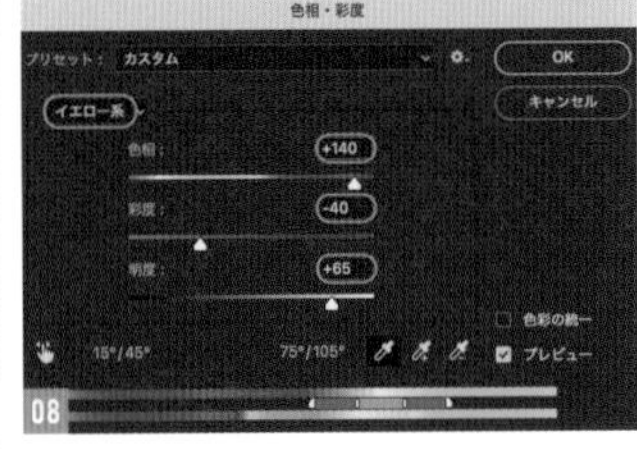

08

09

10

03 少し別の色を足して深みのある印象に仕上げる

ここまでの青に統一した画像をベースとして、各トーンカーブを調整し、深みのある青を作っていきます。
[イメージ]→[色調補正]→[トーンカーブ]を選択します10。
[チャンネル:グリーン]を選択し、左下のポインタを[出力:0 入力:25]とします11。木々など暗い色みに薄くマゼンタが入ったようになります12。
[チャンネル:レッド]を選択し、左下のポインタを[出力:0 入力:40]とし、中央に1つポインタを追加し[入力:125 出力:130]とします13。暗い色みのレッドを抑えつつ、明るい色みにうっすらレッドを足すようなイメージです14。
[チャンネル:RGB]を選択し、中央にポインタを追加して[出力:136 入力:120]とし、全体を少し明るく補正し完成です15 16。

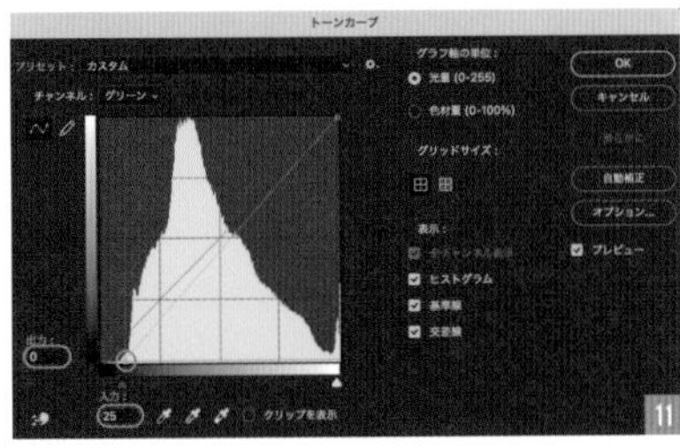

11

12

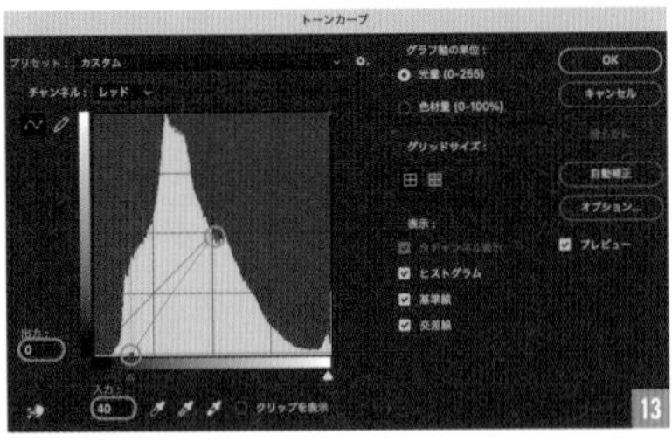

13

14

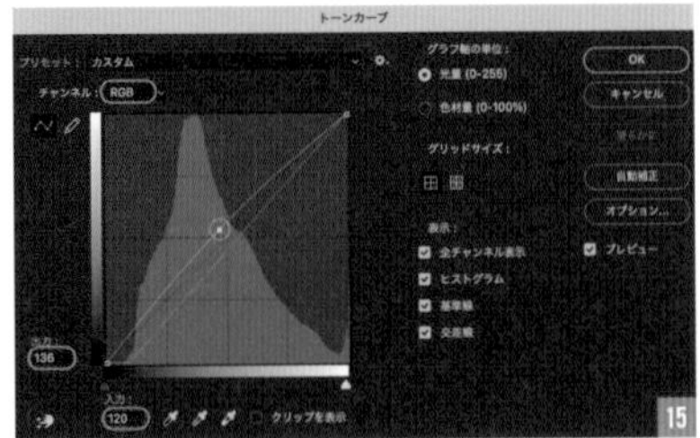

15

16

Chapter 04

配色

「配色」はデザイン全体のイメージを決めることができます。
この章ではデザイン制作で真似をすればすぐに使える配色と、「ナチュラルハーモニー」といった理論的なアプローチからの配色の両方の作例を学びます。

Color Combinations

music

LOVER

feature ｜ 私に心地よいヘッドホンの探し方

Recipe

049 グレイッシュなピンクを上品に使う

彩度を下げたグレイッシュなピンクを使い、落ち着いた雰囲気で全体を上品に整えます。

Design methods

01 ファイルを新規作成する

冊子の表紙を想定して作ります。
Illustratorを立ち上げて、[ファイル]→[新規]を選択します。単位を[ミリメートル]とし、[幅：182][高さ：232]として[作成]をクリックします01。
[新規レイヤーを作成]をクリックし、レイヤーを追加します02。上位からレイヤー名を[レイアウト][写真]とします03。

02 写真と余白のバランスを決める

レイヤー[写真]を選択します。
まず写真を配置する位置・エリアを先に作ります。ツールパネルから[長方形ツール]を選び、描画エリアで任意の場所をクリックして[幅：138mm][高さ：45mm]の長方形を作成します04。ここでは色がわかりやすいように[M：100]とします05 06。
さらに作った長方形の下にピッタリと合うよう[幅：138mm][高さ：98mm]の長方形を作成します07。こちらは色はわかりやすいよう[C：100]としています。
作成した長方形2つをアートボードの中央に配置します。

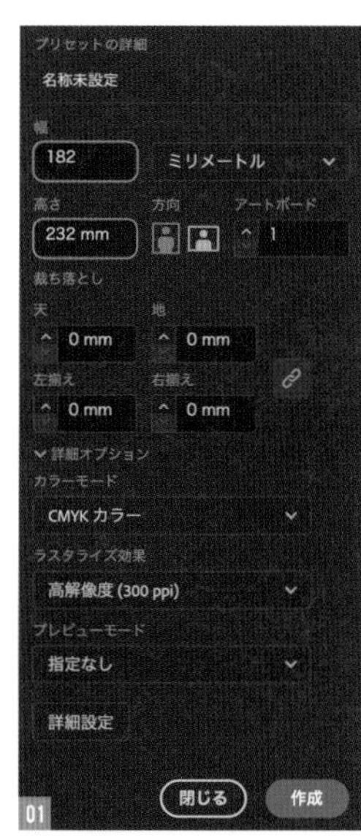

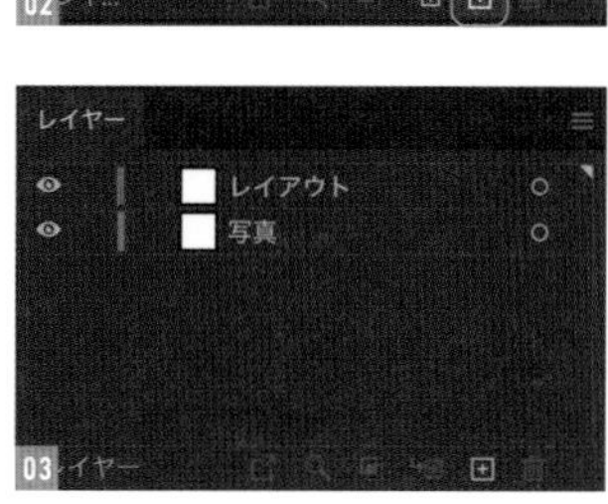

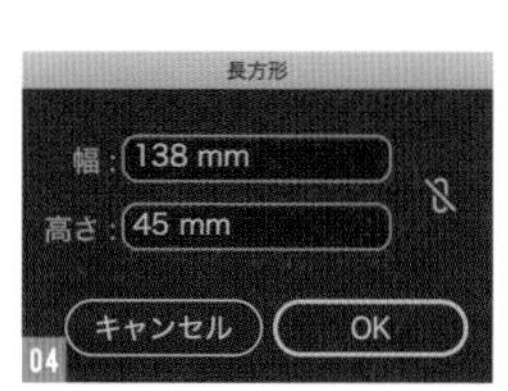

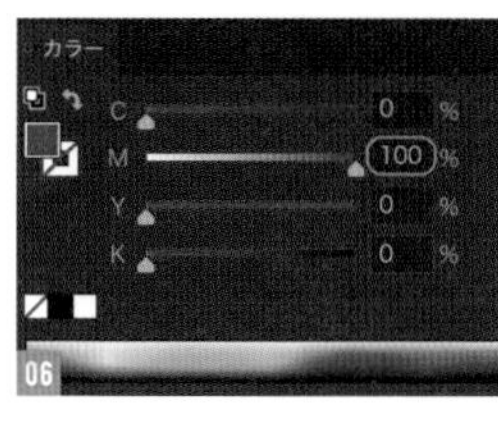

03 写真を配置する

[ファイル]→[配置]を選択し 08、素材[素材.psd]を選びます。「M：100」の長方形に被るように配置します 09。
画像を選択して[オブジェクト]→[重ね順]→[最背面へ]を選び、長方形の背面に移動します 10 11。写真と長方形を選択し[オブジェクト]→[クリッピングマスク]→[作成]で写真にマスクをかけます 12。「M：100」の長方形にマスクができました 13。
同じ手順で再度、[素材.psd]を[C：100]の長方形でマスクをかけます 14。同じ写真を2つ上下に並べることができました。

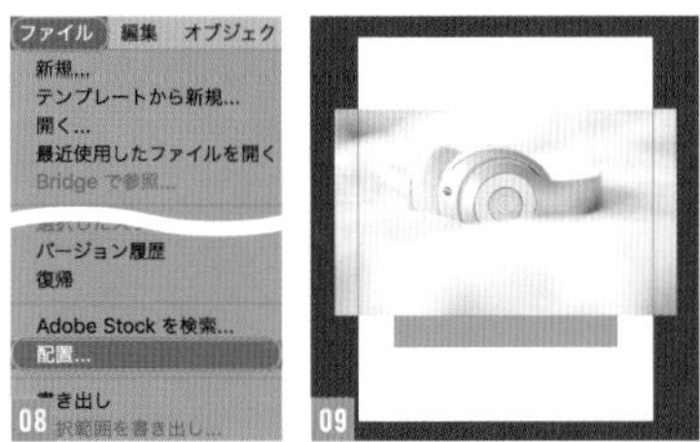

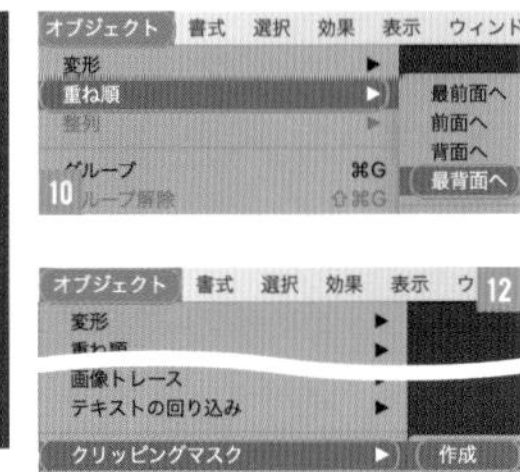

04 配色を考えつつ、タイトルをレイアウトする

素材の写真に「上質さ」を感じるので、派手な色合いを避けるとします。写真の色みに合わせグレイッシュなピンクでまとめることにします。
レイヤー[レイアウト]を選択します。ツールパネルから[文字ツール]を選択し、「LOVER」と入力し、写真上部にかかるように配置します 15。
文字の設定は[フォント：Century Gothic Pro][フォントスタイル：Regular][サイズ：85pt][カーニング：オプティカル][トラッキング：150]、[段落：中央揃え]とします 16 17。塗りはグレイッシュなピンクになるように[M：30 K：30]としています 18。
続けて「LOVER」の上に「music」と入力します 19。文字の設定は[フォント：Streamline][フォントスタイル：Light][サイズ：25pt][カーニング：メトリクス][トラッキング：0][段落：中央揃え]とします 20 21。こちらの色文字は筆記体のフォントを小さく上品にまとめ、紙面全体を引き締めるように[K：100]としています。

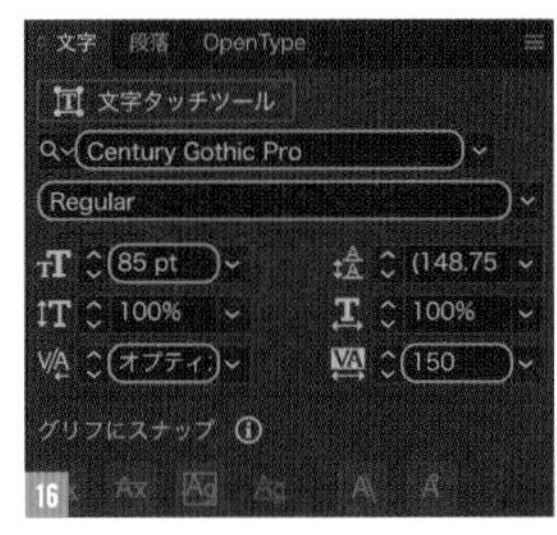

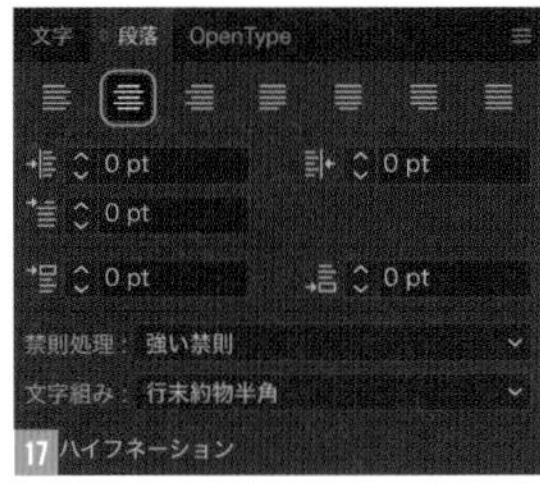

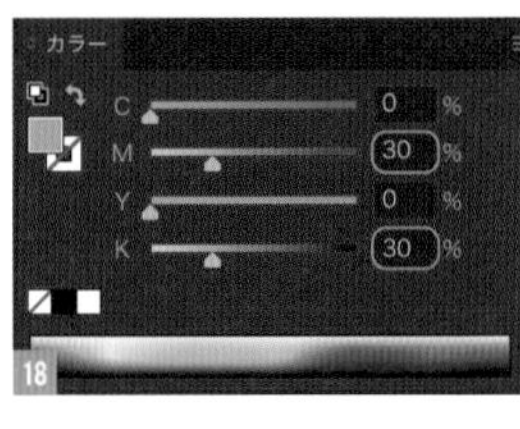

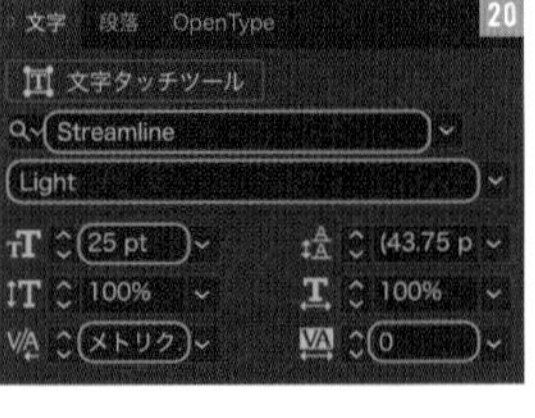

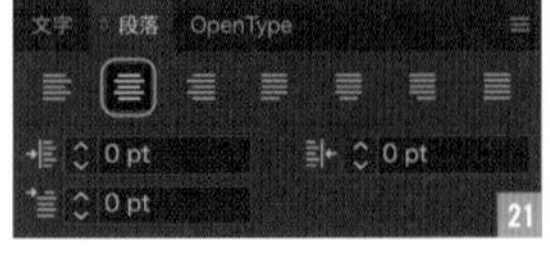

Point

タイトル周りの余白を広めに取っています。広く余白を取ることでグレイッシュな浅いトーンでも目立たせて強く見せることができます。

05 他の要素をレイアウトする

紙面下段も色を揃えながらレイアウトしていきます。素材[テキスト.txt]を開いてテキストをコピーし、22のように「feature」と「私に心地よいヘッドホンの探し方」と入力します。

「feature」は、先に入力した「LOVER」と同じフォントと色を使います。文字の設定は[サイズ：14pt][トラッキング：200][段落：左揃え]とします23 24。「私に心地よいヘッドホンの探し方」は[フォント：ヒラギノ角ゴシック][フォントスタイル：W4][サイズ：13pt][カーニング：オプティカル][トラッキング：200][段落：左揃え]としています25 26。

最後にアクセントを作るため縦に1本線を追加します27。線の色は他と揃え、線幅は[0.5pt]としています28。

ラインを「feature」からヘッドフォン近くまで伸ばすことでビジュアルと見出しをつなげ、見た人に直感的に内容を知らせる意図があります。

グレイッシュなピンクで整えられた上品なデザインが完成しました。

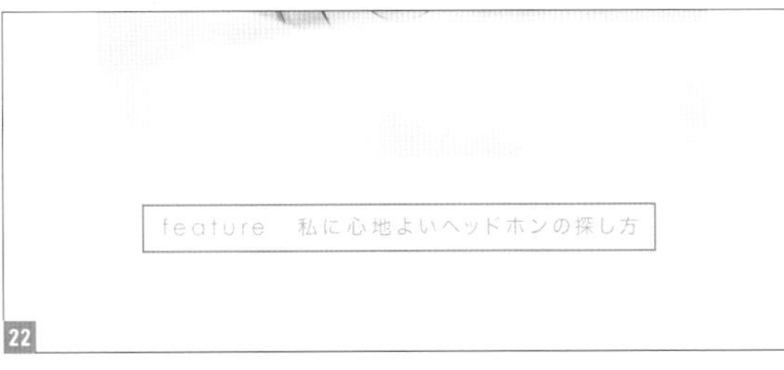

22

23

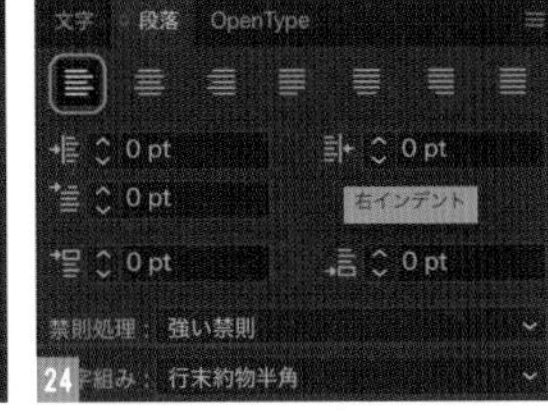

24

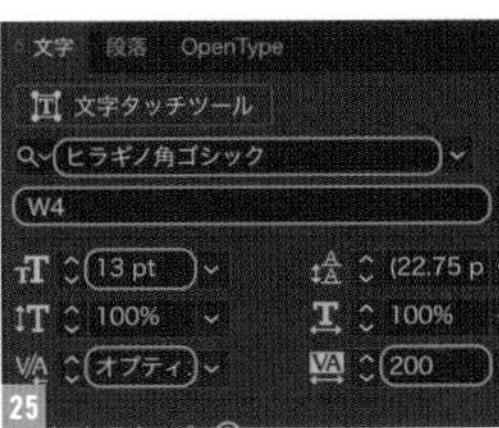

25

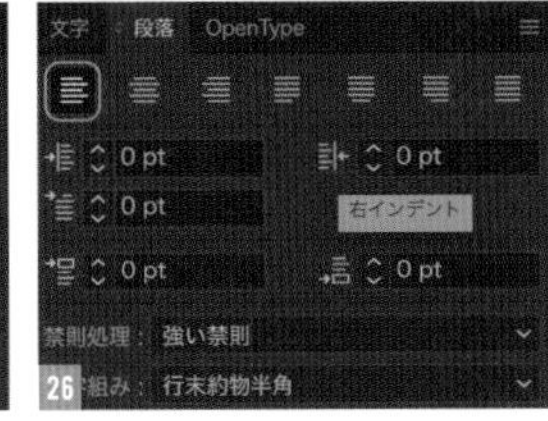

26

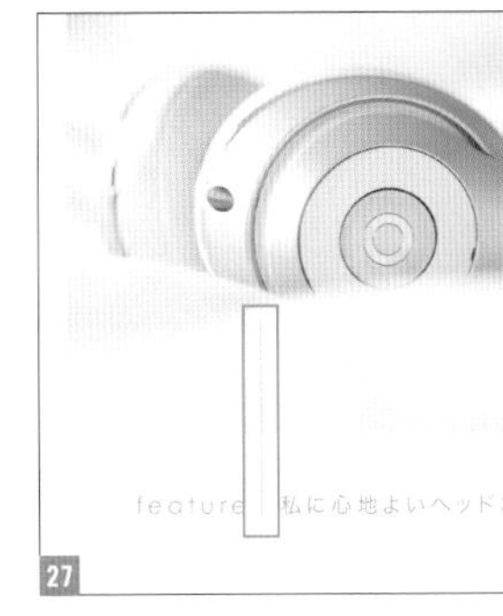

27

28

Column

同じ写真を連続で使用する時のポイント

トリミングに差を付けたり、トリミングの場所を変えると、画面に変化が生まれリズムを作ることができます。

今回ヘッドフォンでは同じ写真を縦に2つ並べて構成しています。

フィルムのコマ送りをイメージして、同じ幅で高さを変えた2つの写真はリズムを作り、視線を下へと誘導します。

また写真の見せ場（ヘッドフォンの全体像）を見せているのは下側のみにしているので、散漫にならず、視線を集中させることができます。

Recipe 050 白に赤を合わせる

白を大きく飛ばした露出オーバーの写真を使用し、赤と組み合わせて配色します。

Design methods

01 写真を調整して露出オーバーにする

今回、洋菓子店のオープンのポスターを想定して作ります。
Photoshopを立ち上げて、素材[素材.psd]を開きます 01。画像を露出オーバーにしてケーキの周りの薄いグレーを白にします。
[イメージ]→[色調補正]→[レベル補正]を選択し 02、入力レベルを[シャドウ:0][中間調:1.2][ハイライト:240]に設定します 03。ハイライトの数値を下げて露出オーバーにすることで全体の白さが強調された明るい画像ができました 04。
画像は[別名で保存]しておきます。

02 調整した写真を配置する

Illustratorを立ち上げて、素材[レイアウト.ai]を開きます。あらかじめ設定したアートボードから作りはじめていきます。
レイヤー[写真]を選択します。写真の配置する位置・エリアを先に作ります。ツールパネルの[長方形ツール]を選択します 05。
アートボードに合わせて[幅:182mm][高さ:232mm]の長方形を作成します 06 07。ここではわかりやすいように色は[C:100]としています 08。

01

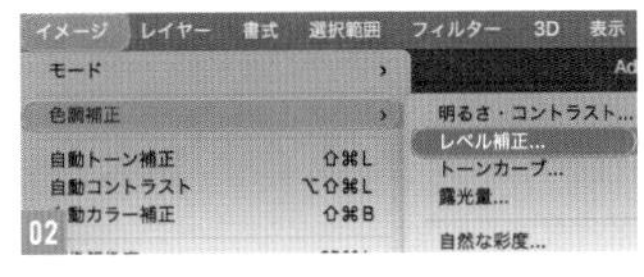

02

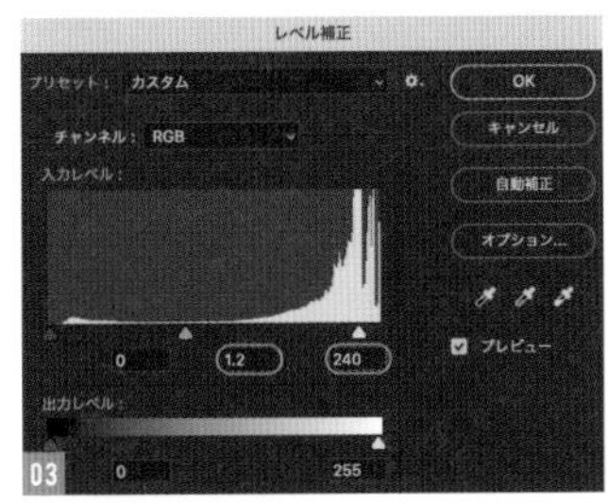

03

04

05

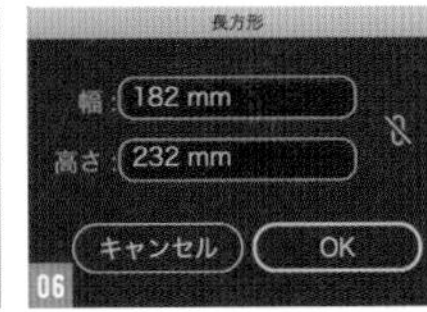

06

07

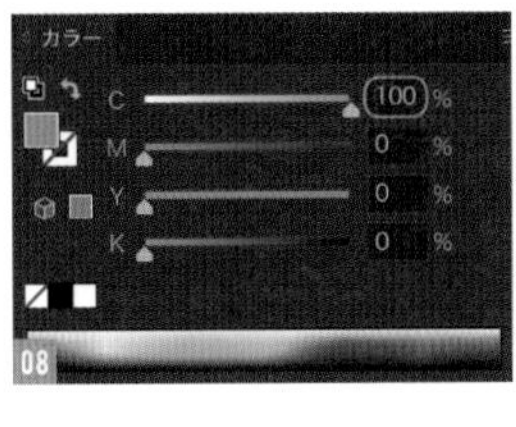

08

03 調整した画像を配置する

[ファイル]→[配置]を選択し09、先ほど調整した画像を選び、アートボード中央に配置します10。

写真を選択して[オブジェクト]→[重ね順]→[最背面へ]を選び11、長方形の背面に移動します12。写真と長方形を選択し[オブジェクト]→[クリッピングマスク]→[作成]で写真にマスクをかけます13 14。写真の配置が完成しました。

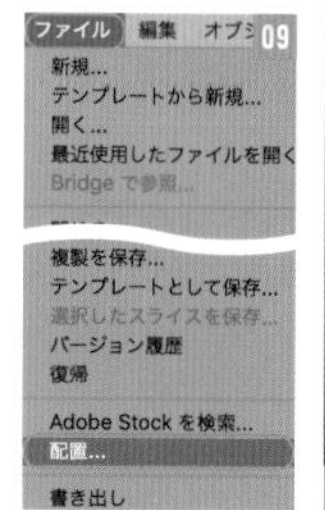
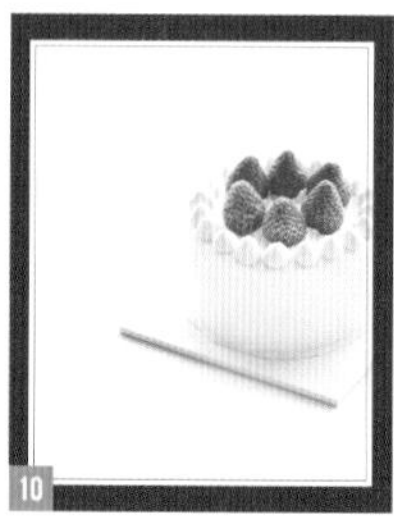
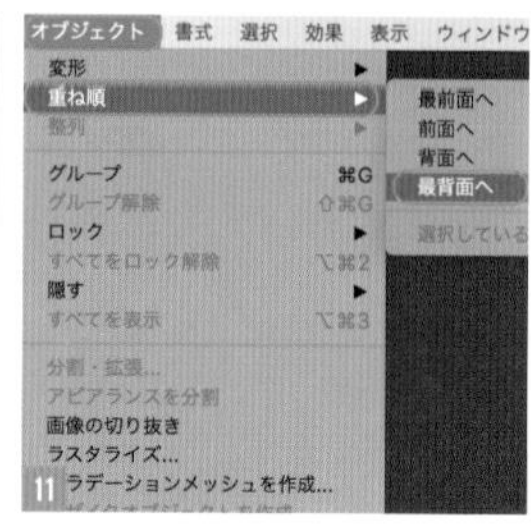

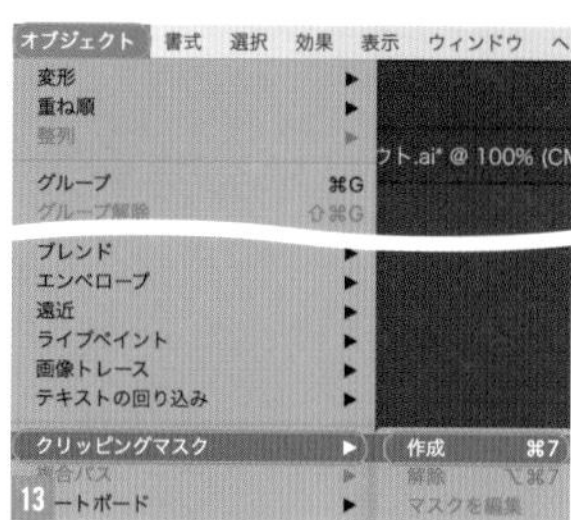
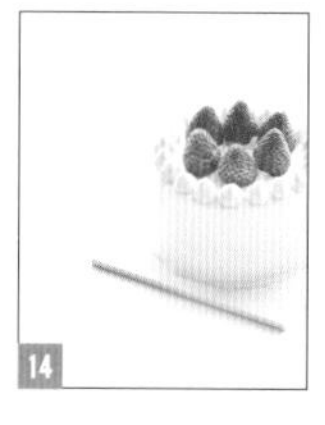

04 ロゴをレイアウトする

レイヤー[レイアウト]を選択します。Illustratorで素材[ロゴ.ai]を開きます。ロゴをコピーして、元のファイルに戻りペーストし、アートボード中央下部に配置します15。

Point

ロゴの色は[C：20 M：100 Y：100]です。今回のデザインのキーカラーはイチゴの写真の赤であり、これに合わせて配色しています。

05 タイトルを作る

レイヤー[レイアウト]を選択します。

ツールパネルの[文字ツール]を選択し16、素材[テキスト.txt]から「Hello! I'm Next New Standard!」をコピーしてきてテキストを貼り付けます。「Hello!」「I'm Next」「New」で改行を入れてロゴの左端に合わせて17のように配置します。

文字の設定は[フォント：Nobel][フォントスタイル：Bold][サイズ：50pt][行送り：50pt][トラッキング：0][カーニング：オプティカル][段落：左揃え]としています18 19。フォントは遊び心があるサンセリフ体を選び、楽しいイメージに見せました。色はロゴに合わせています。

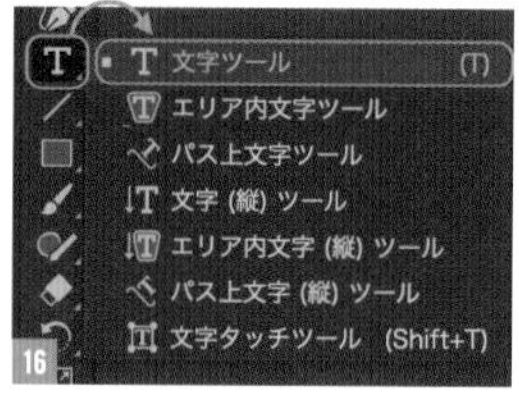

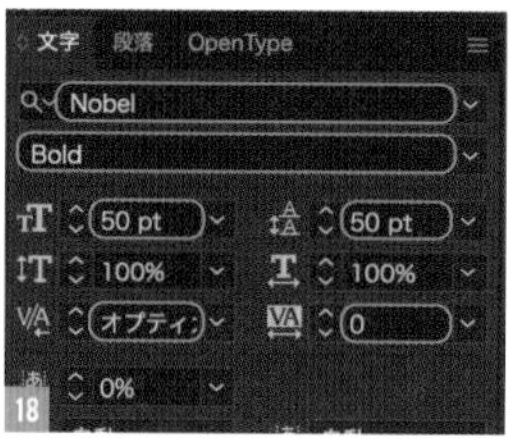
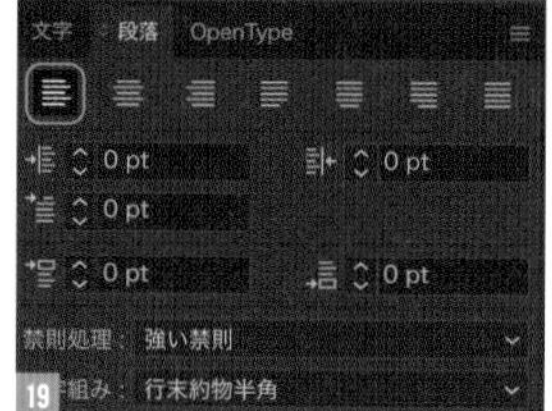

Point

明るい写真、広くとった白のスペースを活かしています。このように余白を活かしたデザインを作る際にはロゴやタイトルで写真のイメージを抑えすぎないように意識してレイアウトしていきましょう。

Point

「'」と「m」の間には[カーニング:-500]の設定を入れています。文字を入力した際に違和感が出ている場所は個別にカーニングの設定を変更してもよいでしょう 20 21。

20

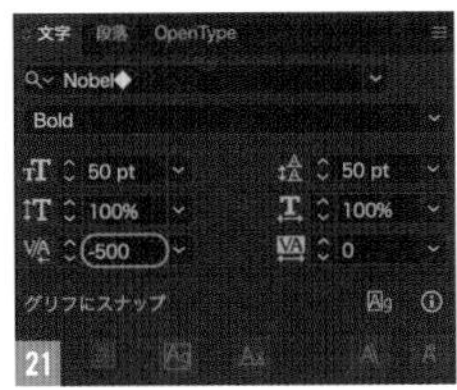

21

06 他の要素を配置する

最後に他の要素、オープンの日時とホームページのアドレスを配置します。

全体が白と赤色の構成になっているので全体を締めるため黒[K:100]を使います 22。

素材[テキスト.txt]から文章をコピーし、ツールパネルの[文字ツール]で「2021.7 OPEN」と中央下部に配置します 23。

文字の設定は[フォント:Nobel][フォントスタイル:Bold][サイズ:20pt][カーニング:オプティカル][トラッキング:100][段落:中央揃え]としています 24 25。

同じ書体でアートボード右上にホームページアドレスを 26 のように配置します。文字の設定は[フォント:Nobel][フォントスタイル:Book][サイズ:13pt][カーニング:オプティカル][トラッキング:50][段落:左揃え]としています 27 28。

文字はツールパネルの[回転ツール]をダブルクリックし、[角度:-90°]で回転させてください 29 30。

全体の構成が左から右に流れているのであえて回転して上から下に向かう目線の流れを作ってアクセントにしています 31。レイアウトが完成しました。

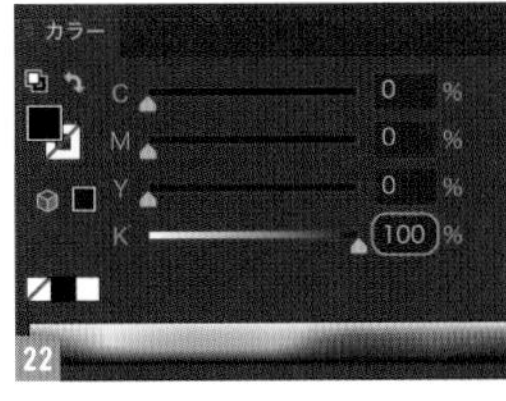

22

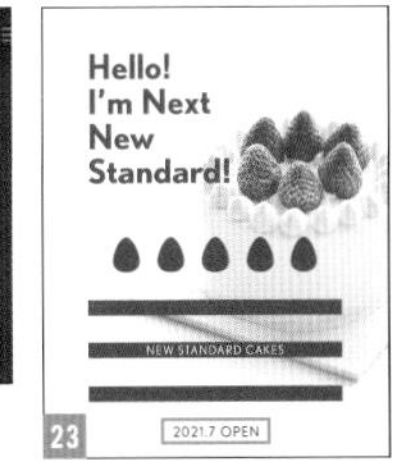

23

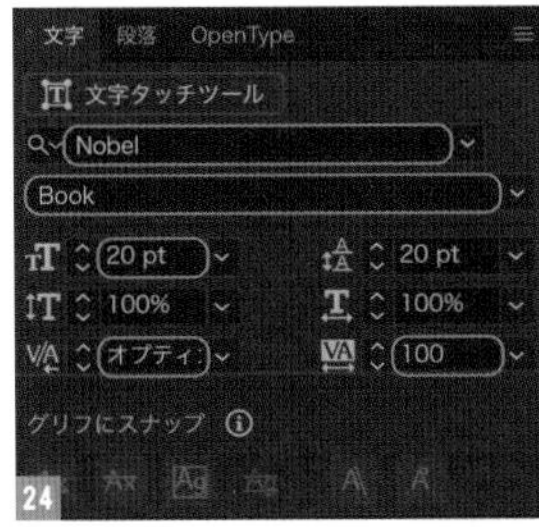

24

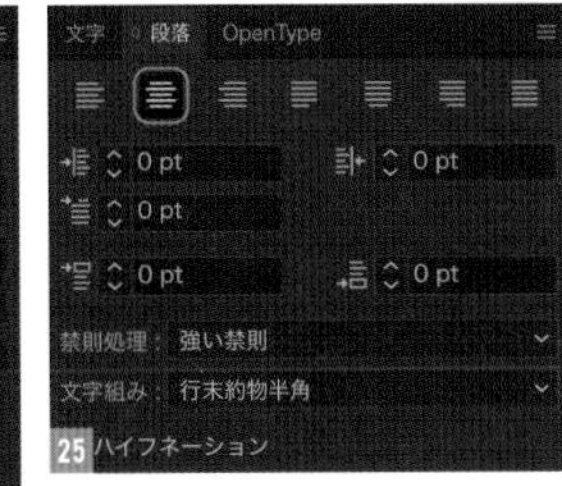

25

26

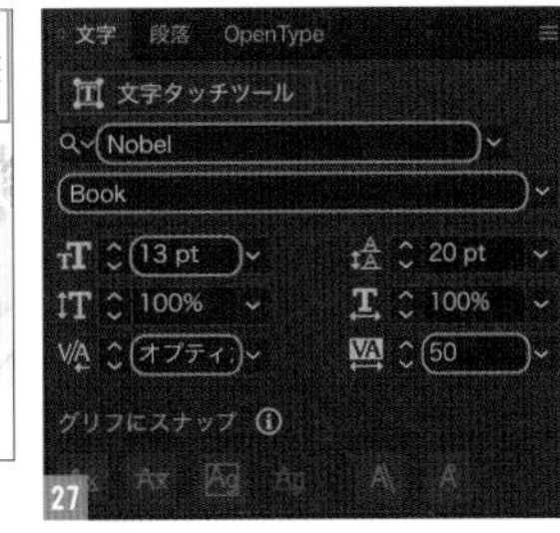

27

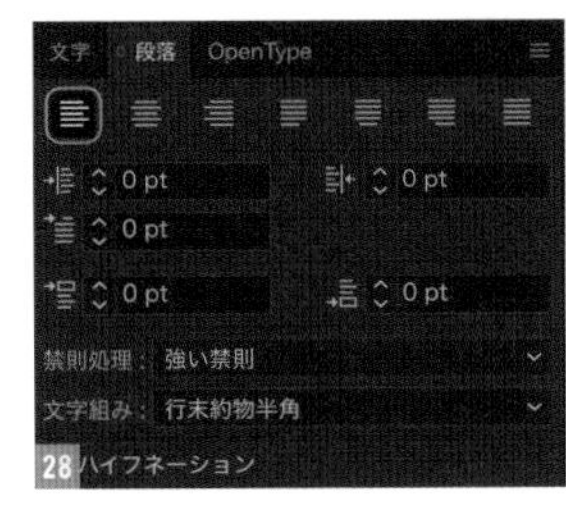

28

29

30

31

clothes—
—clothes

clothesclothes.com

Recipe

051 うすい青とグレーでスッキリとまとめる

色の彩度やコントラストを下げた配色でデザインを作ります。グレーに薄く青成分を入れることで淡くスッキリとした印象になります。

Design methods

01 ファイルを新規作成する

服飾ブランドの春夏の新作のキャンペーンフライヤーを想定して作ります。

Illustratorを立ち上げて、[ファイル]→[新規]を選択、単位を[ミリメートル]とし、[幅:182][高さ:232][カラーモード:CMYKカラー]として[作成]をクリックします01。

[新規レイヤーを作成]をクリックし、レイヤーを追加します。上位からレイヤー名を[レイアウト][写真]とします02。

02 写真と色面で全体のバランスを決める

レイヤー[レイアウト]を選択します。

ツールパネルから[長方形ツール]を選び03、描画エリアで任意の場所をクリック、[幅:182mm][高さ:18mm]の長方形を2つ作成します04。色を[C:5 K:10]とし05、アートボード上部と下部に配置します06。

さらに同じ色で[幅:182mm][高さ:16mm]の長方形を作成し、アートボード中央に配置します07。

Point

グレーの色、K10にC5というように少しだけ青の成分を入れることで、淡くスッキリとした印象にまとめることができます。

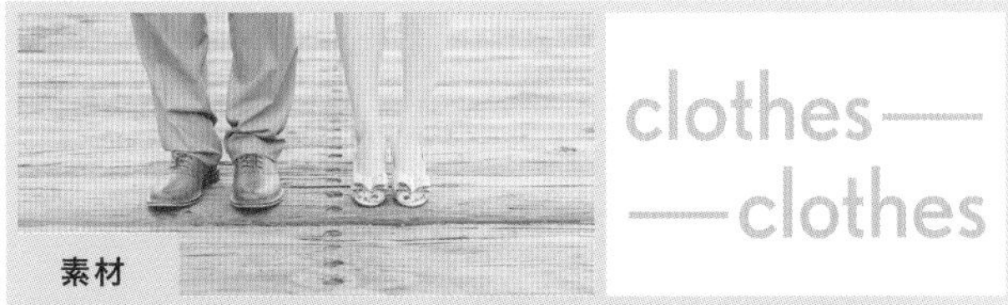

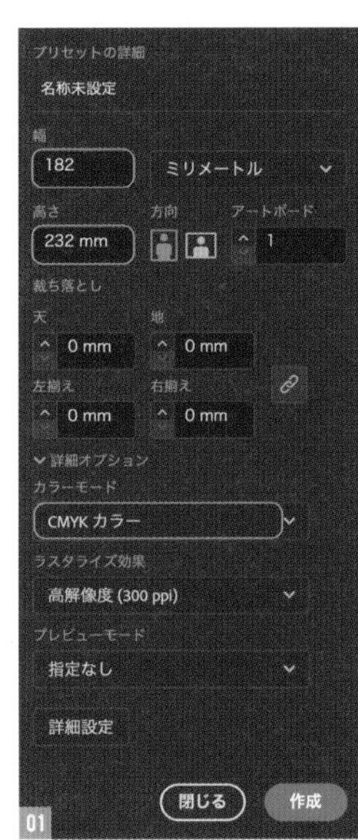

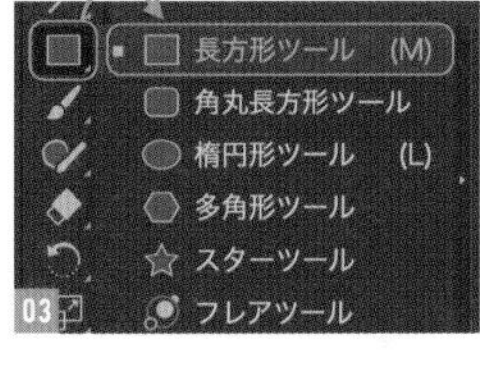

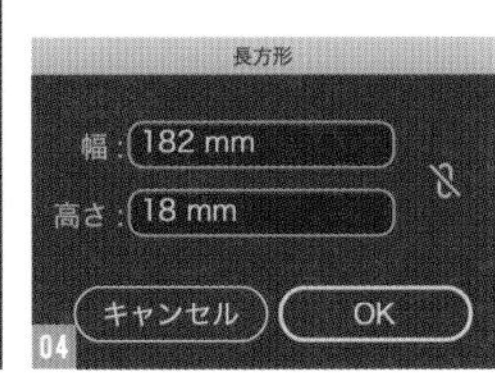

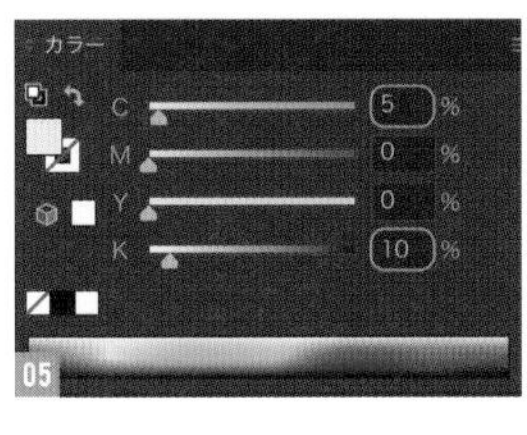

03 写真を配置する

レイヤー[写真] を選択します。写真の配置する位置・エリアを先に作ります。

ツールパネルの [長方形ツール] でアートボード下部の白の余白に合わせて [幅：182mm] [高さ：90mm] の長方形を作成します 08。ここではわかりやすいように色を [C：100] としました 09 10。

[ファイル] →[配置] を選択し 11、素材[素材.psd] を選びます。先ほど作った長方形に被るように配置します 12。

写真を選択して [オブジェクト] →[重ね順] →[最背面へ] を選び、長方形の背面に移動します 13 14。写真と長方形を選択し [オブジェクト] →[クリッピングマスク] →[作成] で写真にマスクをかけトリミングします 15。

写真と色面のレイアウトが完成しました 16。

04 ロゴと文字をレイアウトする

素材[ロゴ.ai] を開き、ロゴデータをコピー&ペーストでレイヤー[レイアウト] に持ってきます。アートボード上部の白の長方形の中央に配置します 17。

ツールパネルの [文字ツール] を選択し、「S/S」とアートボードの中央に入力します 18。

フォントの設定は [フォント：Niagara] [フォントスタイル：Light] [サイズ：145pt] [カーニング：オプティカル] [トラッキング：100] [段落：中央揃え] 19 20、塗りはロゴの色に合わせて [C：30 M：10 K：15] としています 21。

Point

「S/S」は中心のグレーの長方形を挟んで上部の白と下部の写真をまたぐように配置することで紙面にアクセントを作り、全体が単調になるのを防いでいます。また色はロゴに揃えています。

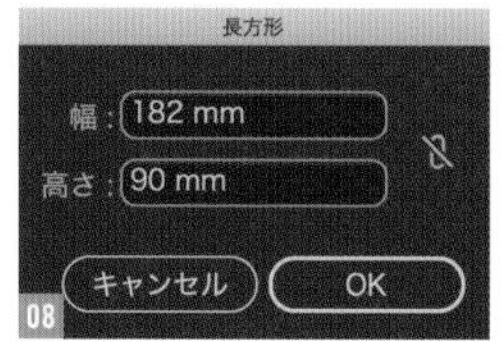

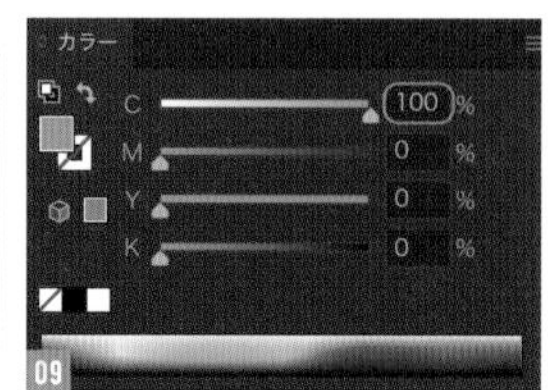

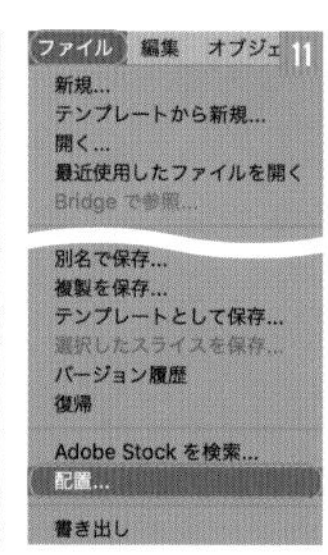

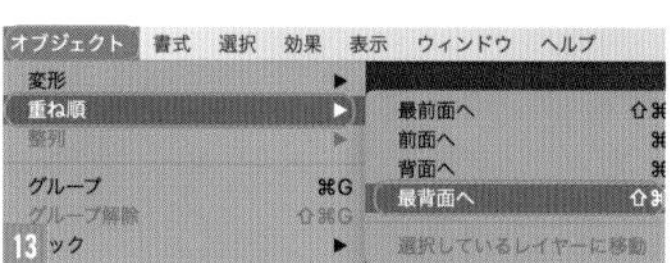

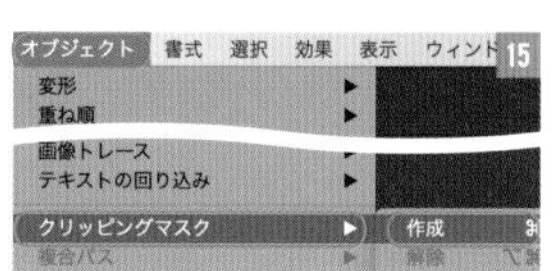

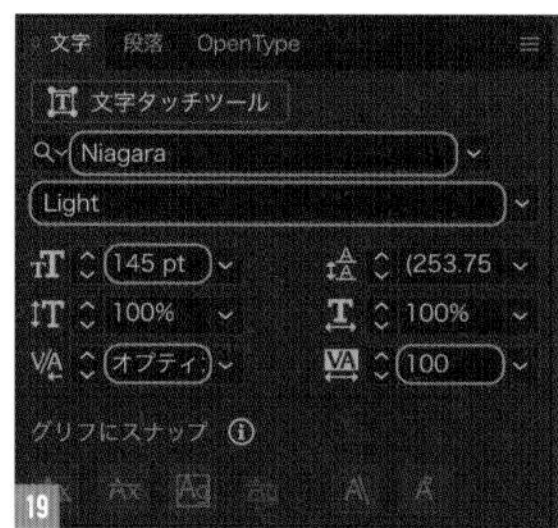

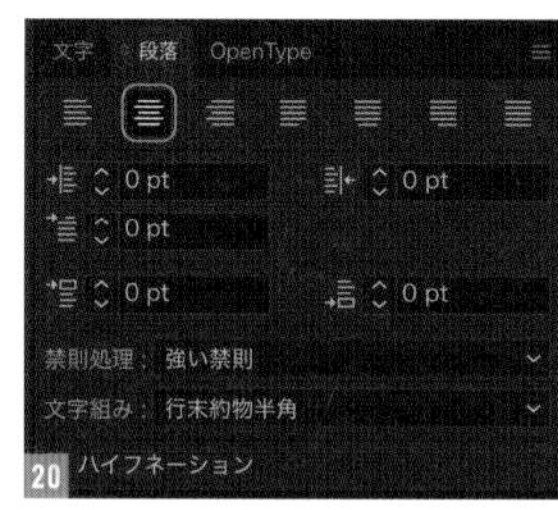

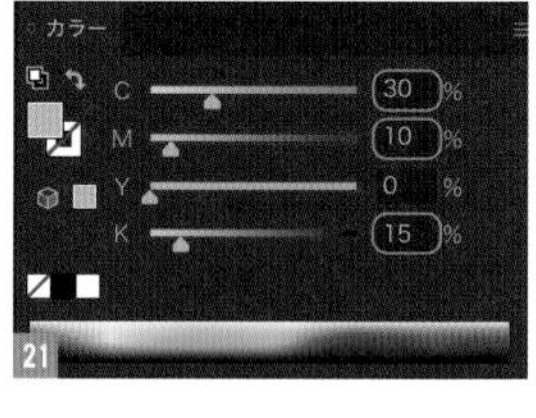

05 グレーのスペースに白文字を置く

中央と下部のグレーのスペースに白い文字を配置して画面のバランスを整えます。
ツールパネルの［文字ツール］で「2021 SPRING/SUMMER NEW COLLECTION」と入力します。テキストは素材［材料.txt］から持ってきてもよいでしょう。
［フォント：Nobel］［フォントスタイル：Bold］［サイズ：15pt］［カーニング：オプティカル］［トラッキング：200］［段落：中央揃え］、塗りは白とし、中央のグレースペースに配置します 22 23 24。
同様に下部のグレーのスペースに「clothes clothes.com」と配置します 26。
うすい青とグレーでまとめたスッキリと見せるデザインが完成しました。

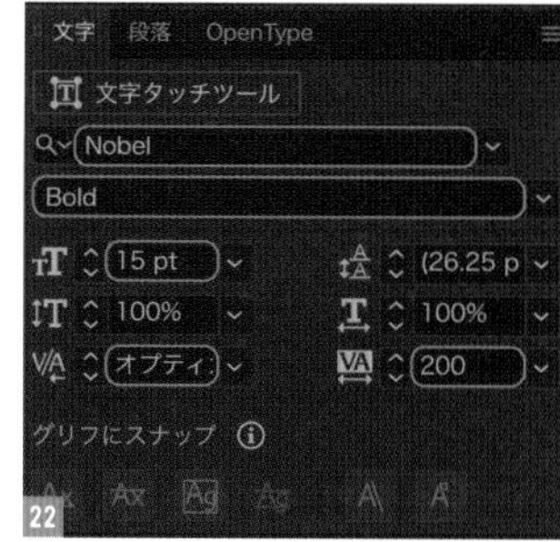

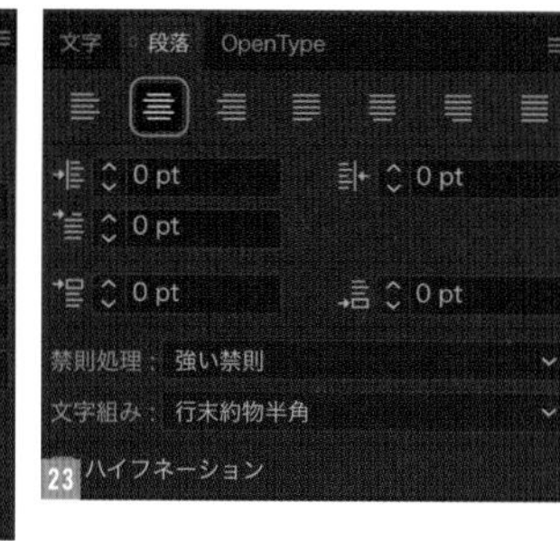

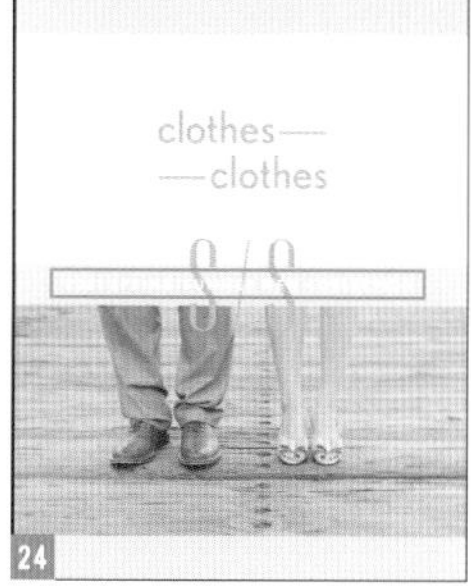

Point

全体のコントラストが浅いので黒などの濃い色を配置するとスッキリした印象が崩れてしまいます 25。配色を考えてあえて文字色を白にしています。

Column

CMYKで使えるグレー表現のポイント

4色印刷のときにあえてグレーを配色で使う際、Kだけでなく C、M、Yのいずれかの色を少し加えてみましょう。
特に写真と合わせて使う際、写真の色みを意識して加えると全体の統一感を増すことができます。

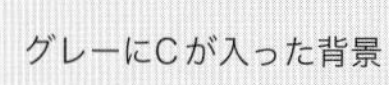
グレーにCが入った背景

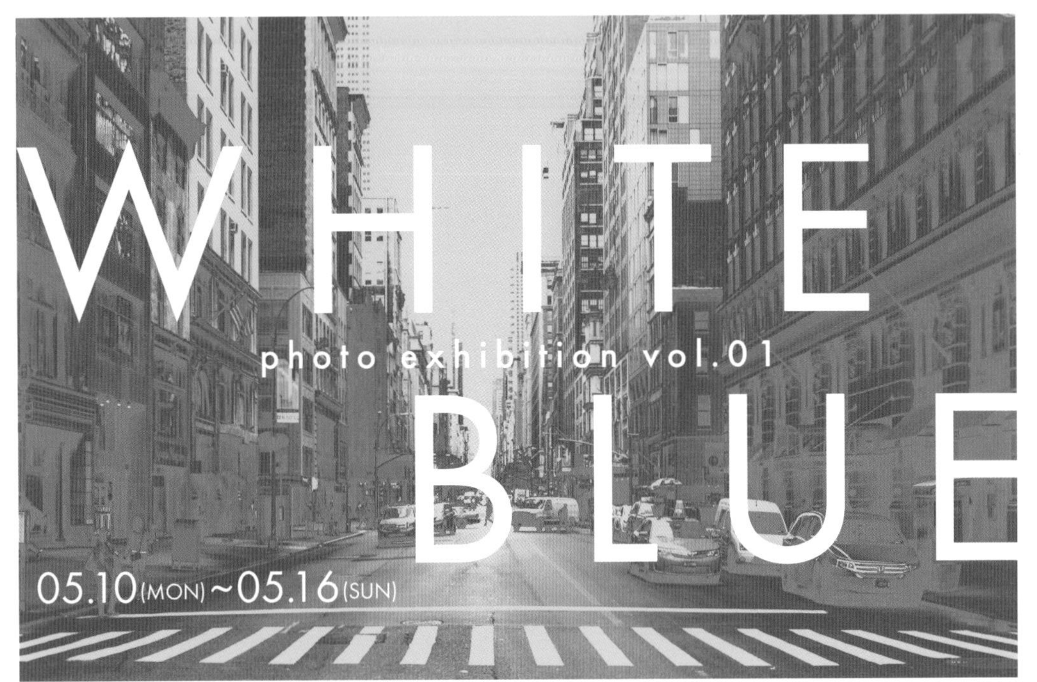

WHITE
photo exhibition vol.01
BLUE
05.10(MON)~05.16(SUN)

WHITE BLUE photo exhibition vol.01

Recipe

052 青と白を印象的に組み合わせる

ハガキなどの広告物を想定し、2色で統一したビジュアルを作成します。Photoshopのガイドの使い方も確認しておきましょう。

Design methods

01 青と白の面積を意識してレイアウトする

Photoshopを立ち上げて、素材[ベース.jpg]を開きます。あらかじめ「B5サイズ(182mm × 257mm)」でカンバスのサイズを作ってあります 01。素材[風景.jpg]を開き、配置します 02。レイヤー名は[風景]としておきます。

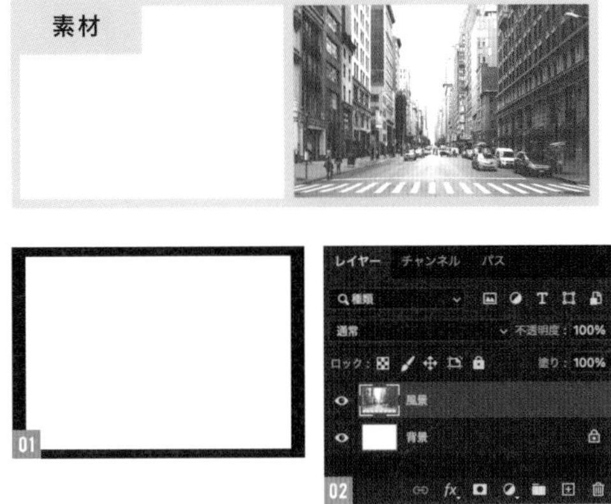

02 ガイドを使って写真をトリミングする位置を決める

カンバスの上・左・右から内側に10mm、下から内側に20mmの位置にガイドを作成します。[表示]→[新規ガイドレイアウトを作成]を選択します 03。

[新規ガイドレイアウトを作成]ウィンドウが表示されたら、04 のように、[マージン]にチェックを入れ、[上：10mm][左：10mm][下：20mm][右：10mm]と入力し[OK]します。ガイドが表示されました 05。

もしガイドが表示されない場合は、[表示]→[表示・非表示]→[ガイド]を選択してください 06。

[表示]→[スナップ]にチェックを入れ、[スナップ先]→[ガイド]にもチェックが入っていることを確認してください 07。

ツールパネルから[長方形選択ツール]を選択し、08 のようにガイドにスナップして中央に選択範囲を作成します。そのままレイヤー[風景]を選択し、レイヤーパネルから[レイヤーマスクを追加]を選択します 09。レイヤーマスクのリンク（鎖マーク）を外し、位置を微調整します 10。

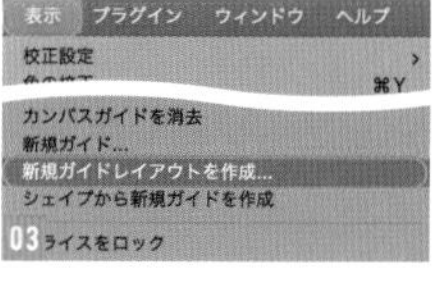

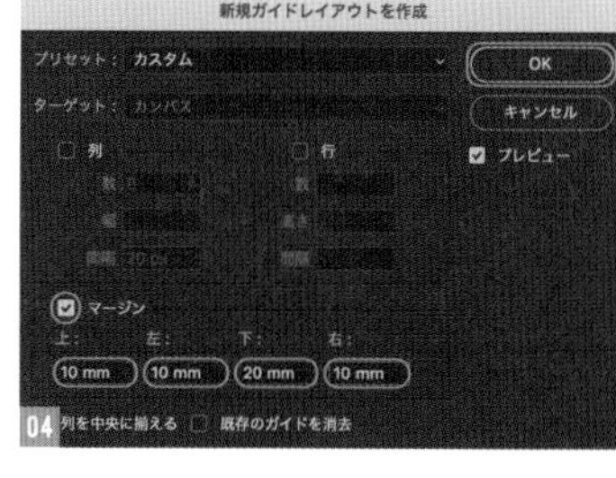

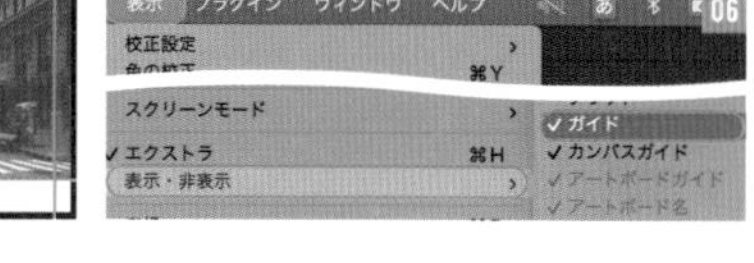

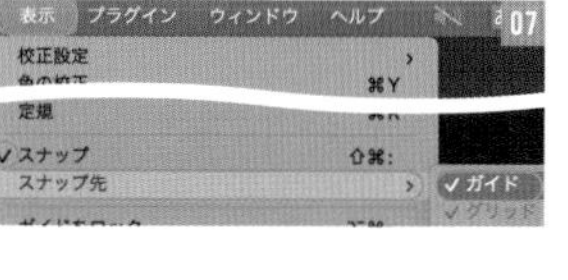

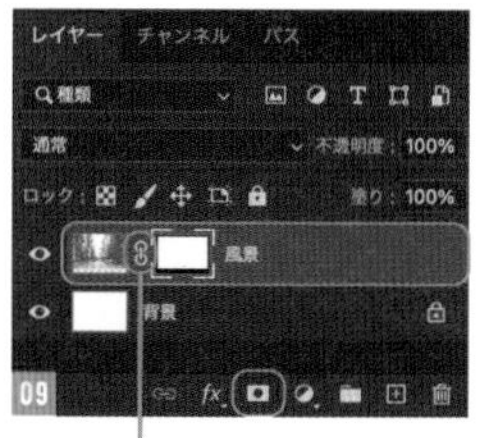

03 グラデーションマップを使って写真を青色で統一する

レイヤー[風景]を選択し、[塗りつぶしまたは調整レイヤーを新規作成]→[グラデーションマップ]を選択します 11。

[プロパティ]ウィンドウが表示されるので、グラデーションを選択し 12、[グラデーションエディター]を開きます。

カラー分岐点の左側を[#7bdafb]、グラデーションバーの上でクリックし、中央にカラー分岐点を追加したら、[#2b54a7]とし、右側を[#7bdafb]とします 13。明るい部分と暗い部分を明るい青に、中間調を、暗めの青にしています 14。

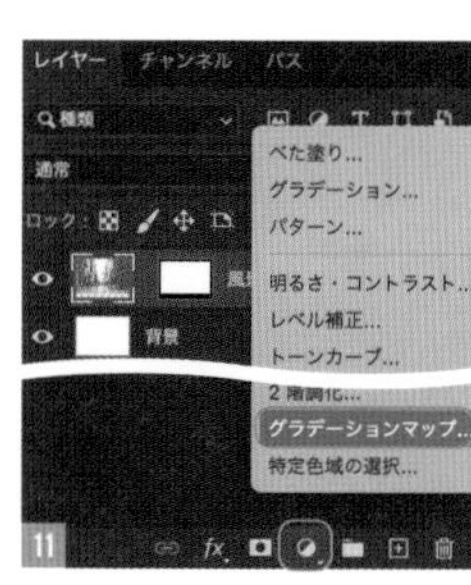

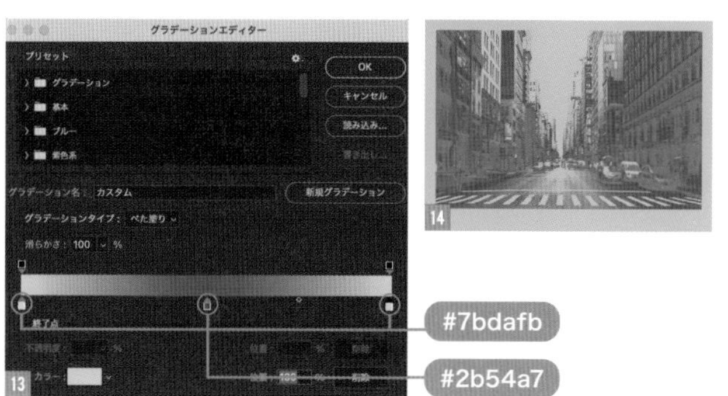

04 クリッピングマスクを作る

写真にのみグラデーションマップを適用したいので、調整レイヤー[グラデーションマップ1]を選択し 15 、[右クリック]→[クリッピングマスクを作成]とします 16 。クリッピングマスクが適用され、風景の画像部分だけ青になりました 17 18 。青の背景が完成です。

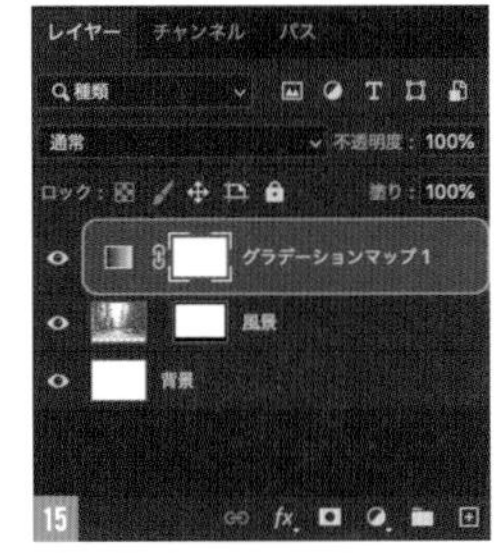

15

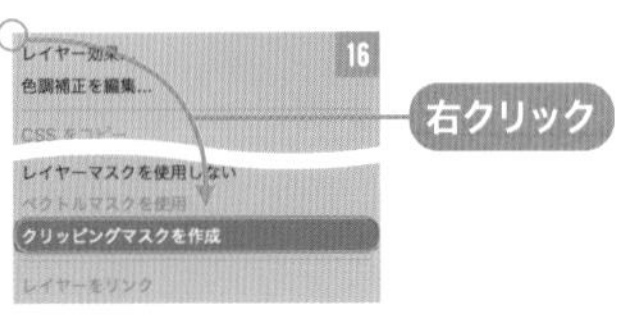

16

17

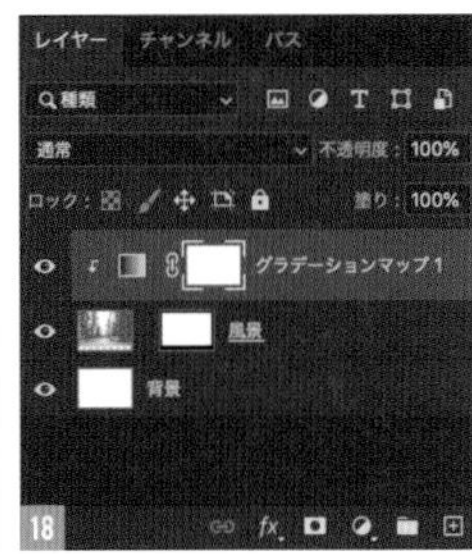

18

05 青と白のバランスを意識してテキストをレイアウトする

ツールパネルの[横書き文字ツール]を選択し、[フォントカラー：#000000]を使ってテキストを配置します。テキストは素材[テキスト.txt]からコピーしてきてください。

カンバス上の青と白の面積を意識して、配置しましょう。作例では写真展の広告を想定し、[都会的][スマートな]といったイメージで[青と白を同じくらい感じられる配色]といったルールでレイアウトしています 19 。

書体は[スマート]な印象のある[Futura PT]の細めのフォントを使って、タイトル「WHITE」「BLUE」を左右に配置しています。「photo exhibition vol.01」の文字を間にはさむことで、動きを付けています。

このように細いフォントを中央に固めることで白の面積が多く感じるようにして調整しています。

なお、カンバス下側に小さく配置したテキスト「WHITE BLUE photo exhibition vol.01」のカラーは、ツールパネルの[スポイトツール]を使って風景の青から[#2b62ae]を拾っています 20 。

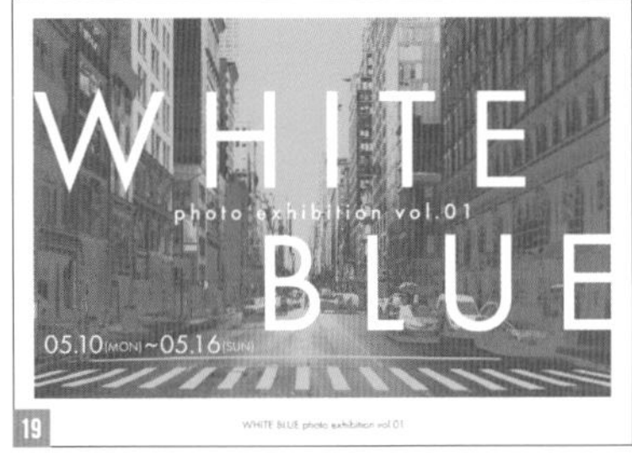

19

20

Macaroonia

アメリカで大人気のマカロン専門店がついに大阪に初上陸!

HappySweets Macaroons!

外側がカリッとしていて中がやわらかで甘さ控えめなマカロンです。

季節の味を取り入れたカラフルでサクサクな食感の新作もご用意しています。

心を込めて仕上げたお菓子をご賞味いただければ幸いです。

Happy Sweets

Cute Sweets

GRAND OPEN New

2021.6.28 mon

closed on Tuesday

Made in America since 1998

Recipe

053 パステルカラーでカワイイを演出する

明るく淡い色のパステルカラーのピンクと青を使って、カワイイデザインに仕上げていきます。

Design methods

01 ベースになる背景を作成する

Illustratorを立ち上げて、[ファイル]→[新規]を選択、単位を[ミリメートル]とし、[幅：210mm][高さ:297mm]として[作成]をクリックします。A4サイズの広告を想定してデザインを制作していきます。
ツールパネルの[長方形ツール]を選択します 01。
アートボードの任意の場所をクリックし、[幅：135mm][高さ：148.5mm]として[作成]をクリックします。高さはアートボードの1/2の大きさとしています 02。
長方形の色を[C:50% Y:15%]の青にしてアートボードの左上に配置します。長方形を option (alt) キーを押しながらドラッグしてコピーを作り[M：50%]のピンクとし、アートボードの右下に配置します 03。
さらにその上に、[幅：170mm][高さ：267mm]の長方形を作り、白にして中央に配置します 04。なお、この白は後の工程で不透明マスクをしたときに背景として使うオブジェクトです。クリッピングマスクなどで使わずに残しておいてください。
ベースとなる背景ができました。

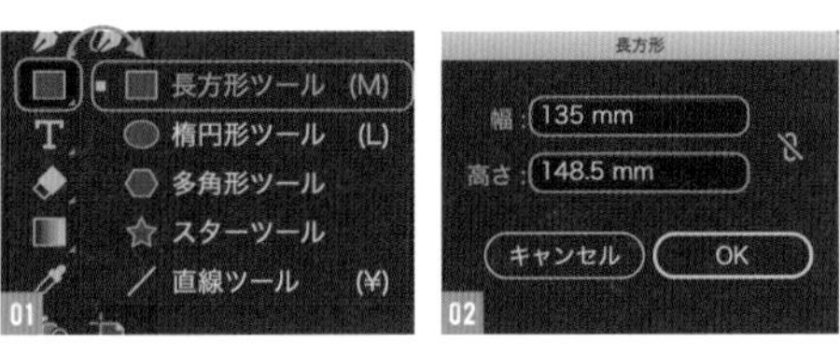

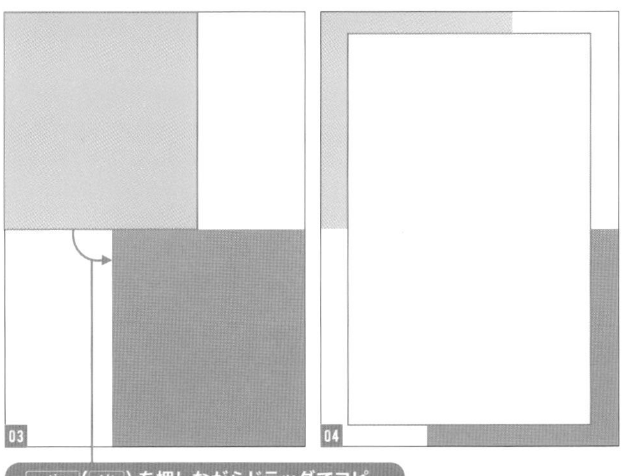

Point

ツールパネルの列は左上の[>>]のボタンをクリックすると1列と2列の変更できます。

02 写真を配置して透過させる

[ファイル]→[配置]で素材[マカロン.psd]を選択します。手順01で作った白の長方形と同じものを再度、前面に作ります。[マカロン.psd]と長方形を選択し、[オブジェクト]→[クリッピングマスク]→[作成]でトリミングし05、最初の白の長方形の上に合わせて配置します06。

花の写真の上部あたりにタイトルの文字を入れたいので、上部を白で飛ばすように処理します。

再度、同じサイズの長方形を作り合わせます。[ウィンドウ]→[グラデーション]を選択し07、08のようにモノクロのグラデーションを作成します09。

[ウィンドウ]→[透明]を選択し10、写真とモノクロのグラデーションを選択した状態で[不透明マスクを作成]を選択します11。全体が明るくなり、グラデーションの黒だった所にタイトルを入れるスペースができました12。

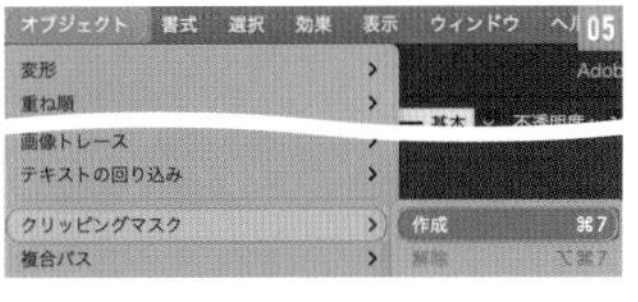

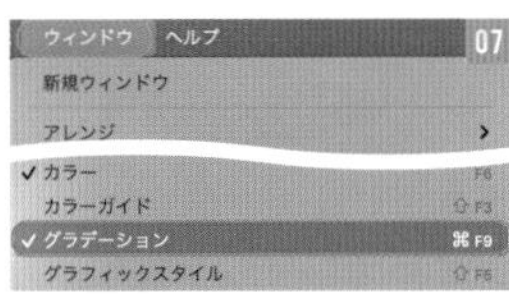

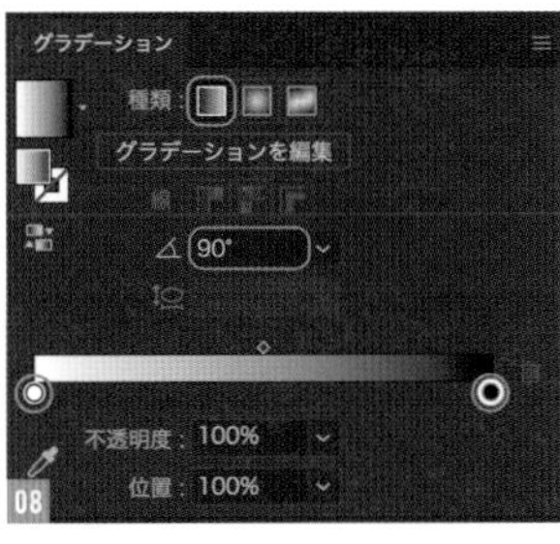

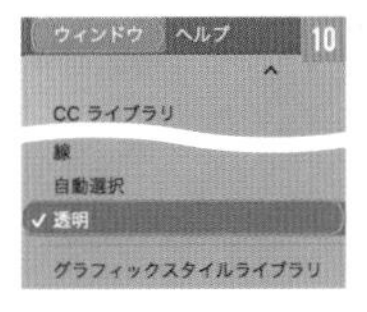

03 四隅のデザインを作成する

素材[ロゴ.ai]を開き、コピー＆ペーストでデータを持ってきます。右上に配置します。

両サイド、右下にコピーを配置していきます。以下、文章は素材[テキスト.txt]からコピーして持ってきましょう。

両サイドのフォントは[フォント：DIN 2014]の[フォントスタイル：Bold Italic]を使用します13。イタリックの書体にすることで印象がポップになります。

右下にもコピーを入れます。左右の文字よりか若干小さくし、全体を整えます14。四隅のデザインができました15。

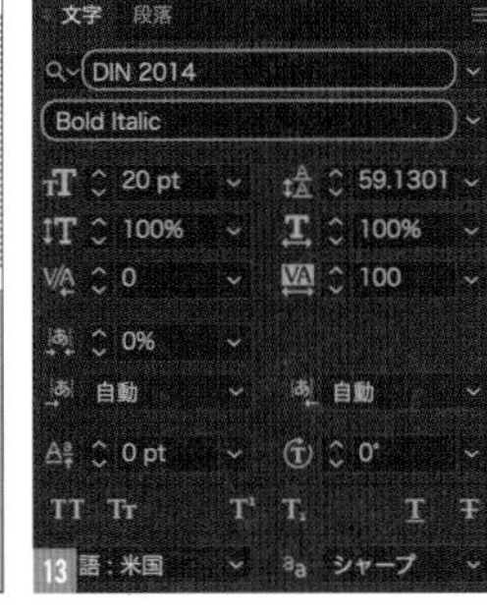

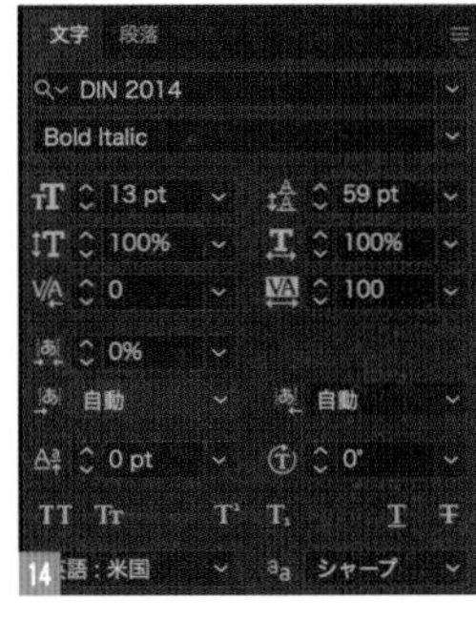

Point

パステルカラーは白と組み合わせると、よりかわいらしくなります。地色に重なる文字などに白を使うことでより印象を強められます。このデザインでは左側を青、右側をピンクと文字色を合わせ、地色にかかっている「Sweets」の文字色は白にしています。

04 タイトルの文字を配置しアピアランスで線を作る

材料[テキスト.txt]から文章をコピーし、上部の空白のところにタイトルの「HappySweets」「Macaroons!」と文字を入れていきます。

ここでもフォントは[DIN 2014]の[Bold Italic]を使用しています16。デザイン全体でフォントを使いすぎないのがコツです。

[ウィンドウ]→[アピアランス]を選択し17、アピアランス上で塗りと線を指定していきます。

塗りは[なし]、線は[線幅：0.5mm][K：80%]とします18 19。[ウィンドウ]→[線]を選択し、[線端：丸型線端][角の形状：ラウンド結合]にします20。柔らかい印象を持たせるために、線端や角の形状を丸いものに変更しています。

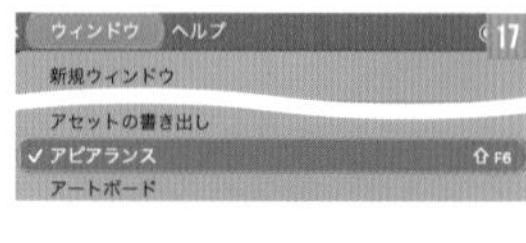

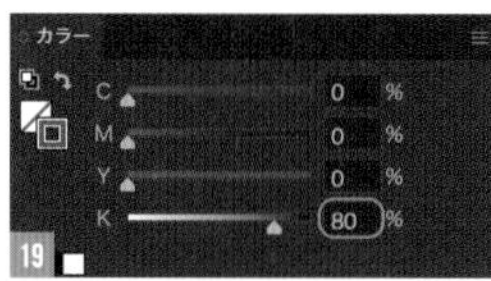

05 ポップでキャッチーなタイトルを作成する

今のままですと黒い線のみのタイトルで味気がないので21、色のついたシャドウの文字を作成していきます。

「HappySweets」を選択します。[ウィンドウ]→[アピアランス]を選択し、左下の[新規塗りを追加]のボタンから[塗り]を追加します22。色は背景でも使用しているピンク[M：50%]にします23。塗りを線の下に配置させたいので、[アピアランス]パネルで[塗り]をドラッグして[線]の下に持っていきます24。線が塗りの上になっているデザインになりました25。

[アピアランス]パネルで[塗り]を選択し、[新規効果を追加]→[パスの変形]→[変形]を選択し26、変形効果を開きます。[移動]の項目を[水平方向：1mm][垂直方向：1mm]とします27。

「Macaroons!」に対しても同様の作業を行います。ただし、色は青にしておきましょう。シャドウが入ったポップな印象のタイトルを作ることができました28。

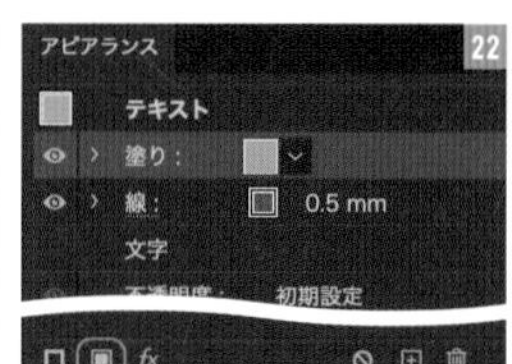

HappySweets 23

HappySweets 25

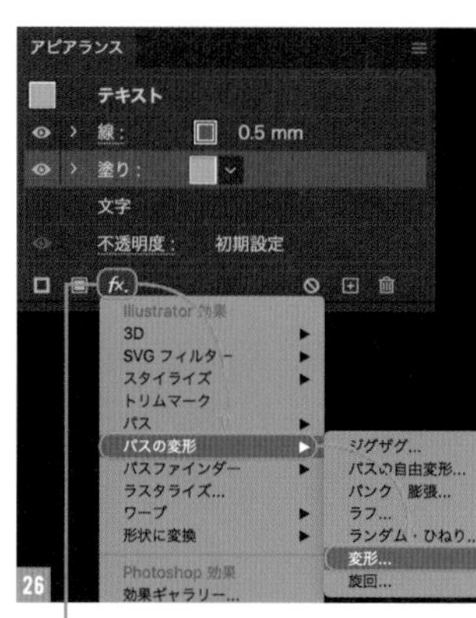

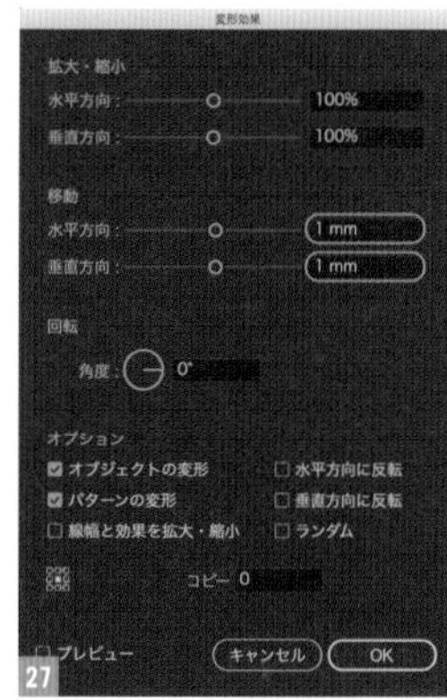

06 タイトルの上下にコピーを入れる

素材[テキスト.txt]からテキストをコピーし、タイトルの上下に文章を配置します。ジャンプ率※を意識しながら上29と下30として上の方を少し大きくしています。フォントは共に[凸版文久見出しゴシック StdN EB]を使用しています。
色は、[K80%]にします31。

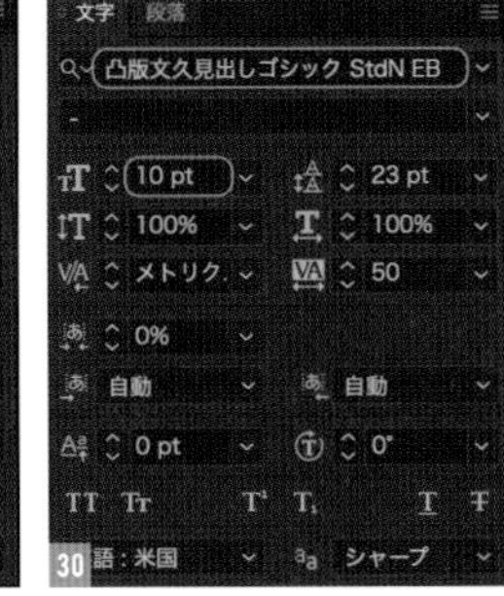

07 オープンに関する情報を固まりでまとめる

写真左下へ入れる「GRAND OPEN」「2021.6.28 mon」「closed on Tuesday」も同様に素材[テキスト.txt]からテキストをコピーしつつ、ジャンプ率を気にしながら配置していきます。フォントは[DIN 2014]の[Bold Italic]で統一します32。
「NEW」の部分のみアクセントを与えるため、筆記体のフォント[Elina Regular]を使用しています33 34。

Point

背景の写真の色が薄い場合は文字を白にすると読みづらくなることもあります。注意を払いながらまとめていきましょう。

Point

パステルカラーを使ってデザインを作る際には、K100%にするのではなく、K80%といったように少し濃度を下げてみましょう。こういった細かな調整を行うことで、全体の印象を損なうことなく柔らかな印象が作られていきます。

08 ドットのあしらいを入れて完成

最後に、青とピンクのあしらいとしてドットを作成し、白色の余白の部分を意識しながら、バランス良く散らして完成です35。

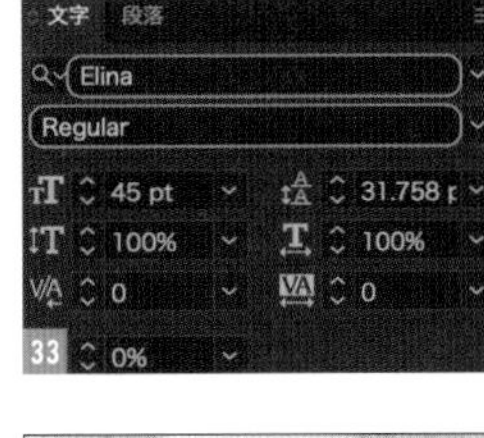

※ジャンプ率…本文の文字サイズに対しての見出しの文字サイズの比率のこと。ジャンプ率が高い方がにぎやか。ジャンプ率が低いと落ち着いた印象になる。

Recipe

054

淡いトーンの配色でまとめる

様々な色を使った配色でデザインを作ります。淡いトーンに揃えることで色数が多くなっても柔らかい印象のデザインにまとまります。

Design methods

01 テーマに沿った配色を決める

カフェの開店告知のフライヤーを想定して作ります。

Illustratorを立ち上げて、素材[レイアウト.ai]を開きます 01。あらかじめ曲線で切り抜いたパーツまで作ってあります。

ツールパネルから[選択ツール]を選び 02、各面を選択して配色していきます。今回は開店時期の「春」をテーマに7色を使い配色します。

7色の内訳はそれぞれ[Y:40][C:20 Y:55][C:15][M:20][Y:70][C:30 M:10 Y:15][白]とします。

春の芽吹きが感じられるやさしい色になるように選んでいます。

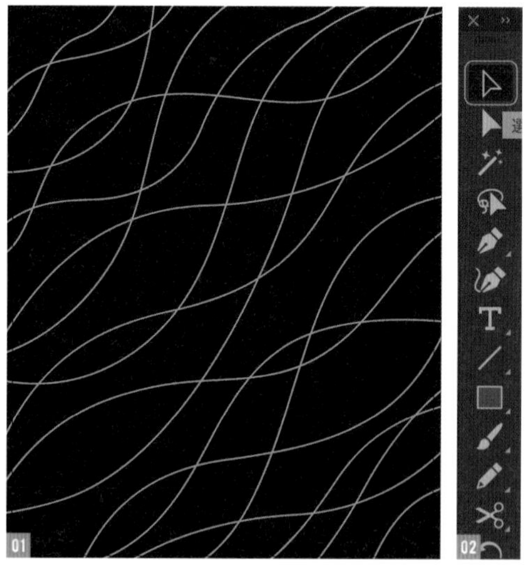

02 偏らないように配色し グループ化する

一度すべての色を白にして、それぞれの色の位置、数が偏らないように気をつけて配色していきます 03 04 05 06。

色面はすべてを選択し［オブジェクト］→［グループ］を選択しグループ化しておくとよいでしょう 07 08。

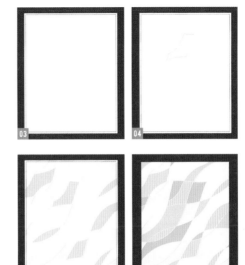

03 情報をレイアウトする

フライヤーに入れる情報をレイアウトします。素材［パーツ.ai］を開きます。カフェのロゴと開店の日付、メニューが表示されます 09。ツールパネルの［選択ツール］で各パーツをコピー＆ペーストで配置していきます。

左上にロゴ、下段に日付とメニューを完成図のように配置しました 10。デザインの色合いが映えるよう、文字情報は大きすぎず、上下に要素を分けたレイアウトにしています。

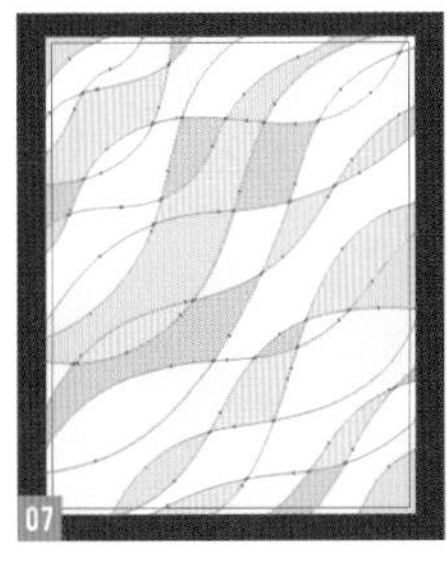

04 色合いを整える

配置した素材［パーツ.ai］の色は［K：100］ですが、そのままだと全体の淡い色合いに対して強く、全体の印象がくずれてしまいます。

そこで今回は配置した素材の色を［K：80］として全体のバランスを整えました 11。レイアウトが完成しました 12。

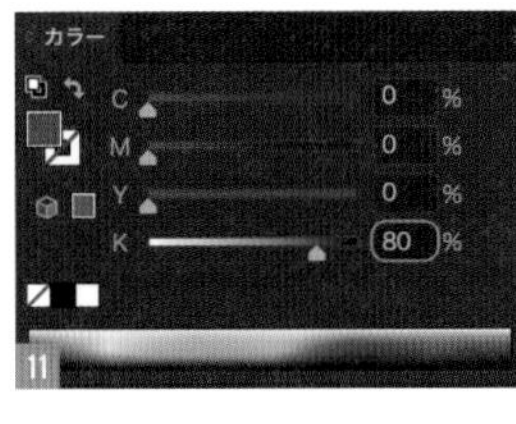

FIREWORKS

[花 火]

Recipe 055 多色を用いたデザイン

多色を使ってデザインを作ります。ここでは様々な色を使って配色する際に、役立つ機能も紹介いたします。

Design methods

01 同心円を作成する

Illustratorを立ち上げて、ツールパネルから[楕円形ツール]を選択し 01 、[幅：67mm 高さ：67mm]の正円を作成します 02 03 。[オブジェクト]→[パス]→[パスのオフセット] 04 を選択し、[オフセット：4mm]の同心円を作成します 05 06 。できた円を選択して、また新たに[パスのオフセット]で[オフセット：4mm]でさらに同心円を作成します 07 。これを12回繰り返し、全部で13個の円を作成します 08 09 。

02 ガイドを作成する

ツールパネルから[直線ツール]を選択し 10 、アートボードをクリックし[長さ：100mm 角度：90°]の直線を作成します 11 。直線の端っこを同心円の中心に合わせます 12 。ツールパネルから[回転ツール]を選択し 13 、option（alt）＋クリックで回転軸を決めます。クリックするとダイアログが表示されるので[角度：7.5°]と入力し、[コピー]を選択します 14 。
すると元の線を残したまま左に7.5°傾いた線が新たに作成されます 15 。そのまま⌘（ctrl）＋Dキーを押すと、直前の動作が繰り返されるので、7.5°ずつ傾いた線を1周48本作成します 16 。これをガイドとして活用していきます。

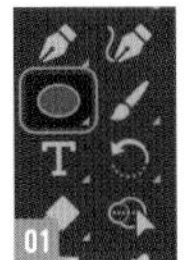
01

02

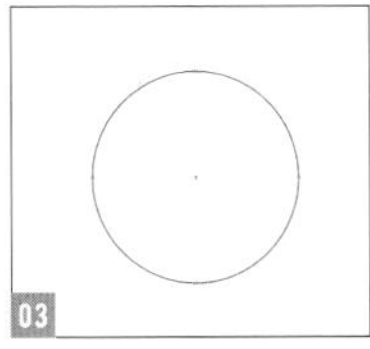
03

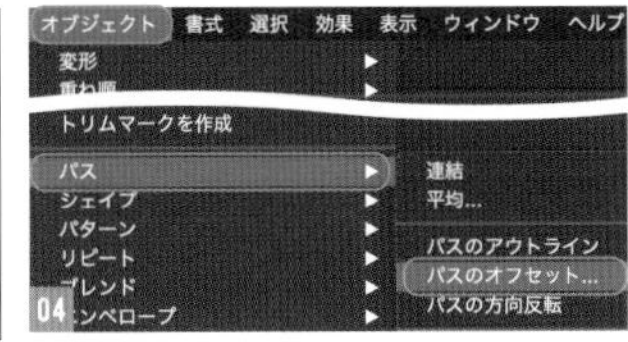

04

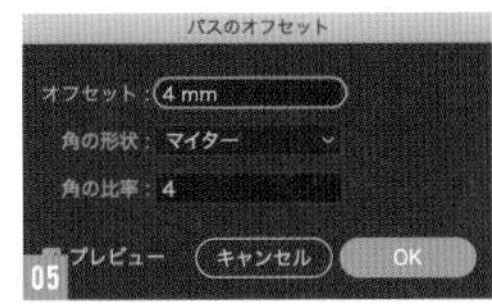

05

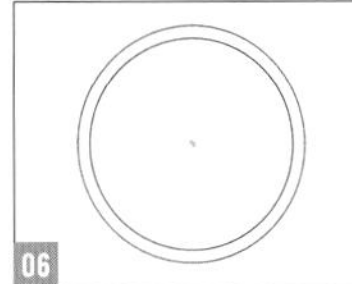
06

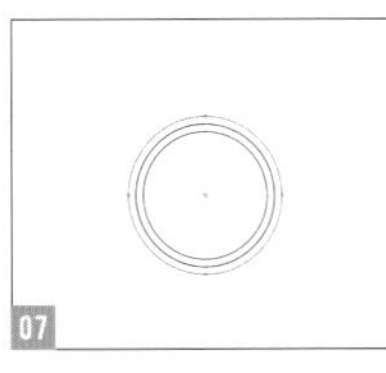
07

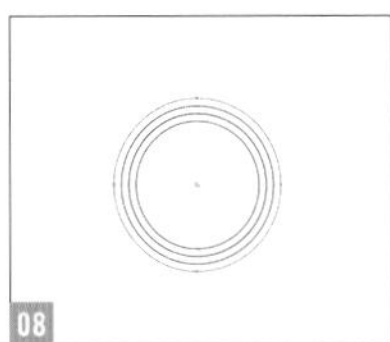
08

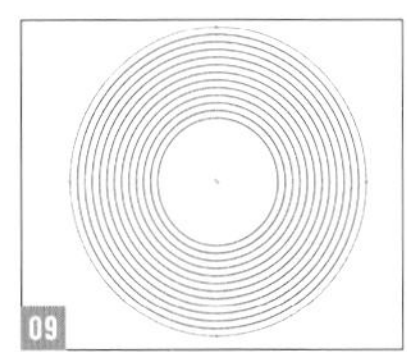
09

10

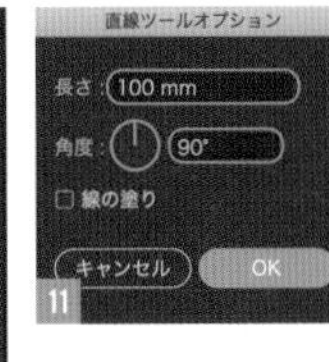

11

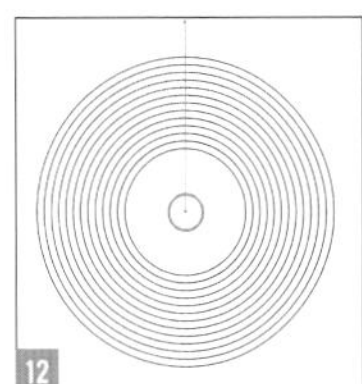
12

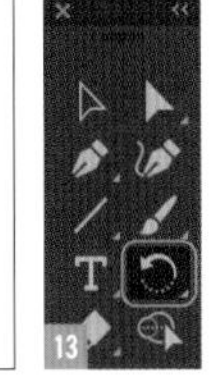
13

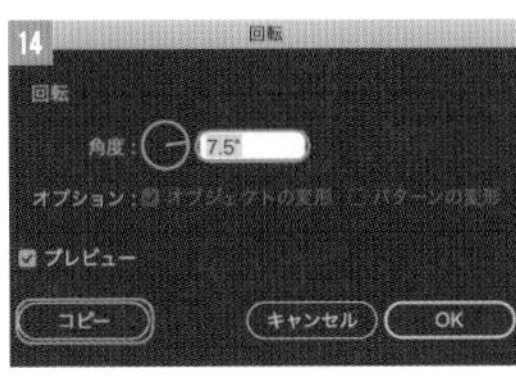

14

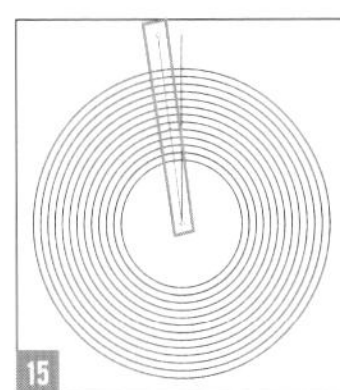
15

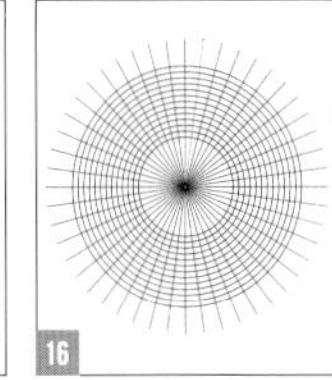
16

03 ライブペイントツールで 1セルずつ塗っていく

先ほど作成したガイドを選択した状態で17、ツールパネルから［ライブペイントツール］を選択します18。

Point

［ライブペイントツール］がツールパネルに見つからない場合は下段の［ツールパネルを編集］ボタン ••• をクリックし、［すべてのツール］から見つけ、ツールパネルにドラッグして持ってくるとよいでしょう19。

この状態でクリックしてガイドを［ライブペイントグループ］にします20。［ライブペイントグループ］にするとパスで囲われた場所1つひとつを選択して塗りを設定することができるので、そのまま4色の色で塗り分けていきます21。ポイントは色のトーンを合わせ、満遍なくバラバラに塗り分けていき、所々塗らない箇所を作ることです22。塗り分けられたら線の色を［なし］に設定し［ライブペイントツール］で設定した塗りのみにします23。多色のデザインのベースが1つできました。

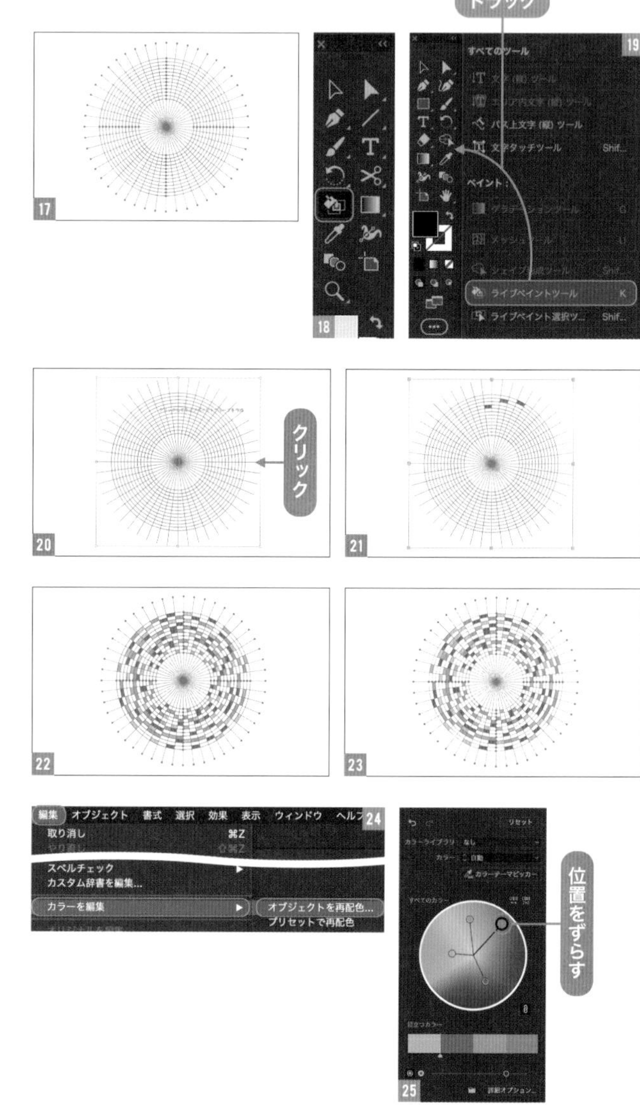

04 色違いの円をさらに4つ作る

［編集］→［カラーを編集］→［オブジェクトを再配色］を選択します24。表示されたカラーチャートには現在選択しているオブジェクトで使用されている色が表示されます25。一番大きな丸を選択して位置をずらすと、現在の色相と同じ位置関係を保ったまま色を変更することができます。多色のデザインを作るには同じ位置関係にするのが大切ですが、この方法であれば簡単に色を作成できます。

色を再配色した円を新たに4つ作成します26 27 28 29 30 31 32 33。

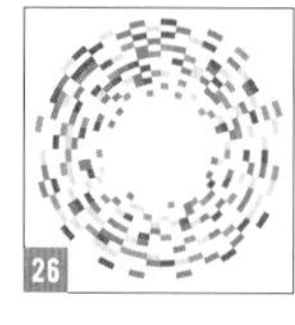

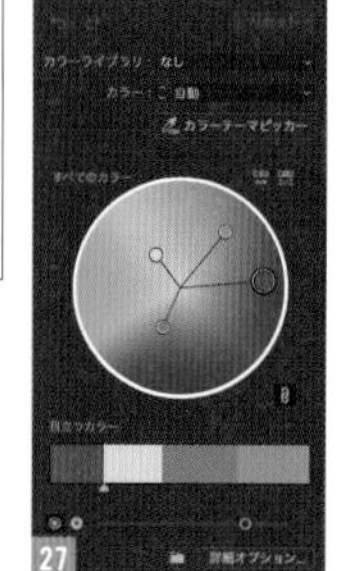

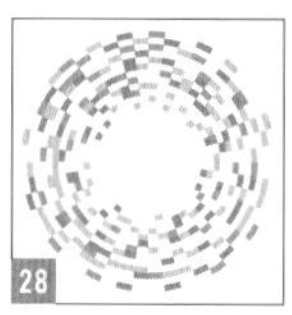

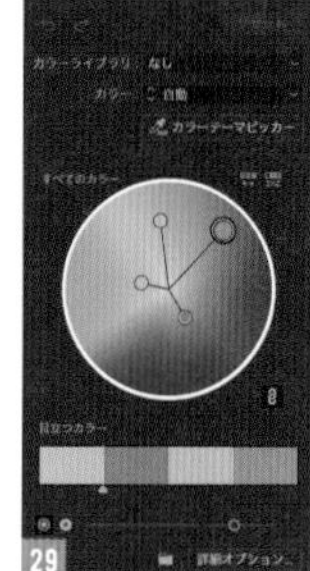

05 背景とアートボード中央に文字を配置する

ツールパネルから［文字ツール］を選択して「FIRE」のテキストを入力します。文字の設定は［フォント：DIN Medium］［フォントスタイル：Regular］［フォントサイズの設定：260pt］34と指定、文字色は［K：7%］と設定します35。アートボードの上に配置します36。
［フォントサイズを設定：156pt］37以外、同様の設定でアートボード下部に「WORKS」と入力し、下に配置します38。
中央の欧文テキストは［フォントサイズを設定：22pt］に設定39。和文フォントは［フォントサイズを設定：12pt］40に設定して配置します41。
作ったデザインを花火のように配置して完成です42。

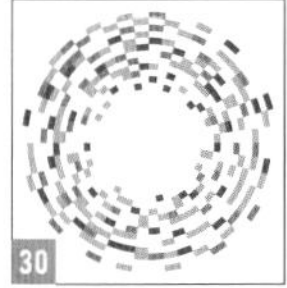
30

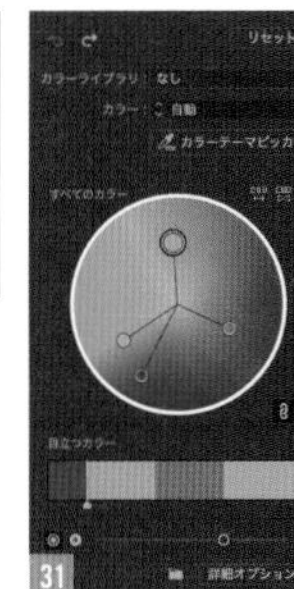

31

32

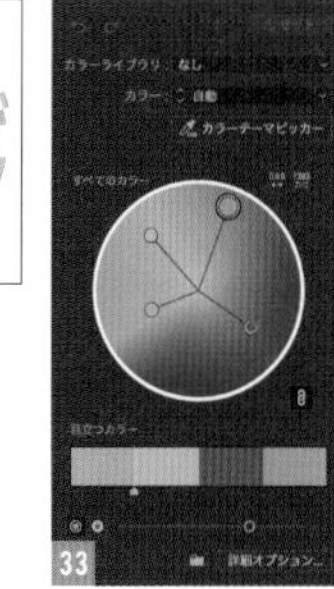

33

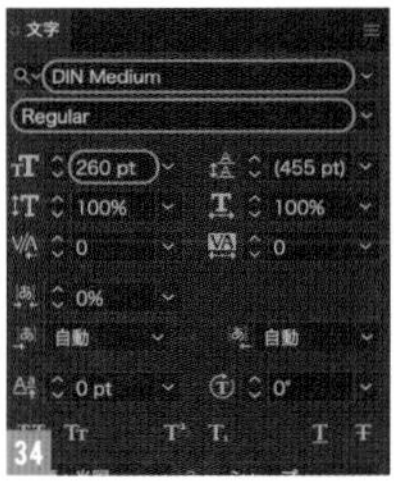

34

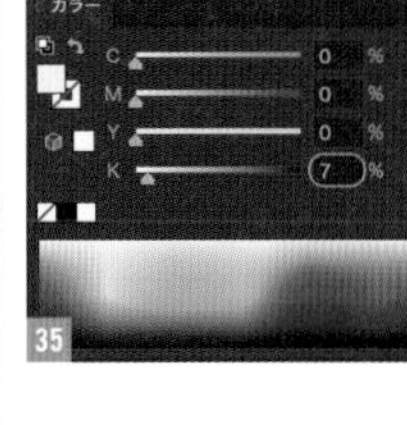

35

36

37

38

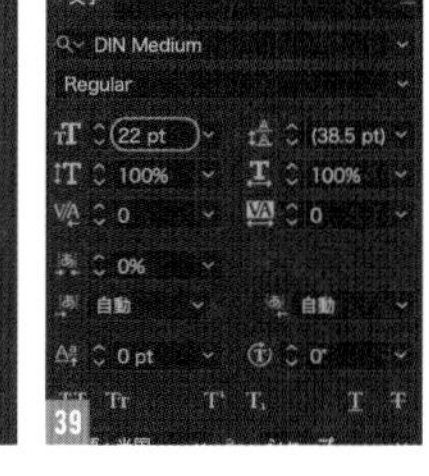

39

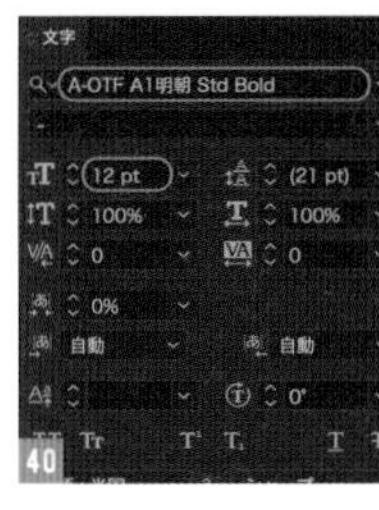

40

41

42

Column

多色を使うデザインに合うベースの色

多色を使うデザインを作る際は、背景の色などのベースになる色は右図のように「白」「黒」などの無彩色、もしくは明度・彩度の低い地味な色を使用するとまとまりが生まれやすくなります。
一方、派手な色をベースの色に使用すると、色の主張が強くなりすぎてしまい、まとめるのが難しくなります。多色を使うデザインを作る際には注意しましょう。

pleasure
2002
Mee
2020

Recipe

056 モノクロでまとめてシックに見せる

モノクロの写真は上品でスタイリッシュな印象にまとまります。雰囲気に合わせたフォント選びも確認していきましょう。

Design methods

01 グラデーションマップを使用し、モノクロ画像に変換する

Photoshopを立ち上げて、素材[水と一体化したドレスの表現.jpg※]を開きます。
[イメージ]→[色調補正]→[グラデーションマップ]を選択します 01。
プリセットから[基本]→[グラデーション名:白、黒]を選択し、OKをクリックします 02。
カラー写真がモノクロになりました 03。データは保存しておきます。

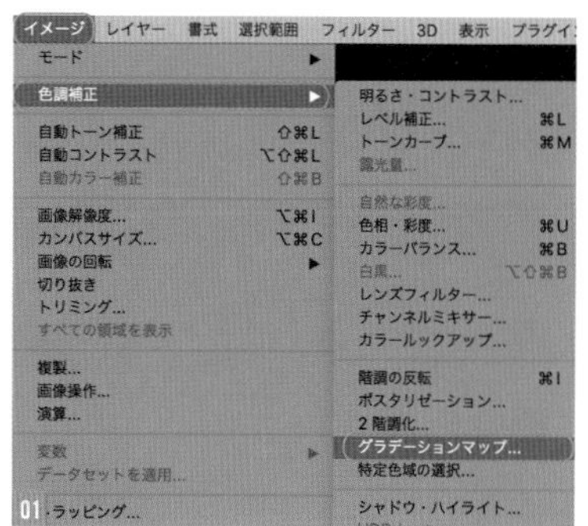

01

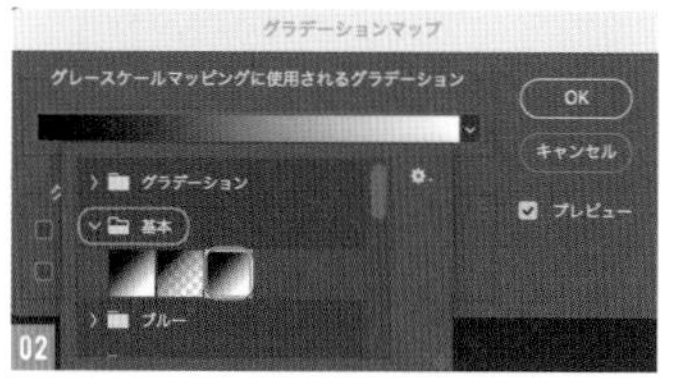

02

03

Point

モノクロに変更する方法として[イメージ]→[モード]→[グレースケール]もありますが、グラデーションマップを使ってモノクロに変換するとより黒が深く、引き締まった印象の画像に変換することができます。

Point

モノクロ写真を上手に使えばデザインをスタイリッシュに見せることができます。また、1色しか使えない印刷の際にもモノクロなら使えるメリットもあります。

※水と一体化したドレスの表現.jpg…この作品はシリーズ本である『Photoshopレタッチ・加工 アイデア図鑑』で実際に制作できる作例です。水しぶきとドレスを一体化させたような作品を作りたい方はレタッチ・加工の書籍で制作方法をご確認ください。

02 雰囲気に合ったフォントを選び、加工をする

手順01で作った画像をあらかじめIllustratorで配置し、レイアウトしています。

Illustratorを立ち上げて、素材[写真集.ai]を開きます。

ツールパネルの文字ツールを選択し 04、写真集のタイトル名である「pleasure」という文字を入力します。ツールパネルの[回転ツール]をダブルクリックし 05、[角度：-90°]で回転します 06。紙面の左側に合わせて縦組みに配置します。ここではスタイリッシュな写真の雰囲気に合わせるため、フォントはサンセリフ体の「Century Gothic Regular」を選びクールな印象にしました 07 08。

[ウィンドウ]→[透明]を選択し、[不透明度：50%]とします 09。文字が写真に透過し馴染みました 10。

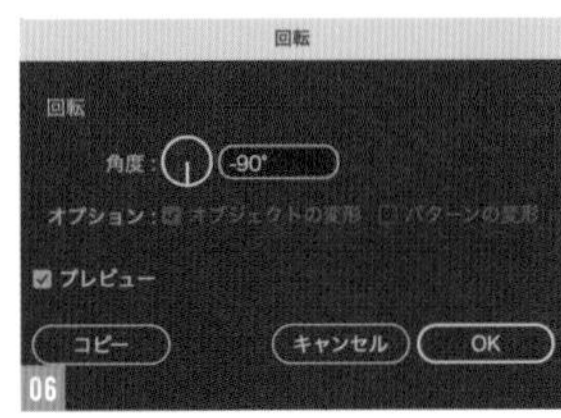

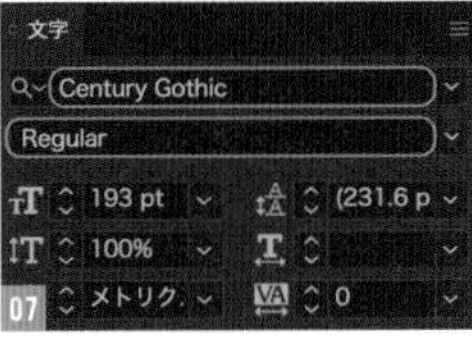

03 文字をアレンジする

[書式]→[アウトラインを作成]を選択し「pleasure」の文字をアウトライン化します 11。

「pleasure」の文字の中心に位置する「a」の文字を「Ω」(オメガ)の文字に見えるようにパスを調整します。調整はツールパネルの[ペンツール]でパスを追加、[ダイレクト接続ツール]で削除、またパスを接続して行ってください 12 13 14。「Ω」の文字ができました 15。

作例では「Mee(女優の名前を想定)」の文字を白色にして目立つように中心に配置し、「Ω※」の中に活動記録の西暦を配置しました 16。

訴求したいモノクロ画像の雰囲気と、フォントのテイストを合わせることで、スタイリッシュでまとまりのある紙面に仕上がりました。

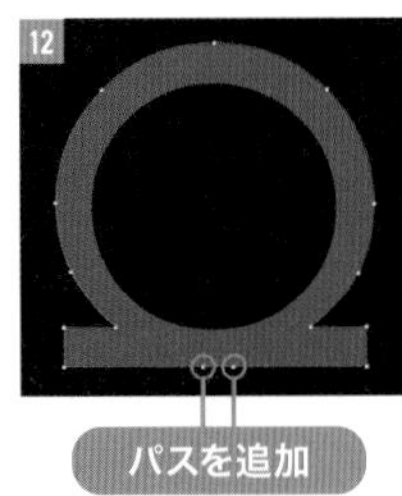

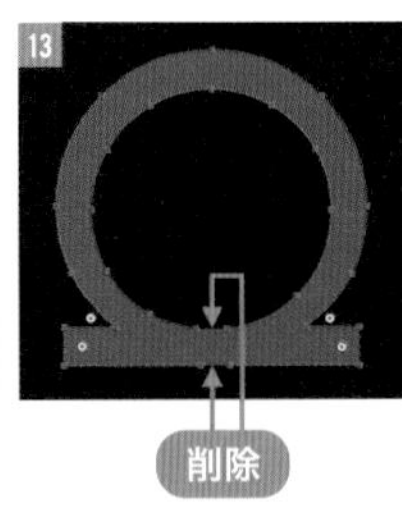

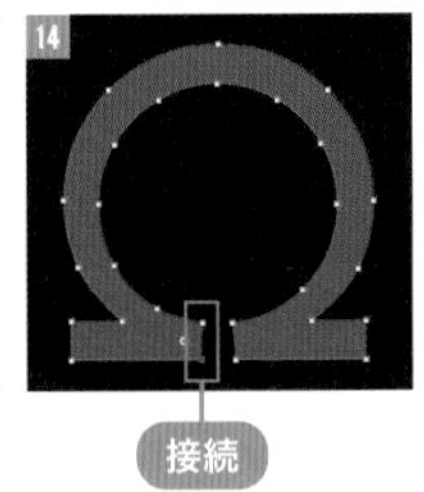

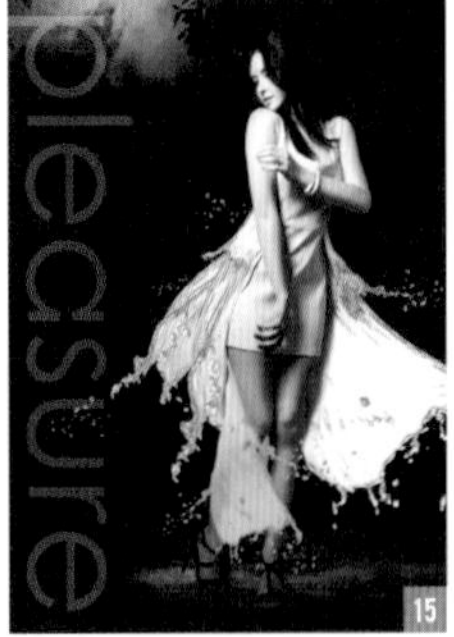

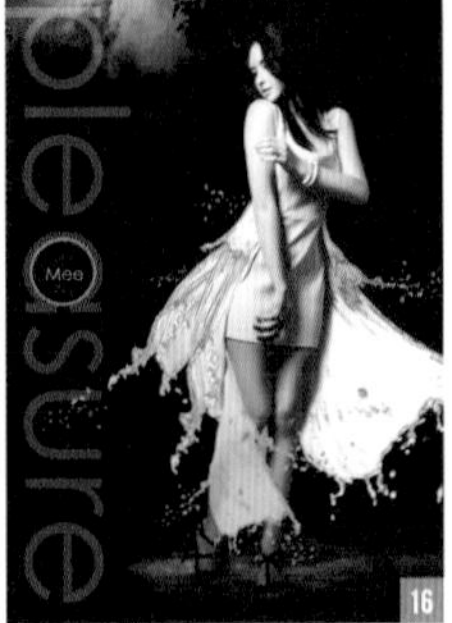

※「Ω(オメガ)」はギリシア文字の第24番目の文字であり最後の数字。女優であるMeeが「引退するときの写真集である」という意味を込めている。

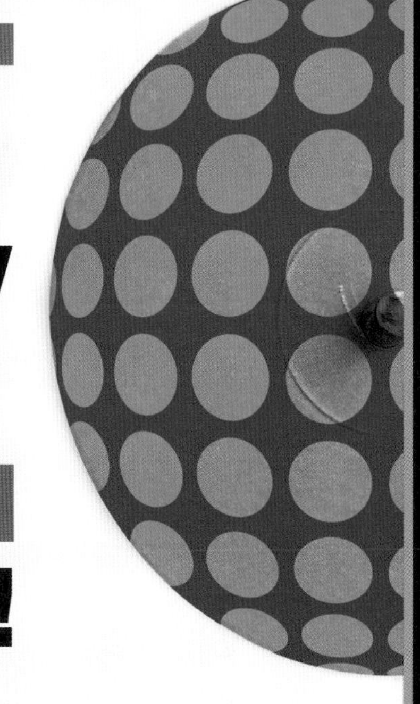

NIGHT PARTY

HIPHOP.80's.90's

EVERY FRIDAY!!!

2021.06-07 SCHEDULE

▶ EVERY FRIDAY 22:00-27:00

06.04 DJ.JYOSHI NISHIGUCHI
06.11 DJ.AKI KAWASAKI
06.18 DJ.DESIGN NESAN
06.25 DJ.HIKARU KATO
06.25 DJ.FUTOSHI

07.02 DJ.RYOMA
07.09 DJ.MAYUMI
07.16 DJ.YUKI
07.23 DJ.AMI
07.30 DJ.MI

DISCO BALLS

東京都上司塚
3丁目7-12
BOSSビル3F
060-1234-****
(22:00~27:00)

OPEN 22:00 / CLOSE 27:00

M 2,000yen / F 1,500yen

※ご入場の際は、身分証明書のご提示をお願いしています。
※20歳未満のご入場はできません。

Recipe

057 モノクロ写真と有彩色を組み合わせる

モノクロ写真とモノトーン、これに有彩色を組み合わせることで、メリハリのある紙面を作っていきます。

Design methods

01 ベースとなる背景を作成していく

Illustratorを立ち上げて、[ファイル]→[新規]を選択し、A4サイズ(幅：210mm 高さ：297mm)のアートボードを作成します 01。

ツールパネルの長方形ツールを選択し、紙面を上下に2等分する長方形(幅：210mm 高さ：148.5mm)を作ります。上部はブラック[K：100%]、下部は[C：5% M：90%]と配色します 02。

[ファイル]→[配置]を選択し、素材「DJ.psd」を選択、中心に配置します。ツールパネルから[長方形ツール]を選択し、アートボードから上下左右に10mmの余白を取るイメージで[幅：190mm 高さ：277mm]の長方形を作ります 03。

配置した画像と作成した長方形を選択し、[オブジェクト]→[クリッピングマスク]→[マスク]でトリミングを行います。マスクを行った長方形と同じ大きさの長方形を前面に再度作り、[線幅：1.5mm][線の位置：線を内側に揃える][K：40%]とします 04。トリミングした画像にグレーの枠線ができました 05。

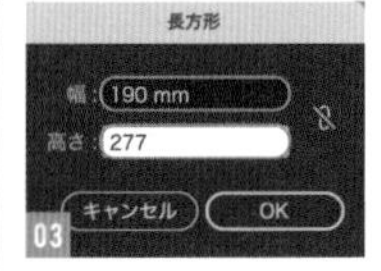

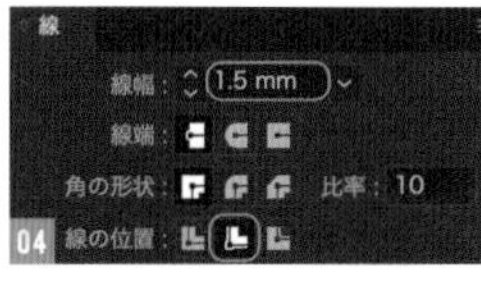

02 タイトルと出演者を入れていく

配置したDJ.psdのターンテーブルの空いているスペースに合わせてタイトルと詳細を入れていきます。テキストは素材[テキスト.txt]から順次コピー&ペーストしていきましょう。

タイトルは、音楽イベントのテイストに合いそうなフォントのイメージで少し遊び心がある[Pressio]を使用しました 06。出演者の詳細もタイトルと同様のフォント[Pressio]に合わせて、紙面全体で統一感を持たせます 07。

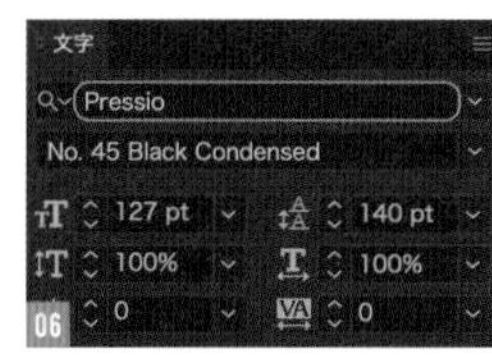

03 詳細を入れる

「HIPHOP.80's.90's」のところのみ、帯を引いて目立つようにすることで、タイトルにまとまりを持たせます 08。

ターンテーブルの外側のスペースに、ロゴ、地図、住所、時間や価格などの詳細を入れていきます 09。ロゴや地図は素材[ロゴ、地図.ai]を使いましょう。住所の部分のフォントは[UD新ゴ]でユーザーが読みやすいようにしています 10。

04 ターンテーブルの上にディスコボールを作成する

ターンテーブルの中心部分をディスコボールに見えるようにアレンジしていきます。

マゼンタの背景に円形のドットを敷き詰め、等間隔に配置したオブジェクトを作ります 11。

円形のドットのみを選択し、[効果]→[ワープ]→[魚眼レンズ]を選択します 12。[スタイル:魚眼レンズ][カーブ:70%]に設定します 13 14。

ツールパネルの[楕円形ツール]で円を作り、円形にマスクしてトリミングをします 15。

[ウィンドウ]→[透明]を選択し、[描画モード:乗算]に設定します 16。ターンテーブルの中心部分にはめこむように調整します 17。

05 有彩色を意識的に配色して完成

全体のパーツができましたが、グレーが多く、全体暗い印象もあります。ポイントとなる部分を有彩色(C:5% M:90%)に変更して、バランスとメリハリを意識しながら配色します。ここではタイトル、日時、時間、地図など重要な情報にポイントを絞り有彩色にしました 18。

Point

モノクロ写真+有彩色で紙面をデザインする時は、モノトーンで作っていき、最後に有彩色を加えるとよいでしょう。配色で迷うことが少なくなり、制作していく上で、スムーズになります。

08

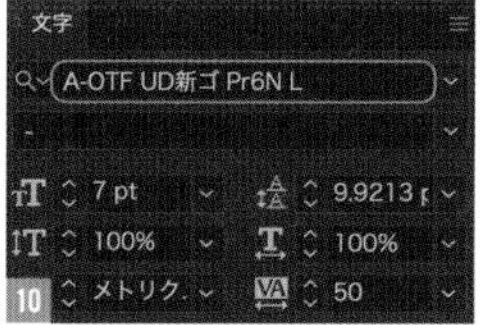

10

09

住所は[UD新ゴ]

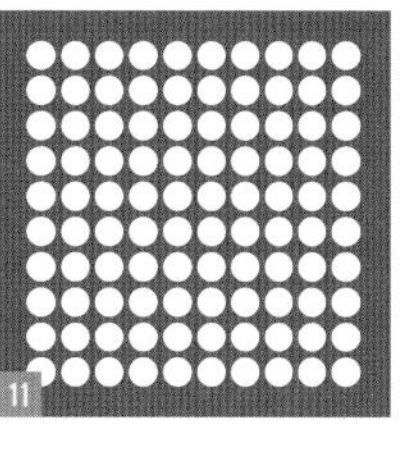
11

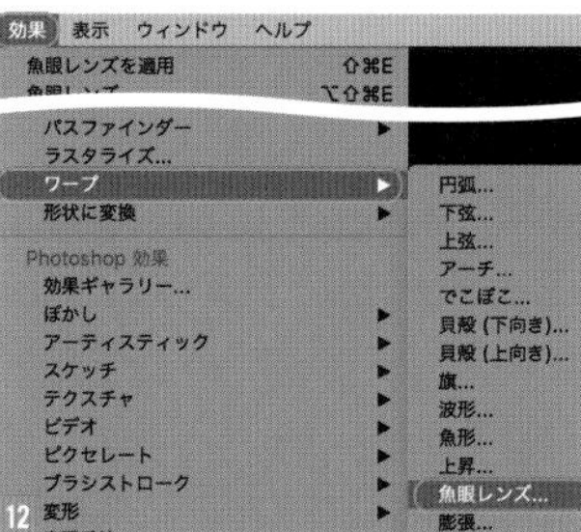

12

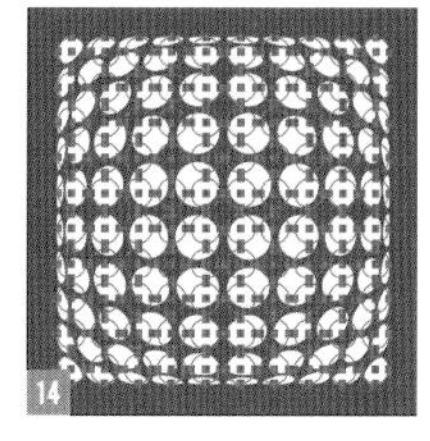
14

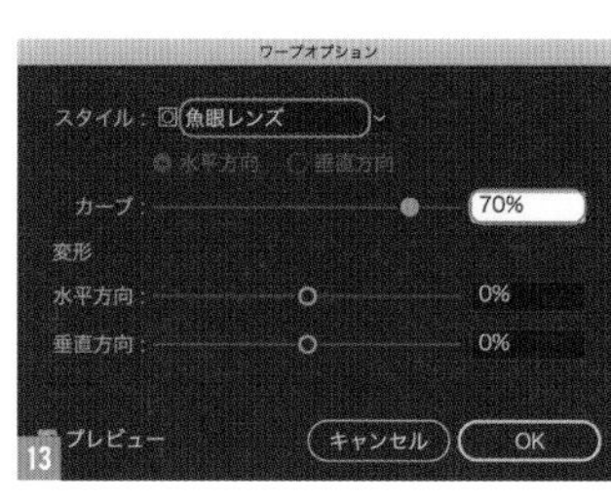

13

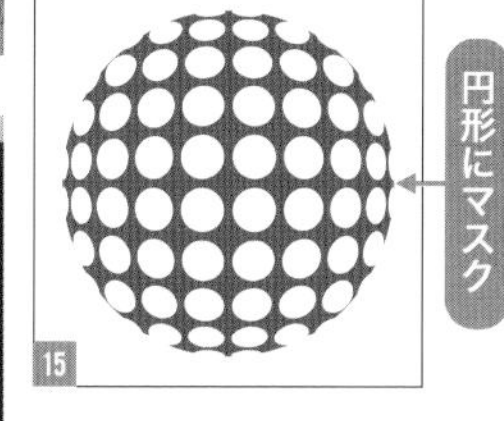

15

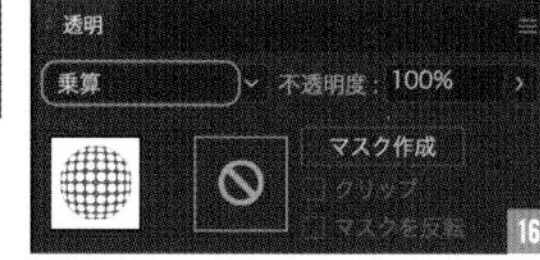

16

17

18

Recipe

058

有彩色のモノトーンを組み合わせる

カラー写真を有彩色のモノトーンに変えてデザインを作ります。前のRecipeのモノクロ写真+有彩色の作りとはまた異なる印象ができあがります。

Design methods

01 イメージカラーを考える

今回、バレエ教室の告知フライヤーを題材として制作します。このバレエ教室のイメージカラーは「ピンク」と「青緑」と想定しています 01 。

02 写真のカラーモードをグレースケールにする

カラー写真をモノトーンにすることでイメージカラーを全面に出します。
Photoshopを立ち上げて、素材[素材.psd] を開きます 02 。
[イメージ] →[モード] →[グレースケール] を選択し、グレースケールの画像に変換します 03 04 。
画像が淡く弱い印象があるのでメリハリのある画像に調整します。[イメージ] →[色調補正] →[レベル補正] を選択し 05 、入力レベルを [シャドウ:30] [中間調:1.00] [ハイライト:250] に設定します 06 07 。画像は保存しておきます。

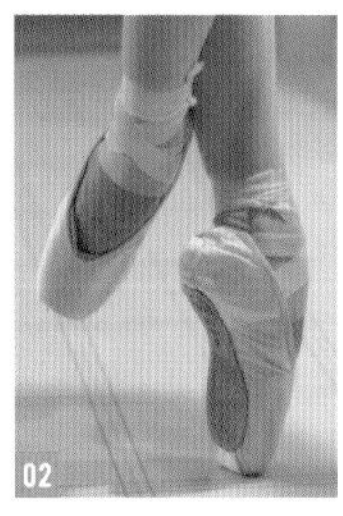

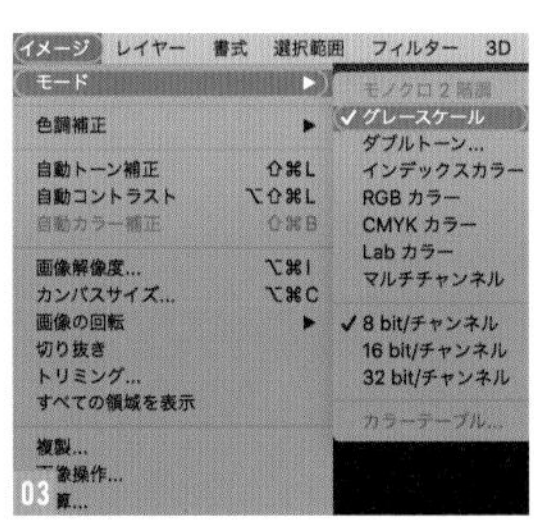

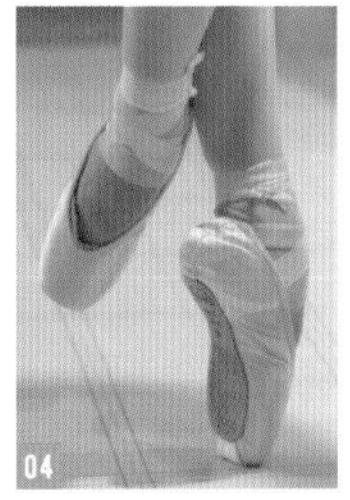

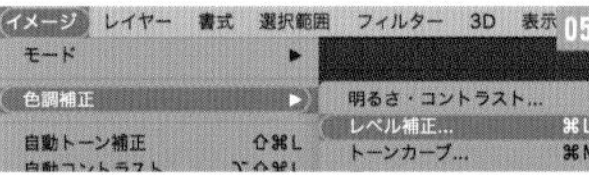

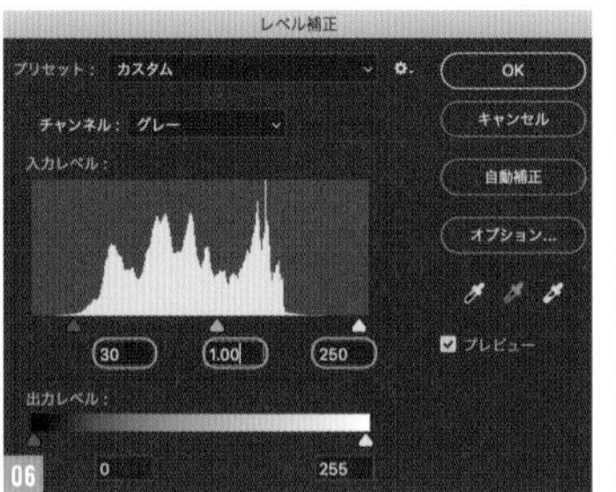

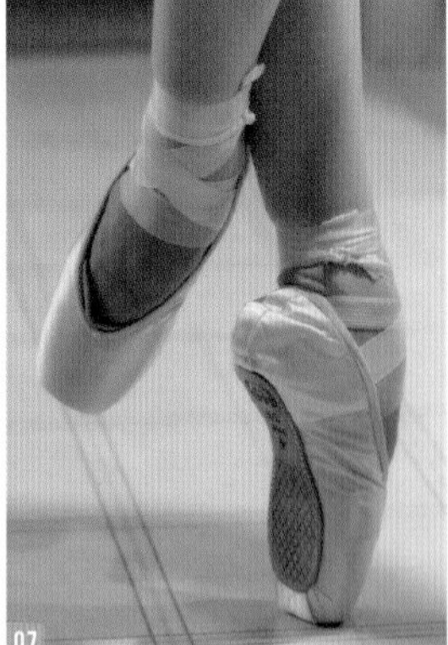

03 グレースケールに変換した写真を配置し、彩色する

Illustratorを立ち上げて、素材[レイアウト.ai]を開きます。ここではあらかじめ作業元のファイルを用意してあります。
まず、写真を配置するスペースを作ります。
レイヤー[写真]を選択します。ツールパネルから[長方形ツール]を選択し、[幅：126mm][高さ：192mm]とし 08、長方形を作成してアートボード上辺に揃えて右側から[12mm]空けて配置します 09。色はわかりやすくピンクの色[M：60 Y：20]とします 10。
[ファイル]→[配置]を選択し、先ほどグレースケールに変換した写真を選びます。ピンクの長方形に被るように配置します 11。[オブジェクト]→[重ね順]→[最背面へ]を選び 12、長方形の背面に移動し、写真と長方形を選択し[オブジェクト]→[クリッピングマスク]→[作成]で写真にマスクをかけます 13 14。
ツールパネルから[ダイレクト選択ツール]を選択し、グレースケールの写真を選びます 15。カラーをこのバレエ教室のイメージカラーであるピンク[M：60 Y：20]に設定します 16 17。

Point

画像のカラーモードをグレースケール、またはモノクロに変換するとIllustratorで配置した際に、白、黒、プロセスカラー、特色で彩色することができます。
Photoshopで色みを調整する必要がなく、Illustrator上で直接画像の色を変更できるので素早く利便性があります。

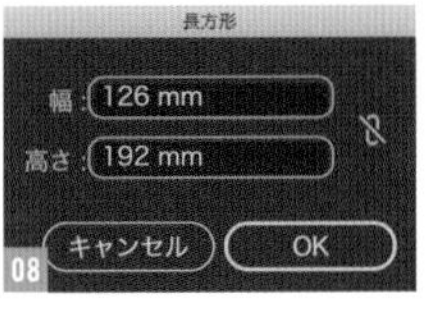

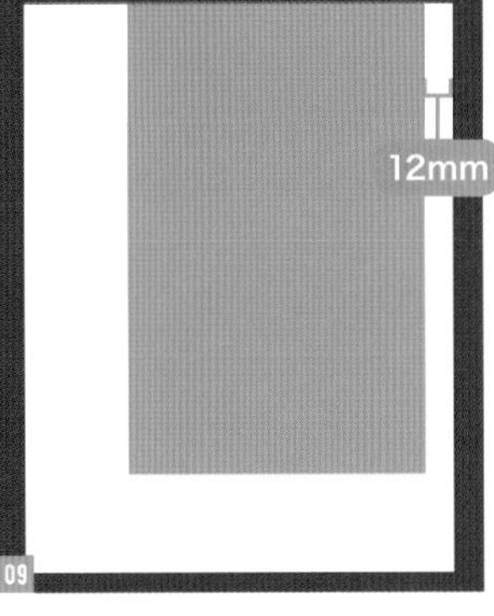

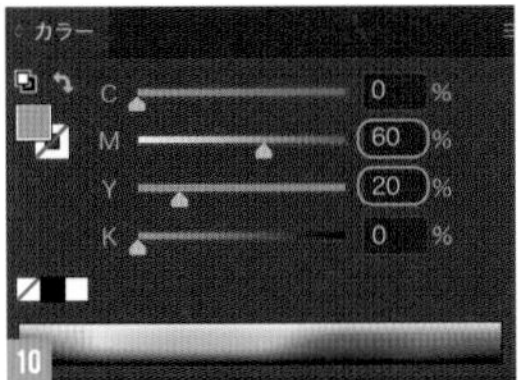

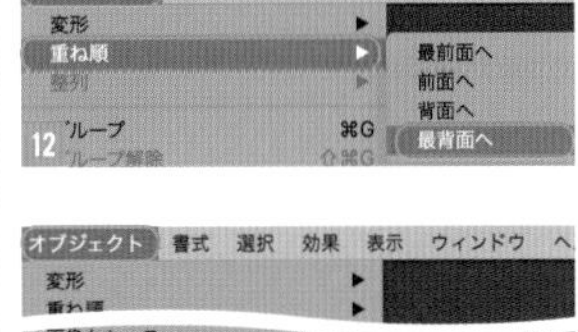

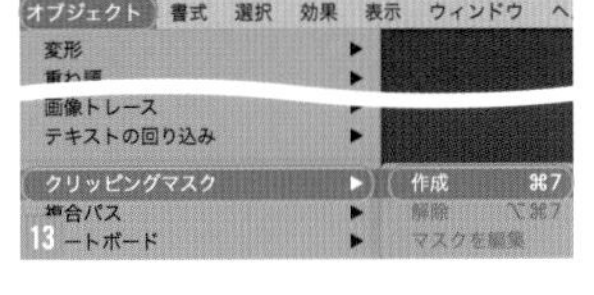

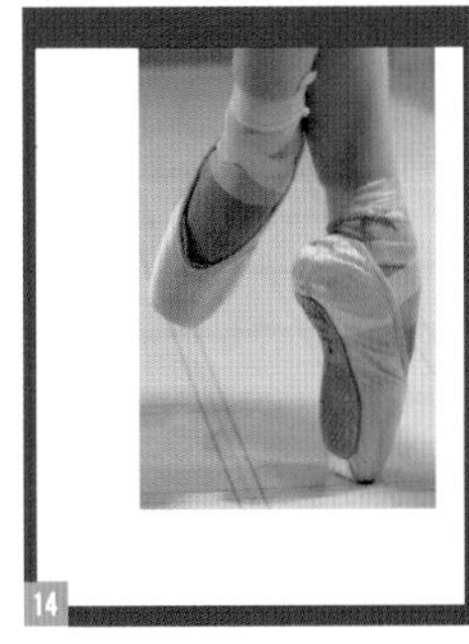

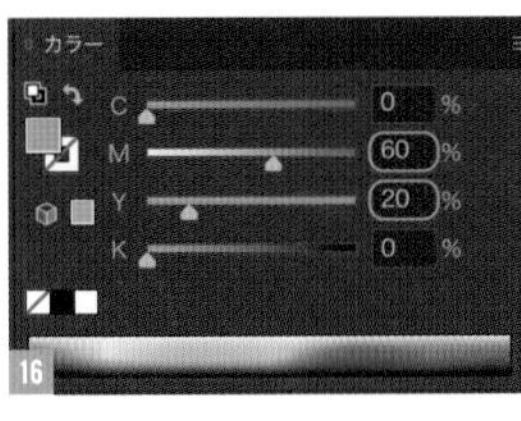

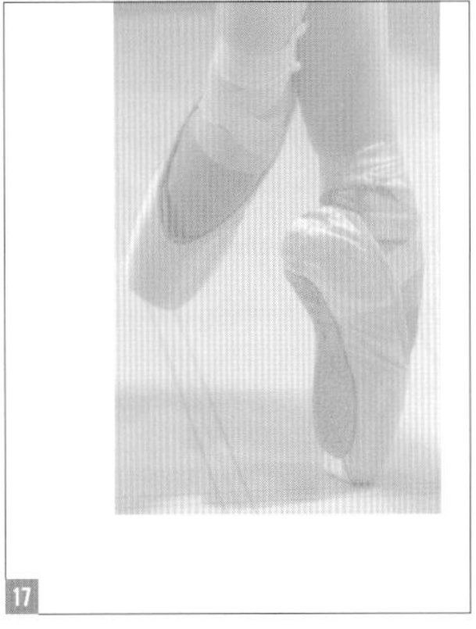

04 ロゴ、文字をレイアウトする

レイヤー[レイアウト]を選択します。
素材[ロゴ.ai]を開き、コピー&ペーストで持ってきます。アートボード中央下部、画像にかかるようにロゴを配置しました18。
さらにロゴの下部のスペースに文字をレイアウトします。テキストは素材[テキスト.txt]からコピー&ペーストで持ってきます。
ツールパネルから[文字ツール]を選択し、「since 2000」「TOKYO, OSAKA, NAGOYA, SENDAI, SAPPORO」、「Ballet Studio.com」と入力します19。
文字は「since 2000」を20 21に、「TOKYO, OSAKA, NAGOYA, SENDAI, SAPPORO」を22 23に、「Ballet Studio.com」を24 25に設定します。段落設定は全て[中央揃え]です26。27のようにまとまりました。

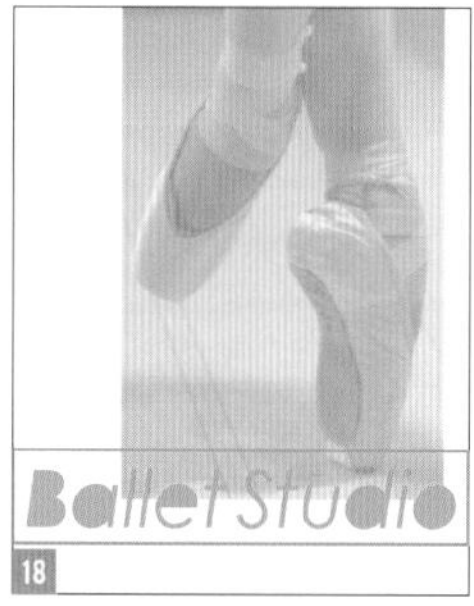

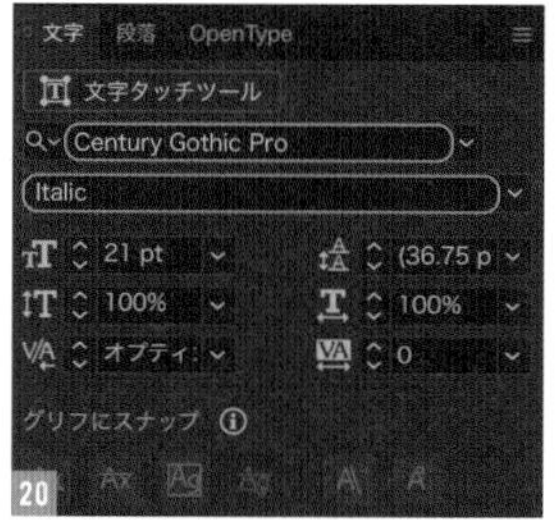

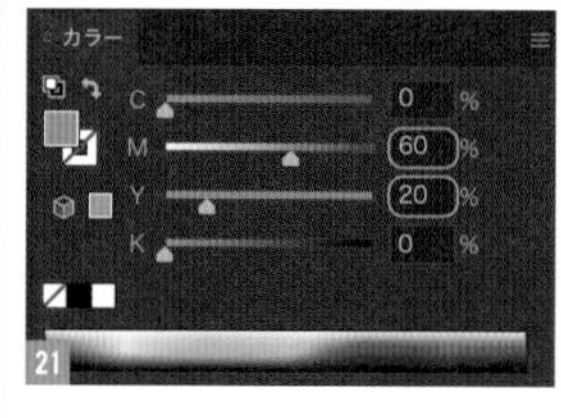

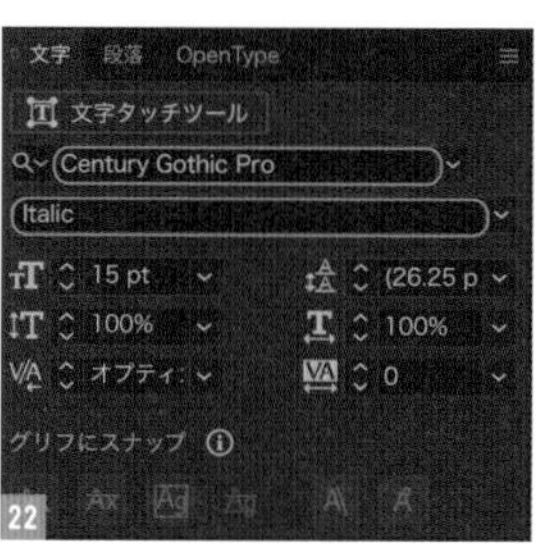

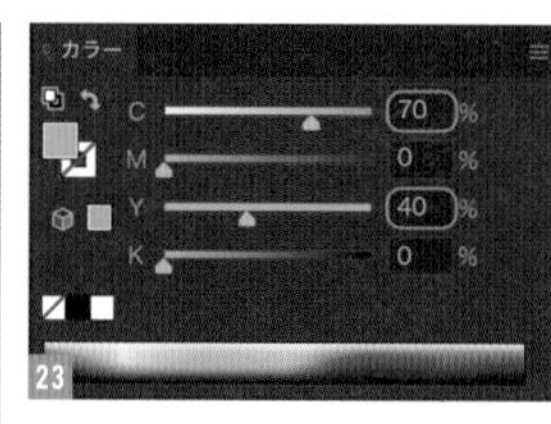

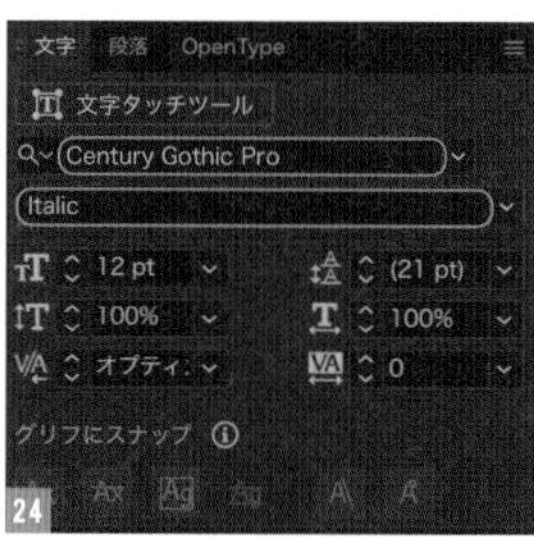

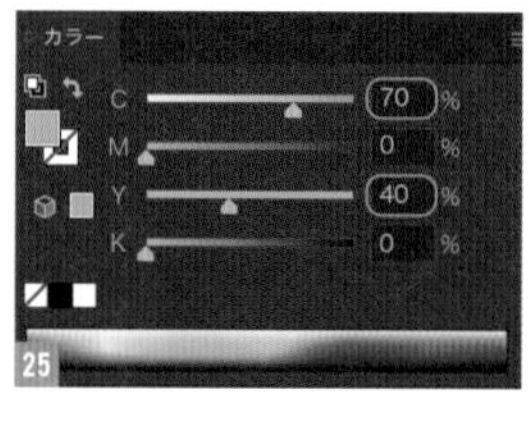

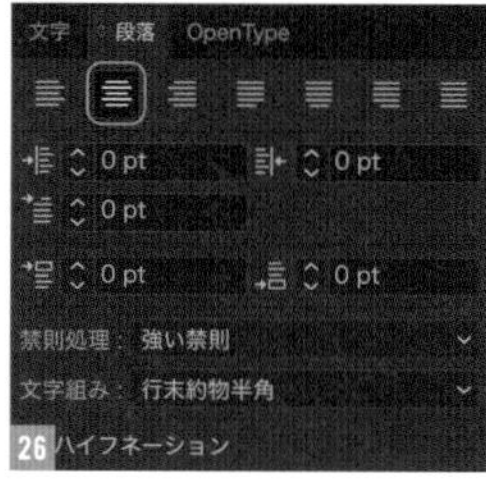

05 サークルや時間をレイアウトする

ロゴの形状とバレエの踊るイメージから、画面内にサークルを配置してリズム感を演出します。

ツールパネルから［楕円形ツール］を選択し、［幅：66mm 高さ：66mm］の正円を作り配置します 28 29。

さらに中、小の正円を2点追加しリズムを作ります 30。

ツールパネルから［文字ツール］を選択し、「OPEN/ Tue.---------Sun. 10:00-20:00 CLOSED/ Mon.」と入力します 31。文字の設定は 32 33 としました。

色はイメージカラーと合わせ「OPEN ～ 20:00」は［C：70 Y：40］に 34、「CLOSED/ Mon.」は［M：60 Y：20］とします 35。

「OPEN/ Tue.---------Sun. 10:00-20:00 CLOSED/ Mon.」を選択し、［オブジェクト］→［変形］→［回転］を選びます 36。［角度：270°］として左上に配置します 37 38。

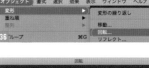

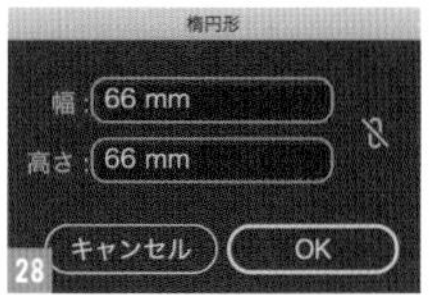

28

29

30

31 OPEN/ Tue.---------Sun. 10:00-20:00　CLOSED/ Mon.

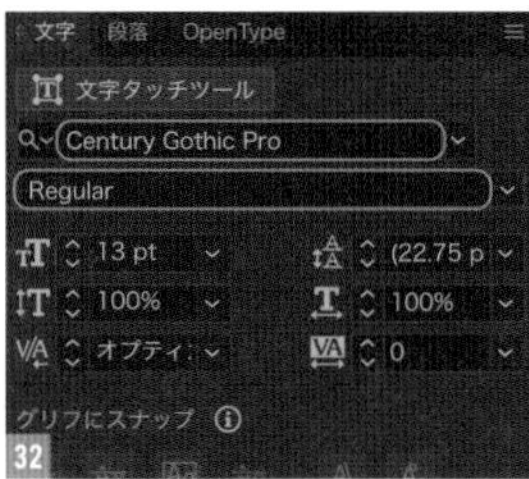

32

33

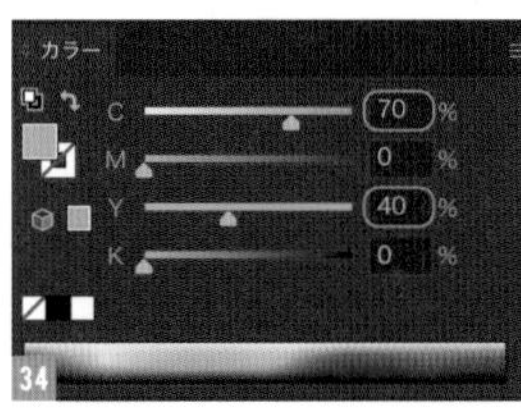

34

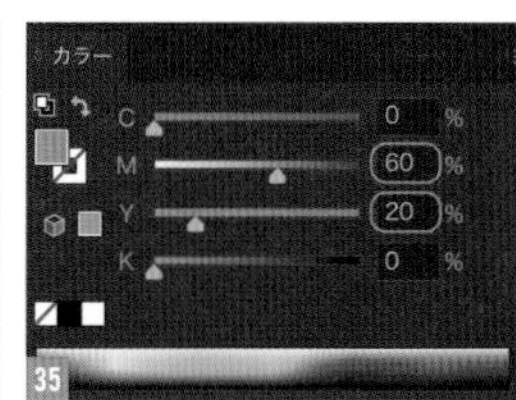

35

36
37

38

06 乗算にして正円にコピーを配置する

ロゴと正円3点を乗算にします。

ロゴと正円3点を選択し39、[ウィンドウ]→[透明]を選択40、[描画モード：乗算]に設定します41。透明になり写真が生きました42。

最後にコピーを一番大きい正円の中に配置します。「心から、おどろう！」と入力し、43のように設定し調整します44。[フォント：春夏秋冬Ⅱ]は一画一画が丁寧に書かれた手書き風フォントです。

文字を選択し[オブジェクト]→[変形]→[シアー]を選択45、[角度：15°]とし、[水平]にチェックを入れます46。シアーがかかり、紙面に動きが出ました47。

ピンクのモノトーンの写真と、その周りにアクセントになるように配置した青緑でリズム感のあるデザインにまとまりました。

Point

2色と色数は少ないですが、その分、イメージカラーの印象が際立ちます。「ピンク」+「青緑」の他にも「青」+「赤」、「紫」+「オレンジ」、「空色」+「黄」、「黄緑」+「明るい青」など、様々な組み合わせでも使えます。色々と試してみましょう。

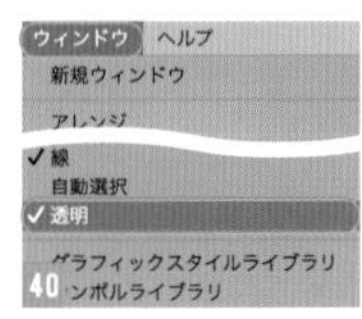

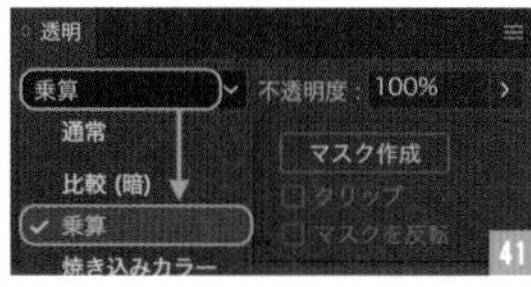

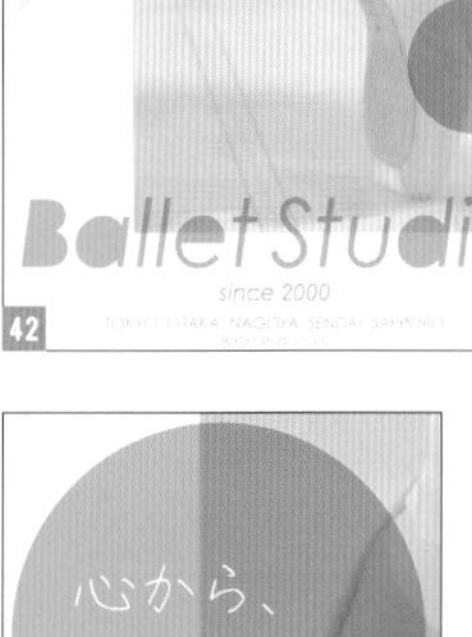

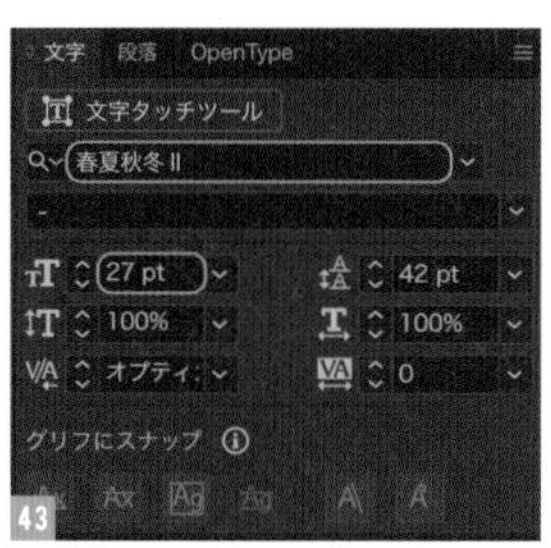

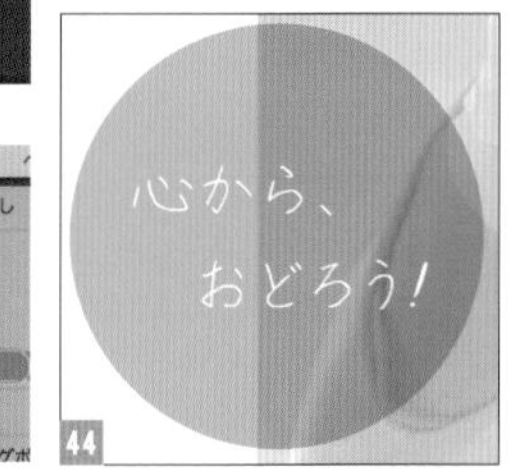

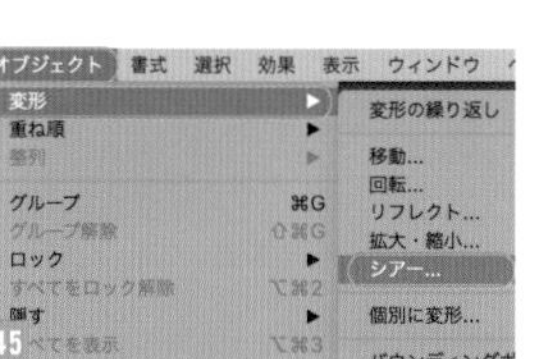

Column

印刷媒体に必要なトンボ

トンボ（トリムマーク）とは、印刷をする時の紙の断裁位置やCMYK、各インクの刷り位置を合わせる為に、必要不可欠な目印のことを指します。
Web向けにデザインする時は発生しない作業になりますが、もしグラフィック向けにデザインを作る際には必要になりますので、覚えておくとよいでしょう。なお、本書では紙媒体・Web媒体問わずデザインを作成し、使用できるようにアートボードのサイズでデザインを作っており、手順解説ではトンボを付けておりません。

トンボの作り方

Illustratorでトンボは簡単に作ることができます。デザインを使用する用紙サイズの長方形を作成し、[塗り：なし] [線：なし] に設定します。デザインを印刷する仕上がり線に長方形を合わせます（右のデザインでいうオレンジの点線の場所）。この状態で「オブジェクト」→「トリムマークを作成」を選択するとトンボ（トリムマーク）を作ることができます。

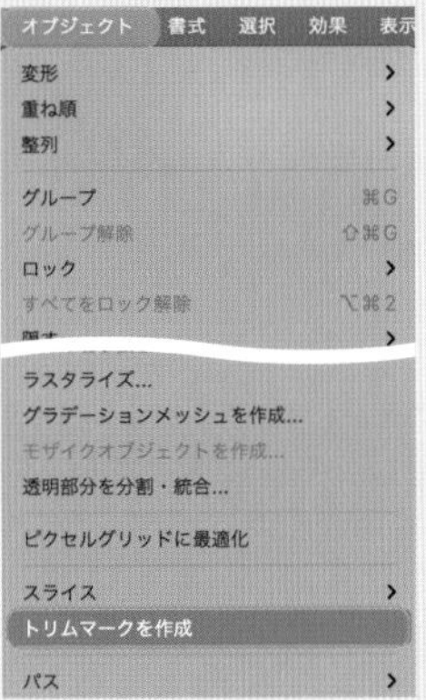

デザインのコーナーやセンターにある線がトンボです。

Column

ドブ・塗り足し（裁ち落とし）とは

印刷は一度に何枚も重ねて断裁をするため、どうしても微妙な位置のズレが生じます。仕上がり線ギリギリまでのデータを作成していた場合、印刷する用紙の色が出てしまう可能性があります。つまり仕上り線の外側まで「3mm」程度余分に、写真や色の幅を広げておく必要があるのです。この幅を「ドブ」または「塗り足し（裁ち落とし）」と言います。「ドブ」は、原則的に切り落とされる部分を指します。「ドブ」の指定は、仕上がりサイズより上下左右に3mmずつ、合計6mm分外側に伸ばします。上記のColumnのトンボで作ることができます。また、断裁は内側にもズレることがあります。仕上がり線の内側3mmまでが印刷の「安全領域」となります。印刷物のレイアウトする際には右図の薄いグレーの領域で止め、濃いグレーの領域には大事な情報は配置しない方がよいでしょう。

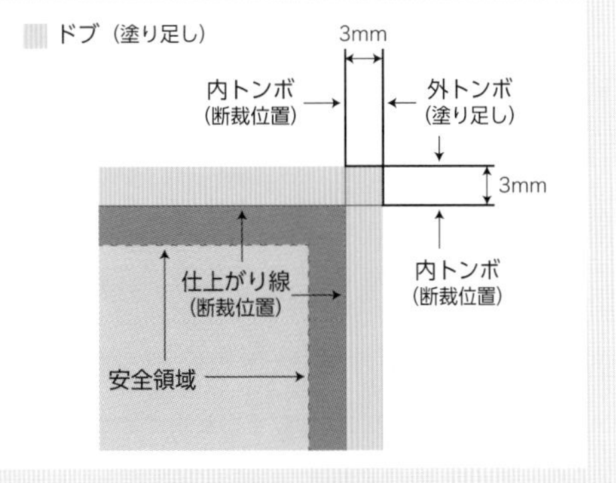

X SPORTS

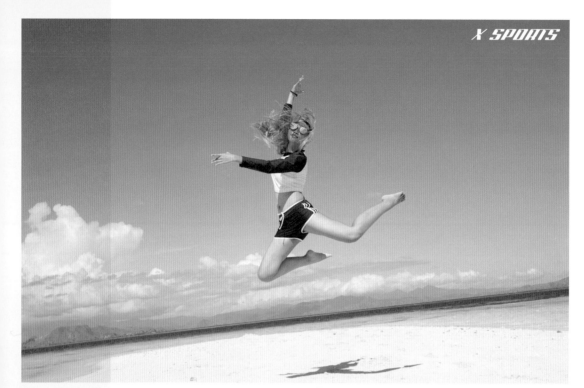

BELIEVE YOURSELF!

Recipe

059

爽やかさを感じる配色

写真の色みを活かし配色していきます。青と黄色の割合を調整して弾ける爽やかさを感じる配色を作ります。

Design methods

01 ファイルを新規作成する

素材の写真の青空を活かした爽やかな配色で、スポーツアパレルブランドの告知フライヤーを想定して制作します。

Illustratorを立ち上げて、[ファイル]→[新規]を選択します。単位を[ミリメートル]とし、[幅:232mm][高さ:182mm]として[作成]をクリックします01。

[新規レイヤーを作成]をクリックし、レイヤーを追加します02。上位からレイヤー名を[レイアウト][写真]とします03。

02 写真を配置する

レイヤー[写真]を選択します。

写真を配置する位置・エリアを先に作ります。ツールパネルの[長方形ツール]を選び、[幅:214mm][高さ:138mm]で長方形を作成し04、アートボード中央、上部[9mm]空けて配置します。ここではわかりやすいように色は[C:100]としました05。

[ファイル]→[配置]を選択し、素材[素材.psd]を選びます。先ほど作った長方形に被るように配置します06。

03 写真の構図を考える

写真の人物の動き(ジャンプ)を活かすため、画面を回転して動きをつけます。[オブジェクト]→[変形]→[回転]07で数値を[角度:7°]とします08 09。

[オブジェクト]→[重ね順]→[最背面へ]を選び10、長方形の背面に移動します11。写真と長方形を選択し[オブジェクト]→[クリッピングマスク]→[作成]12で写真にマスクをかけます13。

写真を全面に使わず、上下左右に余白を作ることで、余白の白と青空のコントラストで爽やかさを演出しています。

Point

画像を回転して水平線を斜めにすることで紙面全体に躍動感がでます。

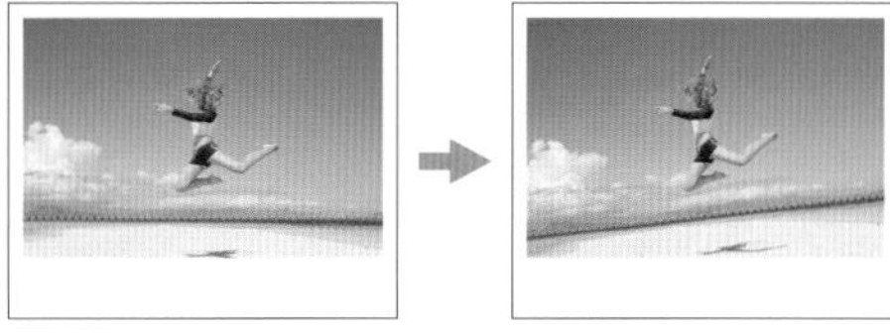

回転していない状態。水平線が水平ラインになっている。

回転している状態。水平線が斜めのラインになり、躍動感が出る。

04 文字とロゴをレイアウトする

レイヤー[レイアウト]を選択します。写真の下部のスペースに文字をレイアウトします。
ツールパネルの[文字ツール]を選択し、材料[テキスト.txt]から「BELIEVE YOURSELF」をコピー&ペーストします。文字の設定は[フォント：DIN Condensed][フォントスタイル：Regular][サイズ：94pt][カーニング：オプティカル][トラッキング：14][段落：左揃え]としています 14 15。また、文字色は写真の青空に合わせて[C：75 M：20]としています 16。
写真の勢いに合わせて写真の画角左右いっぱいに合わせ、アートボード下から[9mm]上の位置に配置しました 17。
素材[ロゴ.ai]を開きます 18。ロゴをコピーし、作業中のアートボードにペーストして右上に配置します 19。

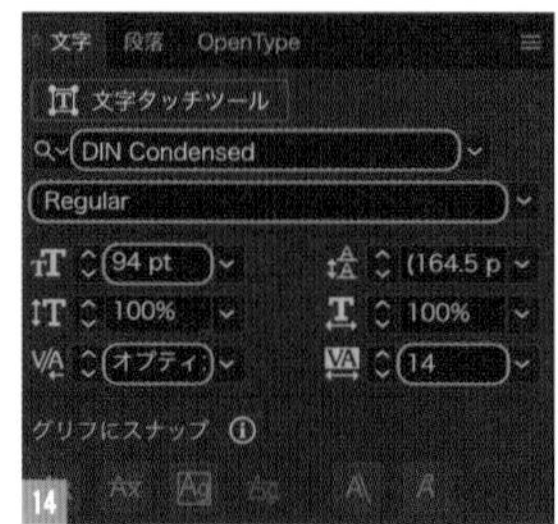

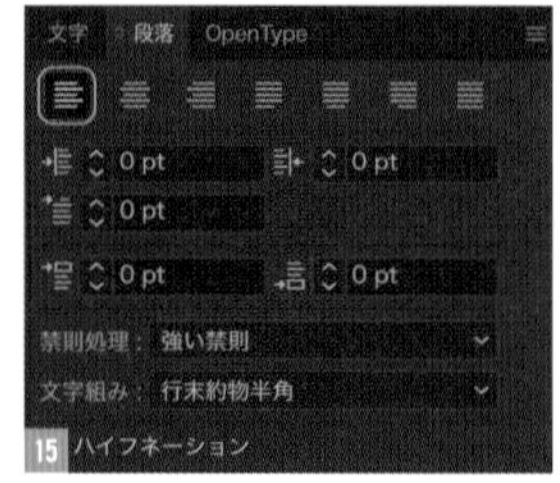

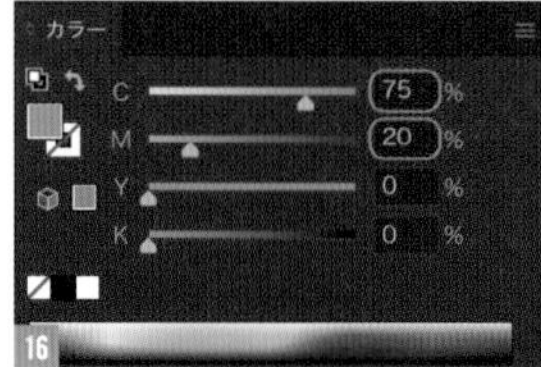

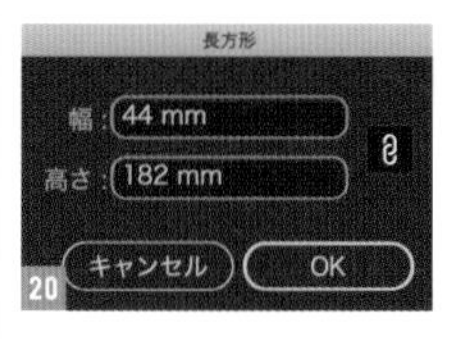

05 色を加えて青を強調する

このままでも爽やかでよいですが青さをより引き立たせるために、青の補色※である黄色を入れます。
ツールパネルの[長方形ツール]で、[幅：44mm][高さ：182mm] 20 で長方形を作成しアートボード左端に合わせ写真と文字に重なるように配置します。色は[Y：100]とします 21 22。
[ウィンドウ]→[透明]を選択し、[透明]パネルを表示し[描画モード：乗算]を選びます 23 24。
黄色で活発な印象が足され、弾ける爽やかな配色のビジュアルが完成しました 25。

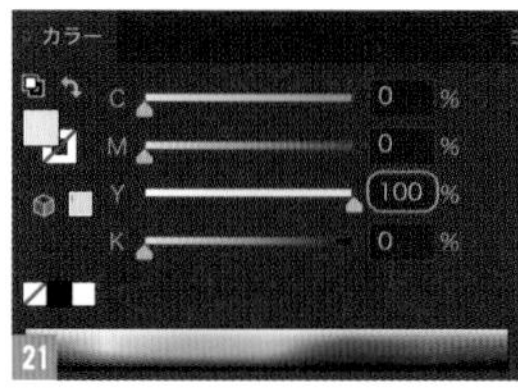

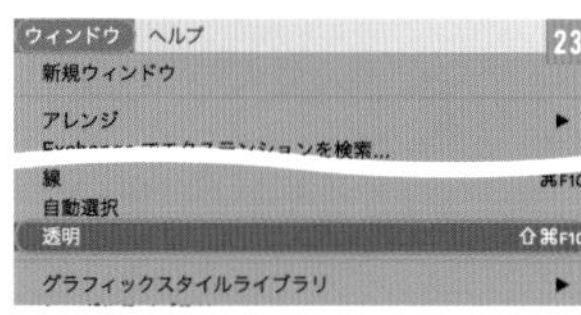

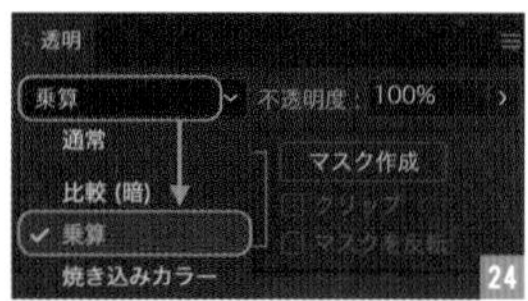

Point

作例では黄色の範囲の幅を大小検証して、より効果的に青と白が映えるサイズを選んでいます。
幅が小さすぎると目立たず、あまり効果がなく 26、幅が大きすぎると爽やかさを失ったビジュアルになります 27。
デザインを作成する際はこのように検証して、よりよいものを見つけて完成させていきましょう。

※補色…任意の選択した色に対し色相関の反対に位置する色。

Recipe

060

灰みの色でアンティークなデザインを作る

明るい灰みの写真とイラストを集め、アンティークな質感を加え、平面的なコラージュを作成します。
各要素の色の組み合わせ方も併せて確認していきましょう。

Design methods

01 メインとなる素材を配置する

Photoshopを立ち上げて、素材[ベース.jpg] 01 を開きます。
背景の緑は、人物のカラーに合わせて薄い緑[#cce1d7]で塗りつぶしています。
ここにあらかじめ切り抜き済みの素材[素材集.psd] 02 のレイヤーを移動させてレイアウトしていきます。
主役となる素材のレイヤー[人物]を移動させ、上位に[猫の顔]を 03 のように配置します。
レイヤー[人物]の下位に、レイヤー[花束01]を移動させます 04。

02 手元や足元の人物と重なっている花束部分をマスクして整える

レイヤー[花束01]を選択し、レイヤーパネルから[レイヤーマスクを追加]します 05。
レイヤーマスクサムネールを選択し、ツールパネルの[ブラシツール]を使って、[右手][右足][猫の後頭部]に重なっている花束をマスクします 06 07。

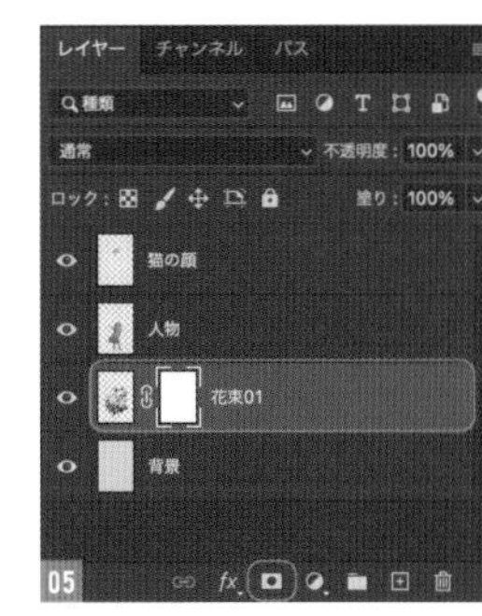

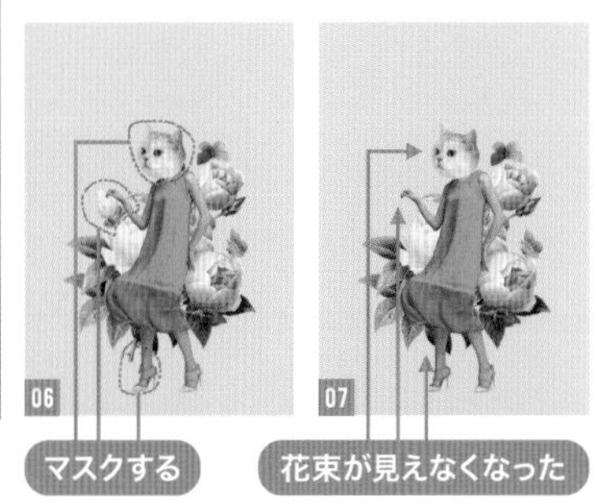

03 要素をレイアウトしていく

イラストの要素が強い状態なので、写真を組み合わせてバランスを取ります。レイヤー[人物]の下位にレイヤー[時計]を配置します 08。アンティークな質感の時計なので、イラストの雰囲気とも馴染んでいます。
レイヤー[時計]の下位にレイヤー[手][花束02]を配置します 09。
レイヤー[猫の顔]の上位に、レイヤー[ティーカップ]、さらに上位にレイヤー[花束03]を配置します 10。
ツールパネルの[消しゴムツール]を選択し、レイヤー[ティーカップ]は親指にかかる赤線の部分を、レイヤー[花束03]はカップの手前部分に重なっている赤線の部分を削除します 11。

08 09

10

11

Point

レイアウトは 12 のような斜めラインを意識しています。

12

04 足元の要素を追加する

[楕円形ツール]を選択し 13、オプションバーを[塗り:# ad708d][線:なし] 14 と設定します。
15 のように足元に円を作成します。
ここで使用した[塗り:ad708d]は、背景のグリーンカラー[#cce1d7]の補色※を使用しており、お互いの色を引き立たせるように意識しています。
レイヤー[人物]より上位にレイヤー[猫][鳥]を配置します 16。
足元にボリュームを足して、重心が安定するように意識しています。

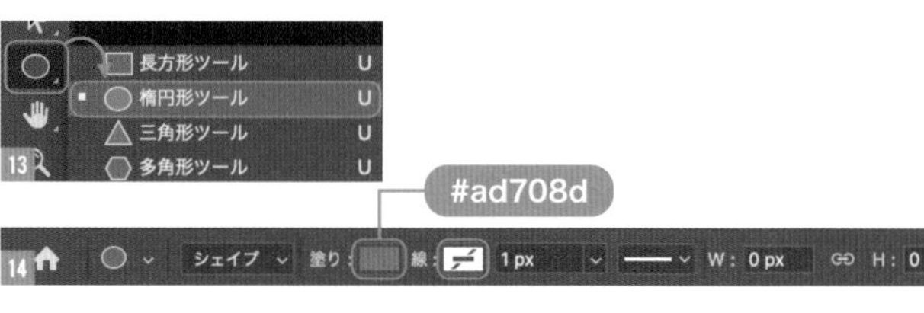

13 14

15

16

※補色…任意の選択した色に対し色相関の反対に位置する色。

05 カラーの強い要素を足して全体のバランスを整える

レイヤー[花]をレイヤー[時計]の下位に配置します 17。人物を境に右側の花束の鮮やかさに対して、左側が寂しい印象なので、色みの強い花を配置してバランスを取っています。強い色であれば小さい要素でも目立ちます。
画面右上にも要素が欲しいので、レイヤー[蝶]を配置します 18。こちらも小さくても色の強い要素を選んでいます。

06 ラインを引いて、レイアウトを整える

レイヤー[楕円形1]の上位にラインを追加します。ツールパネルから[ラインツール]を選択し 19、オプションバーを 20 のように[塗り：なし][線：#ad708d][線の幅：1px]とし、21 のように楕円形の左側から、画面右上方向にラインを追加します。決まりはありませんが、ガイドを使って 22 のように楕円形の横幅に合わせると安定します。
手順03のPointで意識した斜めライン 12 に対して、クロスさせる印象ができます。

07 質感を加え、テキストを配置したら完成

素材[テクスチャ.jpg]を開き、最上位に配置します。[描画モード：ソフトライト][不透明度：80%]とし、全体に質感を加えます 23 24。
作例ではツールパネルの[横書き文字ツール]を選択し[文字パネル]を 25 のように設定しテキストをレイアウトし完成としました 26。

17

18

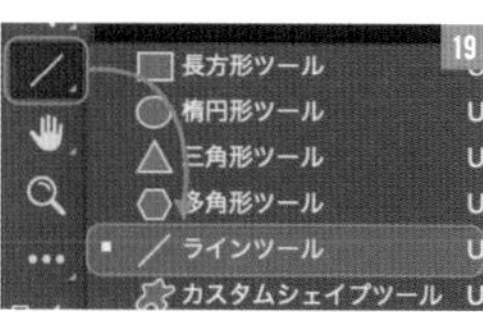

19

シェイプ 塗り： 線： 1 px W：0 px H：0
20

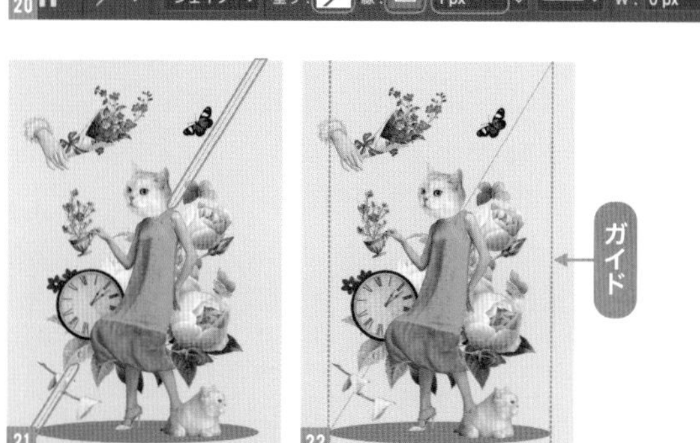

21 22

23

24

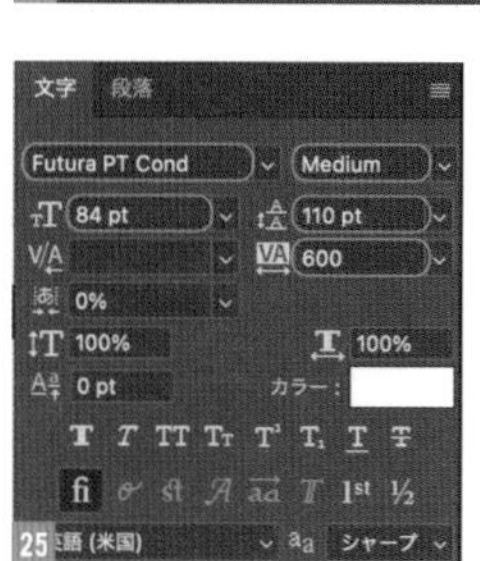

25

26

Recipe

061

未来的な配色にする

複数の色を組み合わせて写真を未来的な配色に補正します。

Design methods

01 レンズフィルターを使って全体に青みを加える

Photoshopを立ち上げて、素材[都市.jpg]を開きます01。

レイヤーパネルから[塗りつぶしまたは調整レイヤーを新規作成]→[レンズフィルター]を選択します02 03。

表示される[プロパティ]パネルを04のように[フィルター：Cooling Filter (80)][適用量：50%]と設定し、全体に青い色みを加えます05。

02 画面下半分に紫色を加える

レイヤーパネルから[塗りつぶしまたは調整レイヤーを新規作成]→[グラデーション]を選択します06。[グラデーションで塗りつぶし]パネルを07のように[スタイル：線形][角度：90°]と設定します。

グラデーションを選択し、[グラデーションエディター]を開いたら[プリセット]→[基本]→[描画色から透明に]を選択し、左右のカラー分岐点を[#d046ee]としたら[OK]します08 09。

素材

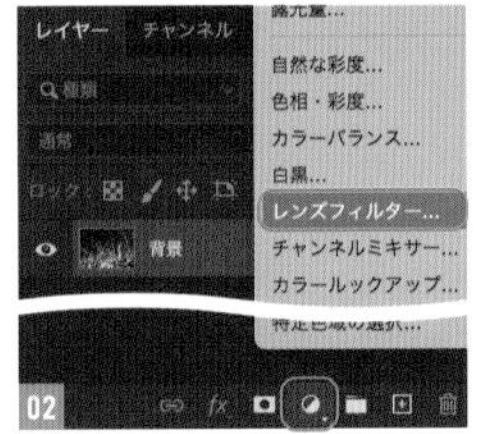
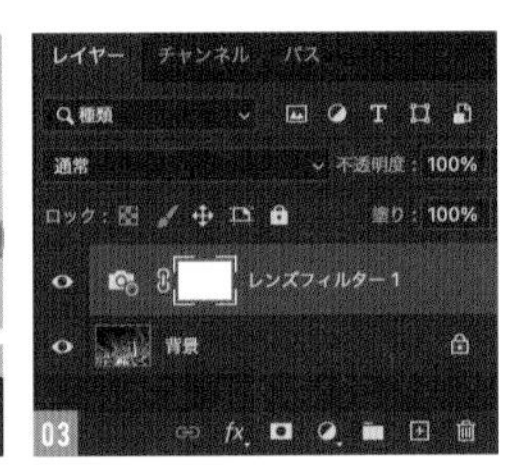
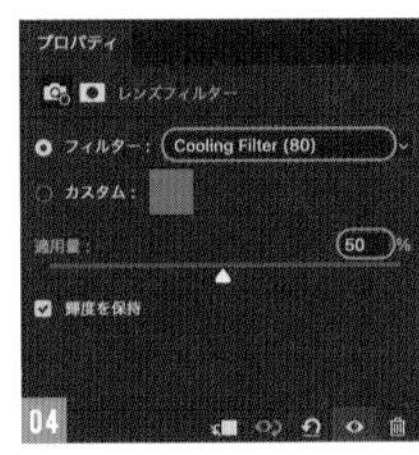

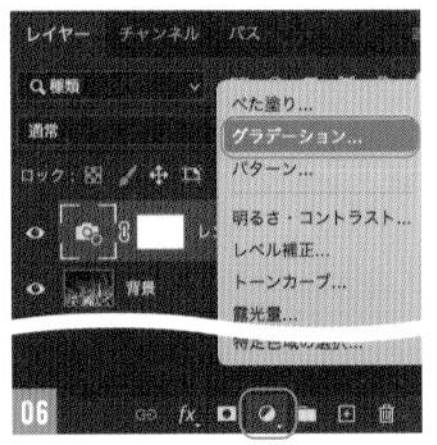

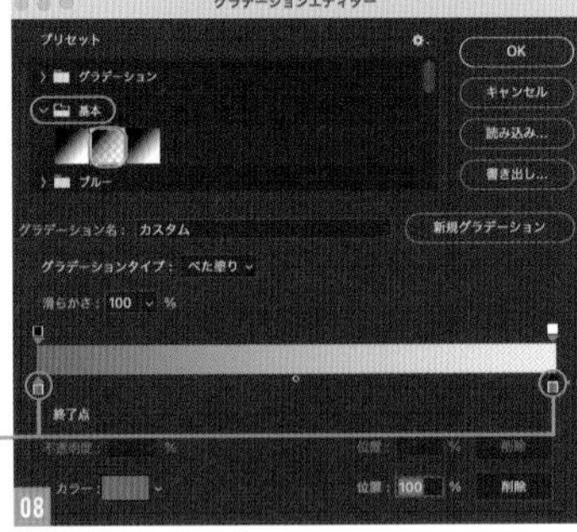

03 ドラッグして位置を変更する

［グラデーションで塗りつぶし］パネルが表示されている状態で、カンバス上でドラッグすることで、グラデーションの位置を変更できます。10のようにグラデーションの位置を整え［OK］します。調整レイヤー［グラデーション1］を［描画モード：オーバーレイ］とします11。
画面下半分が紫色に着色されたようになります12。

04 画面上半分に水色を加える

手順02、03と同じ要領で上位に［塗りつぶしまたは調整レイヤーを新規作成］→［グラデーション］を追加します。
［グラデーションで塗りつぶし］パネルを13のように設定します。
先ほどとは逆に、上から下にグラデーションが作成されるように［角度：-90°］とします。
グラデーションを選択し、［グラデーションエディター］を開いたら［プリセット］→［基本］→［描画色から透明に］を選択し、左右のカラー分岐点を［#8ad2fd］とします14。
［描画モード：オーバーレイ］とします15 16。

05 全体の光の要素を強調する

最上位に新規レイヤー［光］を追加し、［描画モード：オーバーレイ］とします17。
ツールパネルの［ブラシツール］を選択し、［描画色：#ffffff］［ソフト円ブラシ］［ブラシサイズ：100px］程度で都市の風景で元々光が強い部分を描画し、光を強調します18。
ビルから出ているビームや、地上にある街灯の光などを強調しました19。
青×紫のパターンは完成です。

10

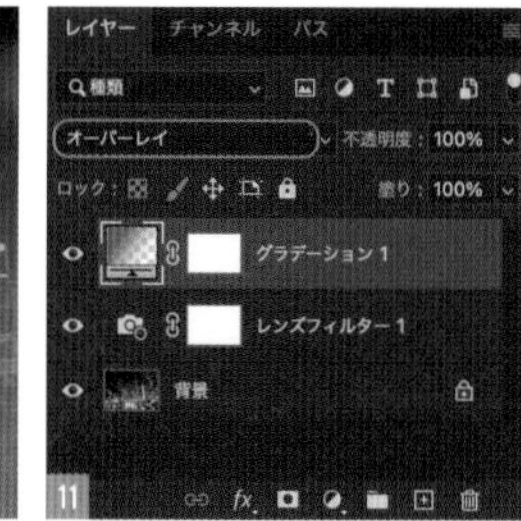

11

12

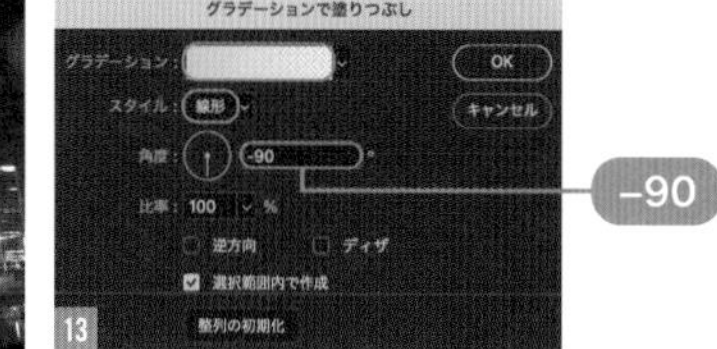

13

14

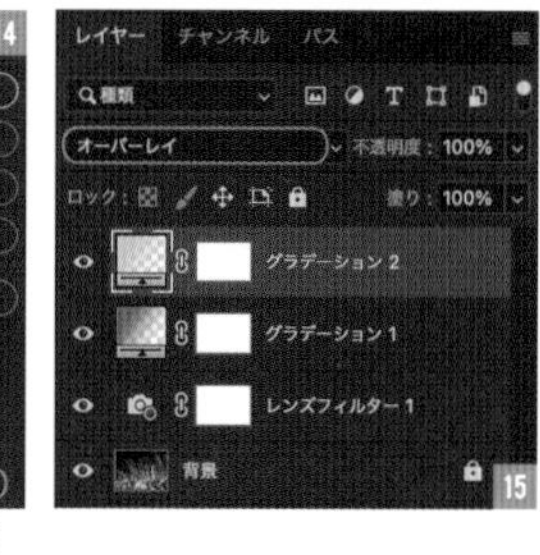

15

16

17

18

19

06 その他のパターンも試してみる

手順01の［レンズフィルター］を20、手順02、03のグラデーションカラーを［#5af5ff］21、手順04のグラデーションカラーを［#3254eb］22とし、全体を青で統一したパターン23。

手順01の［レンズフィルター］を24、手順02、03のグラデーションカラーを［#ed5a60］25、手順04のグラデーションカラーを［#5cc7f4］26とし、全体を青と赤にしたパターン27。青色をベースに、紫系の色と合わせると未来的な印象になり、青系で統一すると、より未来的な印象が強調され、青と赤系の色と合わせると、少し温かみや幻想的な印象になります。

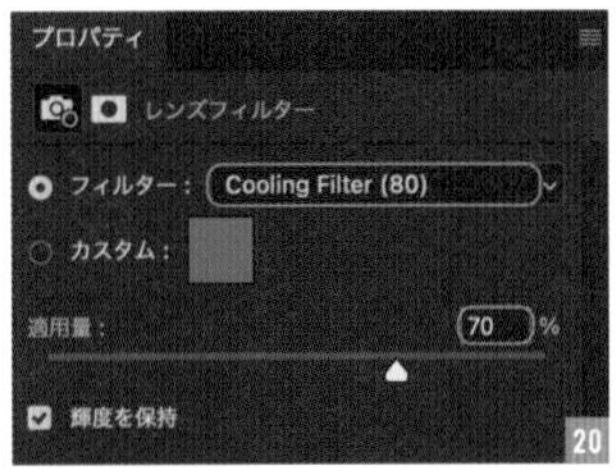

未来的な印象が強調された

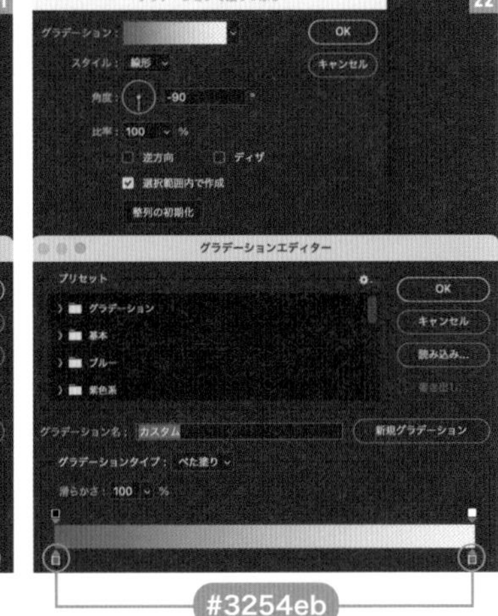

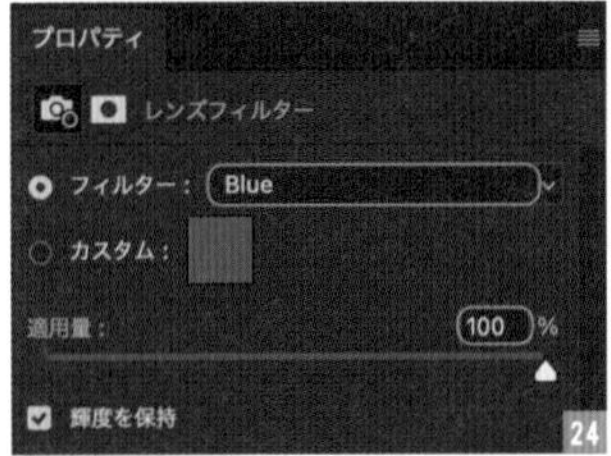

少し温かみがあり幻想的な印象になる

Dual
Lighting Effect

Recipe

062

デュアルライティングエフェクト

モデルに2色のスポットライトをあてたような効果を出します。

Design methods

素材

01 背景に色をのせる

Photoshopを立ち上げて、素材[人物.psd]を開きます 01 02。
あらかじめ背景のレイヤーと人物だけを切り抜いたレイヤーを用意しています。
レイヤー[背景]を選択します。
[イメージ]→[色調補正]→[レベル補正]を選択し 03、04 のように設定します。
背景が明るすぎると次の工程でグラデーションの色がのりにくいので、出力レベルのハイライト側を[220]とすることで全体を暗く補正します 05。

01

02

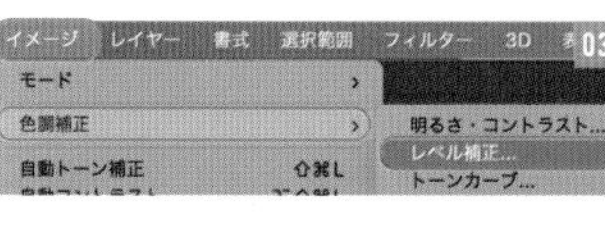

03

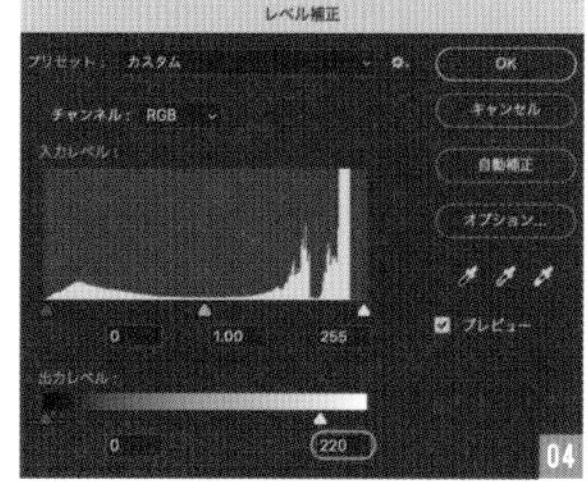

04

05

02 背景にグラデーションを適用する

レイヤー[背景]を選択し、[塗りつぶしまたは調整レイヤーを新規作成]→[グラデーション]を選択します 06。

[グラデーションで塗りつぶし]ウィンドウが表示されるので 07、[グラデーション]を選択します。[グラデーションエディター]が表示されます 08。

03 グラデーションを調整する

グラデーションの分岐点を 09 のように調整していきます。

[カラー分岐点]を左から[#0d86f6] 10、クリックでカラー分岐点真ん中あたりに追加し[#e85782] 11、右を[#a421ac] 12 とします。

[OK]で適用し、[グラデーションで塗りつぶし]ウィンドウを 13 のように設定します。角度を[15°]にして少しグラデーションの適用範囲を斜めにしています。

[グラデーションで塗りつぶし]ウィンドウが表示されている状態では、カンバス上でドラッグすることでグラデーションの位置を調整できます。好みの位置になったら[OK]で適用します。

調整レイヤー[グラデーション 1]が作成されるので、選択し[描画モード:焼き込みカラー]にします 14。15 16 のように背景にグラデーションが適用されました。

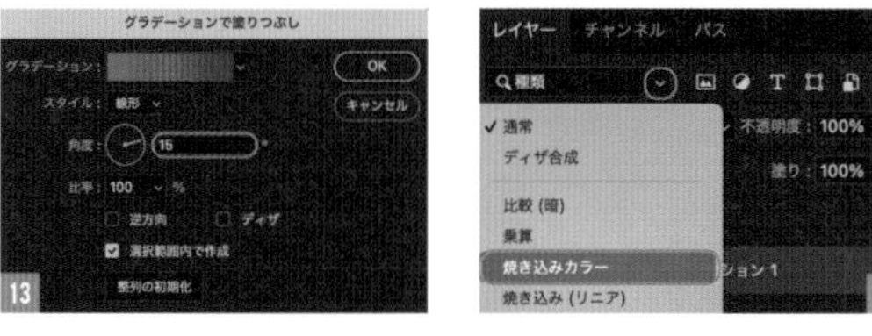

04 グラデーションをコピーして人物の切り抜き範囲のみに適用する

作成した調整レイヤー[グラデーション 1]を選択し、option(Alt)キーを押しながら、レイヤー[人物_切り抜き]の上位にドラッグし、調整レイヤーをコピーします 17 18。

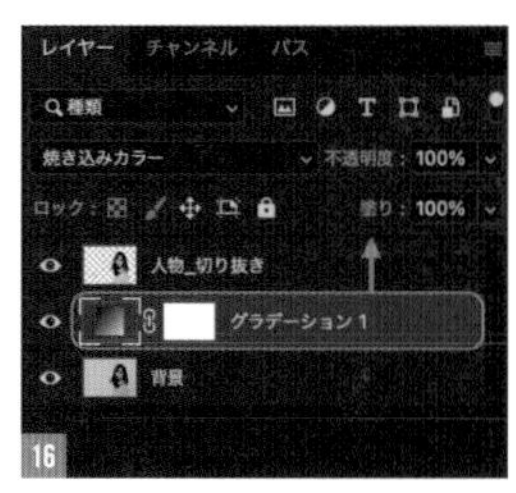

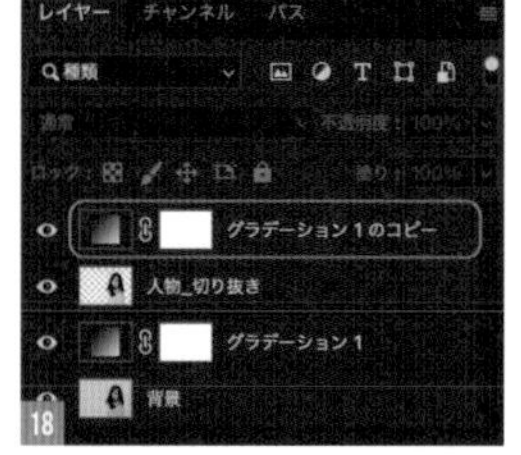

調整レイヤー[グラデーション 1 のコピー]を選択し、[右クリック]→[クリッピングマスクを作成]を選択します 19 20 21。調整レイヤーの[描画モード：カラー]とします 22 23。
調整レイヤー[グラデーション 1 のコピー]のサムネールをダブルクリックし、[グラデーションで塗りつぶし]ウィンドウを開き、グラデーションのカラーはそのままにして、スタイル以下を 24 のように背景のグラデーションと逆方向の[角度：-165°][比率：25%]と設定します。
カンバス上でドラッグし 25 のように人物が3色のグラデーションになるように位置を整えます。テキストを配置して完成としました。

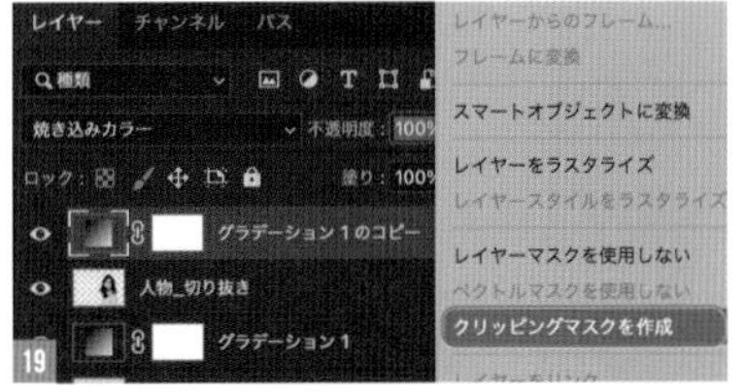

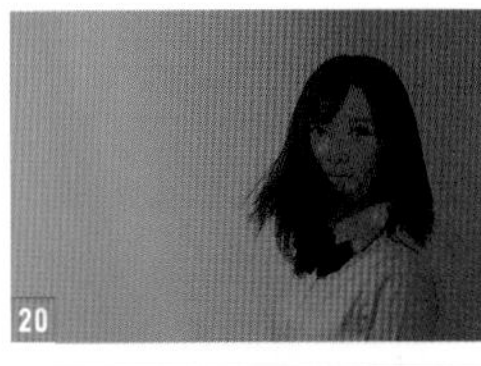

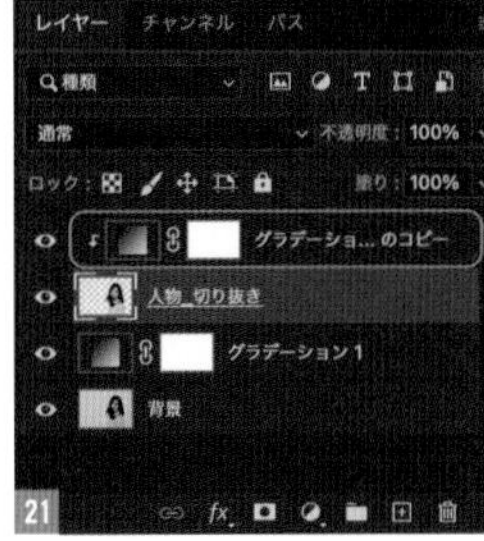

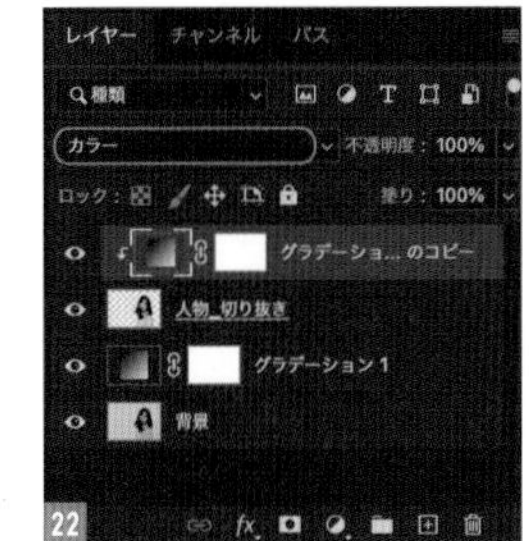

Point

グラデーションを調整すれば、好みの雰囲気にも変更可能です 26。

Column

グラデーションを保存する

好みのグラデーションを作成できたら、[グラデーションエディター]で[新規グラデーション]を選択することによりプリセットとして保存し、いつでも読み出すことができるようになります。

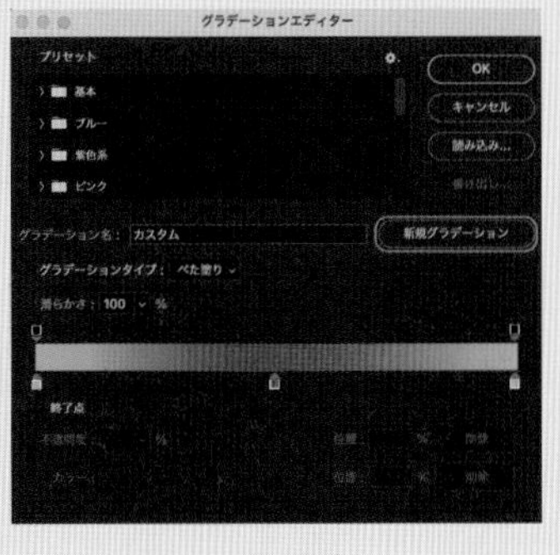

2021.12.01

building

Recipe

063

効果的なグラデーションの使い方

色のグラデーションを上手に用いることで透明感があり、華やかな印象のデザインを作ることができます。

Design methods

01 アートボードを2分割するグラデーションを作る

Illustratorを立ち上げて[ファイル]→[新規]を選択、[幅：182mm][高さ：232mm]としてアートボードを作成します01。ツールパネルの[長方形ツール]を選択し、アートボード内の任意の場所をクリック、ダイアログが表示されたら[幅：182mm][高さ：116mm]と入力します02。色はグラデーションを指定します03。[角度：90°]で始点は[白]04、終点は[C：100% Y：30%]とします05。長方形ができたら、[整列]パネルで[アートボードに整列]を選択した状態で、[水平方向左に整列][垂直方向上に整列]06を選択し、アートボードに対して上位置に配置します07。今度はoption＋ドラッグで長方形を複製し、[整列]パネルで、[垂直方向下に整列]を選択し、アートボードに対して下位置に配置します08 09。

02 ビルのイラストを追加する

素材[ビル.ai]を開き、コピー＆ペーストでビルのイラストを2つ、長方形の間に左右に設置します10 11。イラストの塗りはグラデーションに設定して、左側のイラストは始点を[白]、終点を[C：100% Y：30%]に設定します12。右側のイラストは始点を[C：100% Y：30%]、終点を[白]に設定します13。

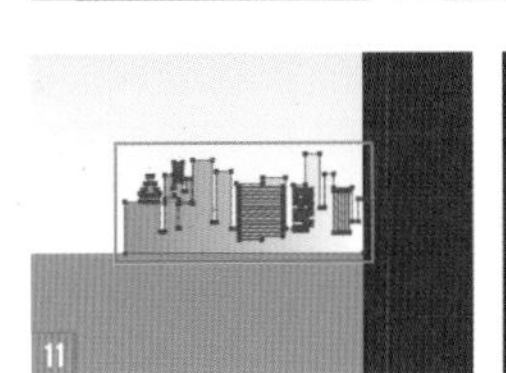

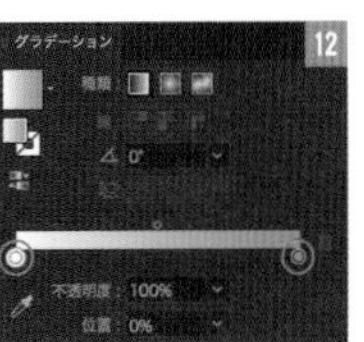

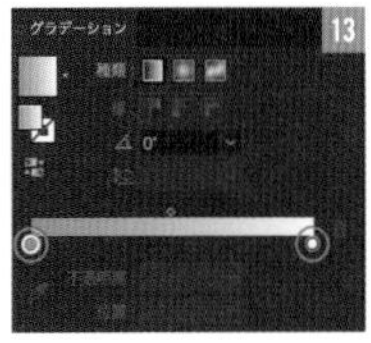

03 月の写真と円を配置する

[ファイル] →[配置] で素材[月.psd] の写真を配置します 14。さらにツールパネルで [楕円形ツール] を選択し 15、円のサイズを [幅：45mm] [高さ：45mm] と月と同じ大きさの正円を作ります 16。円の [線] を [線幅：0.7pt] 17 と設定し、線の色は [白] 18 に設定します 19。

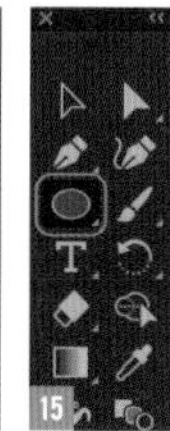

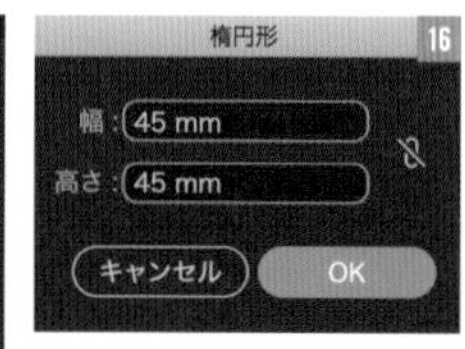

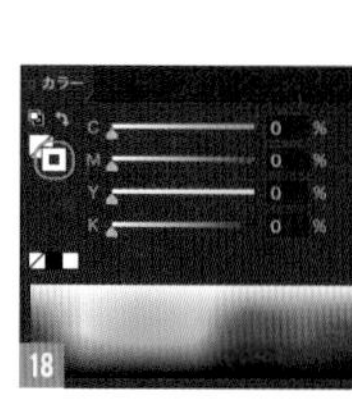

白い線の円

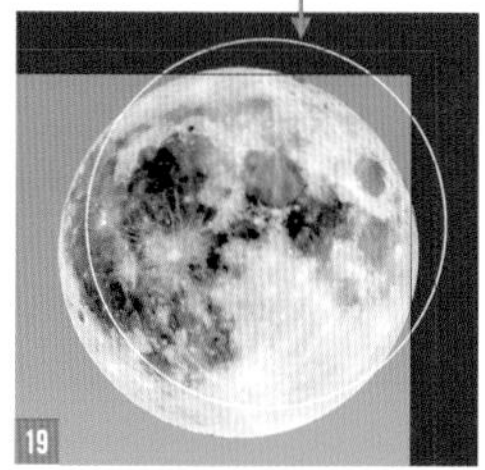

04 アートボードの下部にビルの画像を配置する

[ファイル] →[配置] を選択し 20、素材[ビル-02.psd] をアートボード下部の左右に配置します 21。中央に素材[ビル-01.psd] を配置します 22。この[ビル-01.psd] の画像はメインビジュアルになりますので、レイヤーを分けるなどして常に最前面になるようにしておいてください。

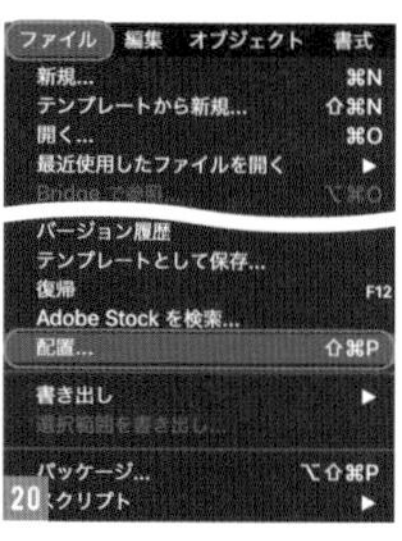

05 中央にグラデーションのかかった正円とビルを配置する

ツールパネルの [楕円形ツール] で [幅：130mm] [高さ：130mm] の正円を描きます。正円のグラデーション 23 は始点を [白] 24、終点を [C：100% Y：30%] 25 とします。正円を選択した状態で [整列] パネルの [アートボードに整列] した状態で [水平方向中央に整列] [垂直方向中央に選択] を選択して 26 アートボードに対して上下中央に配置します 27。

素材[ビル-02.psd] を配置します 28。先ほど作成したグラデーションの正円を ⌘ (ctrl) + C キーでコピーした後、⌘ (ctrl) + F キーで同じ位置にペーストします 29。これをマスク用のパスとして 28 の画像にマスクをかけます 30。

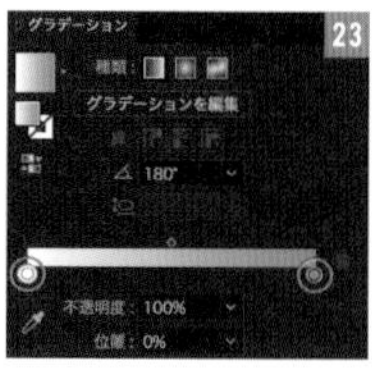

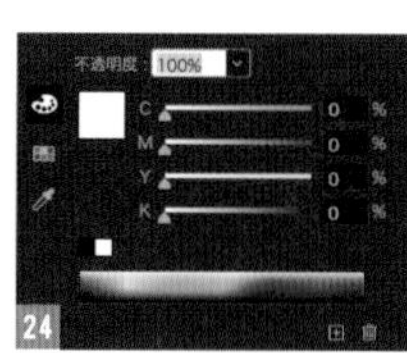

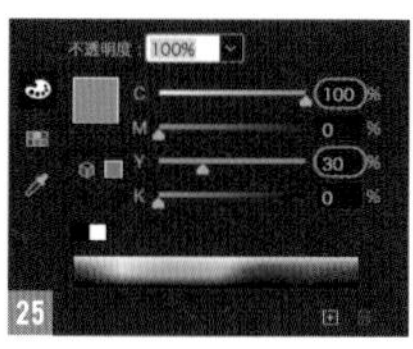

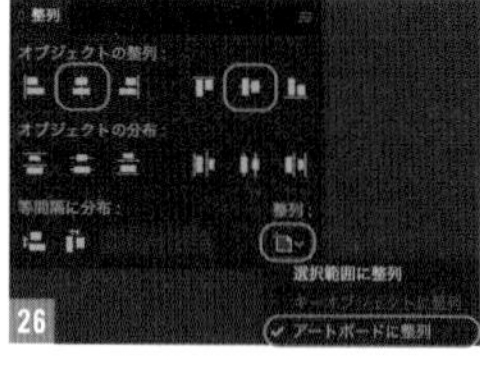

同じ位置にペースト

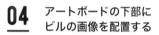

さらに[⌘]([ctrl])＋[F]キーで同じ正円を同じ位置にペーストし、[オブジェクト]→[変形]→[移動]を選択し31、位置を[水平方向：5mm][垂直方向：5mm]32と移動します33。移動させた正円の線の色は[白]にして[線幅：0.7pt]に指定し、塗りは無しにします34。

06 飛行機のイラストを配置する

素材[飛行機.ai]から飛行機のイラストを持ってきて左上に3つ、強弱をつけて配置します。塗りのグラデーション35は始点が[M：100% Y：100%]36。終点が[M：20% Y：100%]37とします。グラデーションの角度は[角度：0°]とします38。

飛行機のイラストを選択した状態で[効果]→[スタイライズ]→[ドロップシャドウ]を選択します39。ダイアログが表示されたら[描画モード：通常][不透明度：100%][X軸オフセット：5mm][カラー：C：0% M：0% Y：0% K：0%]と設定します40。飛行機の右側に白のシャドウが浮かび上がりました41。

07 アーチを配置する

飛行機のイラストの下にアーチを3つ用意します。ツールパネルの[楕円形ツール]を選択、[shift]＋ドラッグで円を作ると正円が描けます。ここでは大[線幅：54pt]、中[線幅：16pt]、小[線幅：16pt]の3つの正円を描き42、余分な部分である円の下側をツールパネルの[ダイレクト選択ツール]でアンカーポイントを選択し、削除します43。アーチができたら線の色をグラデーションにします44。グラデーションは始点を[M：20% Y：100%]45。終点を[M：100% Y：100%]46とします47。

青、白、オレンジと色を決めて、あらゆる所でグラデーションを使っていきます。

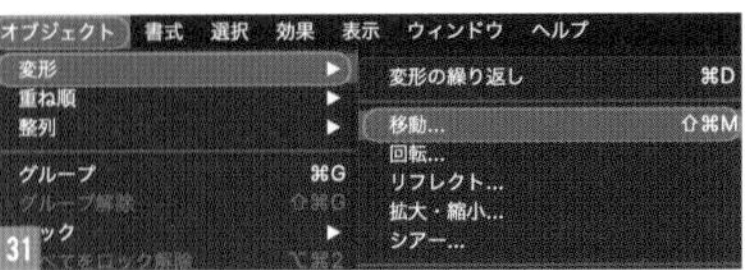

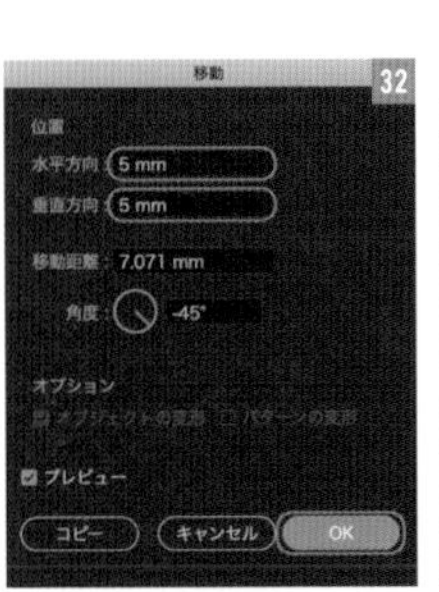

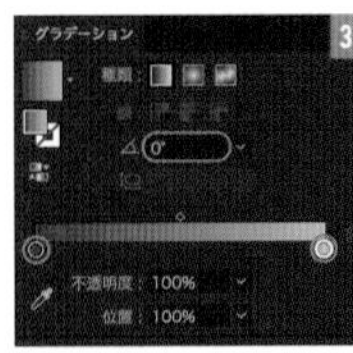

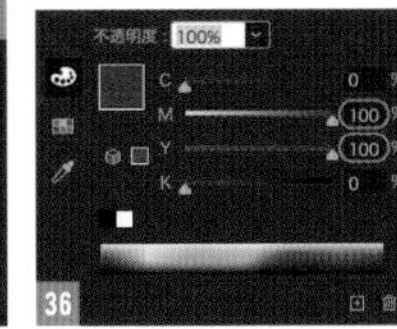

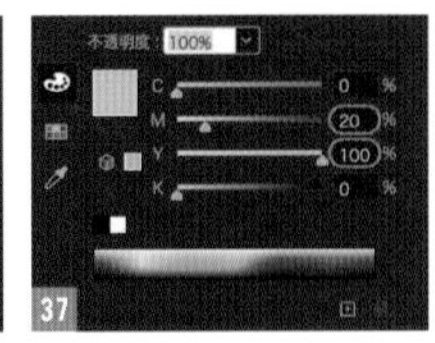

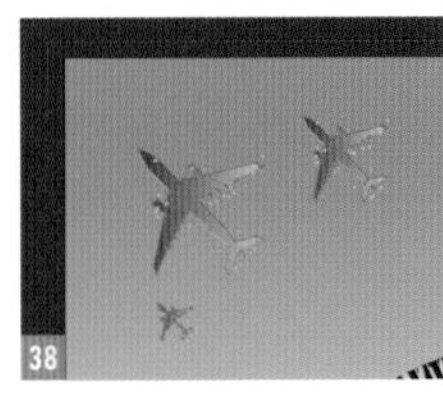

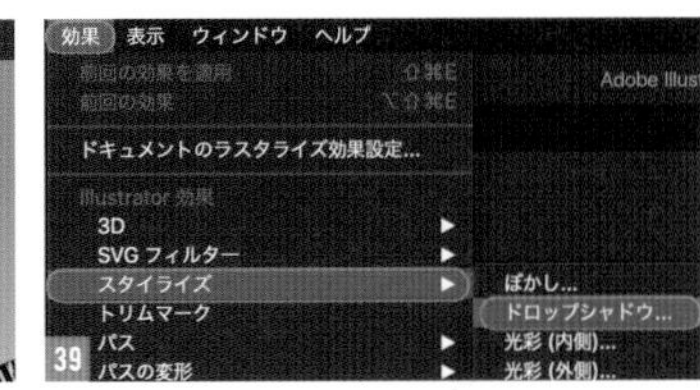

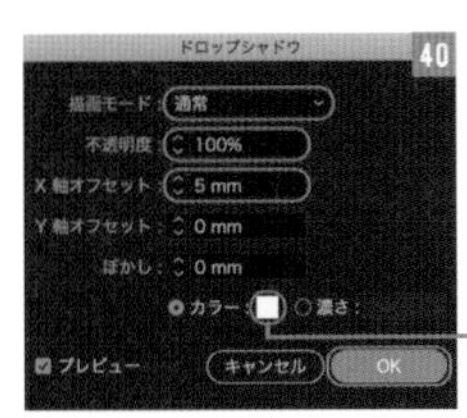

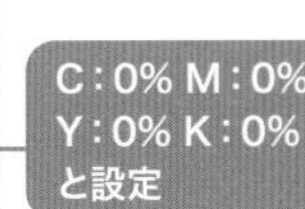

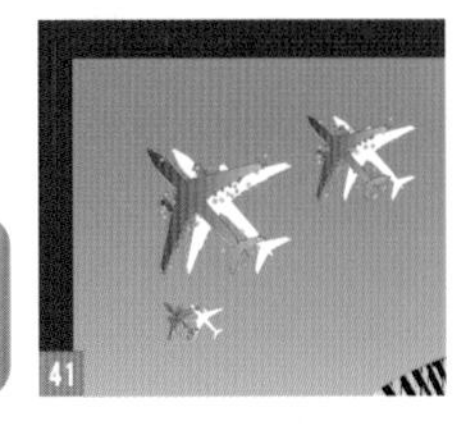

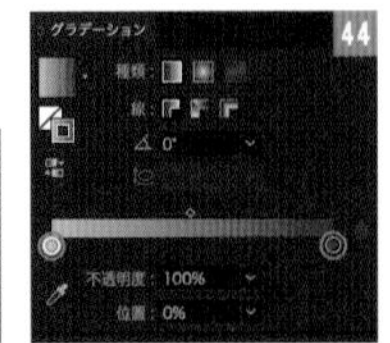

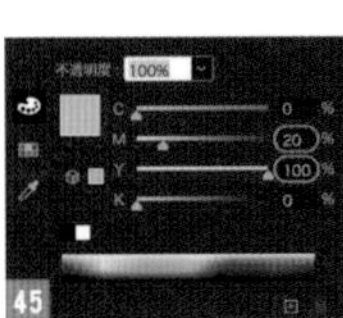

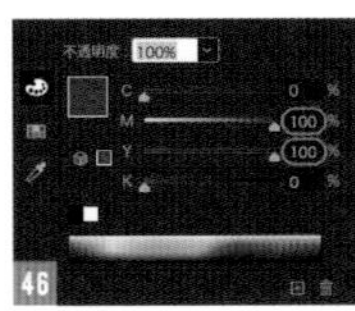

08 雲を配置する

[ファイル]→[配置]で素材[雲.psd]を配置します48。雲を配置したら、[ウィンドウ]→[透明]を選択し、[描画モード：スクリーン]に設定します49。雲が背景になじみました50。

option（alt）＋ドラッグで[雲.psd]を複製します。[オブジェクト]→[変形]→[リフレクト]を選択し51、ダイアログが表示されたら[リフレクトの軸：垂直]を選択して52、複製した[雲.psd]を水平方向に反転させます53。

今度は元の[雲.psd]と複製した[雲.psd]を選択、⌘（ctrl）＋Gキーでグループ化します。[オブジェクト]→[変形]→[リフレクト]で垂直方向に反転させてアートボード右側に配置します54。

09 アートボード上部に星を3つ配置する

ツールパネルの[楕円形ツール]で大[幅：6mm][高さ：6mm]、中[幅：3mm][高さ：3mm]、小[幅：2mm][高さ：2mm]の3つの正円を作ります55。[効果]→[パスの変形]→[パンク・膨張]を選択します56。ダイアログが表示されたら[収縮：-100%]に設定します57。星ができました58。

10 真ん中の正円にあしらいを追加する

素材[円あしらい.ai]を開き、真ん中の正円の周りに持ってきます59。

塗りはグラデーションに設定します60。始点を[C：100% Y：30%]61、終点を[C：0% M：0% Y：0% K：0%]62の[白]に設定します。グラデーションが設定できました63。アートボード正円の周りに配置するように位置を調整します64。

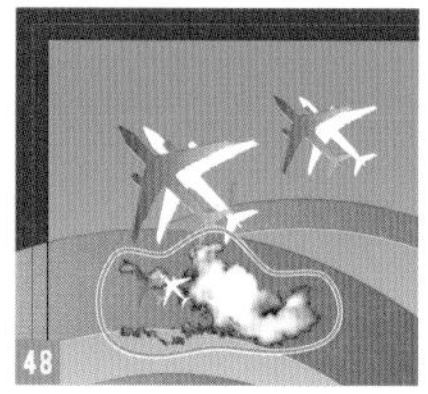
48

49

50

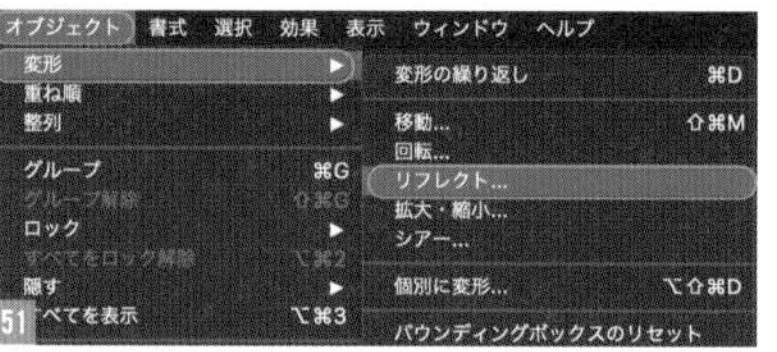

51

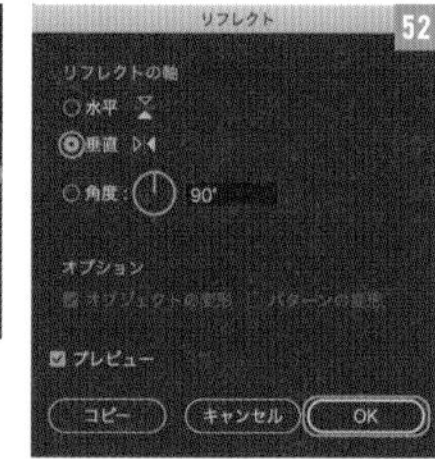

52

53

54

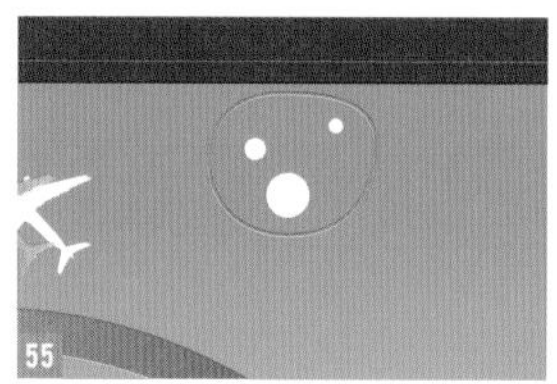
55

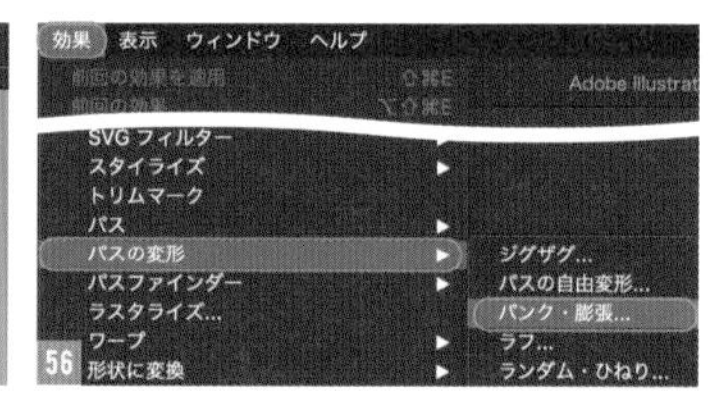

56

57

58

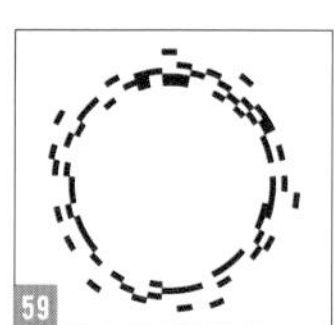
59

60

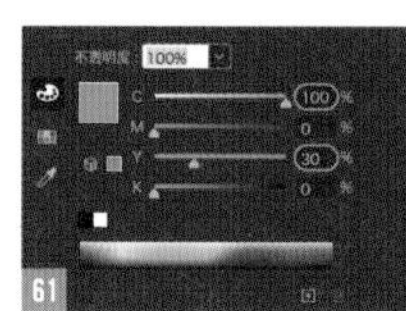

61

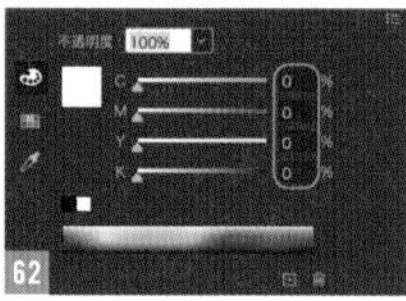

62

63

64

11 アートボード左上とアートボード下にテキストを配置する

最後にアートボード左上とアートボード下にテキストを配置します。左上のテキストは［塗り：無し］［線 C：0% M：0% Y：0% K：0%］の［白］に設定し、線は［線］パネルで［線幅：0.7pt］に設定します 65。完成です 66。

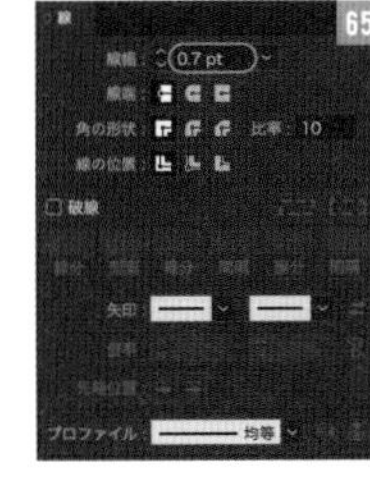

Column

素材の用意の仕方

このRecipeでは月やビルの素材の調整はすでに済んでおり、読者はすぐにレイアウトや配色の作業に取り掛かることができます。ただ、ご自身でデザインを作成する際は各素材をデザインに合わせるように調整して使用することになります。
素材の作り方の一例をご紹介いたします。

月の素材の用意の仕方
Photoshopで月の写真を開きます 01。ツールパネルの［楕円形ツール］02 を選択し［ツールモード］は［シェイプ］03 を選択します。月のレイヤーの下に楕円形を作ります 04。
楕円形オブジェクトを月の画像の下に配置したら 05、月のレイヤーを選択した状態で［右クリック］→［クリッピングマスクを作成］を選択します 06。下の楕円形オブジェクトの形に合わせて月の画像がマスクされます 07 08。
さらに［塗りつぶしまたは調整レイヤーを選択］→［レベル補正］および［色相・彩度］09 でコントラストを上げて 10、［彩度：0］に設定します 11。
これでデザインにうまくマッチするモノトーンの切り抜きの月ができました。作例ではこの画像を「月.psd」とし保存し使用しています 12。

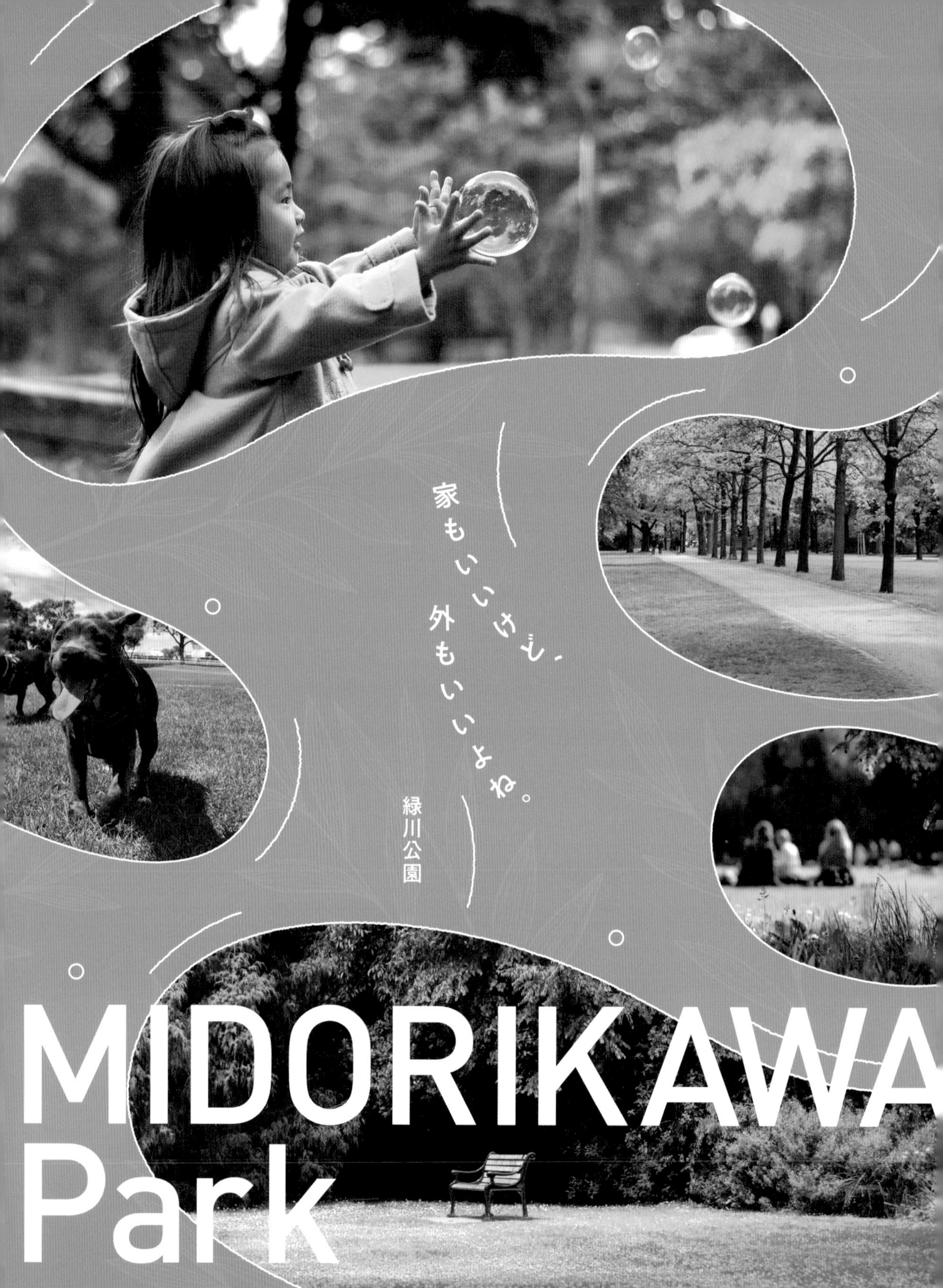
家もいいけど、
外もいいよね。
緑川公園
MIDORIKAWA
Park

Recipe 064

ナチュラルハーモニーの配色を意識する

ナチュラルハーモニーの配色を用いて、柔らかいデザインを作ります。

Design methods

01 ナチュラルハーモニーの配色とは

私たちが暮らす自然界の色の見え方をよく観察すると「光が当たる明るい部分は黄色みがかって見え」「影の部分は青みがかって見え」ています。これを利用した配色方法が「ナチュラルハーモニー」の配色です。デザインにおいても、明るく見せたい場所を黄みに近い暖色系の色に、暗く見せたい場所を青紫に近い寒色系の色にすると、自然で落ち着いた印象にまとまってきます 01 02。

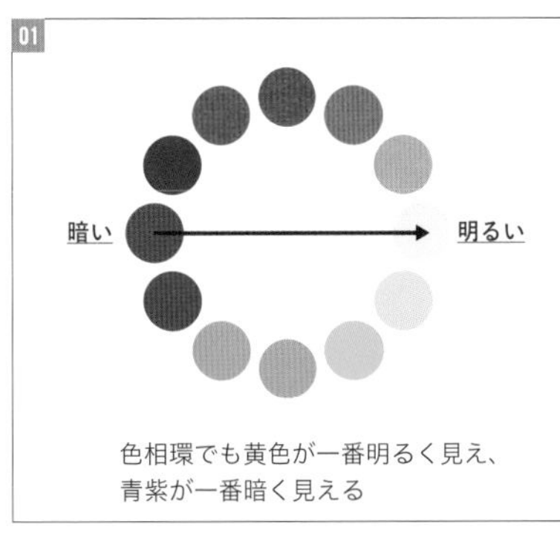

色相環でも黄色が一番明るく見え、青紫が一番暗く見える

葉の明るい所は黄色よりに、暗い所は青よりに見える

02 アートボードとベースを作成する

Illustratorを立ち上げて、[ファイル]→[新規]を選択し、[幅：182mm][高さ：232mm]としてアートボードを作成します 03。
ツールパネルから[長方形ツール]を選択し、[幅：182mm][高さ：232mm]と入力し 04、アートボードと同じサイズの長方形を作ります。長方形の塗りの色は[C：80% M：20% Y：90%]の緑色にします 05。色を少し青よりの緑にすることで植物の影のようなイメージになるようにしています。緑色の背景ができました 06。

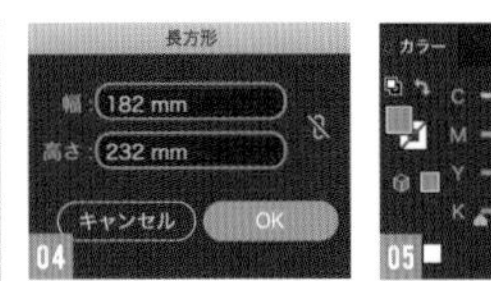

03 葉の線画をあしらった背景を作成する

素材[葉の線画.ai]を開きコピー＆ペーストで持ってきて葉の線画のオブジェクトを配置します。線画の塗りの色は白に設定します 07。[ウィンドウ]→[透明]を選択し、[不透明度：10%]に設定します 08。緑を基調とする背景ができました 09。

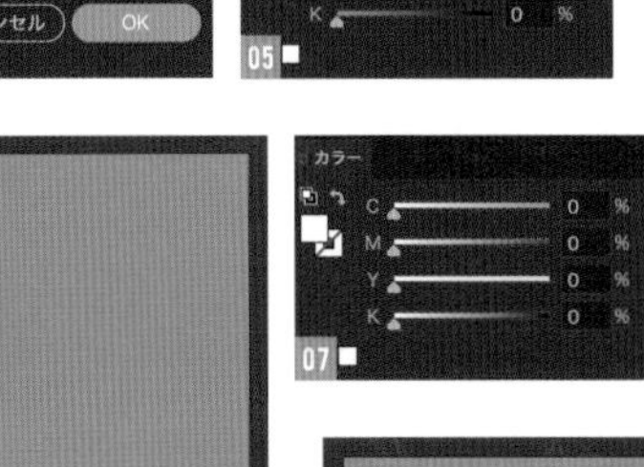

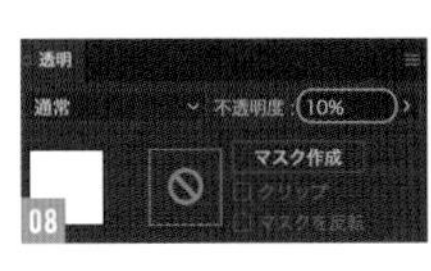

04 曲線を作成して、写真をクリッピングマスクする

ツールパネルから［ペンツール］を選択します。［ペンツール］で 10 のような曲線のオブジェクトを作成していきます。アートボードに重なる部分は綺麗な曲線を描くように意識し、アートボードの外の部分はある程度適当に作っても問題ありません。ただし後でマスクをかけるのでパスはつながるようにしてください。曲線が歪んでいる場合はツールパネルの［ダイレクト選択ツール］11 でアンカーポイントとハンドルの位置を調整して整えます 12。

線が描けたら、線の中に入る写真を配置していきます。［ファイル］→［配置］を選択し、素材［椅子.psd］［犬.psd］［根本.psd］［子供.psd］［林道.psd］をそれぞれ配置します 13。写真が配置できたら、先に描いた線を選択し、［右クリック］→［重ね順］→［最前面へ］を選択して、線を写真よりも上に配置します。それぞれ組み合わせる写真と線を同時に選択し、［右クリック］→［クリッピングマスクを作成］を選択し 14、写真をそれぞれの線でマスクします 15。

05 マスクした写真に手書き風の白い線を追加する

マスクをすると線が消えてしまうので、あらためてクリッピングマスクした写真を選択し、線の色を白に設定します。線幅は 1pt とします 16。さらに線に手描き感を追加するために、［効果］→［パスの変更］→［ラフ］を追加します。［ラフ］のダイアログが表示されたら［サイズ：0.05%］［詳細：100/inch］［ポイント：ギザギザ］と設定します 17。そうすることで、白い 1pt の線に小さいギザギザが入り手書き感が出ます 18。

06 手書き風の白い曲線のあしらいを追加する

ツールパネルから［ペンツール］を選択し、曲線のあしらいを追加していきます。［線幅：1pt］、線の色を［白］にし、囲み線に平行になるようなイメージで［ペンツール］で描いていきましょう。

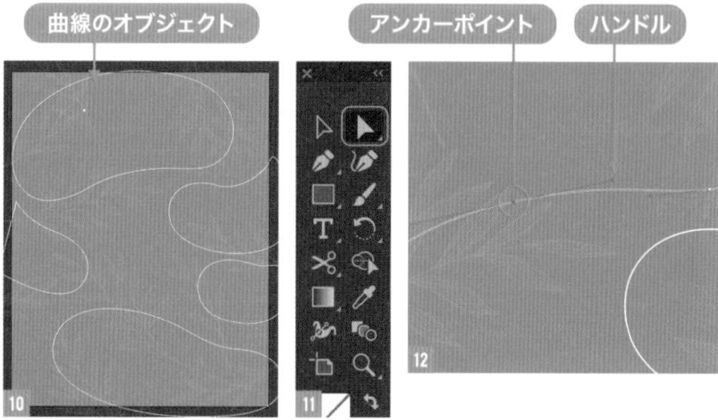

Point

ここで配置した写真は意識的にナチュラルハーモニーの配色のものを選んでいます。

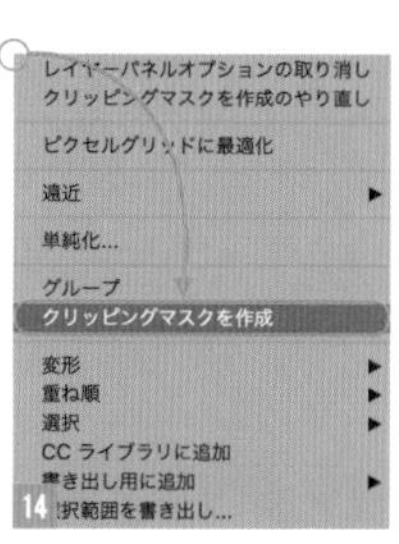

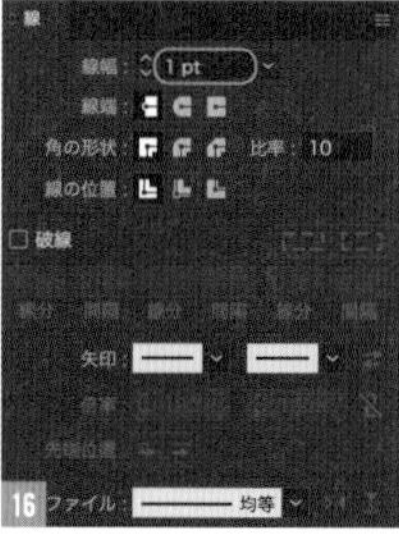

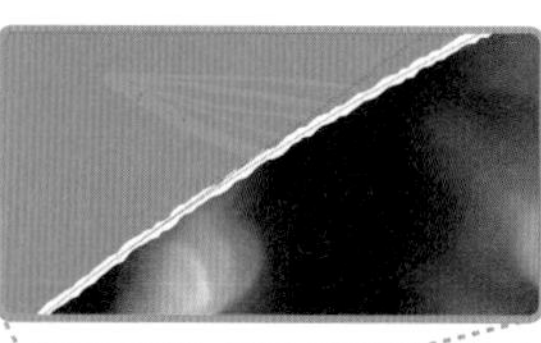

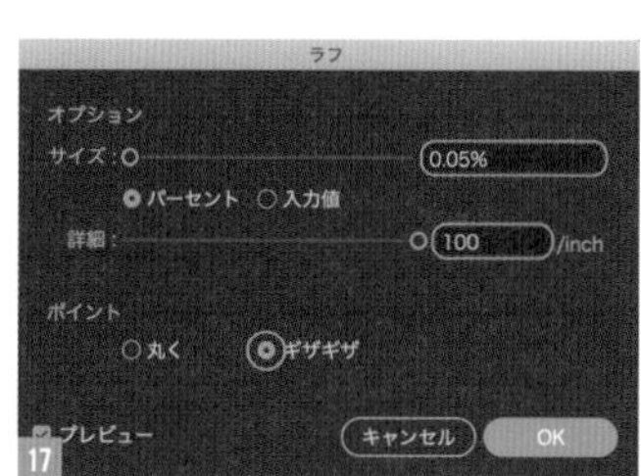

ペンツールで始点をクリック19し、線の端となる場所を再度クリック、その際にマウスを押したままハンドルを線をカーブさせたい方向に伸ばします。そうすると曲線が作成できます20。
同じ要領で他の場所にも線を追加していきます。小さな辺は［楕円形ツール］で作成します。また写真の枠線と同様に［ラフ］も追加します21 22。

07 コピーを追加する

素材［テキスト.txt］からアートボードの中央にコピーとなるテキストを追加します。コピーはパスで作成する曲線に合わせて配置するため、ツールパネルの［ペンツール］を使って、配置元になるパスを用意します23。パスを用意したらツールパネルの［文字縦ツール］を選択しパス上をクリック入力します24。その後、テキストの始点 / 中間点 / 終点にブラケットを調整してパス上でのテキストの位置を決めます25。
さらにタイトルをアートボード下部に追加します。26のようになりました。

08 白枠を追加する

ツールパネルから［長方形ツール］を選択し、アートボードをクリック、［幅：182mm］［高さ：232mm］と入力し、アートボードと同じサイズの長方形を作ります。長方形は［整列パネル］で［アートボードに整列］に設定をした状態で、［水平方向左に整列］［垂直方向上に整列］を選択し、アートボードと長方形をピッタリ重ね合わせます27。
［右クリック］→［重ね順］→［最前面へ］で長方形を一番手前のレイヤーに配置します28。長方形の線の色を白にして［線パネル］で［線幅：20pt］に設定すると、太い線でデザイン全体が囲まれます29。全体が明るく抜けがよくなりました。これで完成です。

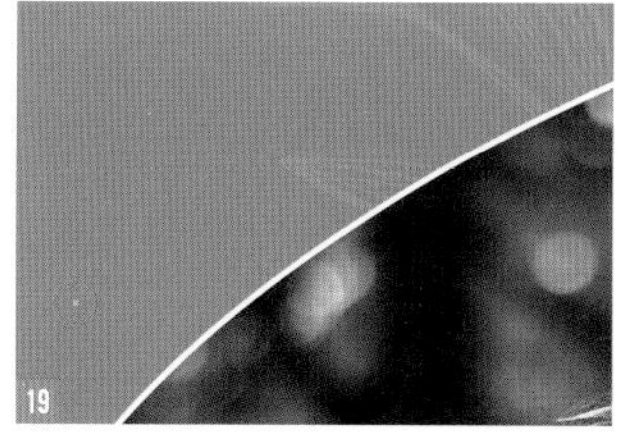
19

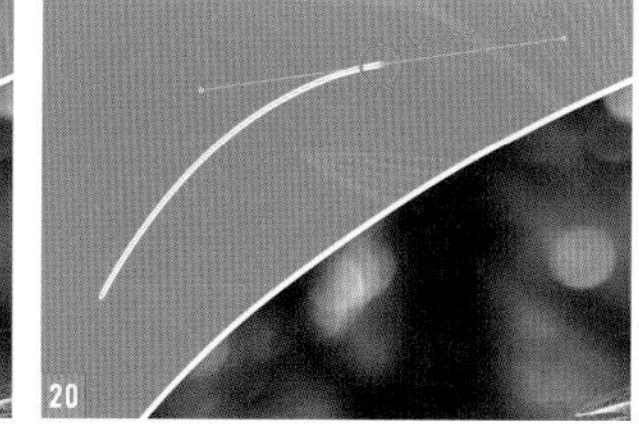
20

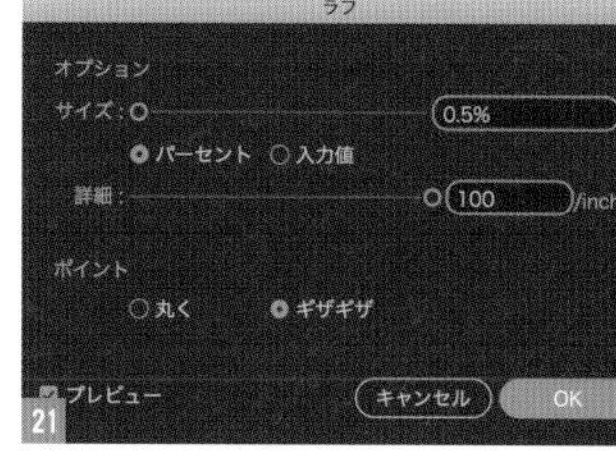

21

22

23

24

25

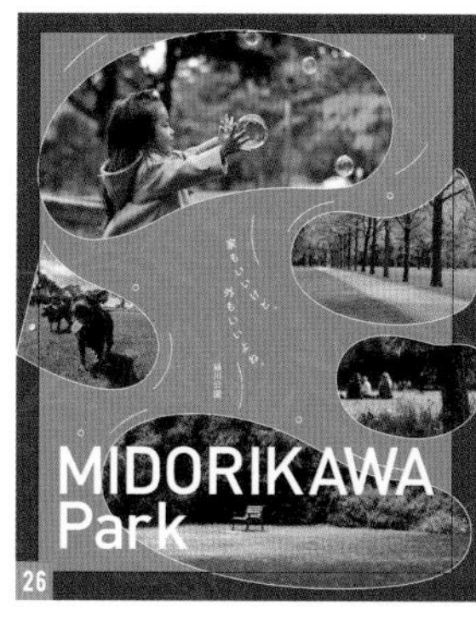

26

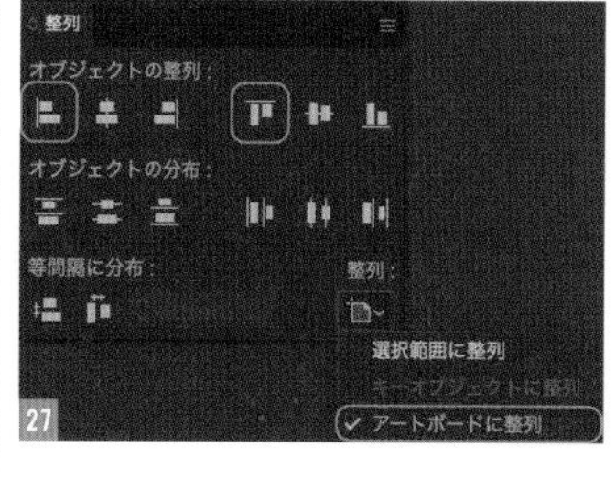

27

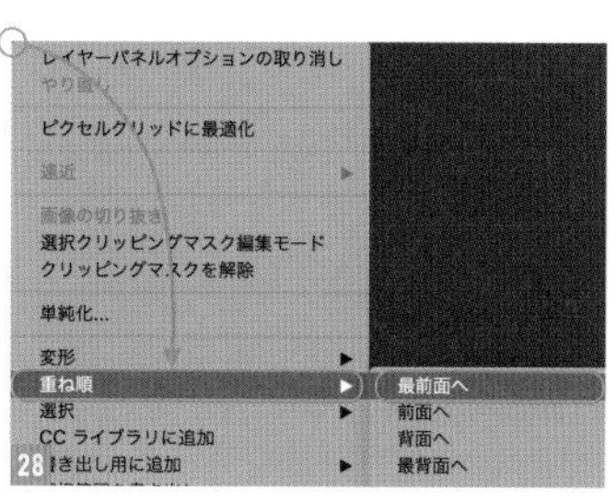

28

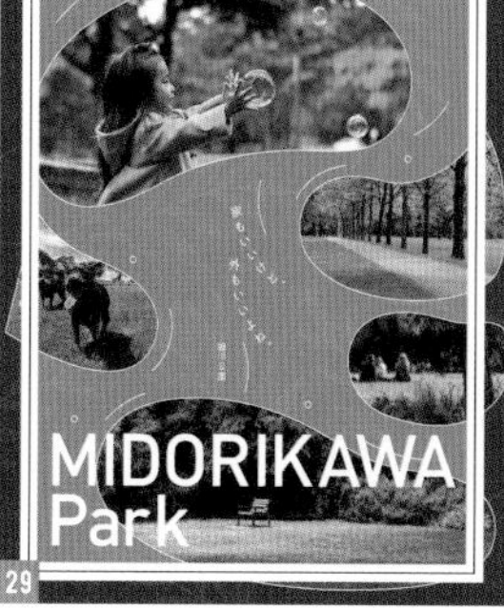

29

Recipe 065 コンプレックスハーモニーの配色を意識する

コンプレックスハーモニーの配色を用いて、あえて不調和のデザインを作り目立たせます。

Design methods

素材の一部

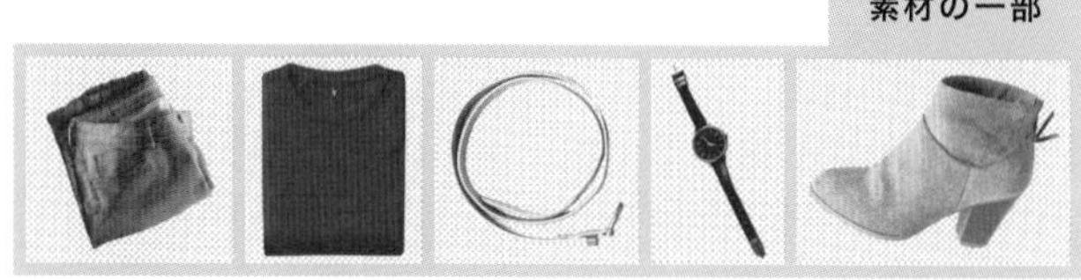

01 コンプレックスハーモニー配色とは

ナチュラルハーモニーとは反対の考え方で、「自然界の色の見え方に反した配色」になります。具体的には「黄みに近い暖色系の色を暗め」に、「青紫に近い寒色系の色を明るくする」とできあがってきます 01。

自然界では見慣れない配色なので「不調和の調和配色」とも言われています。意外性があり、新鮮な印象を与える配色が作れます。なお、ここで言う「コンプレックス」とは「複雑な」という意味です。

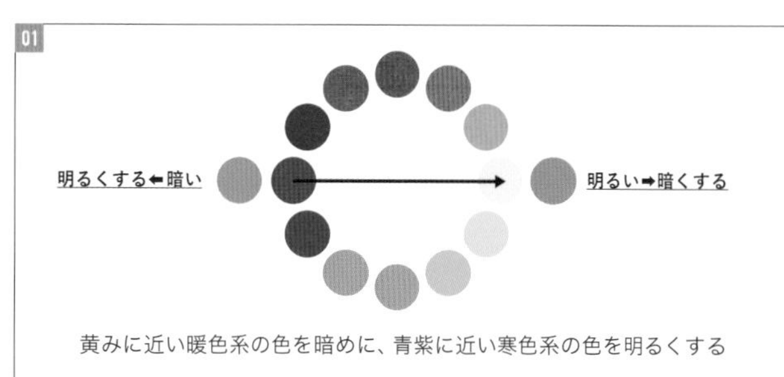

黄みに近い暖色系の色を暗めに、青紫に近い寒色系の色を明るくする

02 服や靴の写真を切り抜く

服や靴の写真の切り抜きはPhotoshopで行います。Photoshopを立ち上げて、素材[靴1-フルカラー.psd]を開きます 02。ツールパネルの[ペンツール]を選択し 03、画面上にあるオプションバーの[ツールモード]を[パス]にします 04。靴の輪郭に沿ってパスを引いていき、始点と終点をつなげ合わせます 05。

[ウィンドウ]→[パス]を選択し、今作成した[作業用パス]を選択します 06。その状態で、[レイヤー]→[ベクトルマスク]→[現在のパス]を選択します 07。[パス]で選択した作業用パスで画像がマスクされます 08。

ベクトルマスクを作成してでできた透明部分は、[イメージ]→[トリミング]を選択します 09。[トリミング]のダイアログが表示されたら[トリミング対象カラー：透明ピクセル]を選択 10 することで、透明以外の部分に合わせて画像が自動的にトリミングされます 11。

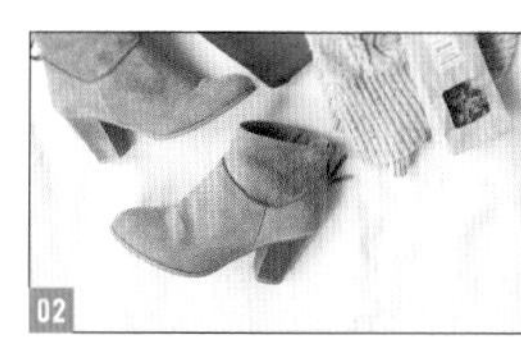

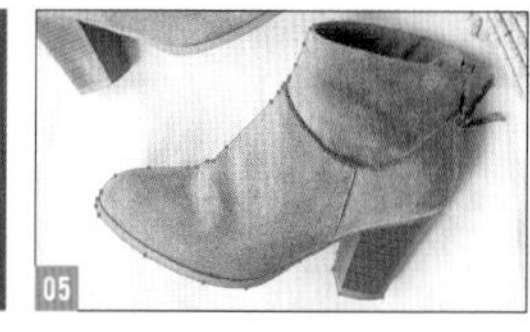

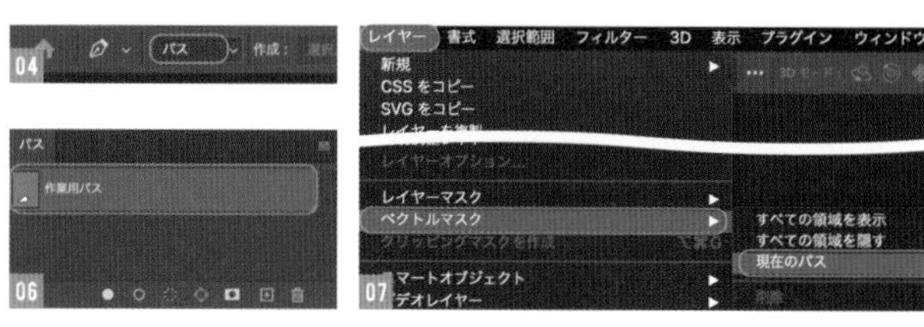

03 画像をダブルトーンにする

ダブルトーン（１版）とは、ブラック以外の単色インキでプリントされたグレースケール画像のことです。ダブルトーンに設定するには、まず画像を［イメージ］→［モード］→［グレースケール］と選択して、グレースケール画像にします 12 13。［イメージ］→［モード］→［ダブルトーン］に設定します 14。［ダブルトーンオプション］が表示されたら、［インキ1］を選択します 15。表示された［カラーピッカー］パネル 16 の［カラーライブラリ］ボタンを選択します。［カラーライブラリパネル］から任意の色を選択します。今回は［PANTONE 2757 C］を選択しました 17 18。写真がやや明るめの青になるように設定しています。

OKをクリックすると画像が単色カラーの画像に変換されます 19。同様に他の素材も揃えていきます。なお本書ではあらかじめ素材［ジーパン.psd］［トレーナー.psd］［ベルト.psd］［靴2.psd］［靴3.psd］［時計.psd］といった素材の切り抜きとダブルトーンの処理を行っている画像も用意してあります。

04 Illustratorでベースを作る

このデザインでは英字と画像が円を描くような流れになるようにレイアウトしていきます 20。

Illustratorを立ち上げて、［ファイル］→［新規］を選択、［横：182mm］［縦：232mm］としてアートボードを作成します 21。ツールパネルの「長方形ツール」を選択し、アートボードをクリックし、［幅：182mm］［高さ：232mm］と入力、アートボードと同じサイズの長方形を作ります 22。

長方形の塗りの色は［スウォッチ］パネルから［スウォッチライブラリを開く］→［カラーブック］→［PANTONE + Solid Coated］を選択します。表示されたパネルから［PANTONE 2757 C］を選択します。検索窓で「2757」と入力し見つけるとよいでしょう 23 24 先ほど作った長方形に塗りを適用します 25。

12

13

14

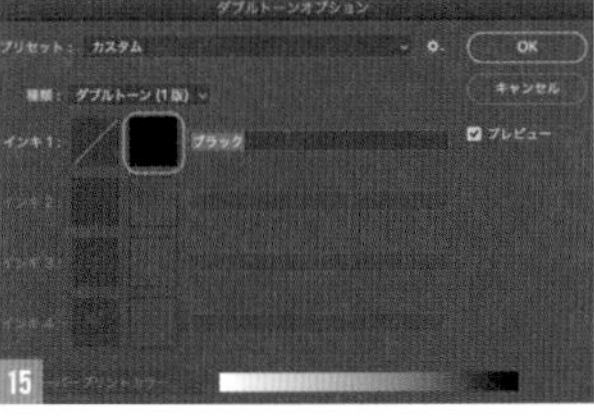

15

16

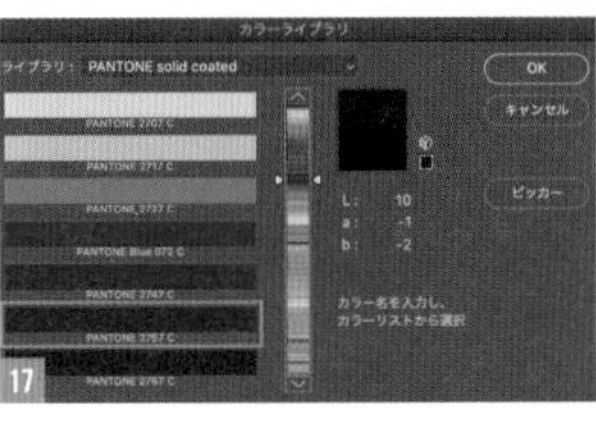

17

18

19

20

21

22

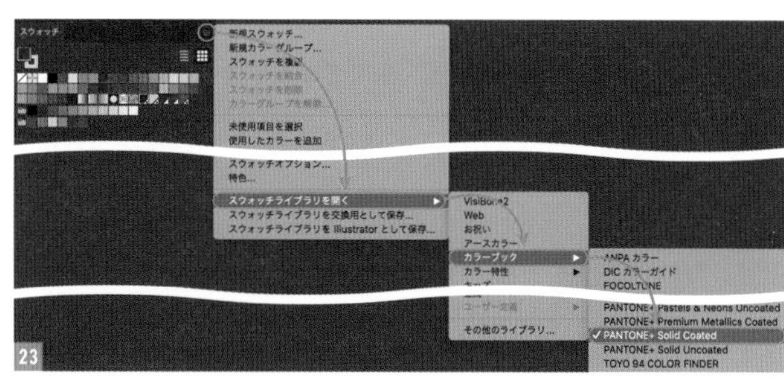

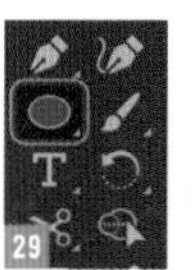

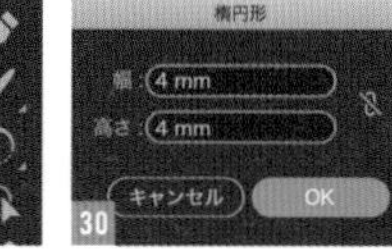

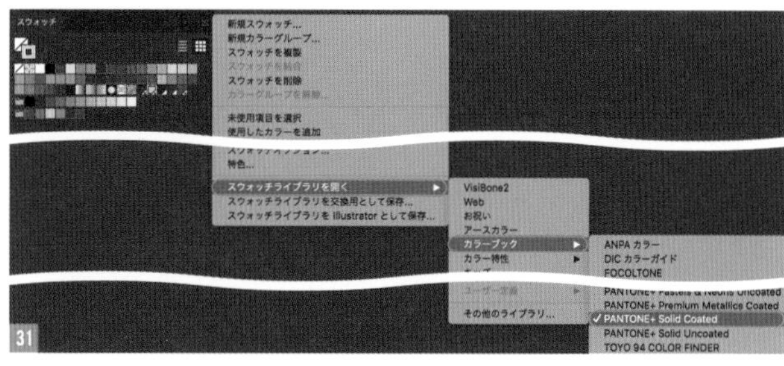

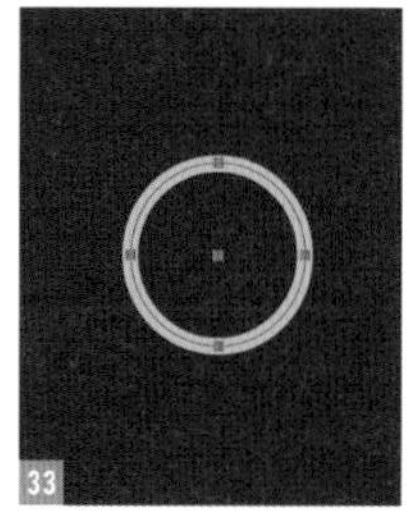

05 文字と画像をレイアウトする

英字と画像をレイアウトしていきます。文字はツールパネルから［回転ツール］を選択、ダブルクリックし、ダイアログに［角度:25%］と入力し、文字を「25°」左に傾けた状態でレイアウトします 26。また、文字のフォントサイズについては、同じサイズでなくバラツキを作ることで、デザインにメリハリをつけます 27。

［ファイル］→［配置］を選択し、［ジーパン.psd］［トレーナー .psd］［ベルト.psd］［靴 1.psd］［靴 2.psd］［靴 3.psd］［時計.psd］を配置していきます。角度、サイズ、重ね順にバラツキをつけ、デザインに動きをもたせます 28。

06 黄色の円を作成し配置する

ツールパネルから［楕円形ツール］を選択します 29。アートボードをクリックし、［幅：4mm］［高さ：4mm］と入力します 30。色は［スウォッチパネル］→［スウォッチライブラリを開く］→［カラーブック］→［PANTONE ＋ Solid Coated］ 31 から［PANTONE 389 C］を選びました 32 33。コンプレックスハーモニーになるように暗い黄色を選んでいます。

07 円を等間隔に並べる

円を選択した状態で［オブジェクト］→［パス］→［パスのオフセット］を選択します34。ダイアログが表示されたら［オフセット：1.5mm］［角の形状：マイター］［角の比率：4］と入力します35。すると最初に作った円の外側に半径3mm大きい円が作成されます。今度は新しくできた外側の線を選択して、同様の方法で［オフセット：1.5mm］［角の形状：マイター］［角の比率：4］と円をさらに外側に作成します36。これを数回繰り返し、等間隔に線を重ねた円を作成します37。円の重ねる数を調整した円を複数個作って、レイアウトします38。

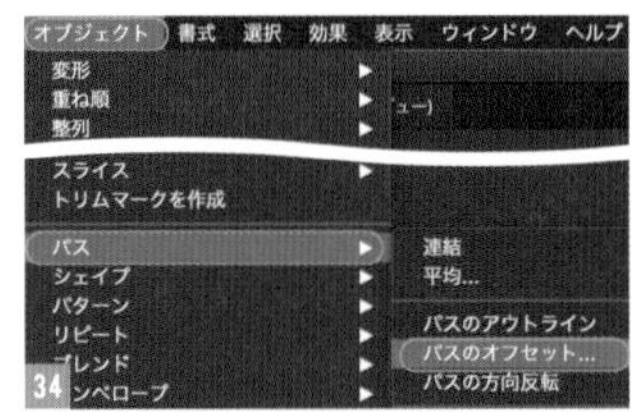

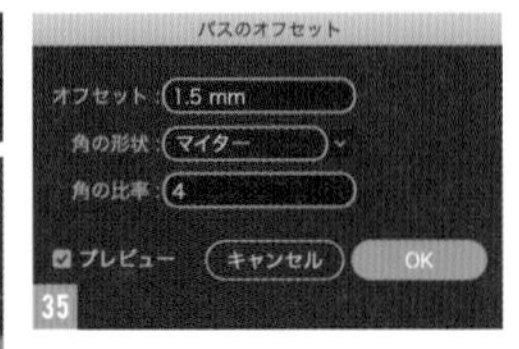

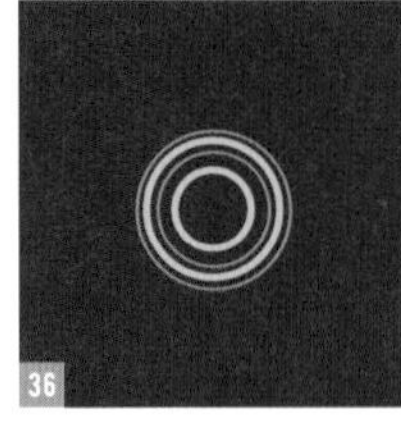

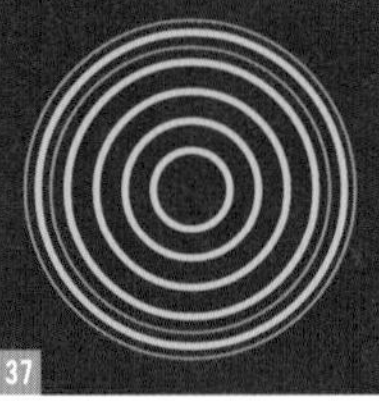

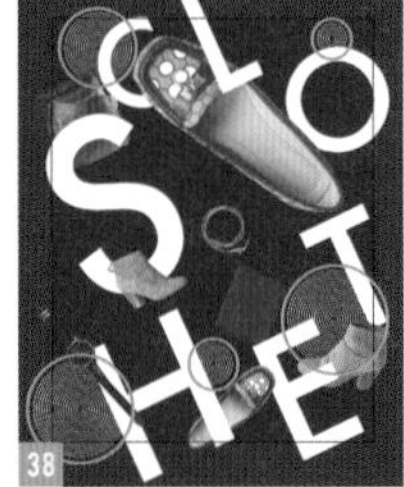

08 背景に黄色のグラデーションを組み合わせたあしらいを作る

ツールパネルから［ペンツール］を使用して39、台形を作成します40。台形の［塗り］はグラデーションに設定します。グラデーションの始点と終点の色は［PANTONE 389 C］41に設定します。この状態で始点を［不透明度：0%］に設定42すると透明〜PANTONE 389 Cのグラデーションを作成することができます。

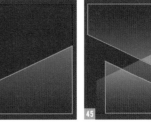

さらにオブジェクト全体の不透明度を［透明パネル］で［不透明度：50%］に設定します43 44。同様の方法でさらに2つ台形を作成して組み合わせます45。黄みに近い暖色系の色を暗めにし、青紫に近い寒色系の色を明るくすることを意識してまとめました。自然界では見られない配色でまとめることで、デザインが目立ちます。完成です46。

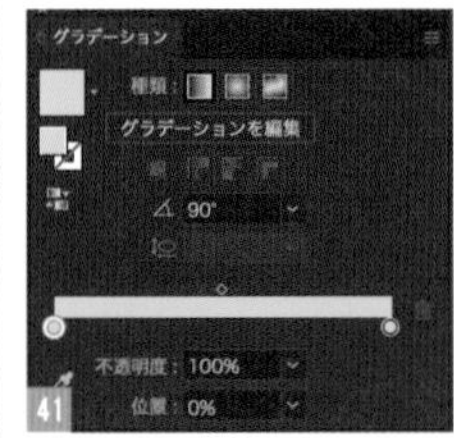

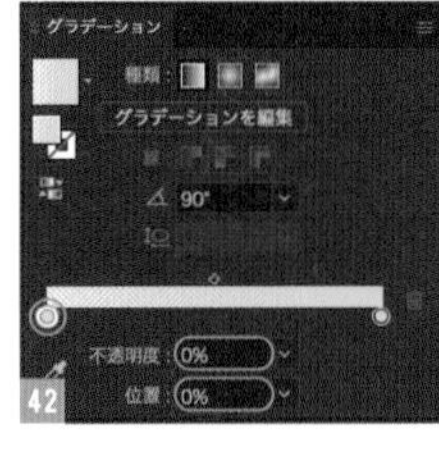

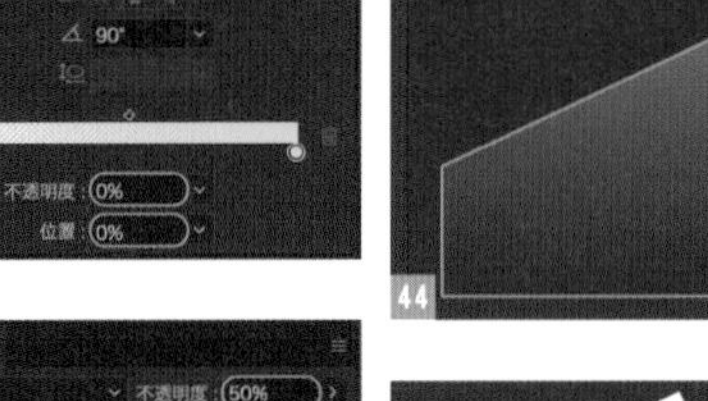

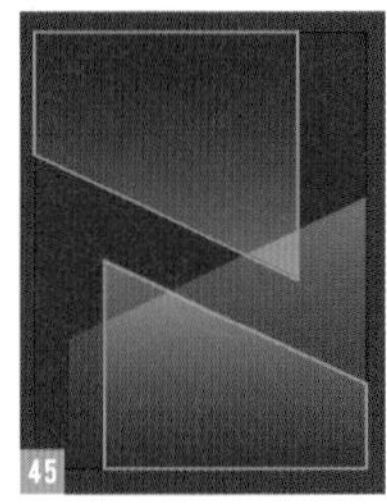

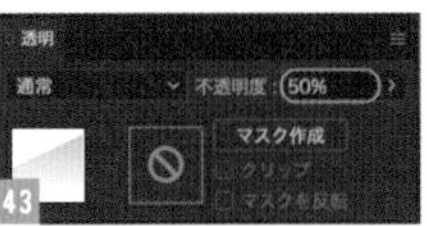

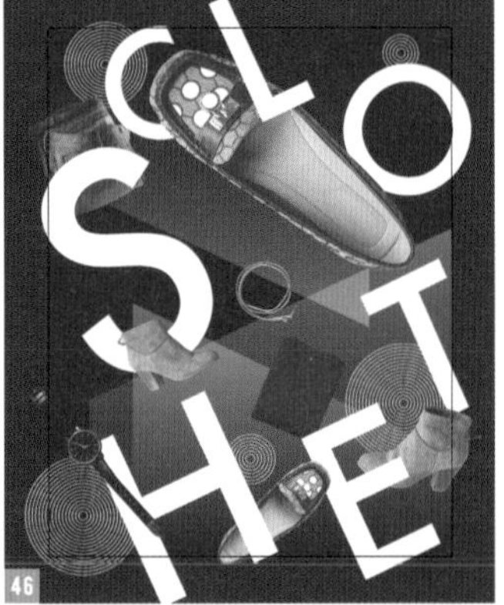

Chapter 05

タイポグラフィ

「タイポグラフィ（タイポ）」は情報伝達の速度を早める重要な要素です。文字を扱うデザイナーなら一通り学んでおくとよいでしょう。
文字にデザインを加えることで、情報を伝えるだけでなく、情報のイメージを可視化することができます。
作例を通じて効果的なイメージの作り方を学んでいきましょう。

Typography

X THEATER
2021. OCT. 19th
[rith-uhm]

Recipe

066

タイポを変形して ビジュアルを作る

タイポグラフィ（タイポ）をテーマに合わせて変形し、メインビジュアルとして使う方法を紹介します。

Design methods

素材

Rhythm

01 テーマに沿って フォントを決める

今回、ダンスパフォーマーの公演タイトルを「Rhythm」と仮定し、告知ポスターのデザインを制作します。ダンスの力強い動きと、音楽のイコライザーのビジュアル 01 から来るイメージを膨らませ、[フォント：BodiniFLF] [フォントスタイル：Bold] を選びました 02。縦と横のラインの太さに大きな差があり、イコライザーの縦の動きをイメージするのによいと考えました。

01

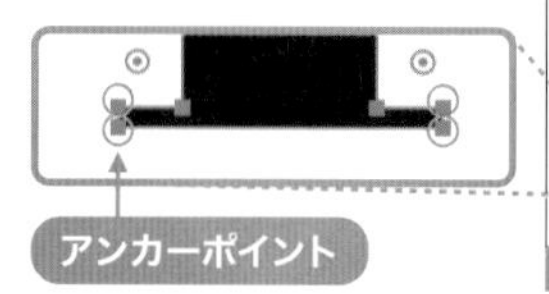

02
03

02 大まかにタイポに変化をつける

Illustratorを立ち上げて、あらかじめアウトラインしておいた素材[タイポグラフィ.ai]を開きます。ツールパネルから[ダイレクト選択ツール]を選択し、タイポ 03 のアンカーポイントを個別に選択して変形していきます。

[ダイレクト選択ツール]で選択してドラッグするとドラッグした範囲のアンカーポイントを選択し動かすことができます 04 05。大きく動かしながらバランスを取っていきます。

さらに 06 のように文字の直線方向に動かしバランスをとります 07。

動きが出てきた分まとまりが弱く感じるので、文字同士の端を繋げて一体感を出していきます 08。全体を調整しました 09。後で大きく変更するのは、イメージが固まり動かしにくくなります。一体感を意識して進めていくとよいでしょう。

04

05

06

07

08

09

03 細かくバランスを調整する

上下の動きに比べて縦のラインの並びが少し単調に見えるので、10 のように縦のラインの幅に変化を持たせ、動きをつけます 11。

さらに 12 のように細かい部分を調整します。動きが出るようになるべく上下の先端が水平に並ばないように調整します。完成です 13。

作例では白文字に変え、ダンスの画像に合わせてレイアウトを行いました。ダンスの力強さに負けない文字が作れています。

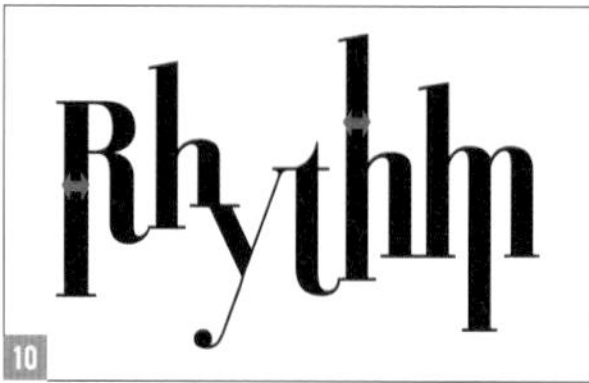
10

11

12

13

tomato
restaurant
Address 東京都 港区 六本木 2-4-5
Tel 012-3456-7890
Mail tomato@restaurant.jp
Map
交番
コンビニ
Here!

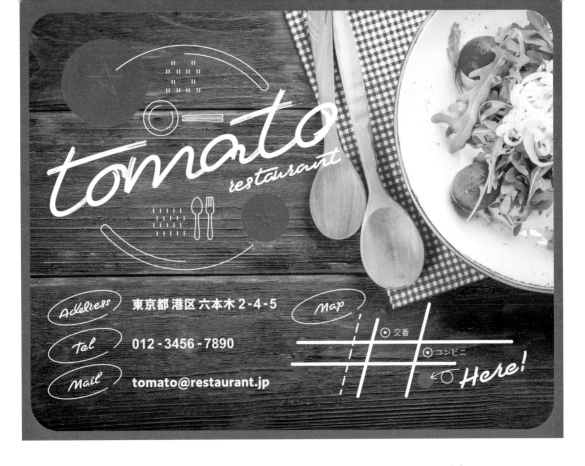

Recipe

067 手書き風のフォントを使う

手書きの書体を使用するとそれだけで、デザイン全体に温かでやさしい雰囲気を作ることができます。

Design methods

素材

01 ファイルを新規作成する

Illustratorを立ち上げて、[ファイル]→[新規]を選択し、[幅：232mm][高さ：182mm]としてアートボードを作成します 01。[ファイル]→[配置]を選択し、[bg.psd]を配置します 02。

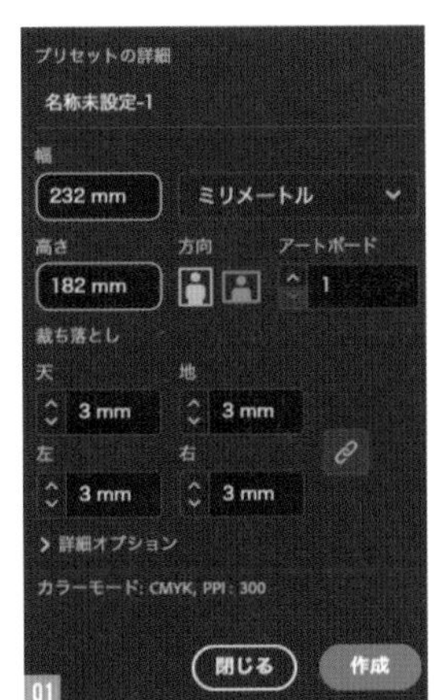

01

02

02 タイトルのテキストを配置する

ツールパネルから［文字ツール］を選択し、「tomato」「restaurant」の欧文を入力します。明るい印象の写真に合うように明るくポップな書体を探します。

ここでは「tomato」を［Duos Brush Pro Regular］［114pt］03、「restaurant」を［Duos Brush Pro Black］［25pt］04と手書き風のフォントにしました。塗りの色は両方とも［白］に設定します05 06。

文字を選択し、ツールパネルから［回転ツール］07をダブルクリックします。ダイアログが表示されたら［角度：15°］08と入力し、15°タイトルを傾けます09。

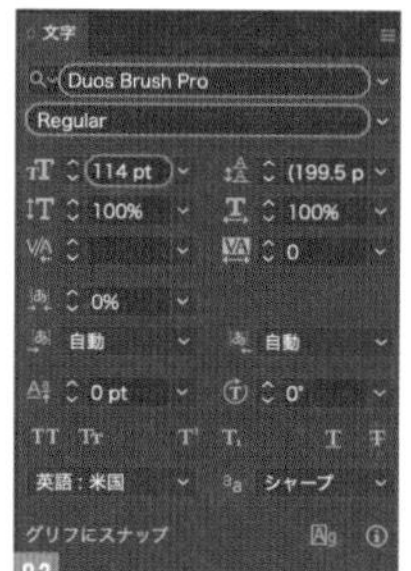

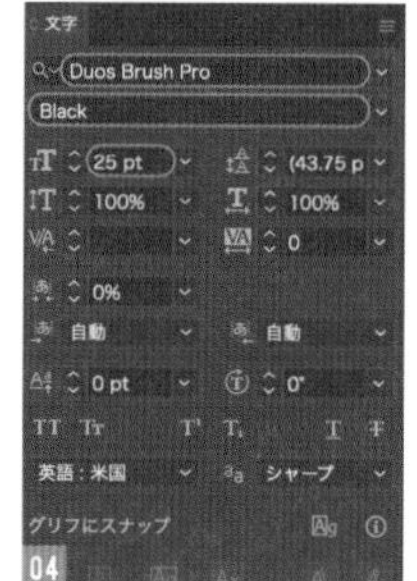

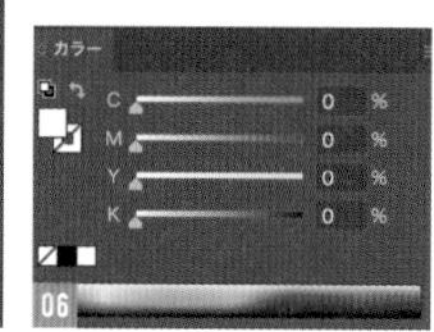

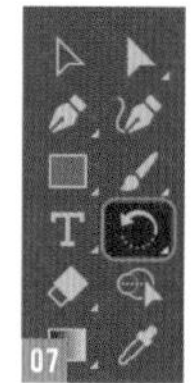

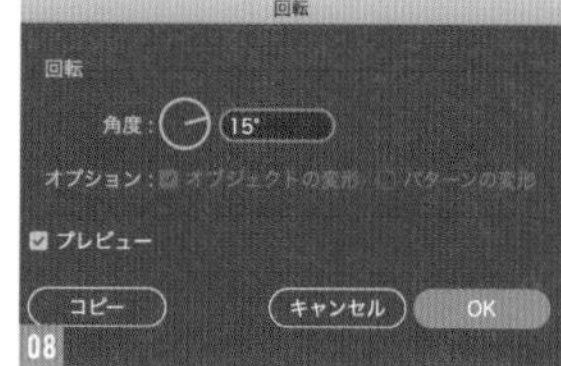

Point

手書きの書体は文字と文字との間を［カーニング］を調整して意図的に繋げることで、ばらつきもなくなり綺麗に配置することができます10。

［カーニング］は調整したい箇所にマウスカーソルを合わせて option（alt）+← or →キーで20ずつ段階的に調整することができます。⌘（ctrl）+ option（alt）+← or →キーでは100ずつ段階的にカーニングを調整することができます。

03 正円をパーツとして使う

ツールパネルから［楕円形ツール］を選択してアートボードをクリックし［幅：90mm］［高さ：90mm］の正円を作成します11。［ウィンドウ］→［線］を選択し、［線幅：10pt］［線端：丸型線端］と設定します12 13。

ツールパネルから［ペンツール］を選択して14、任意の場所にアンカーポイントを追加します15。ここでは下段に2か所追加しました。下の円弧だけ残したいので、上の円にかかっているアンカーポイントを選択し、delete キーで削除します16。

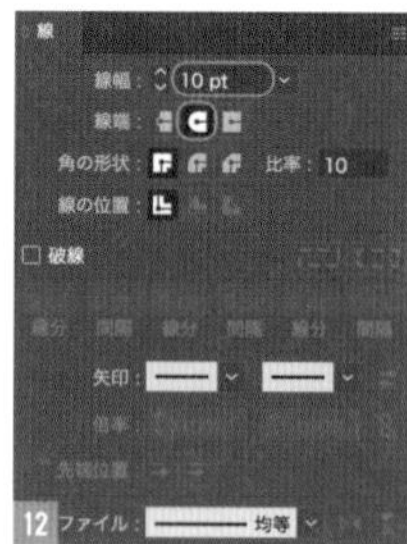

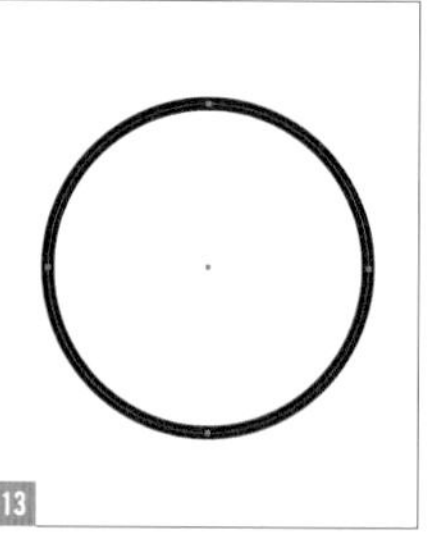

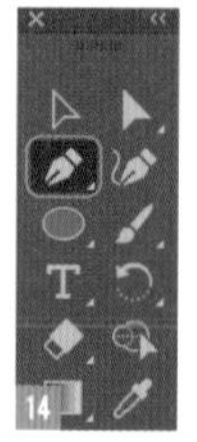

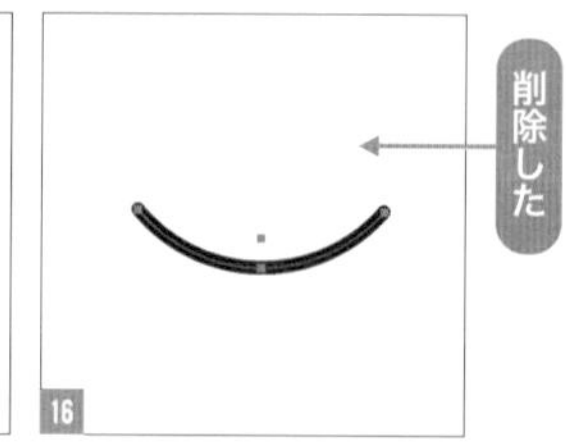

04 手書きの文字に合う やさしいあしらいのパーツを作る

[オブジェクト]→[パス]→[パスのアウトライン] 17 を選択してアウトライン化します 18。アウトライン化した線は[線]パネルで[線幅:1.2pt][線端:丸型線端]に設定します 19。手書きに合わせ、線も丸くし、やさしく揃えていきます。20 のようになりました。

右端のアンカーポイント2点を削除し 21、さらに右側の線端を少し短くするために、ツールパネルの[ペンツール]で右端にアンカーポイントを追加して 22、最右線端のアンカーポイントを削除します 23。

この線のあしらいはコピーし、ツールパネルの[回転ツール]で[角度:180°]回転させ、点対称にします 24。線の色を[白]にして、文字の上下に配置します 25。

線のあしらいを作ったように[ペンツール]で各種のアイコンを作成します 26。線を丸く、やさしく作っていきましょう。できたアイコンは線の色を[白]に設定し、文字まわりに配置します 27。

05 トマトのかわいいモチーフを作成しタイトル回りをまとめる

ツールパネルから[楕円形ツール]を選択し、shift +ドラッグをしながら正円を作ります。塗りは[M:100% Y:100%] 28 にします 29。

ヘタの部分はツールパネルから[スターツール]を選択し 30、星型のオブジェクトを作成します。ヘタの色は[緑(C:100% M:60% Y:100%)] 31 に設定します 32。さらに真ん中に小さい正円を作成してトマトのモチーフは完成です 33。先ほど作った線やアイコンのあしらいと合わせてタイトルをまとめます 34。

作例ではこの他に住所や地図などのパーツも手書きに合うようにかわいらしく作成しデザインを完成させています。

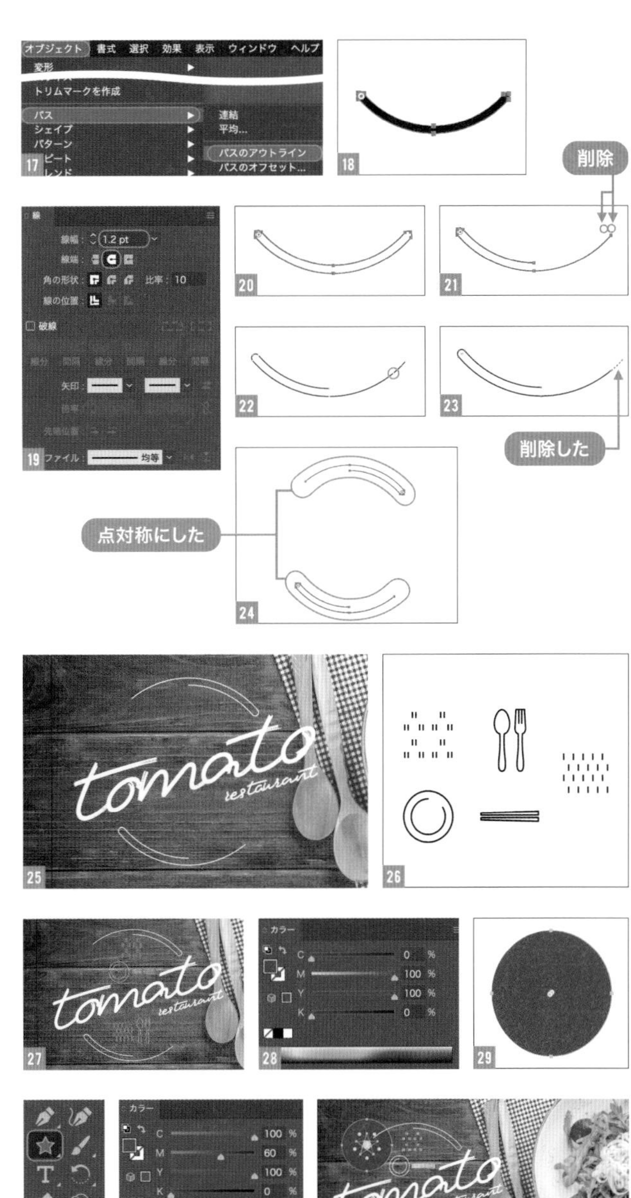

B E A
U T I
ALL SEASONS
F U L
F L O W E R S

Recipe

068 タイポを散らしたデザインを作る

文字数の少ないタイトルの時にあえてタイポグラフィを散らし、デザインを作っていきます。

Design methods

花びらに寄った繊細な写真を大きく使い、画面全体にタイポを散らして写真を広く見せます。

01 写真を配置する

花を題材にした書籍の表紙を想定して制作します。

Illustratorを立ち上げて、素材[レイアウト.ai]を開きます。あらかじめアートボードまで制作してあります。

レイヤー[写真]を選択します。[ファイル]→[配置]を選択し 01 、[素材.psd]を選びます。アートボードの中央に配置します 02 。

続けてツールパネルから[長方形ツール]を選択、描画エリアでクリックし[幅：182mm][高さ：232mm]で長方形を作成し、アートボード中央に配置します 03 04 。

ツールパネルから[選択ツール]を選び、先ほど配置した[長方形]と[素材.psd]を選択し 05 、[オブジェクト]→[クリッピングマスク]→[作成]を選択します 06 。写真の配置が完成しました 07 。

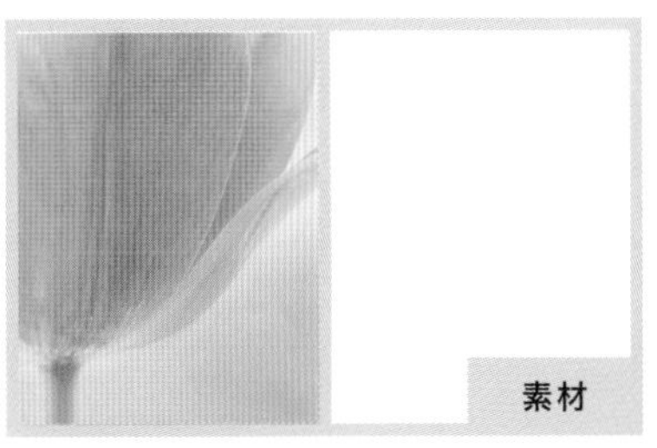

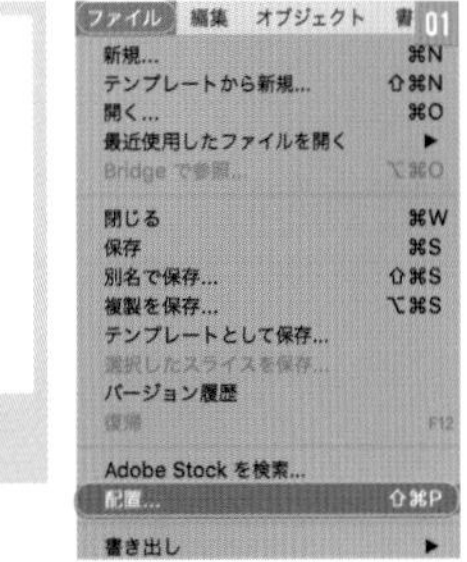

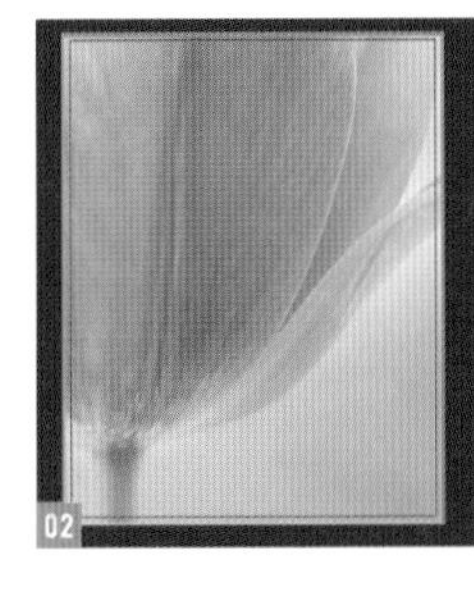

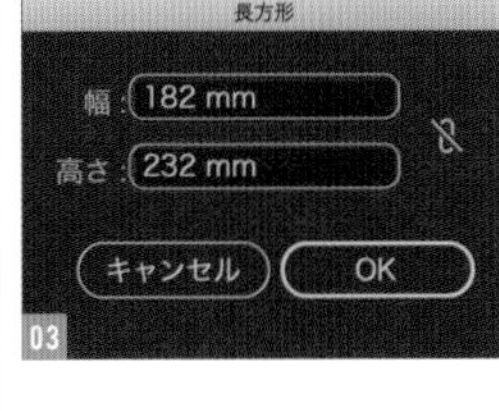

長方形と素材を選択

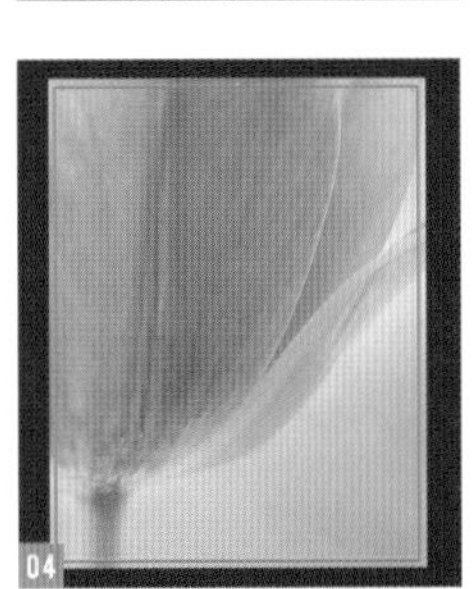

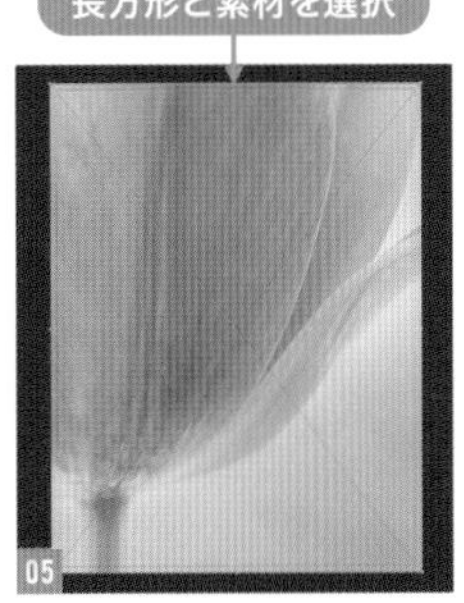

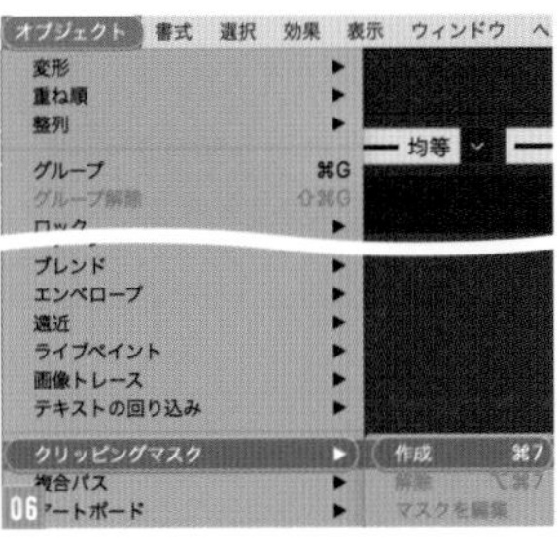

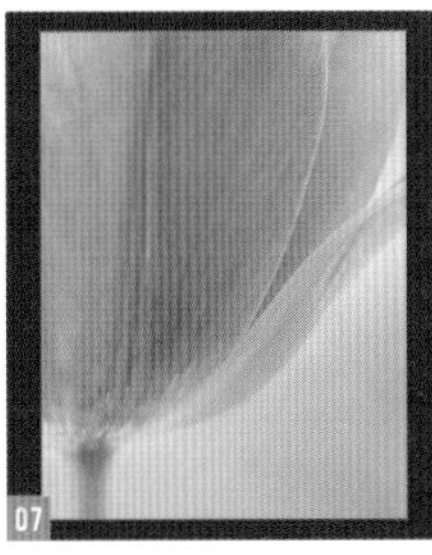

02 文字をレイアウトする

ツールパネルから［文字ツール］を選び、「BEAUTIFUL」と入力 08、［フォント：Baskerville URW］［フォントスタイル：Regular］［サイズ：70pt］、カラーを［白］としています 09 10。

今回、花の凜とした印象を保つため、無秩序に文字を配置せず、11 のように格子状のグリッドに沿って配置し規則性を持たせます。

08

09

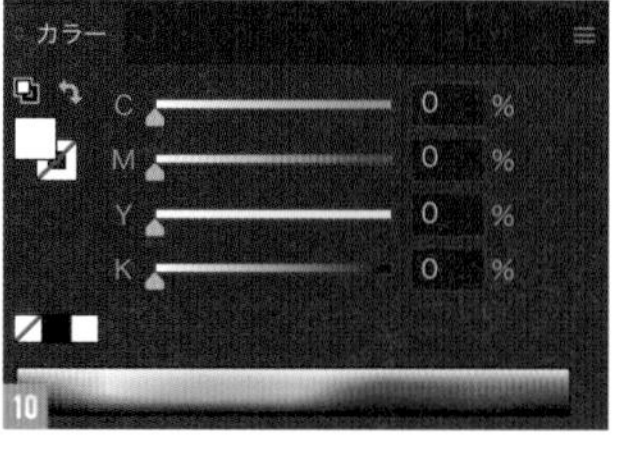

10

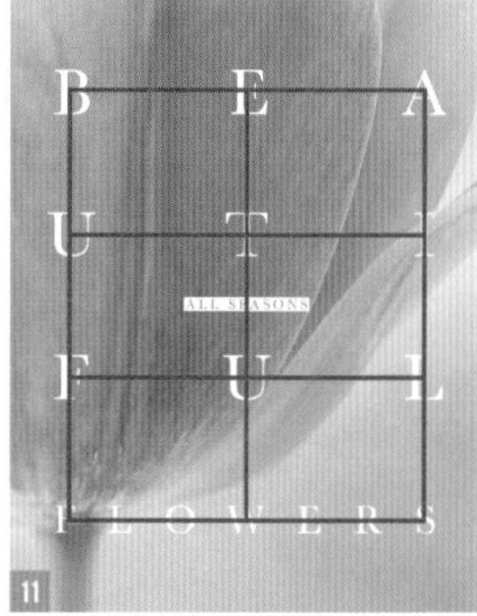

11

Point

「BEAUTIFUL」の文字は1文字1文字の間隔を空けるため、1文字ずつ分けて入力するか、［書式］→［アウトラインを作成］でアウトライン化し、1文字ずつ動かして配置するとよいでしょう 12。

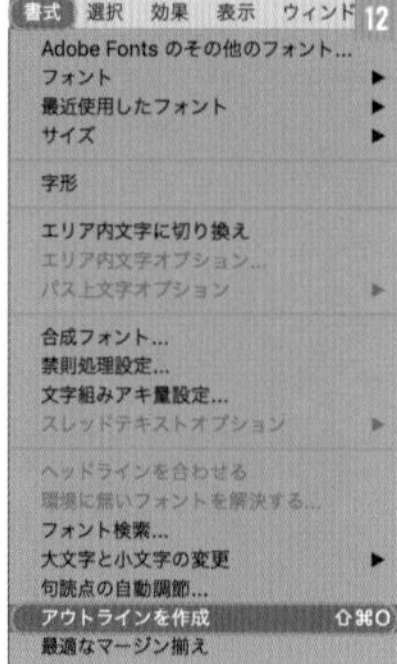

12

作業の進め方としては上から3文字ずつ、グリッドに沿って配置していくとよいでしょう 13 14 15。

追加で［FLOWERS］と入力し、グリッドに合わせて配置します 16。

全体のバランスを取るため、17 のように文字の空きの間隔を揃えて配置します。

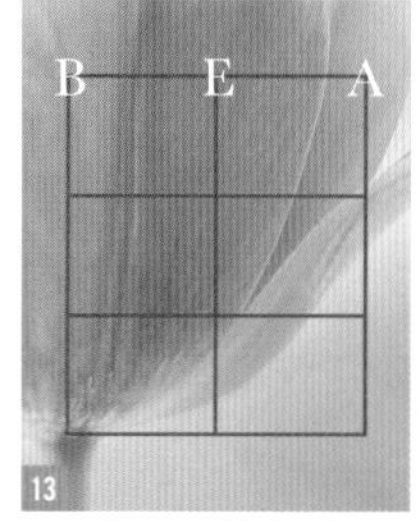

13

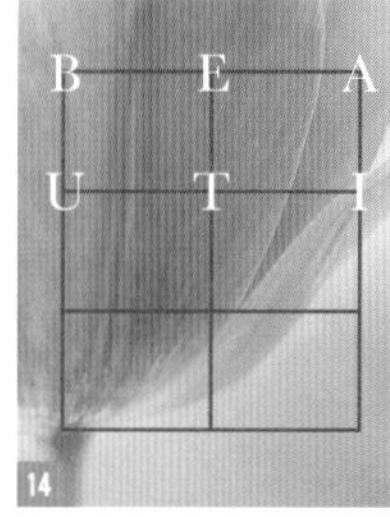

14

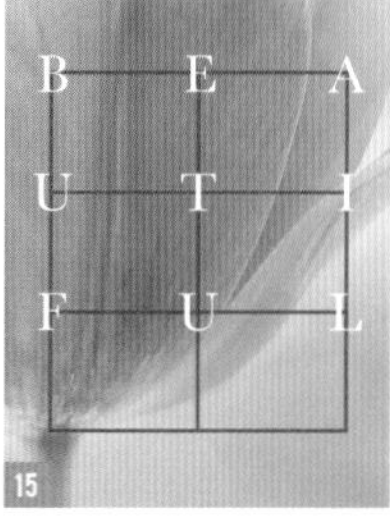

15

16

17

03 中心に帯ありの文字を配置する

最後に中心の画面中央に文字を配置します。アクセントにするため背景に白の帯を入れてから文字を配置します。

ツールパネルから［長方形ツール］を選択、［幅：47mm］［高さ：5mm］の［白］の帯を配置します 18 19。

ツールパネルから［文字入力ツール］を選択し「ALL SEASONS」と入力します 20。文字の設定は［フォント：Baskerville URW］［フォントスタイル：Regular］［サイズ：14.5pt］［カーニング：オプティカル］［トラッキング：240］、［段落：中央揃え］です 21 22。カラーを花の色に合わせ［M：70 Y：10］として文字を帯上に配置します 23。デザインが完成しました。

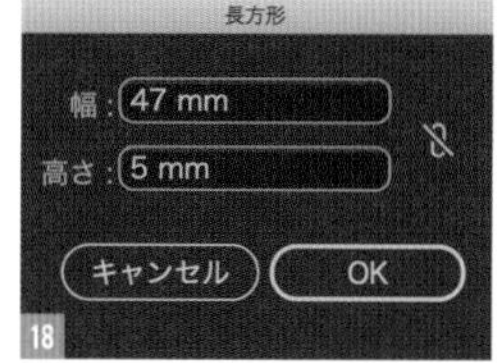

18

19

20

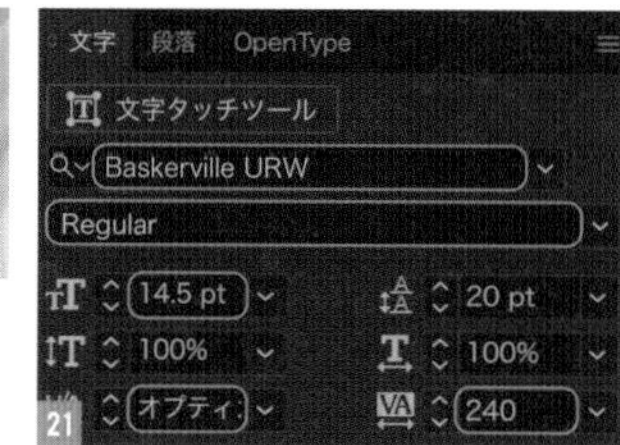

21

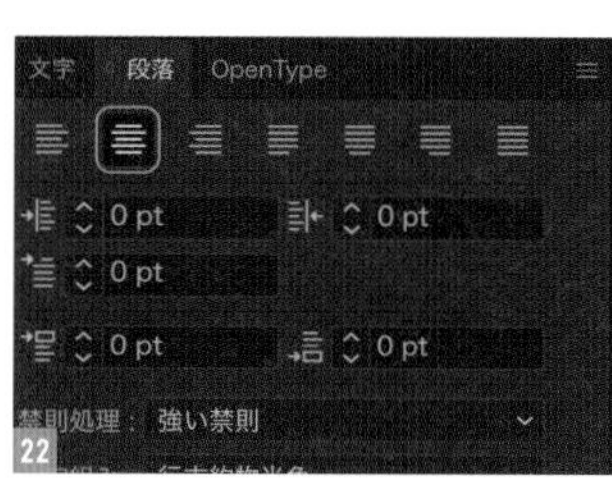

22

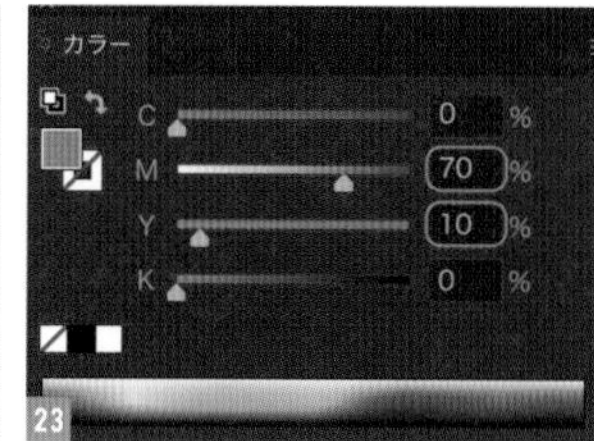

23

Column

文字の大きさに差をつける

［BEAUTIFUL］＞［FLOWERS］＞［ALL SEASONS］と3段階で文字の大きさに差をつけています。

文字のサイズに緩急をつけることで画面にメリハリを作ることができます。もし緩急をつけずに配置すると右図のように中途半端な画面になってしまいます。タイポグラフィを見せるデザインでは画面全体のバランスに注意しつつ、文字の大きさ、間隔を調整して決めていきましょう。

EXTRA
Happy Valentine
CHOCOLATE

Recipe

069

異なるフォントを重ねる

関連性のあるワードを異なるフォントで重ねることでテーマを深掘りし、まとめます。

Design methods

01 ベースになるフォントを選ぶ

バレンタインデーのキャンペーンの告知フライヤーを想定して作ります。
Illustratorを立ち上げて、素材[レイアウト.ai]を開きます 01 。あらかじめ[素材.psd]と茶色のグラデーションで背景を作ってあります。

レイヤー[レイアウト]を選択し、文字を決めていきます。
ツールパネルから[文字ツール]を選び、「EXTRA CHOCOLATE」と入力、「EXTRA」で改行します 02。テキストは素材[テキスト.txt]から適宜コピーしていってもよいでしょう。
文字の設定は[フォント:Copperplate][フォントスタイル:Bold][サイズ:72pt][行送り:72pt][カーニング:オプティカル][トラッキング:0]、[段落:中央揃え]としました 03 04。色は[C:20 M:40 Y:60]としています 05。
フォントと色は「EXTRA CHOCOLATE」のイメージに合うように、視認性の高い太めで品のある書体と落ち着いた金色を選びました。

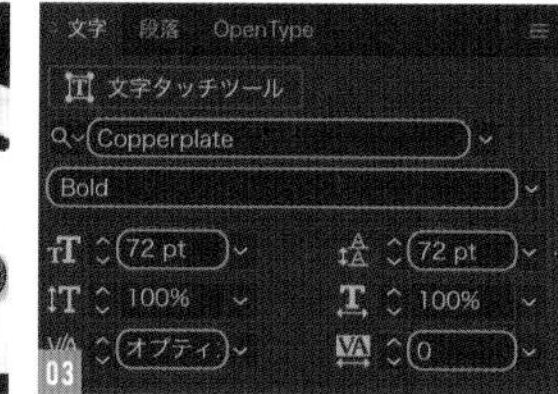

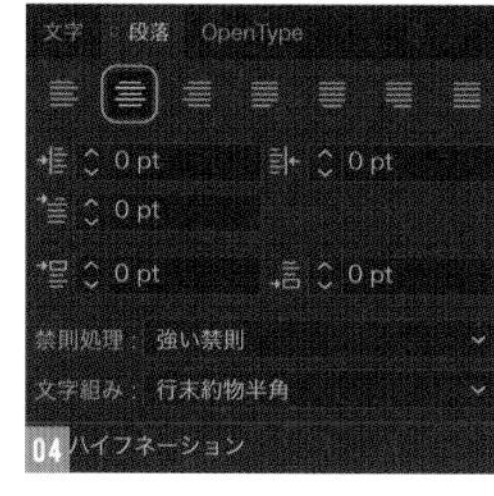

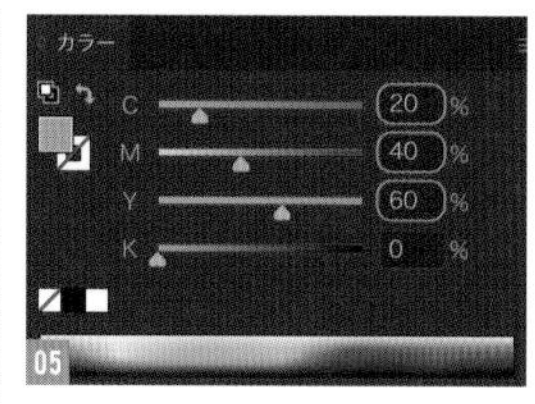

02 重ねるフォントを選ぶ

先ほどレイアウトした「Copperplate」のフォントに合うように、重ねるフォントを選びます。
ツールパネルの[文字ツール]を選択、「Happy Valentine」と入力します。「EXTRA」と「CHOCOLATE」の間に配置します 06。[フォント:Gautreaux][フォントスタイル:Bold][サイズ:47pt][カーニング:オプティカル][トラッキング:0]、[段落:中央揃え]としています 07 08。色は[M:100 Y:100 K:15]としています 09。品と手書き感のある書体で温かみを出し、赤いチョコに合わせて少し落ち着いた赤を使っています。

03 回転させて完成

重ねたフォントが横並びで少し埋もれてしまっているので、少し回転させ目立たせます。
「Happy Valentine」を選択し、[オブジェクト]→[変形]→[回転]を選びます 10。[角度:5°]とします。11 のように「EXTRA CHOCOLATE」に重ねて配置します。バレンタインらしい特別感のあるデザインが完成しました。重ねる文字についてはP.251にColumnもありますので確認してみてください。

Point

重ねるフォントの選び方

フォントを重ねるデザインをする時はフォント選びが重要になります。テーマに沿った中で、なるべくフォントの特徴、スタイル、太さなど見た目の違いがはっきりしたフォントを選びましょう。

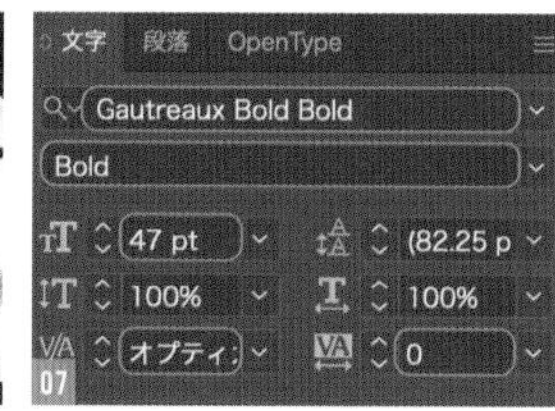

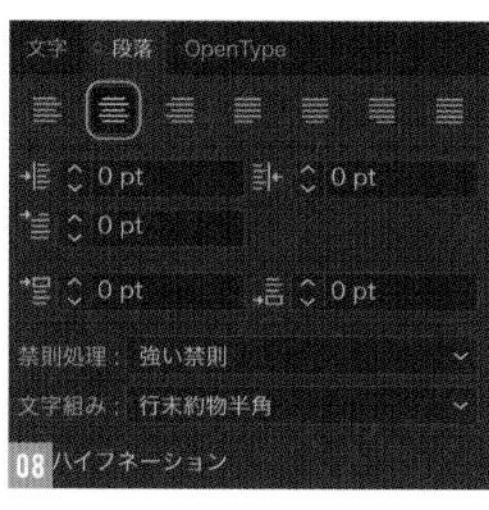

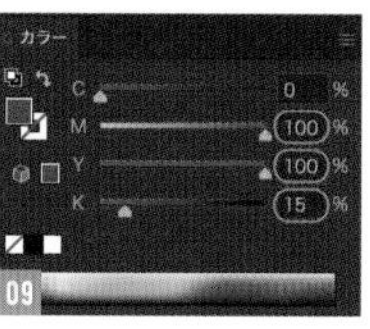

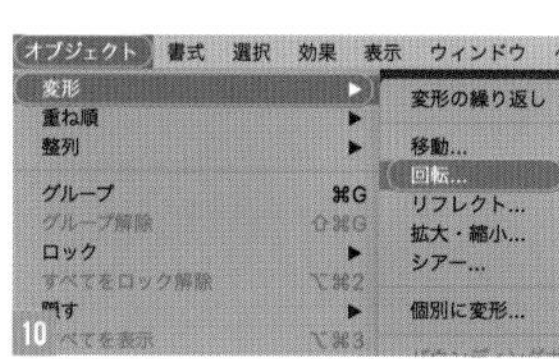

吾輩は猫である。

Cat Photography

7.1 on sale!

Recipe

070

強弱の変化をつけた文字組み

コピーの文字の大きさに強弱のある変化をつけて組み、魅力的なコピーを作ります。

Design methods

今回、猫の写真集発売の告知フライヤーを想定して制作します。

キャッチコピーの「吾輩は猫である。」に変化をつけて、魅力のあるレイアウトにします。

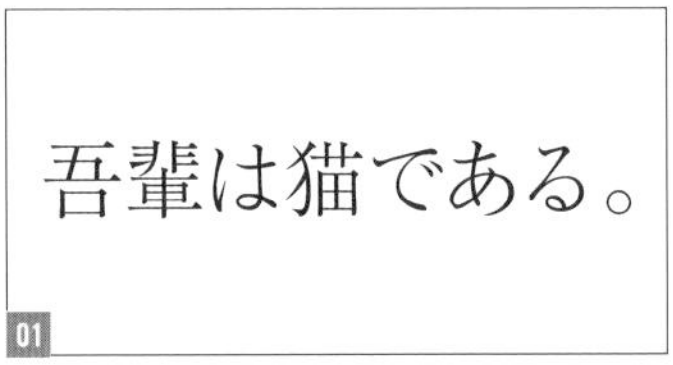

01 文字を変形し 1文字ずつ変化をつける

素材[アウトライン.ai] を開きます。

あらかじめ「吾輩は猫である。」をアウトライン化してあります 01。

元のフォントは [A-OTF リュウミンpro] [フォントスタイル：L-KL] を使用しています 02。

吾輩は猫である。

01

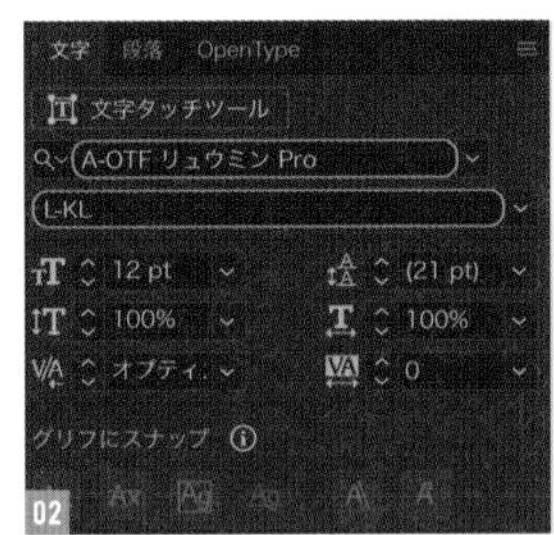

はじめに立たせたい文字をピックアップしてざっくりと大小の差を付けます。今回は「猫」と「吾輩」を選びました 03。04 のように大小の差をつけてメリハリを出します。

02 文字の配置を変えてメリハリをつける

一列に並んだ文字を１文字ずつ移動し、１つのかたまりとして見えるよう調整していきます。
05→06 のように変化をつけていきます。
注意として 07 のように変化をつけすぎて可読性が低くならないように気をつけて下さい。今回は 06 の組み方で進めます。

03 １文字ずつ調整する

06 は文字の太さが違いばらけて見え、まとまりが弱いことがわかります。１つのかたまりに見えるようにそれぞれの文字に罫線をつけて同じ太さに見えるよう調整します。「猫」の文字が一番大きく太く見えるので、これを基準にして罫線の太さを変え合わせていきます。
「吾」の文字を選択します 08。[ウィンドウ]→[線]を選択し 09、[線幅：0.1pt]と入力し、[角の形状：ラウンド結合]と選択し文字に線をつけてます 10。
同様に他の文字にも強弱を入れて線をつけていきます。「輩」に[0.3pt]、「は」に[0.5pt]、「で」に[0.2pt]、「あ」に[0.4pt]、「る」に[0.2pt]、「。」に[0.5pt]、それぞれ線をつけます。細かい作業が続きますが完成度の高さにつながる作業なので、できるだけ丁寧に行います。
11 のように見比べると完成度の差がわかります。バランスが崩れないように罫線のアウトライン化をします。[オブジェクト]→[パス]→[パスのアウトライン]を選択します 12 13。続けて[ウィンドウ]→[パスファインダー]にチェックを入れます 14。表示された[パスファインダーボックス]の[合体]を選択しパスをまとめます 15 16。強弱をつけた一体感のある文字組が完成しました。
作例では帯のデザインに合わせて[M:100]にし、猫の画像の上にレイアウトしています。

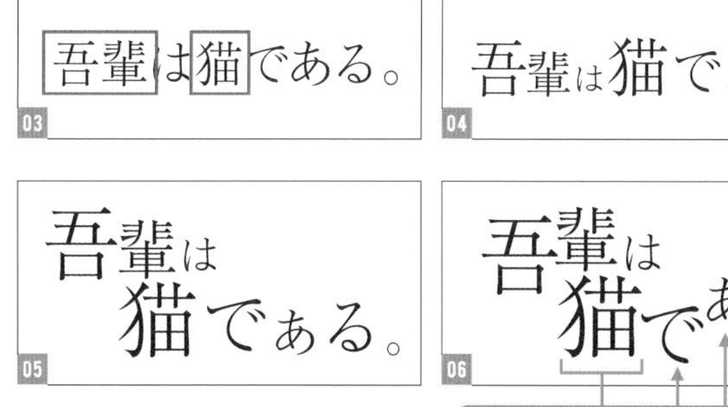

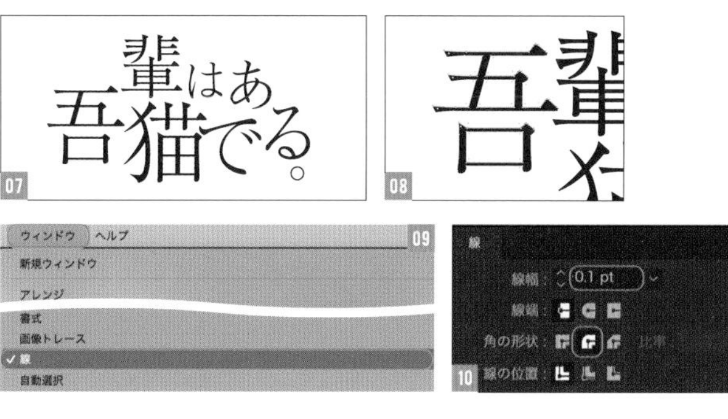

輩はあ吾猫でる。 07

吾輩 08

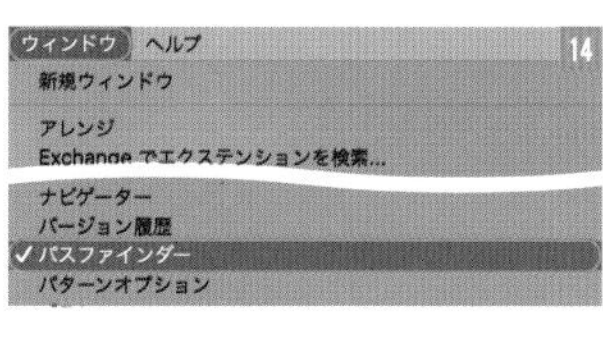

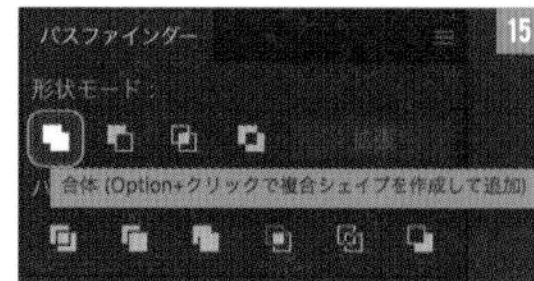

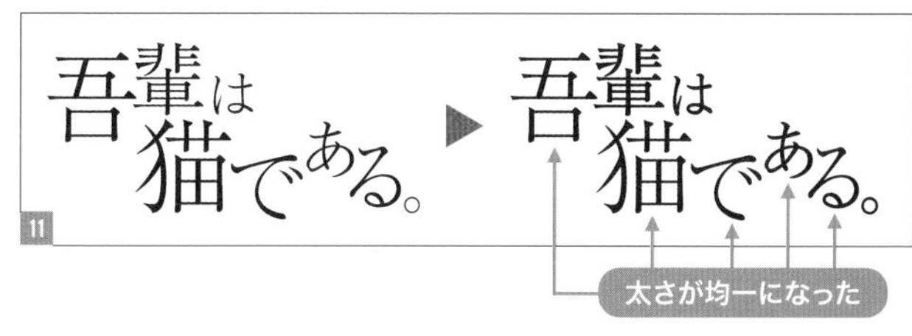

01.Design Basics　02.Layout　03.Photography　04.Color Combinations　05.Typography　06.Design Elements　07.The Practice of Design

Recipe

071

タイポの枠で写真をトリミングする

写真にタイポグラフィ（タイポ）の形でマスクをかけることで、文字の意味も重なり見応えのあるビジュアルができあがります。

Design methods

01 タイポグラフィを配置する

マリンスポーツブランドのフライヤーを想定してデザインを制作します。
Illustratorを立ち上げて、素材[レイアウト.ai]を開きます。あらかじめ写真まで配置してあります。

レイヤー[レイアウト]を選択します。
配置してある写真の上にコピーをレイアウトします。
ツールパネルから[文字ツール]を選び、「THE GLOW OF SUNRISE」と入力し、アートボード中央に配置します。「THE」と「OF」で改行してください 01。
文字の設定は[フォント：Impact][フォントスタイル：Regular][サイズ：173pt][カーニング：オプティカル][行送り：146pt][段落：左揃え]としています 02 03 ※。
塗りは分かりやすく[白]としています。
「GLOW OF」と「SUNRISE」の幅が揃うようにトラッキングを調整します。「GLOW OF」は[トラッキング：-8]、[SUNRISE]は[トラッキング：8]として調整しています 04 05。

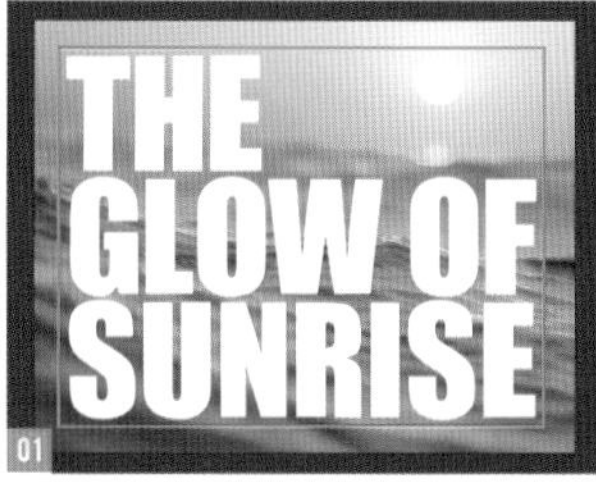

01

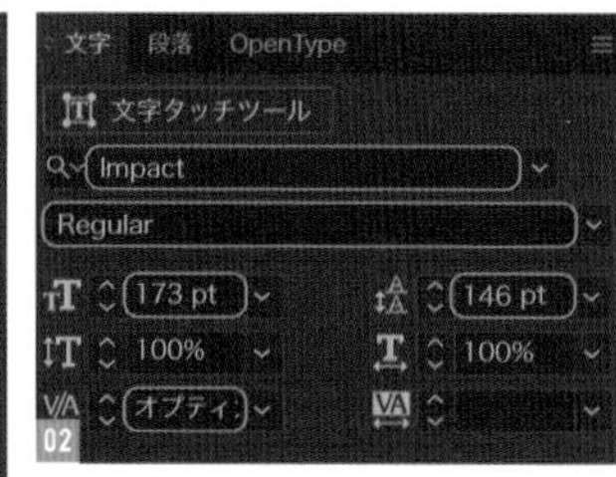

02

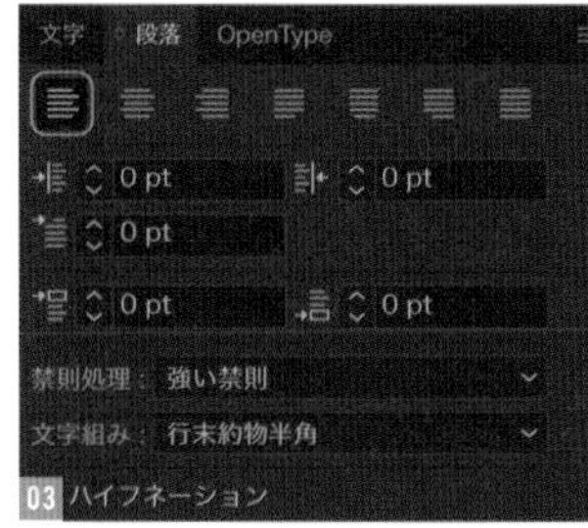

03

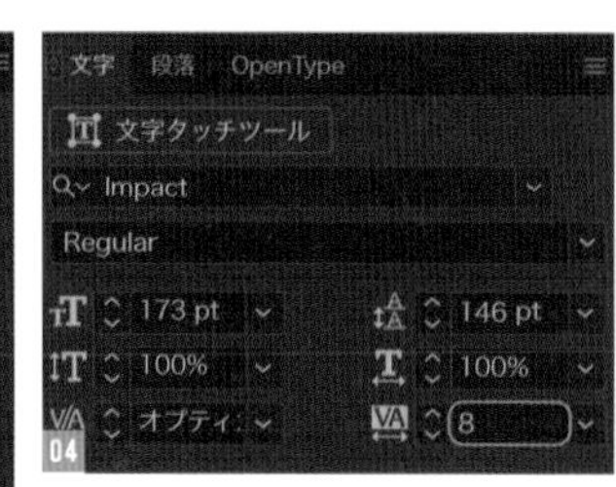

04

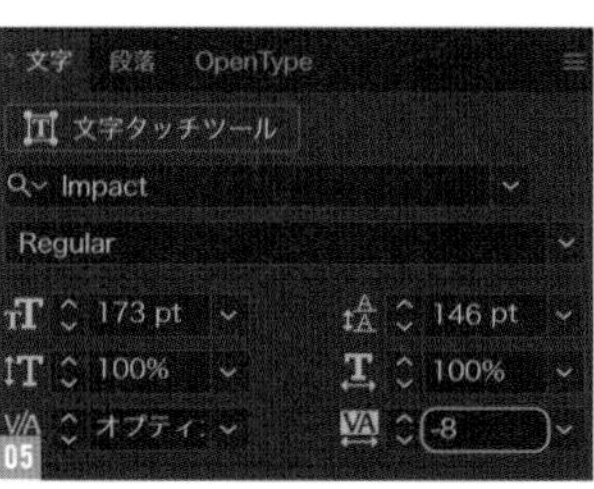

05

Point

タイポグラフィを主体とするデザインを作る場合は文字の字間や行間をとくに注意して調整するとよいでしょう。

02 タイポグラフィでマスクをかける

「THE GLOW OF SUNRISE」の文字を選択し、[書式]→[アウトラインを作成]でフォントをアウトライン化します 06 07。
さらに[オブジェクト]→[複合パス]→[作成]をします 08。オブジェクトの色が消えるので塗りを[白]にします。
[ファイル]→[配置]を選択後、[素材02.psd]を選びます。アートボードの中央に配置します 09。
[オブジェクト]→[重ね順]→[最背面へ]を選び 10、「THE GROW OF SUNRISE」のタイポの背面に移動します 11。
なお、Illustratorのバージョンによってはアウトラインをかけていない文字のままでもマスクがかけられます。状況によって使い分けてください。

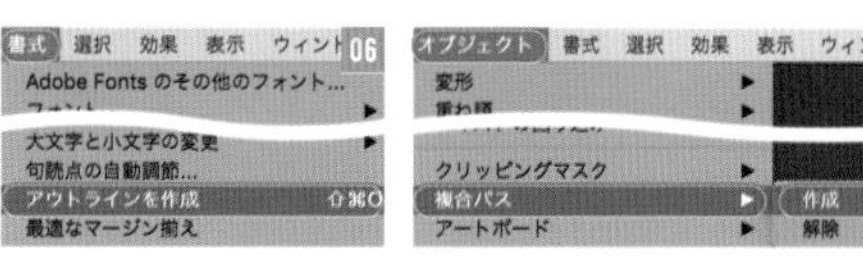

06 08

07

09

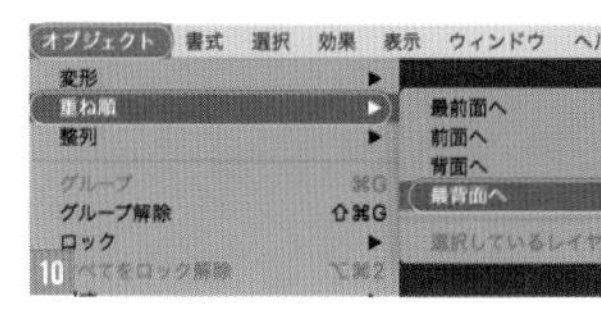

10

11

※もしフォントがない場合は、[素材03.ai]にアウトライン化したデータを用意してあります。素材をコピーして使用してください。

[素材02.psd] とタイポを選択し12、[オブジェクト]→[クリッピングマスク]→[作成] を選択します。
マスクされたビジュアルが完成しました13。

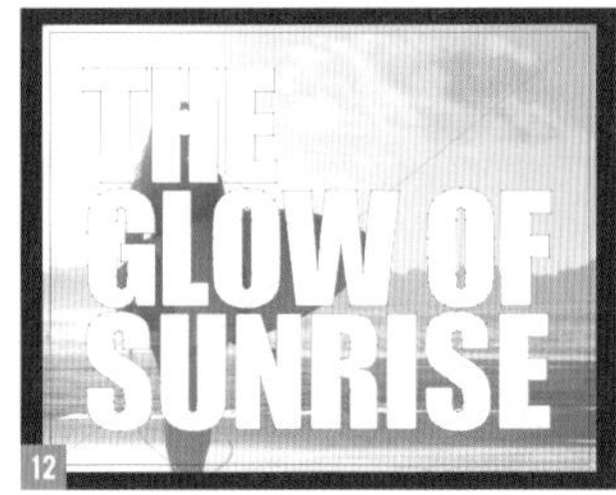

12

13

Point

トリミングは [素材02.psd] の女性のシルエットと、顔、手に持ったサーフボードの形が綺麗に見えるように意識して位置を決めています14。

14

Column

タイポグラフィの選び方

このRecipeで使用するタイポグラフィはなるべく太めのフォントを選びましょう。マスクをかけた際、細いフォントを使うと写真の中身や境界がわかりづらくなります(右上図)。
今回使用したフォント以外でもマスクをかけてみてください。
フォントの違いで雰囲気も変わるので色々試してみるとよいでしょう。太いセリフ体のフォントを使用(右下図)。

Column

使用する素材選びのポイント

このデザインのRecipeはタイポグラフィでマスクをかけた写真を重ねるので複雑になりがちです。そのため使用する写真はなるべくシンプルなものを選ぶとよいでしょう。

また使用する2枚の写真はできるだけ、色相・明度・彩度に差がある写真を選ぶとよいでしょう。マスクをかけた際にコントラストが生まれやすく、文字の可読性も上がります。

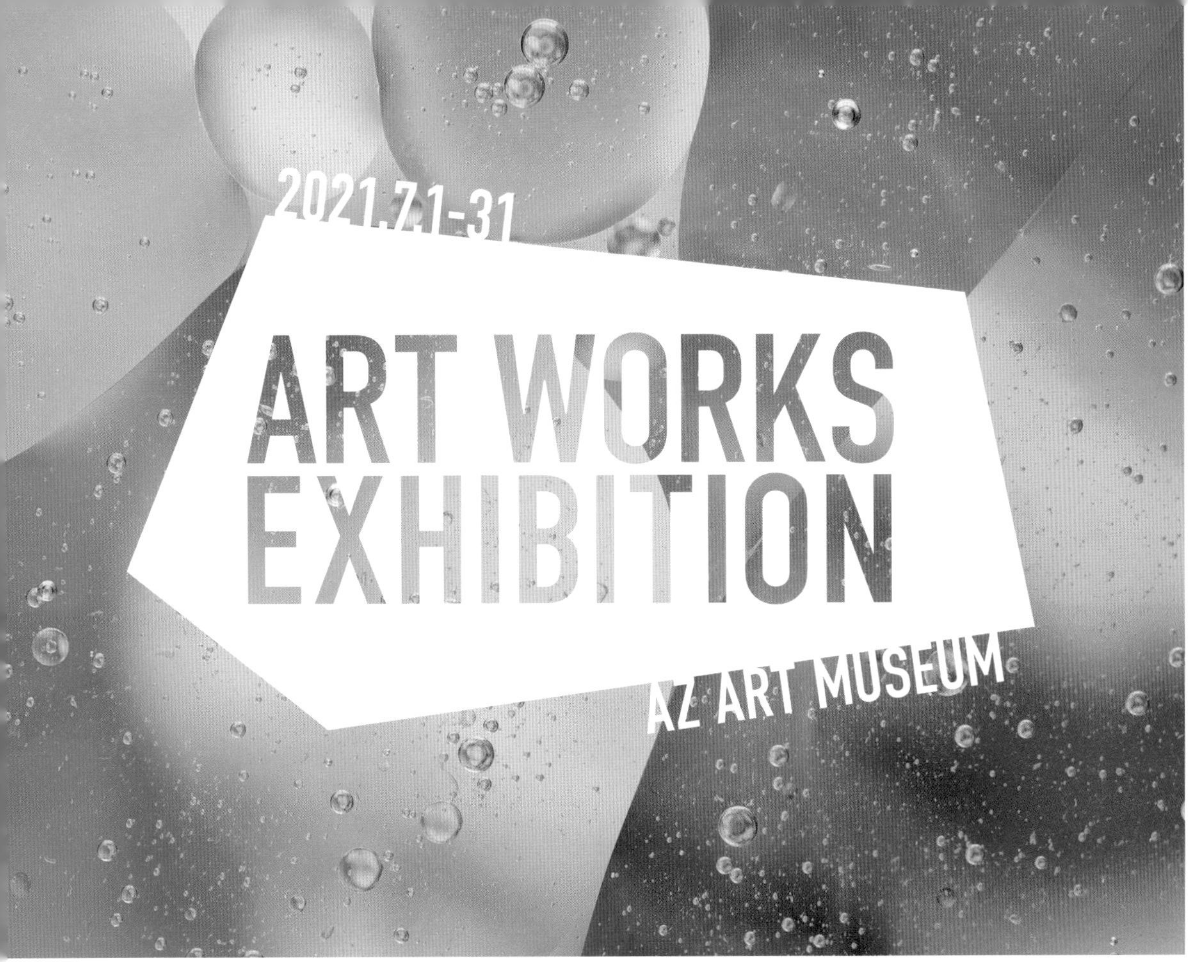

2021.7.1-31
ART WORKS
EXHIBITION
AZ ART MUSEUM

Recipe

072

背景色を活かして抜き文字を使う

カラフルな背景に白地の抜き文字を合わせます。この方法なら合わせにくい素材でもタイポを魅力的に浮かび上がらせることができます。

Design methods

01 カラフルな素材と文字の組み合わせ方を考える

カラフルな写真は色が多く入っているため、上に文字を配置しづらいです。テクニックとして 01 のように文字の配置スペースを作り、写真と情報を分けるレイアウト手法もありますが、ここではあえて写真の上に文字をのせることで、カラフルさを活かしつつ、タイポグラフィにも注目がいくデザインを作っていきます。

素材

ART WORKS EXHIBITION
2021.7.1-31 AZ ART MUSEUM
01

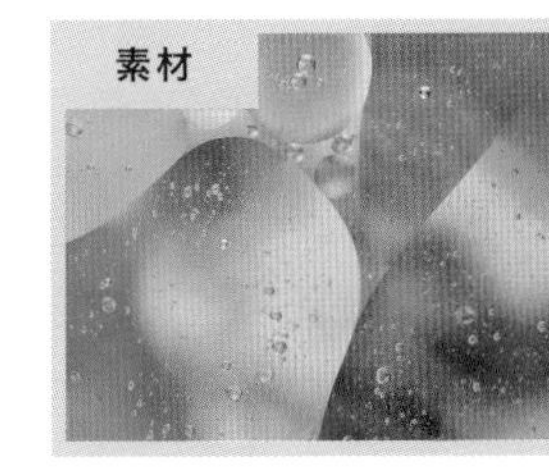

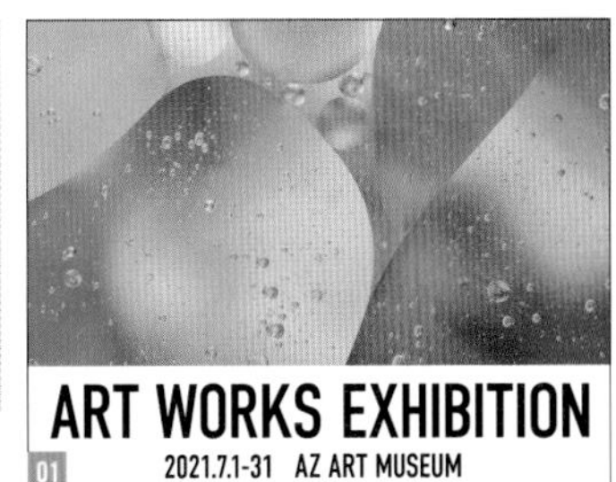

02 タイポグラフィを配置する

美術展覧会のフライヤーを想定してデザインを制作します。

Illustratorを立ち上げて、素材[レイアウト.ai]を開きます。あらかじめ写真まで配置してあります。

レイヤー[レイアウト]を選択します。先に配置してある[素材.psd]の上にタイポグラフィをレイアウトします。

ツールパネルから[文字ツール]を選択し、タイトルの「ART WORKS EXHIBITION」を入力し、アートボード中央に配置します02。テキストは素材[テキスト.txt]からコピーしてきてもよいでしょう。

[フォント：DIN Condensed][フォントスタイル：Regular][サイズ：95pt][行送り：73pt][カーニング：オプティカル]、[段落：左揃え]としています03 04。塗りはわかりやすく[黒]としています05。

トラッキングを調整して「ART WORKS」「EXHIBITION」の幅が同じになるように調整します06。

「ART WORKS」は[トラッキング：-16]、「EXHIBITION」は[トラッキング：12]とし、「A」が若干「E」より左にずれているので07、「A」のはじめのカーニングを[カーニング：48]に設定します08。文字の上下がそろいました09。

03 抜き文字のスペースをレイアウトする

ツールパネルから[ペンツール]を選択10、「ART WORKS EXHIBITION」を囲うように多角形を描きます11。色は[白]に設定します。

背景の有機的な形と対比するように直線の角ばった形にしました。

多角形のオブジェクトを選択したまま、[オブジェクト]→[重ね順]→[最背面へ移動]を選択します12。「ART WORKS EXHIBITION」の背面に移動し、文字が前面に出しました13。

02

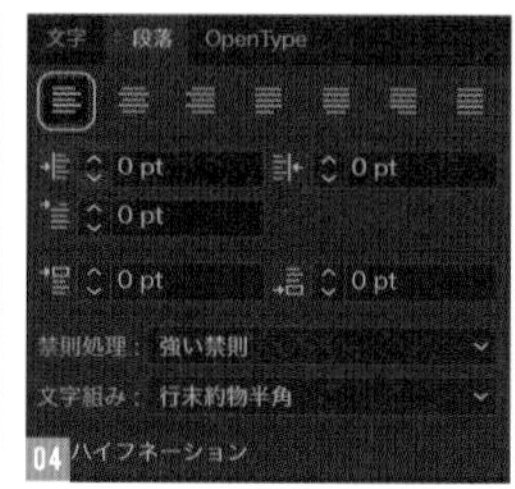

04

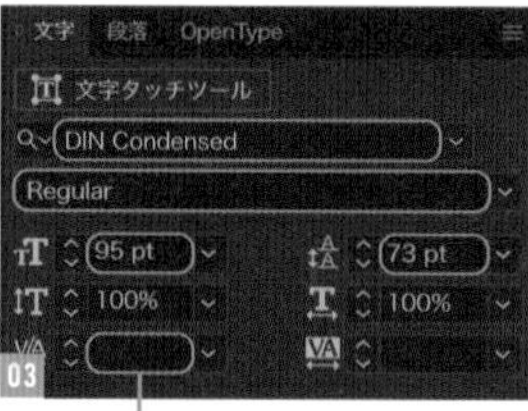

03

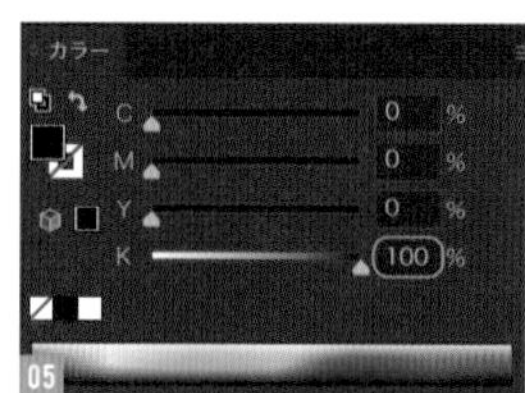

05

06

07

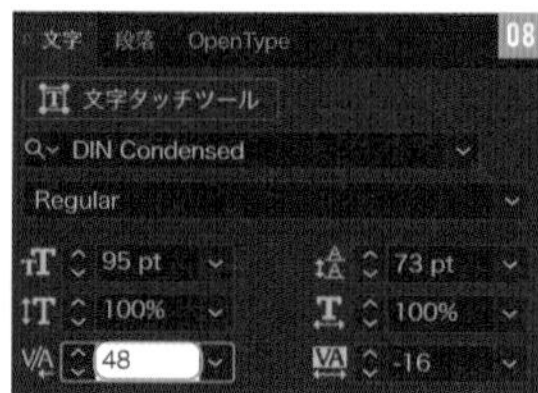

08

09

Point

タイポグラフィをきれいに見せるには、こういった細かいところにも注意をはらって作成していくことが大事になります。

10

11

13

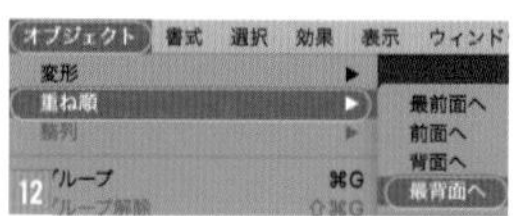

12

04 抜き文字を作る

「ART WORKS EXHIBITION」を選択し、[書式]→[アウトラインを作成]を選びます 14 15。
続けて[オブジェクト]→[複合パス]→[作成]を選びます 16。さらに多角形のオブジェクトと「ART WORKS EXHIBITION」を選択し 17、もう一度[オブジェクト]→[複合パス]→[作成]を選びます。抜き文字ができました 18。
最後に情報の「2021.7.1-31」と「AZ ART MUSEUM」を入力し、19 のように多角形の形に沿うようにレイアウトします。
文字の設定は[フォント:DIN Condensed][フォントスタイル:Regular][サイズ:37pt][カーニング:オプティカル][トラッキング:-16] 20、[段落:左揃え] 21 としています。フォントも全体で揃えています。
カラフルな背景に白地の抜き文字を中心にしたデザインが完成しました。

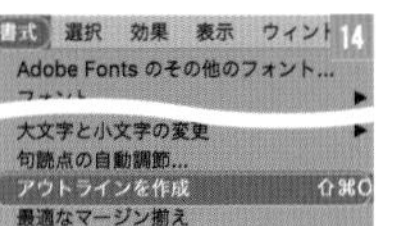

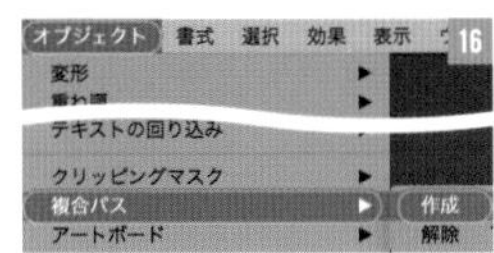

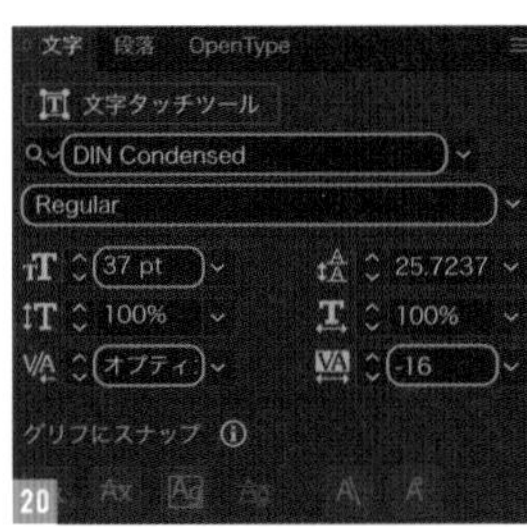

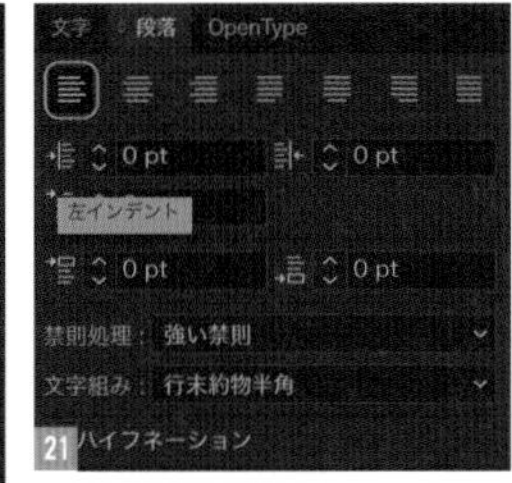

Column

重ねる文字のサイズに気をつける

右の左図のように極端に小さくしたり、右の右図のように大きすぎる組み合わせは、まとまりが弱くデザインの狙いがわかりにくくなります。
文字と文字を組み合わせて1つにまとまって見える絶妙のバランスを探しましょう。
また、フォントのデザインによってもバランスは変わります。様々なフォントで試してみてください。

VANILLA
ORANGE
CITRUS
EXTRA
Perfume
debut!
PEACH
CORIANDER

Recipe

073

複数のタイポを使ったビジュアル

関連性のあるワードを集めて、異なるフォントを使いランダムに配置します。タイポグラフィのビジュアルを存分に使った見応えのある背景を作ります。

Design methods

FLORAL	CARDAMOM	CITRUS
BERGAMOT	FREESIA	LAUREL
LAVENDER	ORANGE	BERGAMOT
VANILLA	ROSE	ILANG-ILANG
ORIENTAL	CHAMOMILE	HERBAL
ROSE	GRAPEFRUIT	LIME
PEACH	PEACH	MUSK
VANILLA	CITRUS	WOODY
LEMON	MINT	MARJORAM
CORIANDER	MANDARIN	BERGAMOT
WOODY	JASMINE	VANILLA
ROSEMARY	PATCHOULI	PATCHOULI
CYPRESS	CARAMEL	BASIL
		EUCALYPTUS

01 タイポの並びを大まかに決める

香水の新商品の告知フライヤーを想定して制作します。

Illustratorを立ち上げて、素材[アウトライン.ai]を開きます 01。あらかじめアートボード作成と素材配置まで用意してあります。

アートボードは[幅：232mm][高さ：182mm]のものが2つあります。左側のアートボードには香りの単語をピックアップしてあり、複数のフォントを使ってアウトライン化まで済んでいる素材が揃っています。この左側のアートボードの素材を使い、右側のアートボードにビジュアルを作っていきます。

まず、基準になる単語を1つ決めます 02。今回は左の列の上から5つ目の「ORIENTAL」を中央あたりに配置しました。「ORIENTAL」を起点として 03 〜 04 のように様々な場所から四隅に向かって他の単語を配置していきます。

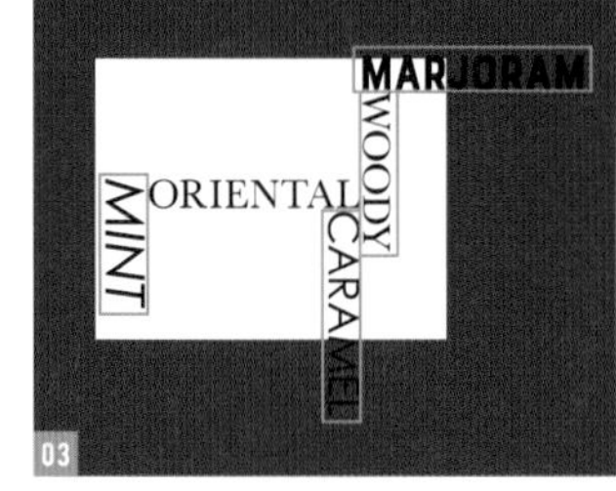

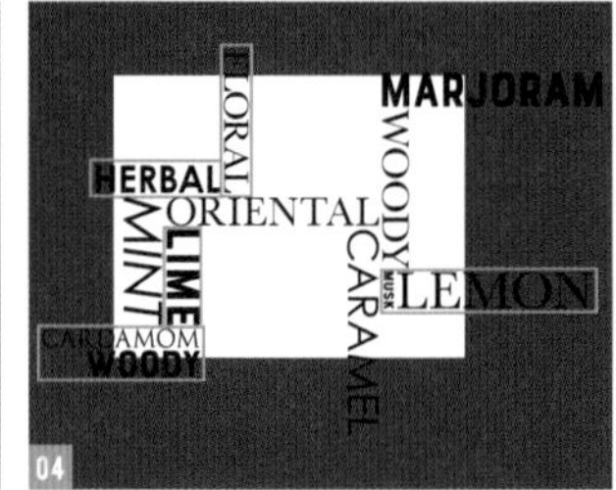

Point

単語を配置する際、様々な場所から開始しつつも 05 の赤いラインのように単語同士の上下左右の端を揃えるように配置します。また、単語の大きさを変えて、より複雑な印象にしていきます。

注意することとしてはもし起点から端を揃えるだけの考えで範囲を広げていくと規則的になりやすく 06 〜 08 のように単調なビジュアルになることです。

画面を広く使って 04 のように画面の動きを作ってから、空いたスペースを作り込んでいくとよいでしょう。

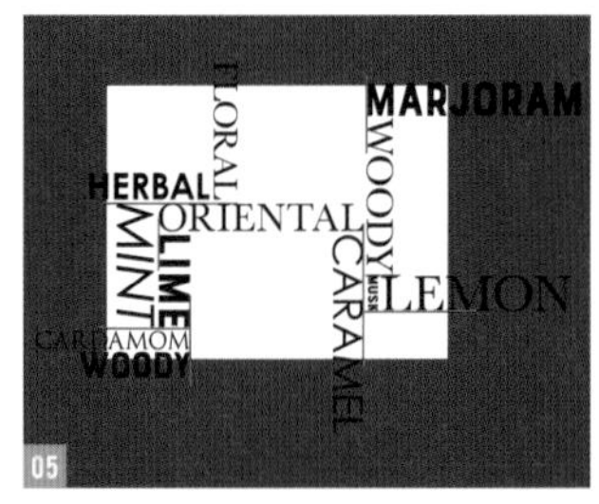

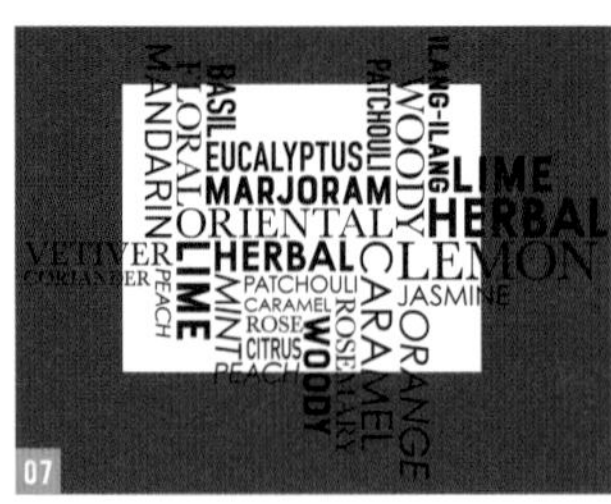

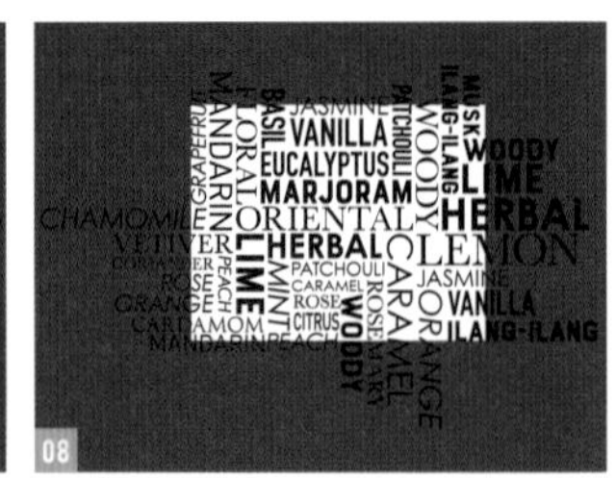

02 スペースに合わせて単語を配置し複合パスを作る

大まかに決めて空いたスペースに単語を配置していきます。

なるべく単語同士の大きさの差や、隣り合う単語のフォントが似ないように気をつけて配置していきます。

09（ピンク）→10（水色）→11（黄緑）と配置しました。ここではわかりやすいように文字に色をつけて解説しています。参考にしてください。

12のように配置できました。

配置した単語すべてを選択します13。

［オブジェクト］→［複合パス］→［作成］を選択し、単語すべてを１つの複合パスにしておきます14。

単語の配置が完成しました。

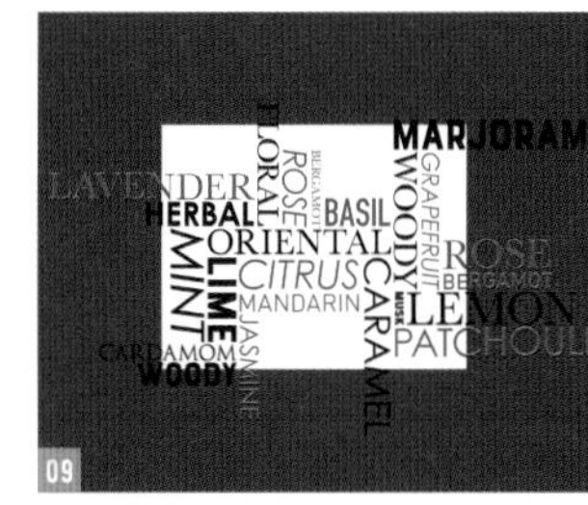

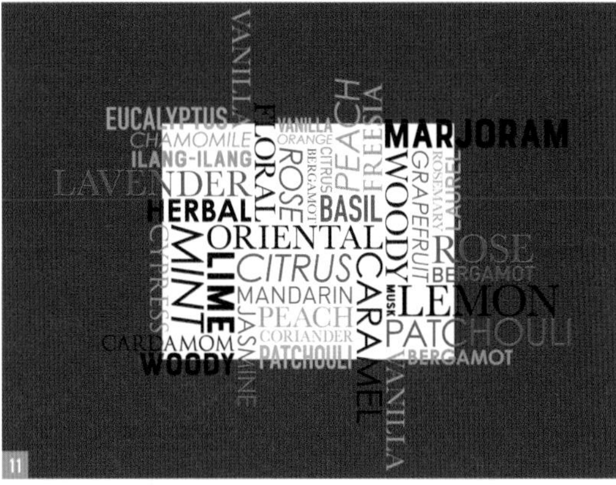

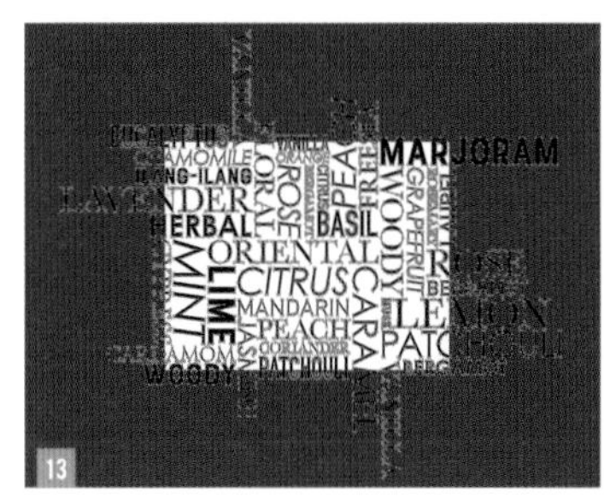

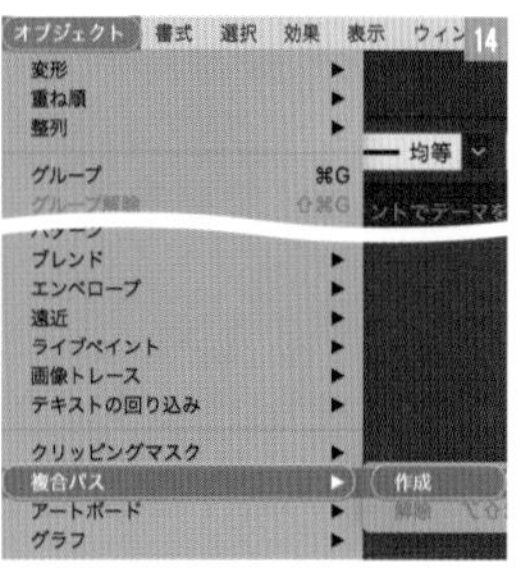

03 背景を作り、単語に色をつける

レイヤー[背景] を選びます。
[ファイル] →[配置] を選び 15、素材[素材01.psd] を選択します。
[素材01.psd] をアートボード中央に配置します 16。
[オブジェクト] →[重ね順] →[最背面へ] を選び 17、文字の背面に [素材01.psd] を移動します 18。
文字と [素材01.psd] を選択し 19、[オブジェクト] →[クリッピングマスク] →[作成] を選びます 20。文字にグラデーションの色が入りました 21。
ツールパネルから [長方形ツール] を選択します。
描画エリアでクリックして [幅 : 232mm] [高さ : 182mm] の長方形を作成し、アートボード中央に配置します 22 23。
長方形と色のついた文字を選択し、[オブジェクト] →[クリッピングマスク] →[作成] を選び、長方形でマスクをかけます 24。
アートボードの形に合わせてマスクをかけた背景のビジュアルが完成しました。

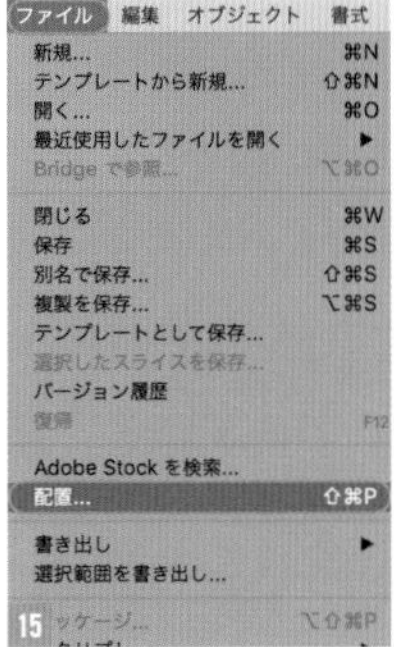

15

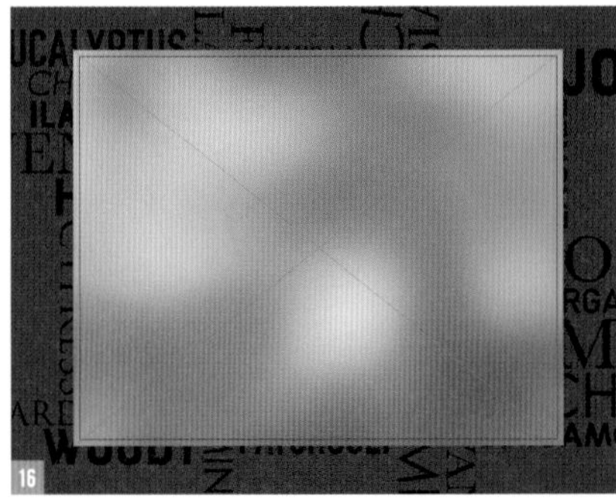
16

17

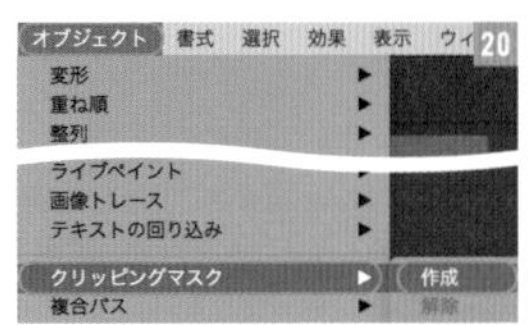

20

18

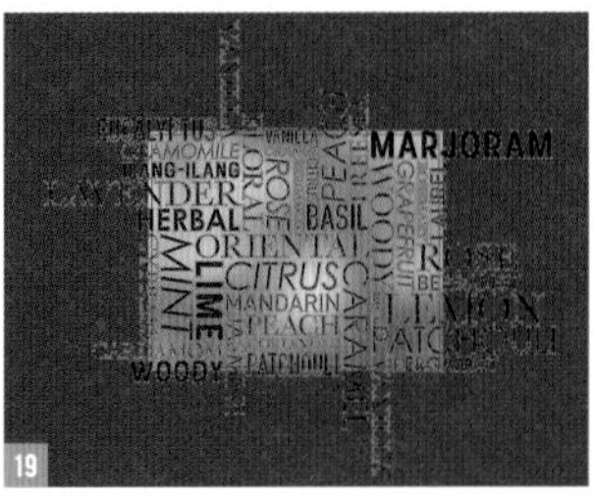
19

21

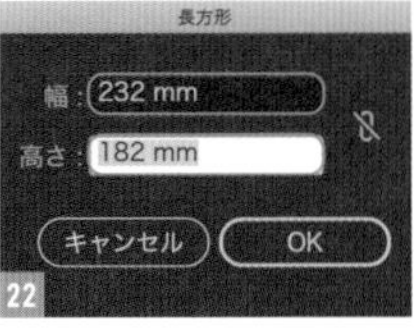

22

23

24

04 他の要素をレイアウトする

[ファイル]→[配置]を選択し、素材[素材02.psd]を選択、アートボード中央に配置します 25。

ツールパネルから[文字ツール]を選び、「EXTRA」、「Perfume」、「debut!」と入力します 26。テキストは素材[テキスト.txt]から適宜コピーしていってもよいでしょう。

「EXTRA」は[フォント：Bodoni URW][フォントスタイル：Medium][サイズ：25pt][カーニング：オプティカル][トラッキング：0] 27、「Pcrfumc」は[フォント：Bodoni URW][フォントスタイル：Medium Oblique][サイズ：52pt][カーニング：オプティカル][トラッキング：0] 28、「debut!」は[フォント：Bodoni URW][フォントスタイル：Regular][サイズ：25pt][カーニング：オプティカル][トラッキング：50]とし 29、すべて[段落：中央揃え]としています 30。フォントはBodoniのフォントファミリーで揃えています。

塗りは全体のトーンに合わせて[M：100]としています 31。

32 のように配置し完成です。

25 26

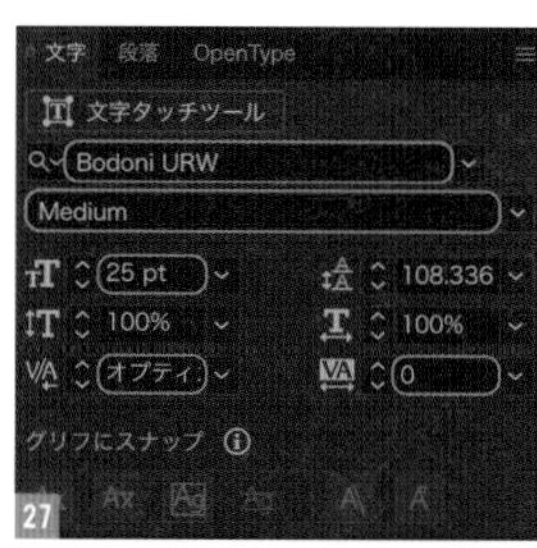

27

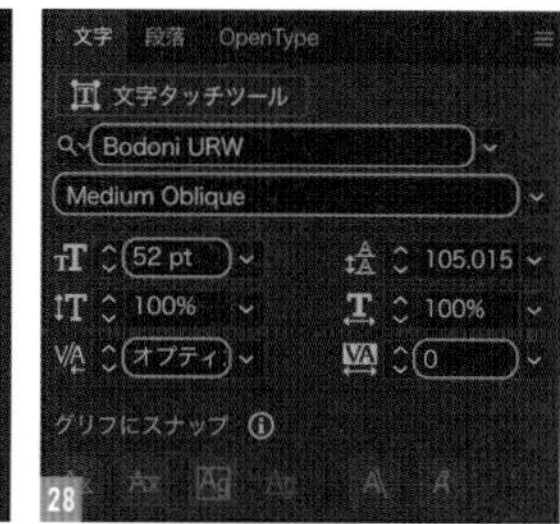

28

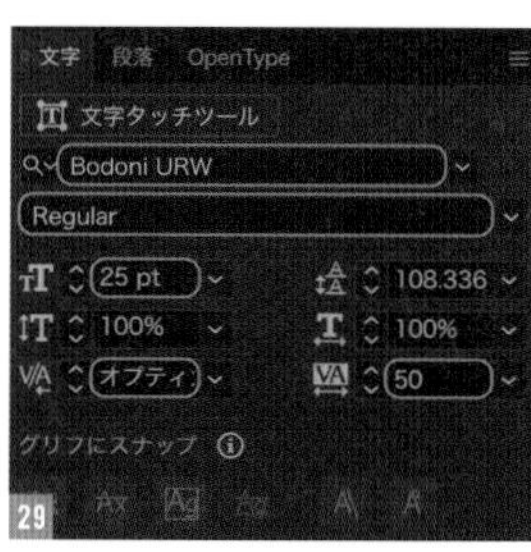

29

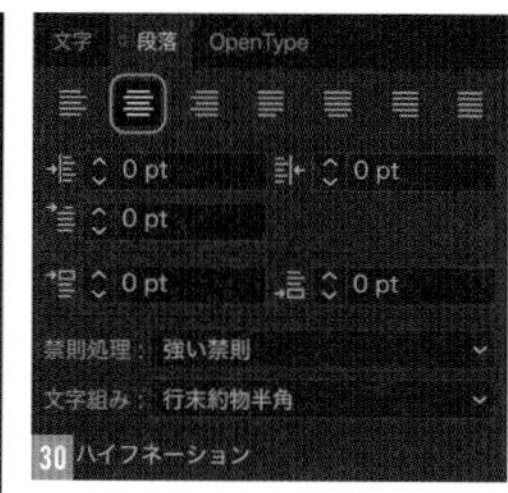

30

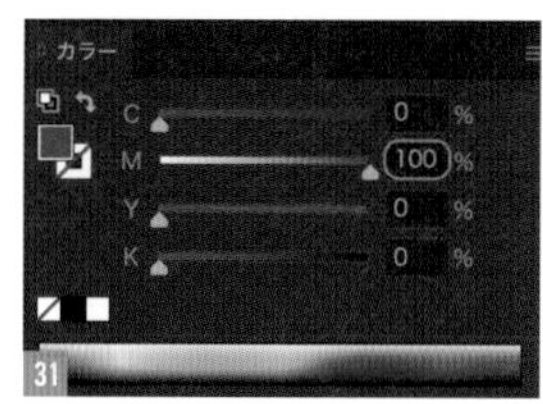

31

32

Column

種類が豊富にある題材に適したデザイン

このRecipeで紹介しているデザインは「香水」を題材にしていますが、この方法は他にも種類が豊富にある題材を扱う時に使える表現です。
「食べ物」「乗り物」「都市の名前」…などなど様々なものでも使えると思います。
テーマによって使うフォントの種類も変えるとよいと思います。ぜひオリジナルのビジュアル作りの際に試してみてください。

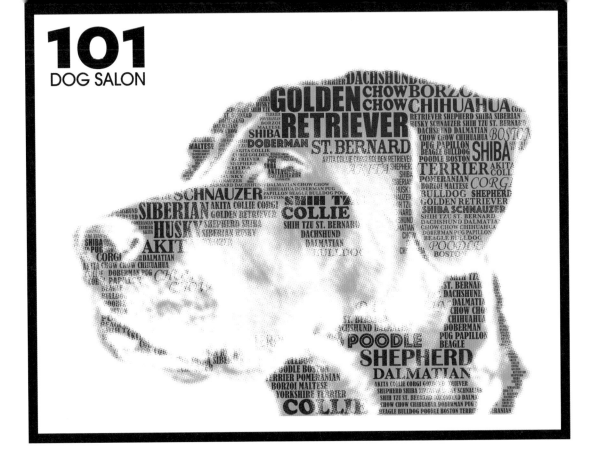

Recipe

074 文字でモチーフを表現する

モノトーンの画像を元に、文字を配置していきます。配置の大小や密度、変形でモノトーン画像の輪郭を再現します。

Design methods

素材

BEAGLE
PAPILLON
SHIHTZU
CORGI
AKITA
PUG
BOSTON
SHIBA
SIBERIAN HUSKY
GOLDEN RETRIEVER
AKITA
TERRIER
SCHNAUZER

DACHSHUND
CHOW CHOW
SHIH TZU
COLLIE
BOSTON
DALMATIAN
BORZOI
COLLIE
SHEPHERD
SHIBA
POODLE
DOBERMAN
CHIHUAHUA
CHOW CHOW
AKITA

01 素材の確認をする

今回、ドッグサロンのフライヤーを想定して制作します。また、「犬種」の文字で犬の画像を作っていきます。
Illustratorを立ち上げて、素材[レイアウト.ai]と素材[タイポ.ai]を開きます。
素材[レイアウト.ai]にはあらかじめ背景を用意してあります 01。素材[タイポ.ai]には作例で使用する犬種を用意しています。犬種のフォントは様々なものを使ってあり、アウトライン化まで行っています 02。
また素材[犬種.txt]には犬種の名前一覧が載っています。必要ならば使用するとよいでしょう。これらを使いデザインを制作していきます。

01

BEAGLE
PAPILLON
SHIHTZU
CORGI
AKITA
PUG
BOSTON
SHIBA
SIBERIAN HUSKY
GOLDEN RETRIEVER
AKITA
TERRIER
SCHNAUZER
DACHSHUND
CHOW CHOW
SHIH TZU
COLLIE
BOSTON
DALMATIAN
BORZOI
COLLIE
SHEPHERD
SHIBA
POODLE
DOBERMAN
CHIHUAHUA
CHOW CHOW
AKITA

02

03

04

05

02 見せ場を作る

素材[レイアウト.ai]のレイヤー[タイポ]を選びます。
下のロックされているレイヤー[背景]の犬の画像の色彩部分に文字を重ねて配置していきます。
まず見せ場になる部分を決めます。
今回は 03 の「犬の目」を見せ場にすると決めました。目は生き物にとってとくに注目する場所だからです。
素材[タイポ.ai]からアウトライン化した文字を順次コピーして使います。また、素材[犬種.txt]から文字をコピーして使用しても結構です。文字の大小を調整しながら進めてください。
04 05 のように文字を細かく配置してなるべく下の画像の色の部分に乗るように配置します。
なお、文字の色を見やすいようにここでは[C：100]としています 06。

次に犬の特徴である鼻の部分 07 を、先ほどの「目」同様に細かく配置します 08 09。
全体のバランスを見て目の周りも決めていきます 10 11。

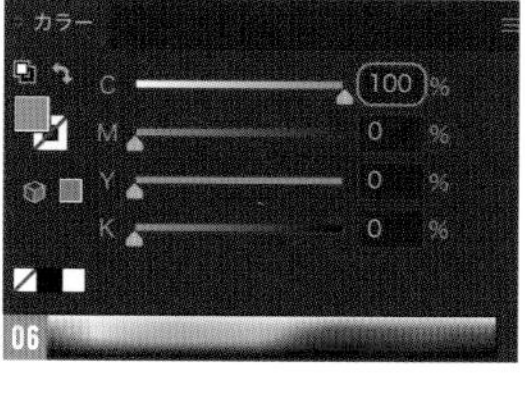

06

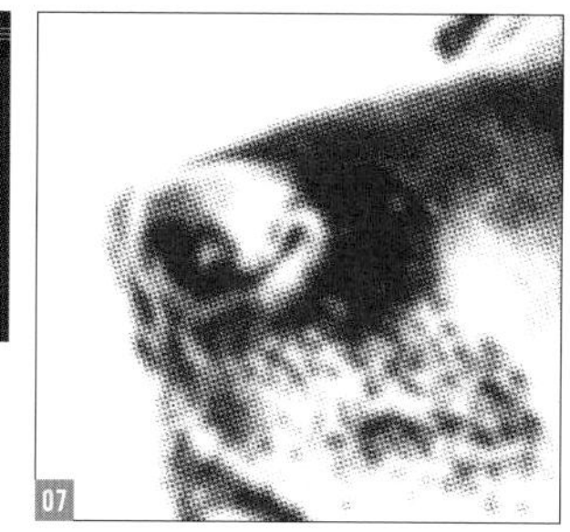
07

08

09

10

11

文字を配置しながら時々、下のレイヤー［背景］を非表示にし、形やバランスを確認します 12 13 。

03 犬のシルエットに合わせて全体に文字を配置する

全体に動きが出るように文字の大小を大きくつけて文字を配置していきます。

14 15 の黄色の文字のように犬の画像の色部分が広い場所は大きい文字を配置しやすいので先に決めていきます 16 。

続けてさらに小さめの文字を配置していきます 17 。17 で新たに追加した黄色の文字の部分を参照してください。

すべての文字を［C：100］にすると 18 19 のようになり、犬の輪郭がおぼろげながら見えてきました。全体の文字の大きさのメリハリもついています。

残っている部分をより小さめの文字で埋めていきます。

今回は 20 21 22 のように埋めました。

レイヤー［背景］を非表示にして確認すると 23 のようになります。

Point

文字の配置のポイントまとめ

端から文字を配置せず、見せ場になるところからはじめます。

ビジュアルに抑揚をつけるために文字に大小の強弱をつけて全体のバランスを見ながら配置します。

文字は回転せず、横組みのみにし、重ならないよう注意します。

長体、平体はなるべく使用せず、文字間で調整しています。

使用する犬種の名前、フォントは重複しても構いません。ただし、目立つ部分は重複しないようにします。

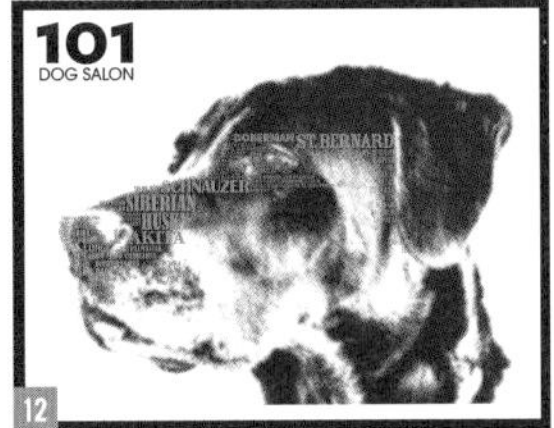

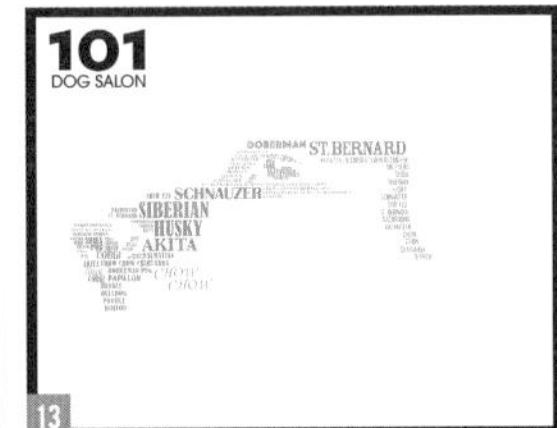

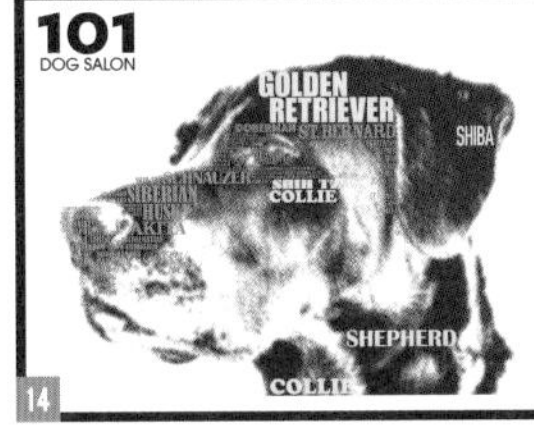

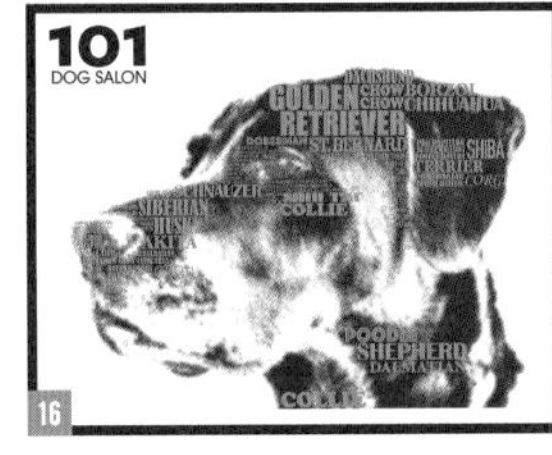

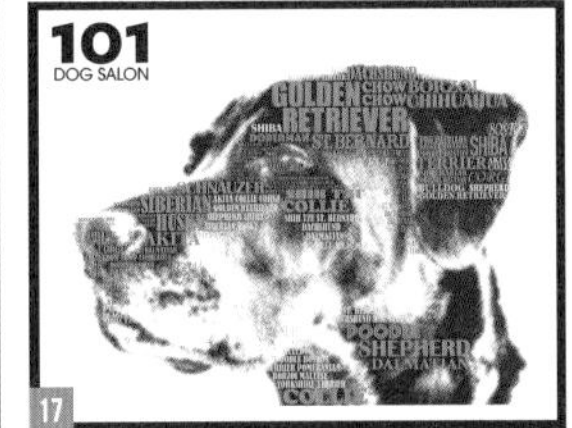

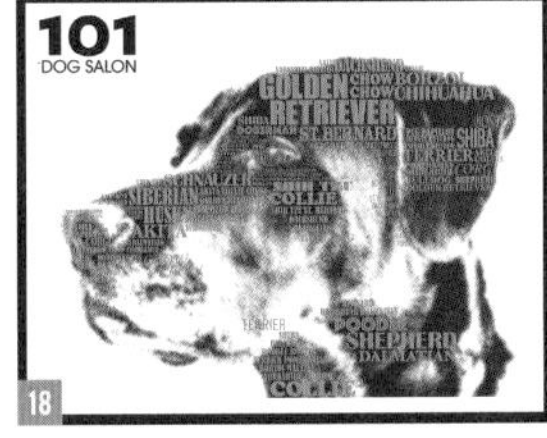

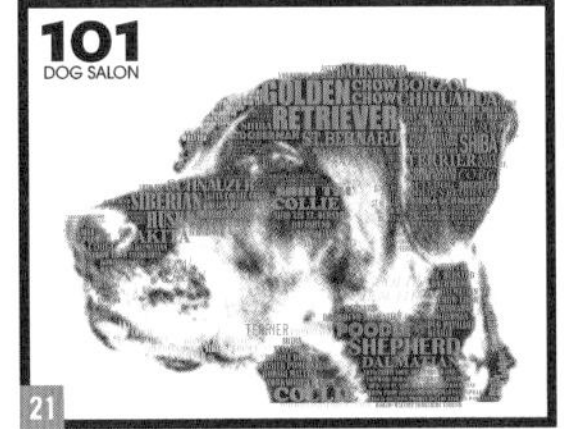

04 背景画像を使いビジュアルを見やすくまとめる

配置した文字すべてを選択します。文字のアウトラインができていない場所があれば［書式］→［アウトラインを作成］でアウトラインを行っておきましょう 24。

［オブジェクト］→［複合パス］→［作成］を選びます 25。

［レイアウト.ai］のレイヤー［背景］のロックを解除し、画像を選択します 26。

［編集］→［コピー］を選び 27、［編集］→［前面へペースト］を選択し 28、犬の画像を同位置にペーストします。ペーストした画像を選択し、レイヤー［タイポ］を選びます 29。

［オブジェクト］→［重ね順］→［選択しているレイヤーに移動］を選び 30、レイヤー［タイポ］に移動します。

複合パスにした文字と画像を選択し、［オブジェクト］→［クリッピングマスク］→［作成］を選択します 31 32。レイヤー［背景］を非表示にすると 33 のようになっています。

最後にレイヤー［背景］を表示し、犬の画像を選択します。［ウィンドウ］→［透明］にチェックを入れて 34、透明パネルを表示します 35。

［透明］パネル→［不透明度：40%］とします 36。デザインが完成しました。

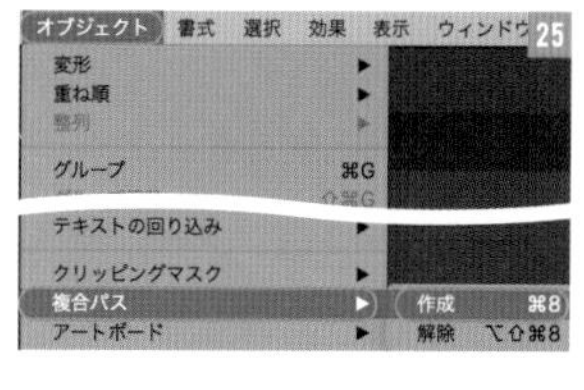

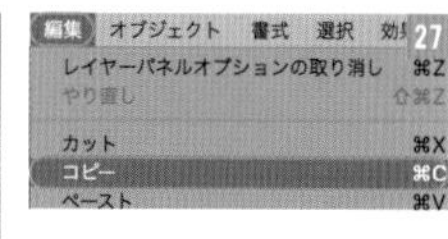

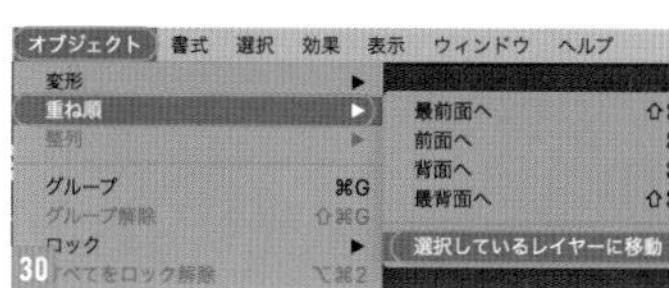

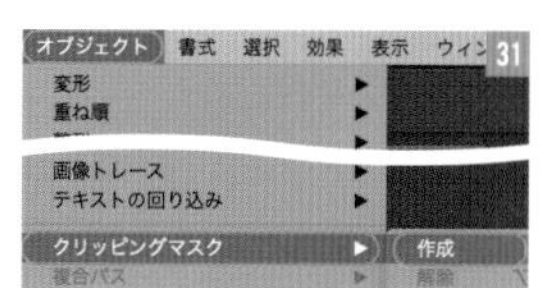

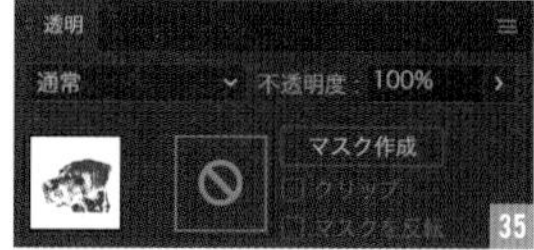

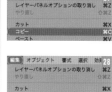

Recipe

075

文字を3D化する

Photoshopの機能を使って文字を3D化し、文字ごとに動きを付けます。

Design methods

01 素材を開く

Photoshopを立ち上げて、素材[背景.jpg]を開きます。3D化した素材を配置しやすいように、あらかじめ手前中央以外の部分にぼかしをかけています 01。

ツールパネルから[横書き文字ツール]を選択し、「PS」と入力します 02。

この作例ではフォントを3D化した際の効果がわかりやすいように太めを選びました。

[フォント：Futura PT][フォントスタイル：HEAVY]を選択しています。[フォントカラー：#000000]で入力します。文字サイズは3D化した後に調整するので、まずは 02 を参考に入力してください。

02 文字を3D化する

レイヤー[PS]を選択し、[3D]→[選択したレイヤーから新規3D押し出しを作成]を選択します 03※。04 のようなウィンドウが表示されるので[はい]を選択します。

05 のように自動的にインターフェイスが変更されます。

3Dの編集画面では、レイヤーパネルとは別に、[3D]パネルで対象を選択し作業します。

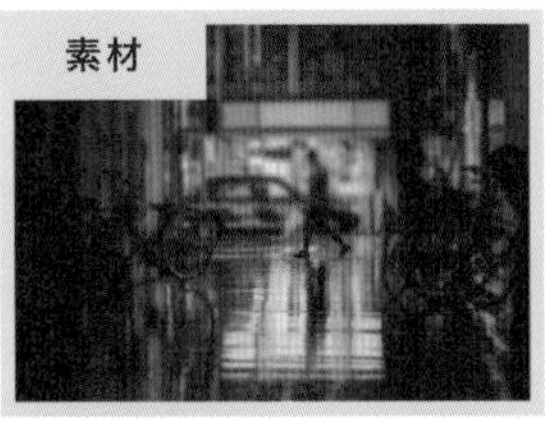

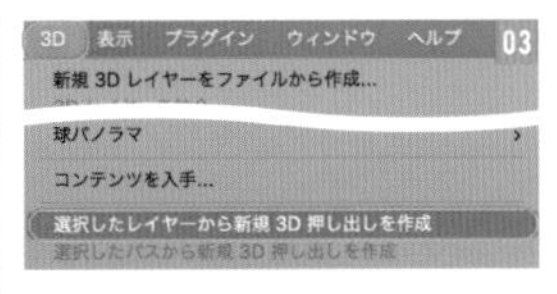

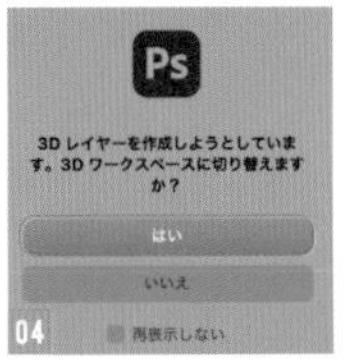

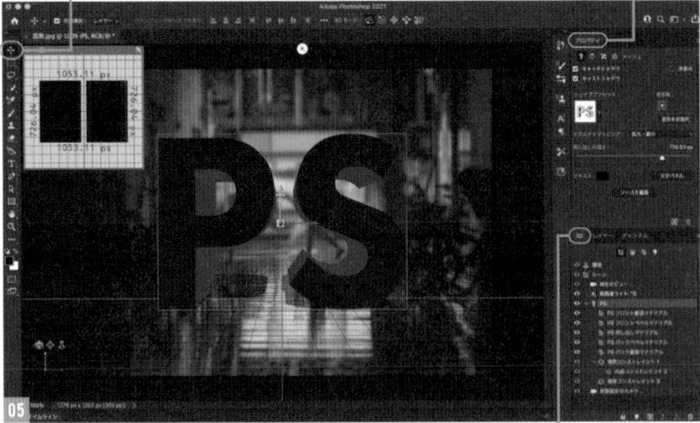

※3D機能を使用するにはグラフィックボードが必要となります。512MB未満のRAMでは3D機能は無効となり、関係する項目を選択できません。また、コンピュータのスペックによってはスムーズに動作しない場合があります。

ツールパネルの［移動ツール］を選択した状態で、［3D］パネル→［現在のビュー］を選択し06、カンバス上でドラッグして立体感を整えます。07を参考に背景の立体感と文字の立体感が合うように位置を調整します。

Point

［移動ツール］を選択した状態で、カンバス上で［PS］以外の部分を選択するとカンバスの四隅に黄色の枠が表示されます。これで［3Dパネル］にある［現在のビュー］（カメラのアングル）を編集することができます。
また、カンバス上で［PS］を選択すると、［3D］パネル→［PS］が選択され、［PS］の文字だけを拡大・回転といった編集をすることができます08。

03 文字の色・光沢感を変更する

［3D］パネル→［PS］を選択し、展開します。
［PSフロント膨張マテリアル］～［PSバック膨張マテリアル］までの5つをすべて選択します09。
選択すると［プロパティ］パネルの表示が変わるので、10のように設定します。
ポイントは風景を反射させるためにメタリックに加工する点です。デフォルトから［メタリック：100%］［粗さ：0%］と変更しています。［ベースカラー］はカラー部分を選択すると表示されるウィンドウを11のように設定しています。12のようになりました。

PS

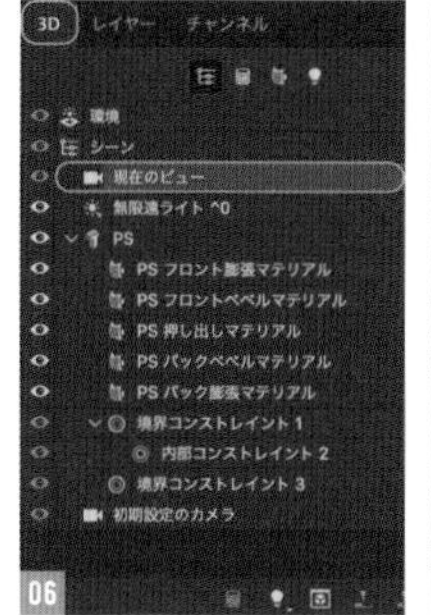

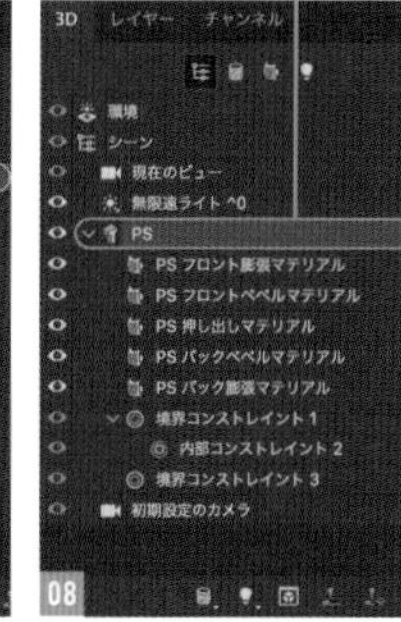

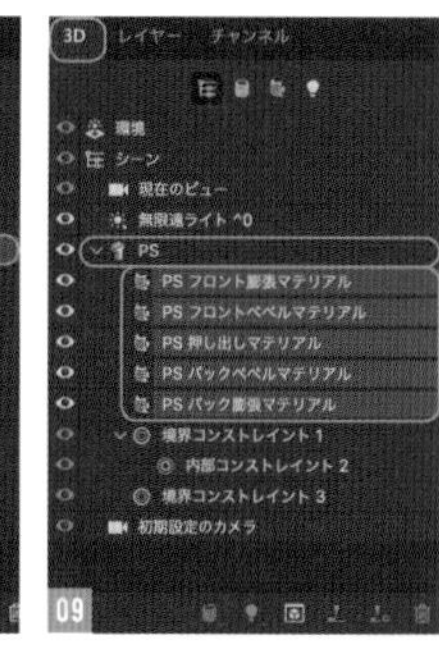

ドラッグして立体感を出す

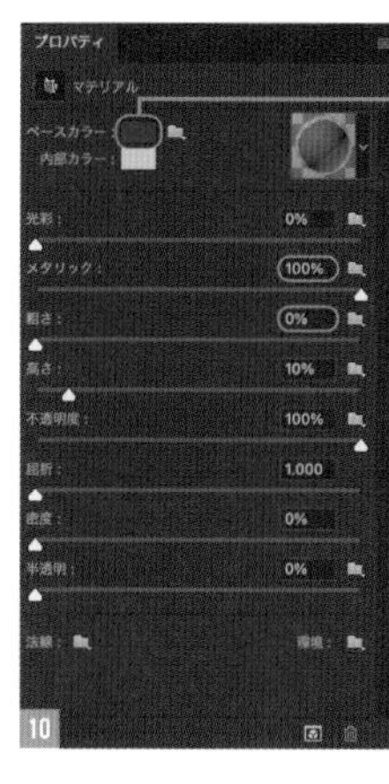

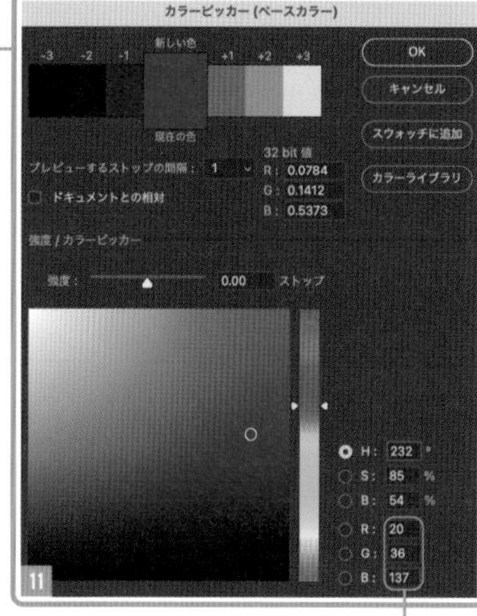

R：20 G：36 B：137

04 シェイプやライティングを変更する

[3D] パネル→[PS] を選択し、[プロパティ] パネル→[シェイププリセット] を選択します 13。シェイププリセットがあらかじめ用意されています 14。選択するだけで指定のシェイプが反映されます。ここでは [膨張] 15 を選択します。

[押し出しの深さ：200px] とし3Dの厚みを調整します 15 16。

[3D] パネル→[無限遠ライト ^0] を選択します 17。カンバス上に専用のツールが表示されるので、ドラッグして、ライティングを変更します。作例では背景の画面奥に光源があるので、逆光になるようにドラッグします 18。

05 文字を個別に編集する

[3D] パネル→[PS] を選択した状態で、上部ウィンドウの [3D] →[押し出しを分割] を選択します 19。20 の警告が出るので [OK] を選択します。

[3D] パネル→[PS] 内を確認すると、[S] [P] の２つに分かれていることが確認できます 21。

[移動ツール] を選択した状態で [P] を選択しカンバス上でドラッグして位置を変更します。

画像を移動する要領とは違うので戸惑うかもしれませんが、[P] を選択すると 22 のように出てくる [赤] [緑] [青] の３つのハンドルを使って移動させます。それぞれのハンドルは矢印形の先端部分が [xyz 軸の方向へ移動]、弧を描いているハンドルは [回転]、四角のハンドルは [xyz に沿って拡大・縮小] することができます。中心の白い四角は[全体を均一に拡大・縮小]することができます。ハンドル以外の部分をドラッグすると、その場で360°自由に回転することができます。

操作に慣れが必要ですが、23 を参考に [P] [S] の２つの要素をレイアウトしてみましょう。

文字を3D化することができました。

Photoshop の機能だけで作れるのでワンポイントで3Dの文字をデザインに使いたい場合などに利用してみるとよいでしょう。

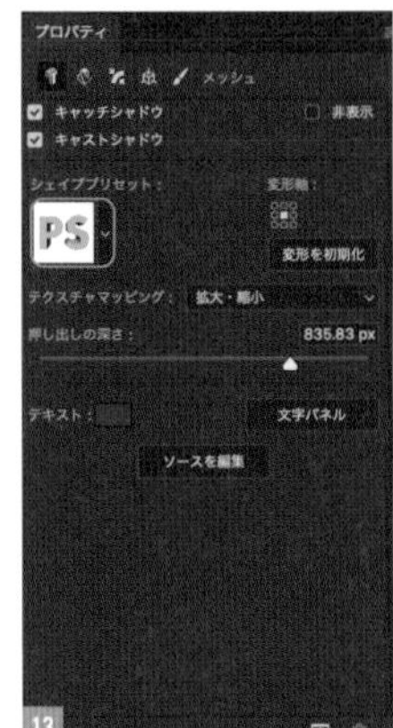

13

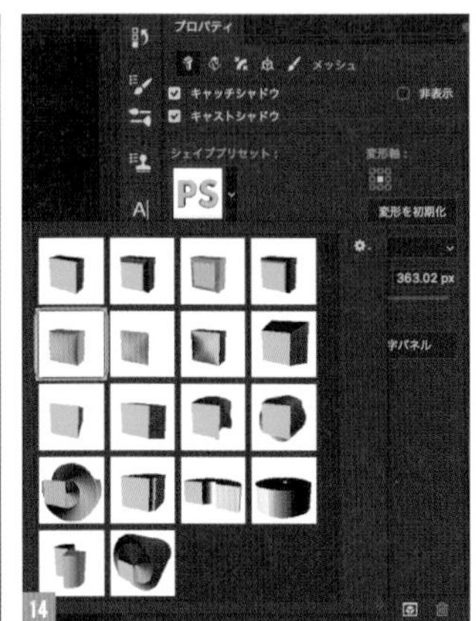

14

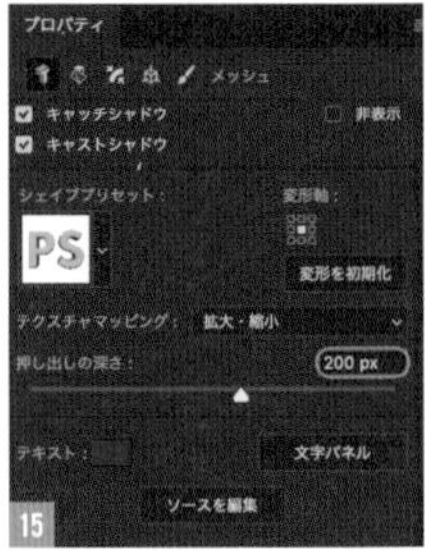

15

16

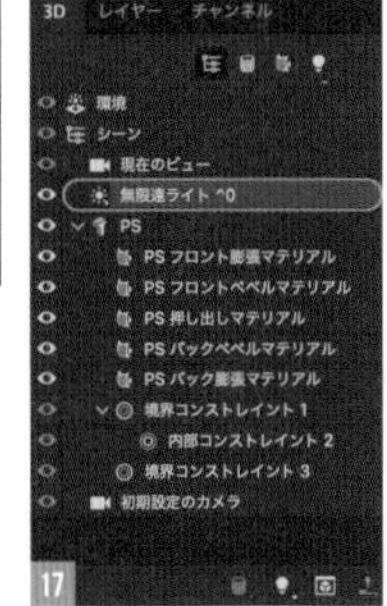

17

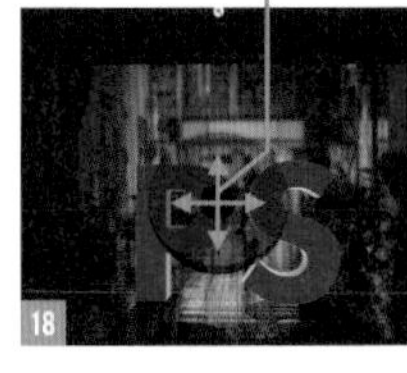
18

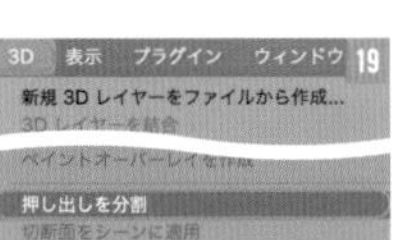

19

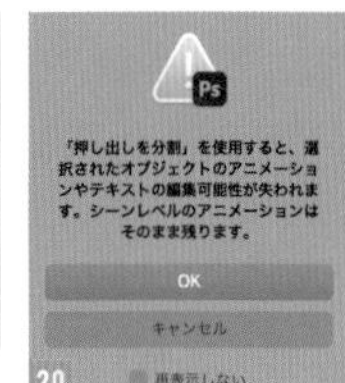

20

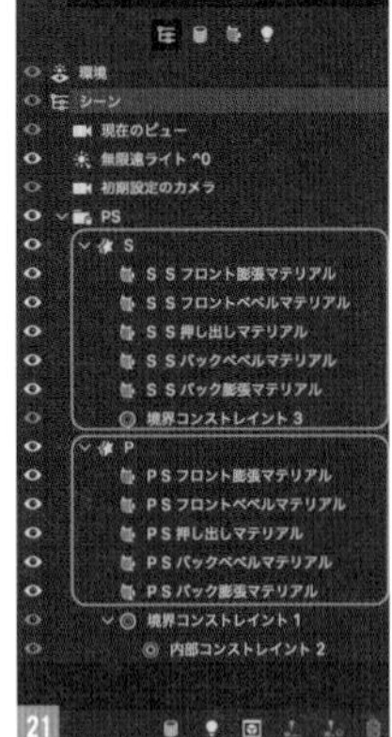

21

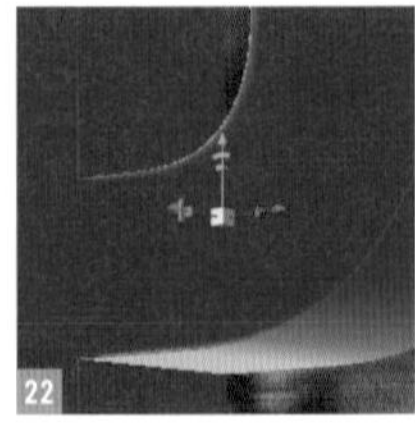
22

23

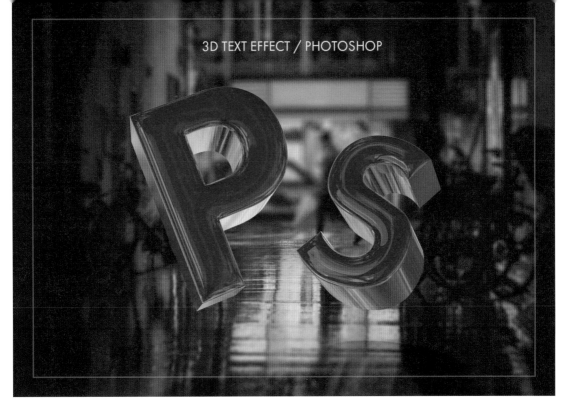

3D TEXT EFFECT / PHOTOSHOP

Recipe

076

3D文字にテクスチャをのせる

前のRecipeで作成した3Dの文字をメタル調にして背景が反射した質感に仕上げます。

Design methods

素材

01 3D要素に背景を映り込ませる

Photoshopを立ち上げて、素材[3D文字.psd]を開きます。このデータは前のRecipeで作ったデザインと同じものになります。
[ウィンドウ]→[3D]を選択し、[3D]パネルを表示します。以下、[3D]パネルで作業していきます。
[3D]パネル→[環境]を選択します 01。
[プロパティ]パネル→[IBL]を選択し、[テクスチャを置き換え]を選択します 02。

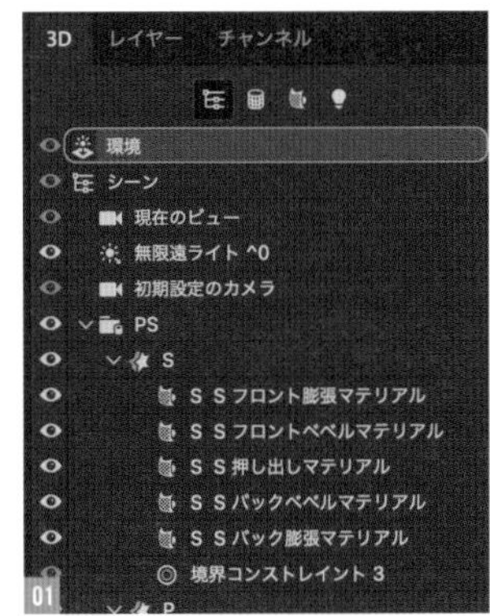

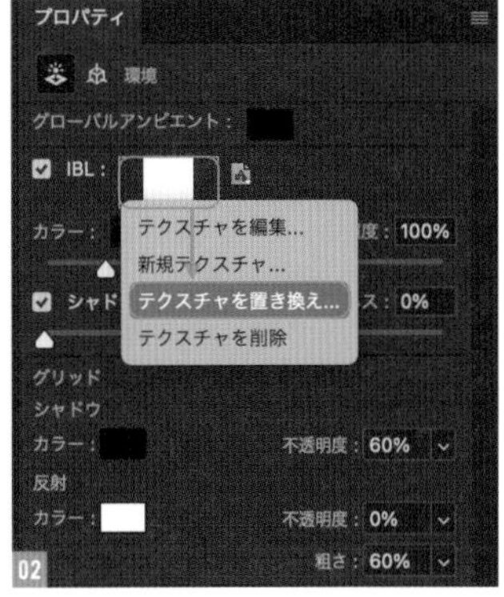

ウィンドウが表示されるので、素材[風景.jpg]を選択します。
03のように、[PS]の文字にテクスチャが反映され、中心に先ほど選択した画像が球体になったものが表示されます。
カンバス上でドラッグすることで、3D要素に対して、どのような具合でテクスチャを適用するかを調整することができます。
位置が決まったら、[プロパティ]→[グリッドシャドウ カラー]を[不透明度:50%]とします。これで[PS]の文字から落ちる影の濃さを調整できます。次に、[反射]を[不透明度:50%][粗さ:10%]とします04。[不透明度]で地面に反射する濃さを調整します。[粗さ]は地面がアスファルトのような素材なので[10%]とし少しざらつかせています。金属や波の無い水面に反射させる場合は[粗さ:0%]とします。3Dに背景を映り込ませました05。

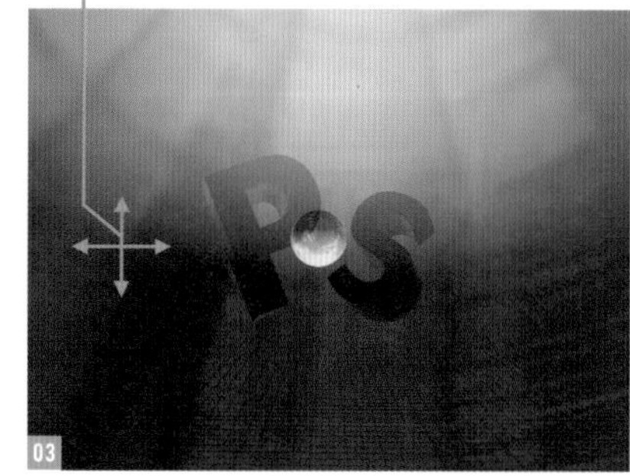

03

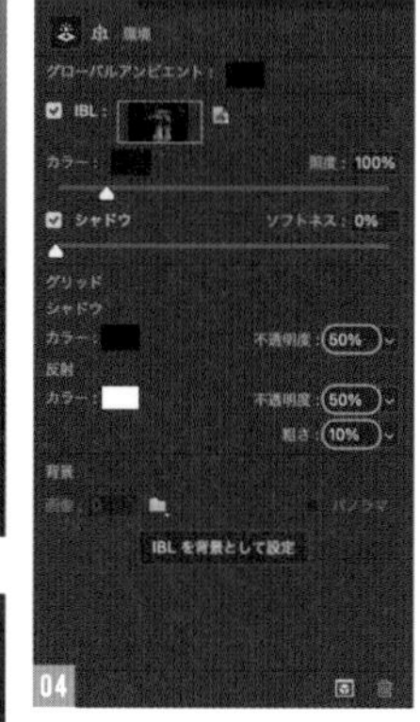

04

05

02 レンダリングして仕上がりを確認する

レイヤー[PS]を選択した状態で、[プロパティ]の右下にある[レンダリング]06を選択するか、レイヤーパネル上でレイヤー[PS]を右クリックし[3Dレイヤーをレンダリング]07を選択することでレンダリングを開始します。3D文字にテクスチャをのせることができました08。
作例では枠線やテキストをのせてデザインをまとめています。

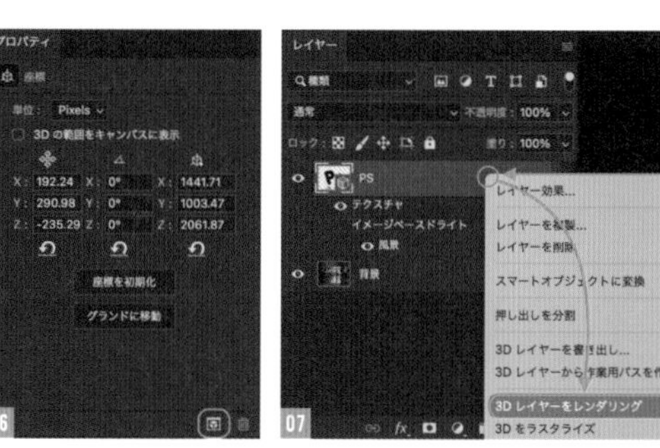

06 07

Point

このRecipeではPhotoshopの機能だけを使ってできる簡単な3D文字を作りました。デザイナーのアイデアの引き出しとして、知っておくといつか役立つことがあるかもしれません。
ただ、3D制作は難しく、専用のスタジオもあります。デザイナーがすべての素材を作る必要はありません。複雑な3D部分は業者に制作を依頼するのもひとつの手です。

08

Chapter 06

ロゴ、イラスト

「ロゴ」は会社やお店、商品、サービスなどのイメージを凝縮し、記号化したものです。デザインの案件でもよく出てくるものなので実際に作り方を学んでおくとよいでしょう。
またこのChapterでは簡単なイラストの制作も学ぶことができます。

Design Elements

Recipe

077

曲線の形に合わせたロゴ

文字を曲線に合わせて変形させることで様々な形のロゴを作成することができます。

Design methods

素材

FIRE
BALL

01 ベースになるテキストを配置する

Illustratorを立ち上げて、素材[素材.ai]を開きます 01。あらかじめ文字をアウトライン化したものを用意しています。もしフォントをお持ちの方はツールパネルの[文字ツール]を選択し、02 の設定で「FIRE」「BALL」と入力して進めてもよいでしょう。

01

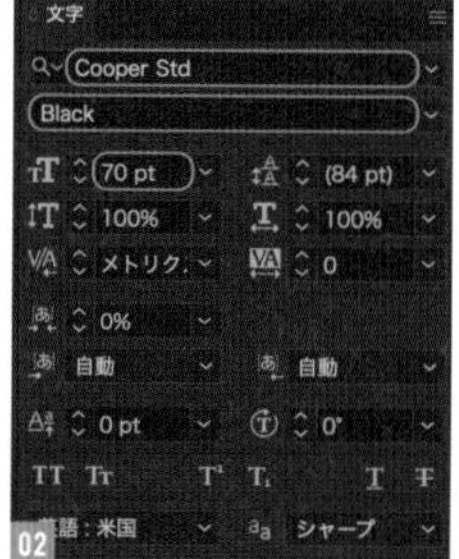

02

02 ベースとなるオブジェクトを作成する

ツールパネルから[楕円形ツール]を選択してアートボードをクリック、[幅：60mm][高さ：60mm]の正円を作成します 03 04。
正円を分割するために、ツールパネルから[長方形ツール]を選択し[幅：80mm][高さ：8mm]と入力して長方形を作成します 05 06。
長方形と正円を選択した状態で[ウィンドウ]→[整列]を選択、[水平方向中央に整列][垂直方向中央に整列]を選択して 07、正円に対して長方形を中央に配置します 08。

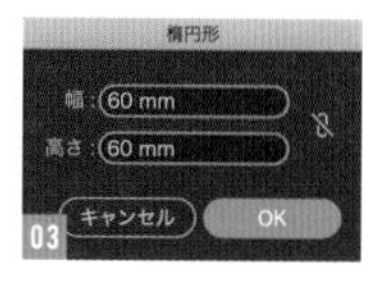

03

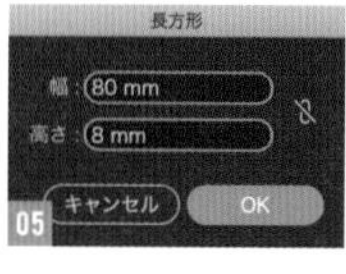

05

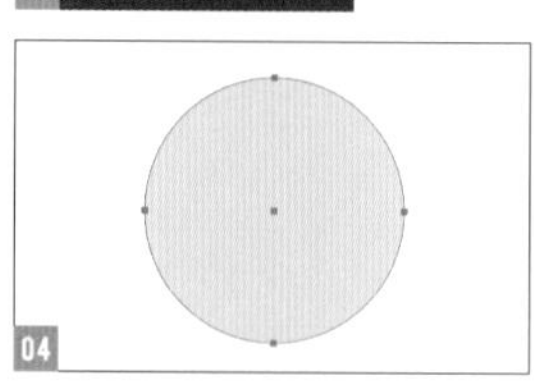
04

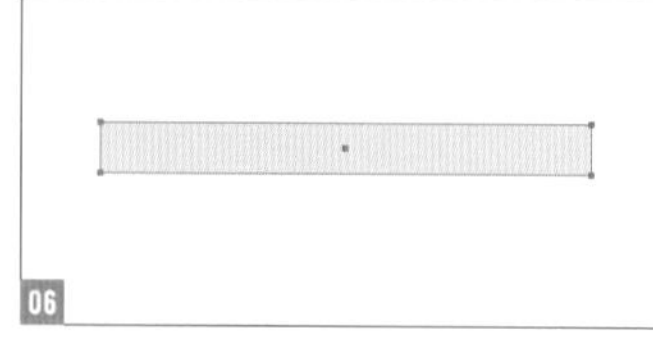
06

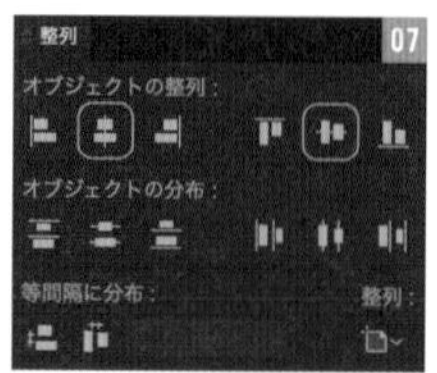

07

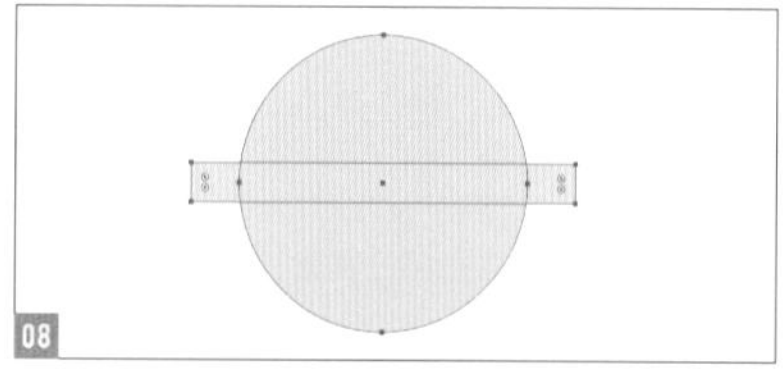
08

03　正円を上下に分割する

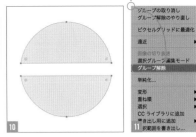

[ウィンドウ]→[パスファインダー]を選択し、[前面オブジェクトで型抜き] 09 を選択して正円を上下2つに分割します 10。このままだと2つの正円はグループ化されている状態ですので、[右クリック]→[グループ解除]を選択します 11。

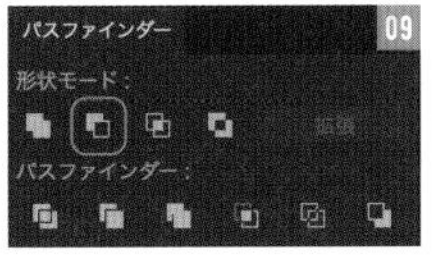

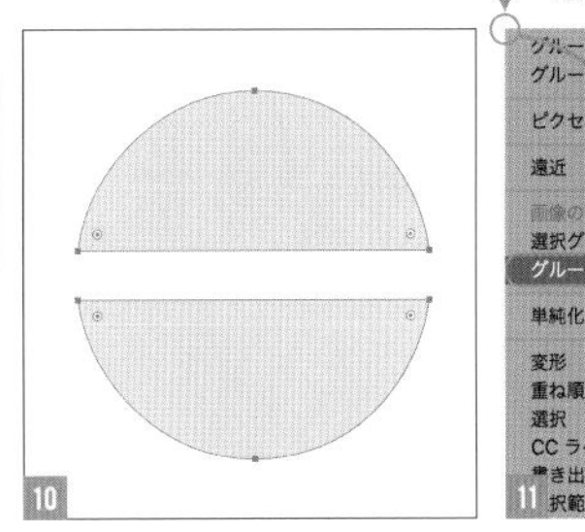

04　[エンベロープ]を使って文字を半円に変形する

文字「FIRE」の上に、さきほど作成した上半円を配置します 12。文字と上半円を選択した状態で[オブジェクト]→[エンベロープ]→[最前面のオブジェクトで作成]を選択し 13、上半円に変形した文字を作成します 14。同様の方法で文字「BALL」も下半円の形に[エンベロープ]で変形します 15 16。

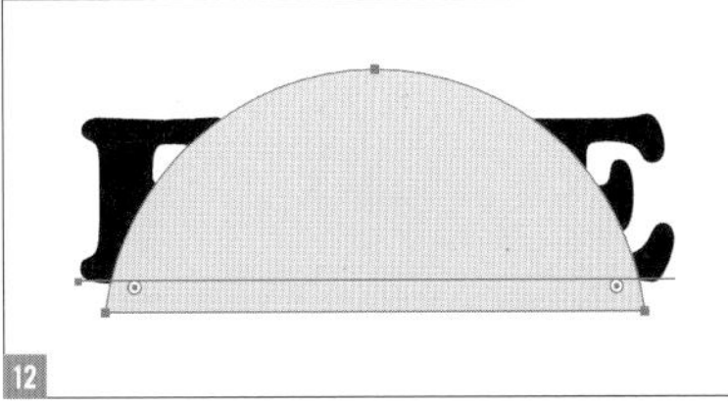

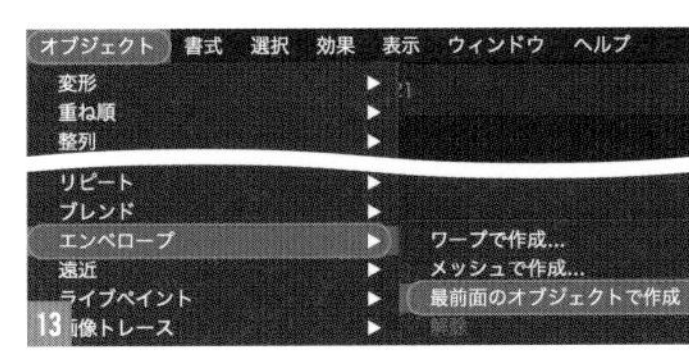

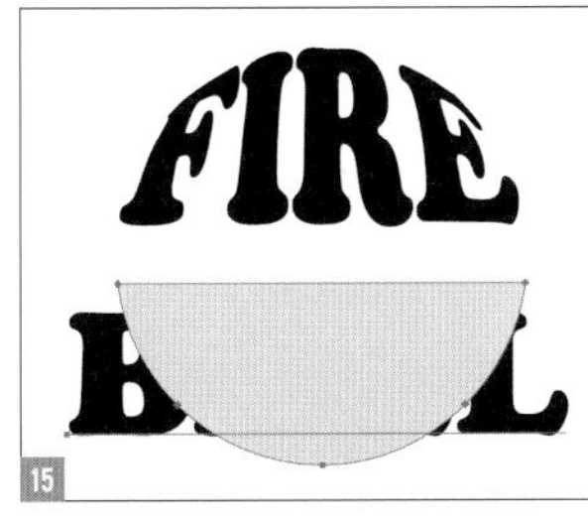

05　文字「FIRE」と「BALL」の間に新しい文字を配置する

「FIRE」と「BALL」の間に 17 の設定の文字「Exceed The Limit」を入力します。曲線に合わせたロゴがまとまりました 18。

作例では背景に火の玉のオブジェクトやカッコいい画像を配置してデザインを仕上げています。

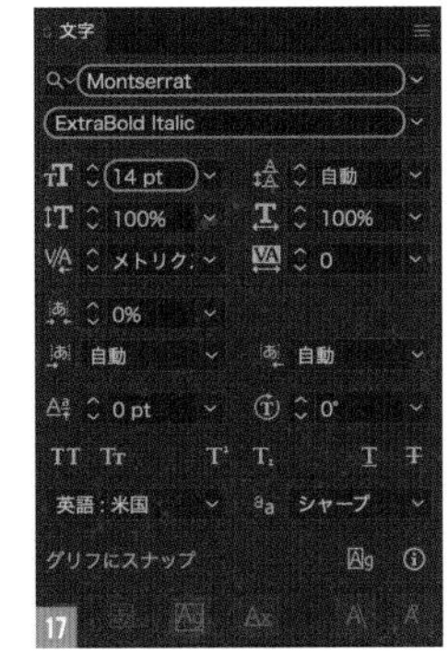

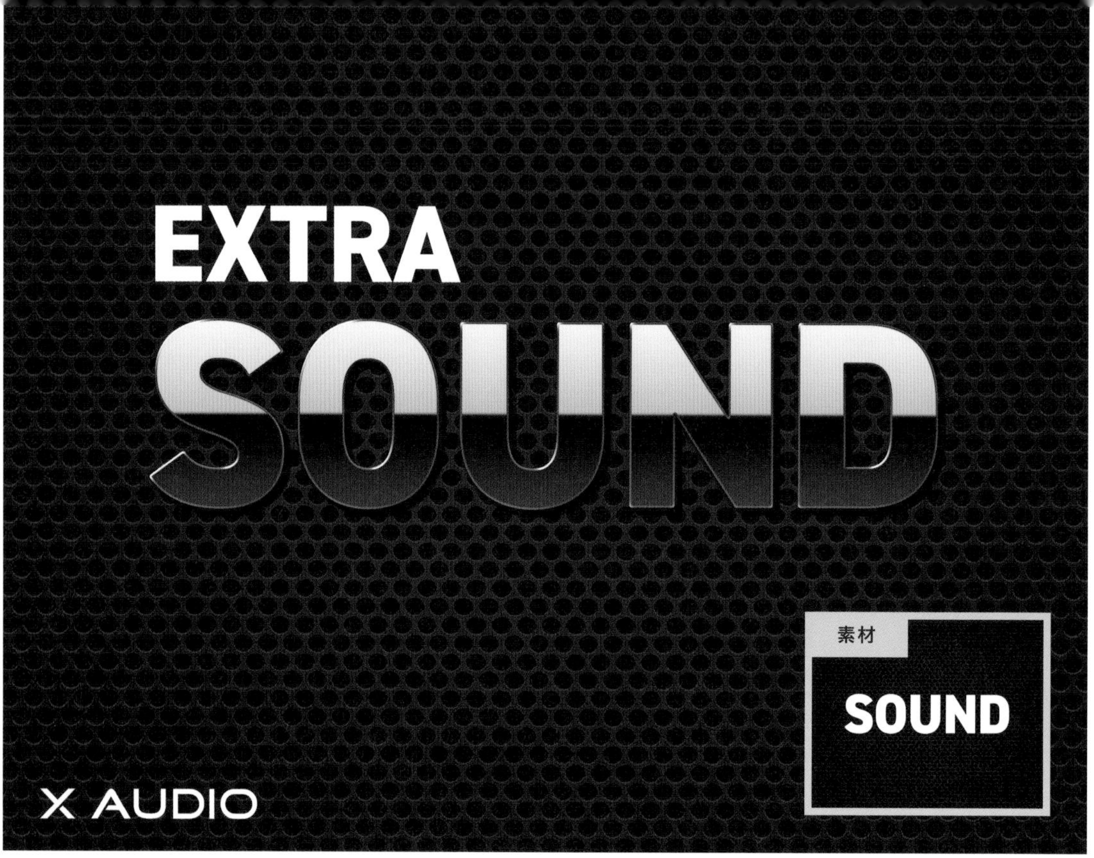

Recipe
078 ロゴに質感を足す

Photoshopのフィルター効果に少し手を加えて、鏡面の質感のあるクールな印象のロゴを作ります。

Design methods

01 ベースを作る

Photoshopを立ちあげて、素材[素材.psd]を開きます 01。あらかじめ背景とロゴ用の文字を用意してあります。この「SOUND」の文字を元に制作します。
なお、「SOUND」のフォントは[DIN 2014][フォントスタイル：Extra Bold]を使用しています。
レイヤー[ロゴ]を選択します。[レイヤー]パネルから[メニュー]→[レイヤーを複製]を選択 02、新規名称を[ロゴ2]とし[OK]をクリックします 03。レイヤー[ロゴ]が複製します 04。

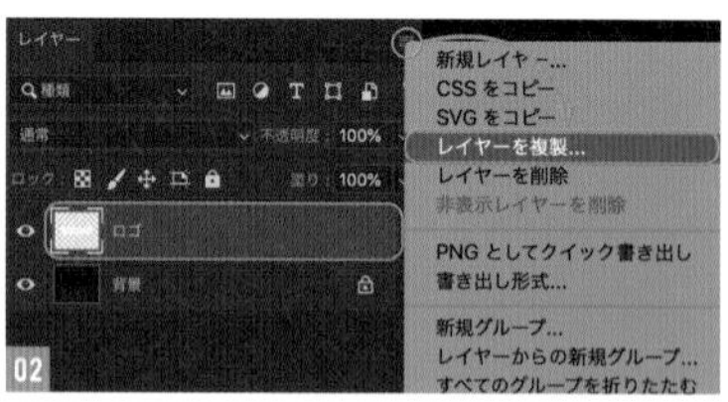

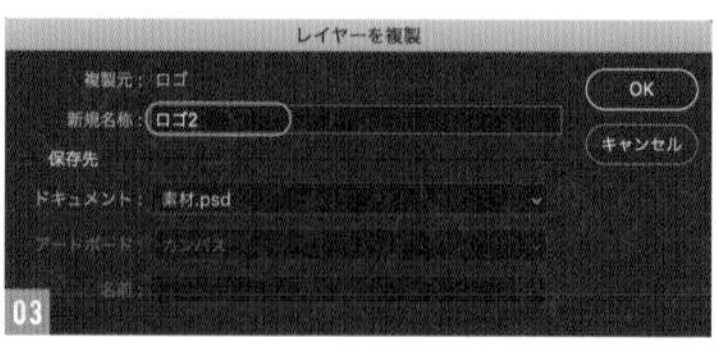

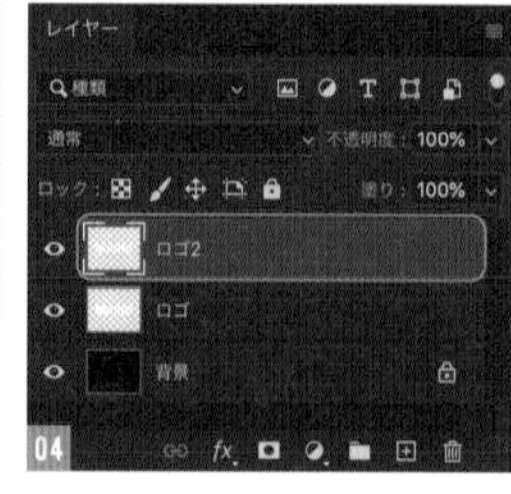

02 文字の回りに5pixelの線を作る

[イメージ]→[色調補正]→[階調の反転]を選びます 05 06。

レイヤーパネルの[ロゴ2]の[レイヤーサムネール] 07 を ⌘ (ctrl) キーを押しながらクリックします。

選択しているレイヤーの描画されている部分が選択されます 08。

[選択範囲]→[選択範囲を変更]→[縮小]を選び 09、[選択範囲の縮小:5pixel]とします 10 11。

さらに[選択範囲]→[選択範囲を反転]を選び 12 13、[削除キー]を押し選択範囲を削除します 14。

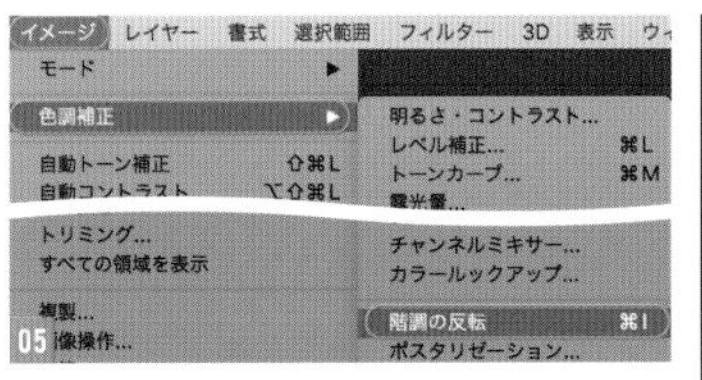

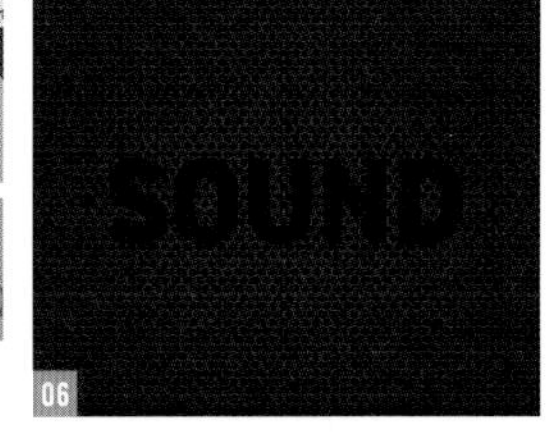

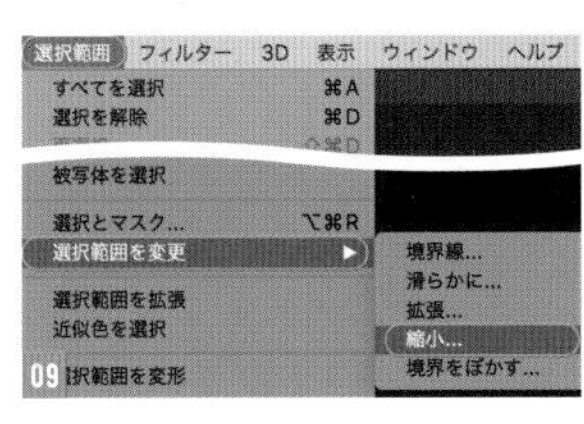

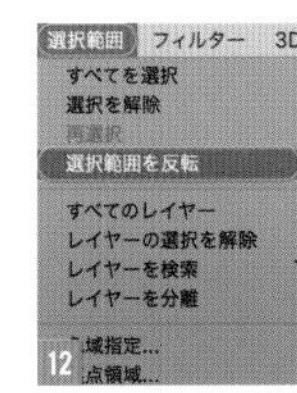

03 レイヤー効果を使う

レイヤー効果を使い、質感と立体感を足します。レイヤー[ロゴ2]を選択し、[レイヤースタイルを追加]→[レイヤー効果]を選択します 15。[レイヤースタイルパネル]が表示されます。

まず[ベベルとエンボス]にチェックを入れます。構造を[スタイル:ベベル(外側)][テクニック:シゼルハード][深さ:1000%][方向:上へ][サイズ:7px][ソフト:12px]、陰影を[角度:−170°][高度:25°][光沢輪郭:円錐][ハイライトのモード:オーバーレイ カラー:白][不透明度:100%][シャドウのモード:乗算 カラー:黒][不透明度:100%]とします 16。

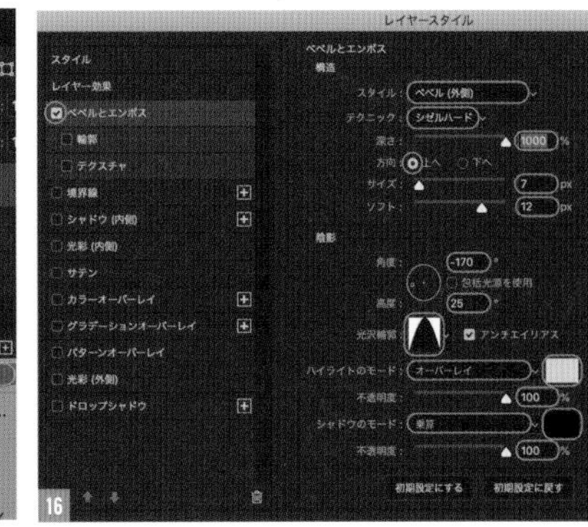

04 ドロップシャドウを設定する

続けて［ドロップシャドウ］にチェックを入れます。構造を［描画モード：乗算　カラー：黒］［不透明度：90%］［角度：90°］［距離：12px］［スプレッド：10%］［サイズ：21px］、画質を［輪郭：ガウス］［アンチエイリアス：チェック］［ノイズ：0%］とします 17。立体感と光沢がロゴに足されました 18。

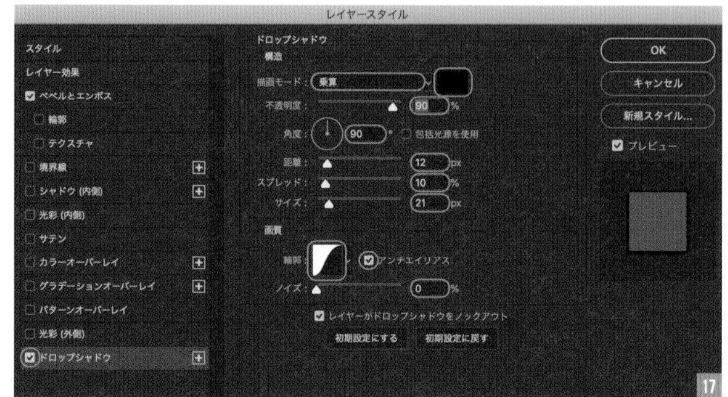

05 グラデーションで質感を足す

さらに手を加え、鏡面の質感を足します。
レイヤー［ロゴ2］を選択し［新規レイヤーを作成］をクリックします。追加されたレイヤー名を［鏡面1］とします 19。
ツールパネルから［グラデーションツール］を選びます 20。［ウィンドウ］→［オプション］にチェックを入れます 21。オプションバーで［不透明度：100%］になっているのを確認したら、［グラデーションを編集］をクリックし 22、［グラデーションエディター］を開きます 23。［グラデーションタイプ：べた塗り］［滑らかさ：100%］とします。グラデーションの色を左端から［R：160 G：160 B：160（#a0a0a0）］24 とし、右端の色を［白］とし［OK］をクリックします 25。
［ロゴ2］の［レイヤーサムネール］を ⌘（ctrl）キーを押しながらクリックし 26、選択範囲を表示します 27。

選択範囲の下から上にかけてドラッグし28、選択範囲にグラデーションをかけます29。
[選択範囲] →[選択範囲を解除] を選びます30。
[新規レイヤーを作成] でレイヤーを1点追加し[レイヤー名：鏡面2] とします31。
再び、[グラデーションエディター] を開き、グラデーションの色を左から [黒]、[R：60 G：60 B：60 (#3c3c3c)] とします32 33。
[鏡面2] を選択し、34のように「SOUND」の上下の半分から下へ向けてドラッグしグラデーションをかけます35。

28 29

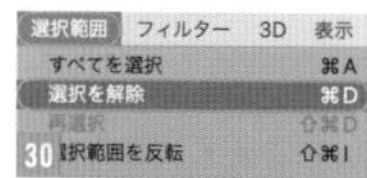

30

31

32

33

34

35

06 クリッピングマスクを追加する

[レイヤー] パネル→[メニュー] →[クリッピングマスクを作成] を選択36、下部の [鏡面1] レイヤーの描画範囲のクリッピングマスクを作ります37。
[鏡面2] レイヤーを選択し [レイヤーマスクを追加] をクリックして、[鏡面] レイヤーにレイヤーマスクを追加します38。

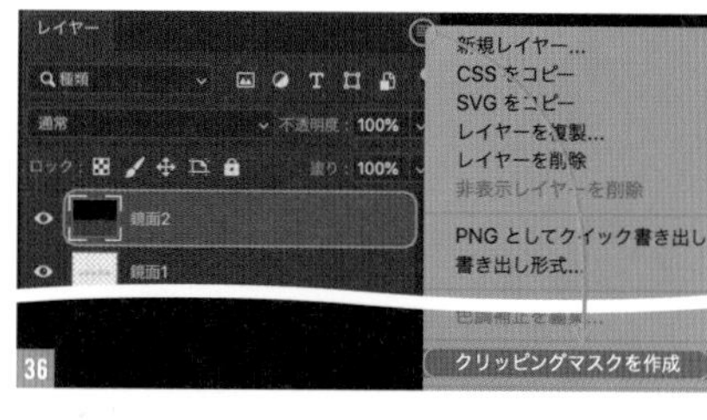

36

37

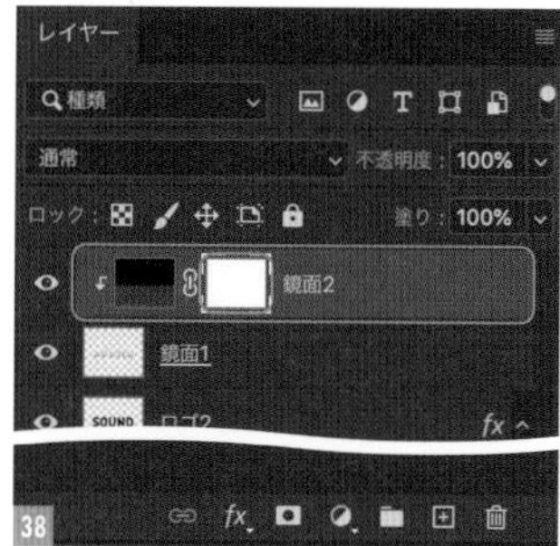

38

07 レイヤーマスクの上部半分をベタ塗りする

ツールパネルから［長方形選択ツール］を選び、39のように上部半分を選択します。

［編集］→［塗りつぶし］を選び40、［内容：ブラック］［描画モード：通常］［不透明度：100%］とします41 42。

［選択範囲を解除］し、［フィルタ］→［ぼかし］→［ぼかし（ガウス）］を選び43、［半径：3.0pixel］とします44。

鏡面の質感が表現できました45。

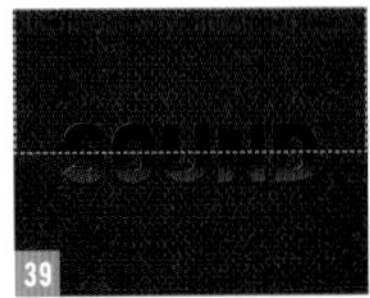

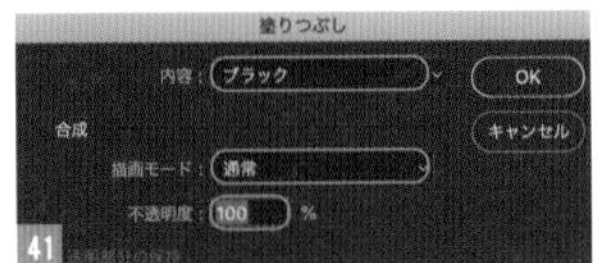

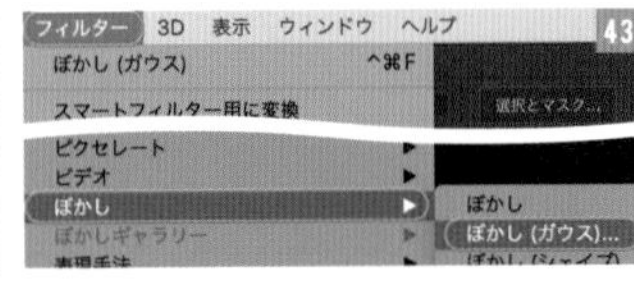

08 輪郭をハッキリさせる

全体に少しのっぺりして見えるので、「SOUND」の下部に明るい部分を足して立体感をアップします。

［ロゴ2］レイヤーの上に［新規レイヤーを作成］し、レイヤー名を［反射光］とします46。

今までと同様の方法でツールパネルから［グラデーションツール］を選びます。［グラデーションエディター］を開きグラデーションの色を左から［黒］、［白］とします47。

48のように「SOUND」の上から下にかけてドラッグし、グラデーションをかけます49。

レイヤー［反射光］を選び、レイヤー［ロゴ］の［レイヤーサムネール］をクリックし描画範囲を選択します50。

［レイヤーマスクを追加］をクリックし、マスクをかけます51。

レイヤー［反射光］の［描画モード：スクリーン］［不透明度：30%］とします52 53。

「SOUND」の輪郭がハッキリしました。

09 細部を調整する

背景と「SOUND」の関係をハッキリさせるため、ドロップシャドウをかけます。
レイヤー[ロゴ]を選び[レイヤースタイルを追加]をクリック、[ドロップシャドウ]を選択します 54。
[ドロップシャドウ]の設定を、構造が[描画モード：乗算][不透明度：70%][角度：135°][距離：25px][スプレッド：10%][サイズ：5px]、画質を[輪郭：ガウス][アンチエイリアス：チェック][ノイズ：0%]とします 55 56。
最後にクールな印象を強めるため、全体にやや青みがかった色みにします。
最上位のレイヤー[鏡面2]を選択し、[調整レイヤー]→[カラーバランス]を選びます 57 58。
[カラーバランスパネル]の[階調：ハイライト]を選び、上から[−5][0][＋5]とします 59。ロゴが完成しました。

作例では音響メーカーのフライヤーのイメージでビジュアルに合わせています。

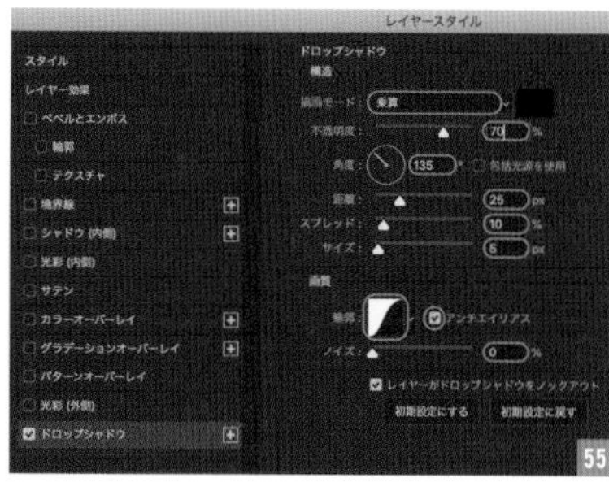

56

ドロップシャドウが入った

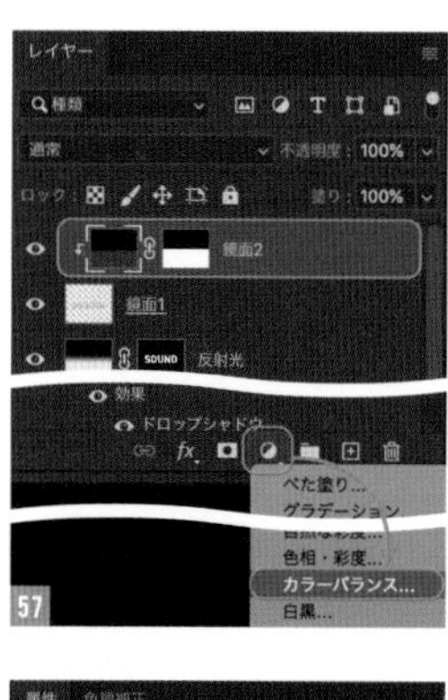

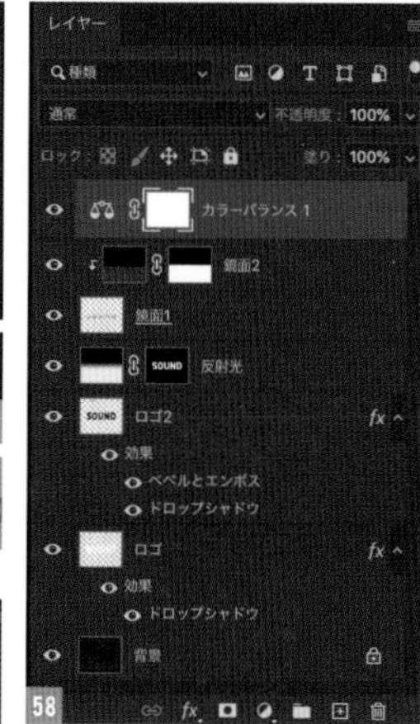

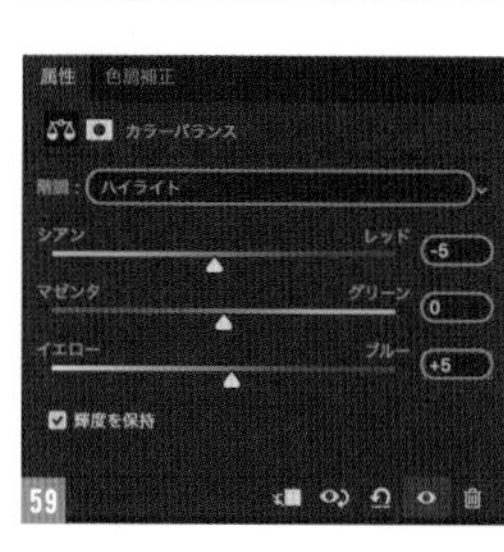

Column

ベベルとエンボスとの違い

立体感や質感のあるロゴを作るとき、Photoshopのレイヤー効果で「ベベルとエンボス」を使用すると比較的容易に質感を出せます。
ただ、「ベベルとエンボス」での効果はPCの処理感も強く出ており、見た目に美しさが出ません。本Recipeで紹介したようにレイヤー効果だけでなく、グラデーションやマスクなどを使って丁寧に作り込むことで、より金属の鏡面感を出したロゴを作り出すことができます。

ベベルとエンボスで作ったロゴ

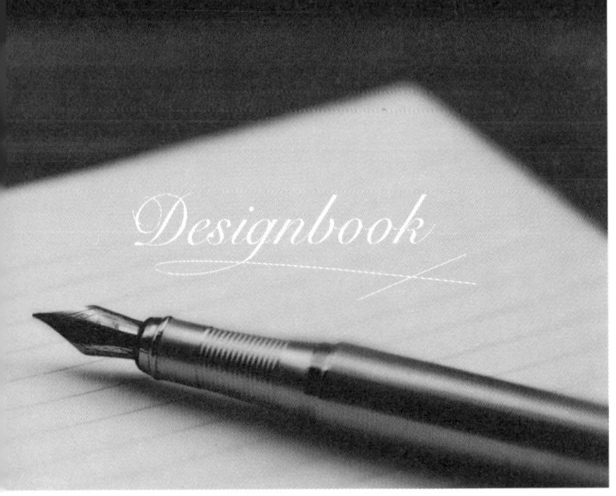

Recipe

079

カリグラフィーのような飾りを入れるロゴ

文字に飾りを入れることで万年筆で書いたようなロゴを作ることができます。

Design methods

01 ベースになるテキストを用意する

Illustratorを立ち上げて、素材[素材.ai]を開きます01。あらかじめ文字をアウトライン化したものを用意しています。もしフォントをお持ちの方は02の設定で「Designbook」と文字を入力し、アウトライン化して進めてもよいでしょう。

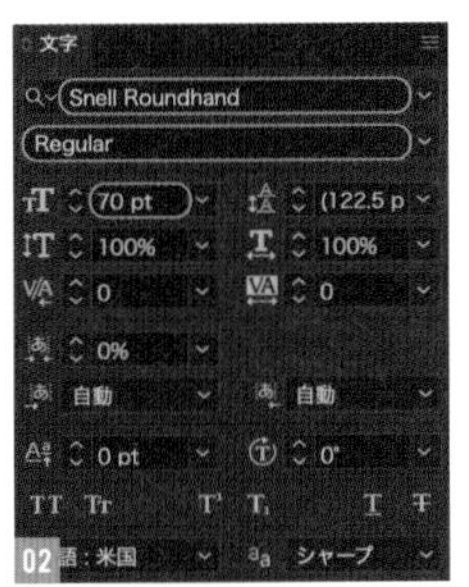

02 「g」の文字を調整する

ツールパネルから[ペンツール]を選択します。「g」の文字の下段のアンカーポイントにマウスを重ねてポイントを削除していきます。「g」の文字を短くします03。

03 「g」の下に長いラインと交差するラインを追加する

[ウィンドウ]→[線]を選択し、[線幅：0.2pt]にし04、[ペンツール]で「g」から伸びるラインを追加していきます。
この時、[ウィンドウ]→[ブラシ]で[5pt.平筆]※を選択すると05、より万年筆で書いたような線になります06。さらにラインに交差する短いラインを追加します07。

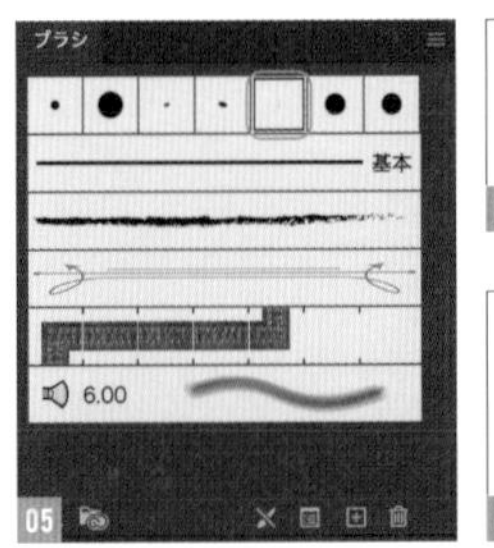

※[5pt.平筆]のブラシはIllustratorの標準で入っているブラシになりますが、バージョン等により見つからないときもあります。もしお使いのIllustratorにないようであれば素材として入れている「5pt.平筆.ai」のデータを[ブラシパネル]→[右上のメニュー]→[ブラシライブラリを開く]→[その他ライブラリ]から読み込み使用してください。

04 「D」に配置する丸を作成する

ツールパネルから［楕円形ツール］を選択し、アートボードをクリック、［幅：10mm］［高さ：10mm］の円を作成します 08。先ほどと同じように線を［線幅：0.2pt］［平筆：5pt］とします。丸が作成できました 09。

さらに［ペンツール］で、円の線上にアンカーポイントの［追加 / 削除］を行い 10、線の一部を削除します 11。

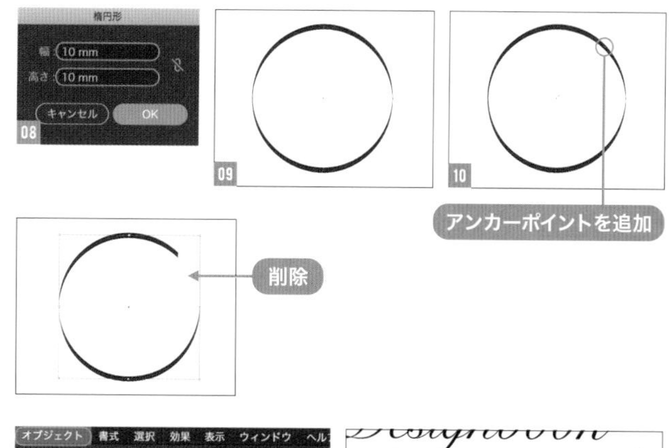

05 追加した線をアウトライン化してパスファインダーで合体する

追加した線をすべて選択して、［オブジェクト］→［パス］→［パスのアウトライン］12 を選択し、線をアウトライン化します 13 14。

丸は角度を変えつつ「D」の文字の線につながるように配置します 15。ガタついた箇所は［ペンツール］でアンカーポイントを調整して整えます 16 17。

文字のオブジェクトと線のオブジェクトを選択し［ウィンドウ］→［パスファインダー］を選択し、［合体］で1つのオブジェクトにします 18 19。

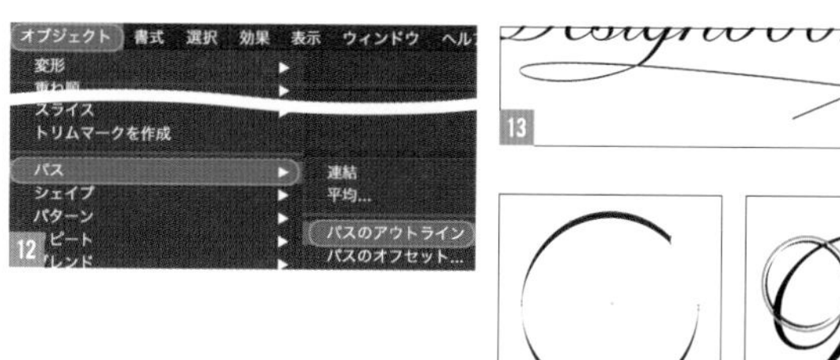

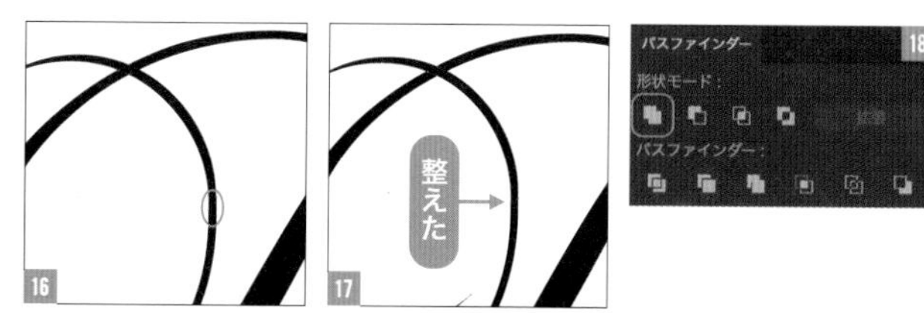

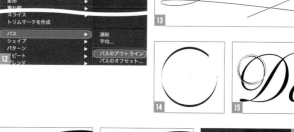

06 墨溜まりを作る

文字オブジェクトを⌘（ctrl）＋Cキーでコピーをし、⌘（ctrl）＋Fキーで前面にペーストをします。前面の文字オブジェクトを［線のみで塗り無し］の設定にします 20。

線は［線］パネルで［線幅：0.2pt　線の形状：ラウンド結合 線の位置：線を中央に揃える］に設定 21 し、［オブジェクト］→［パス］→［パスのアウトライン化］22 でパスをアウトラインにします。アウトライン化したら線の文字オブジェクトで塗りの文字オブジェクトを［パスファインダー］→［前面オブジェクトで型抜き］23 と選択します。すると鋭利な角に丸みができて墨溜まりを作ることができます 24 25。ロゴの完成です。

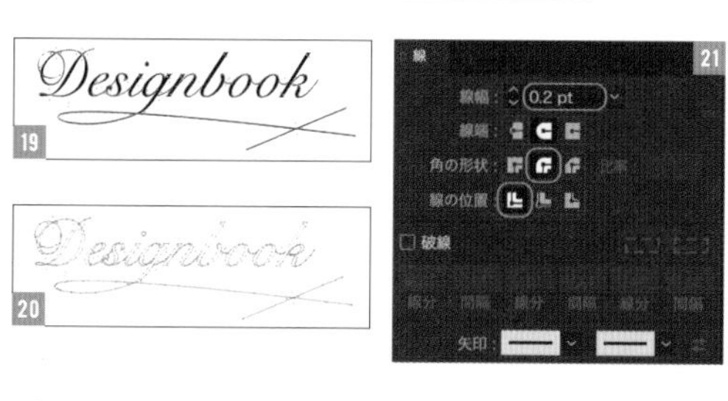

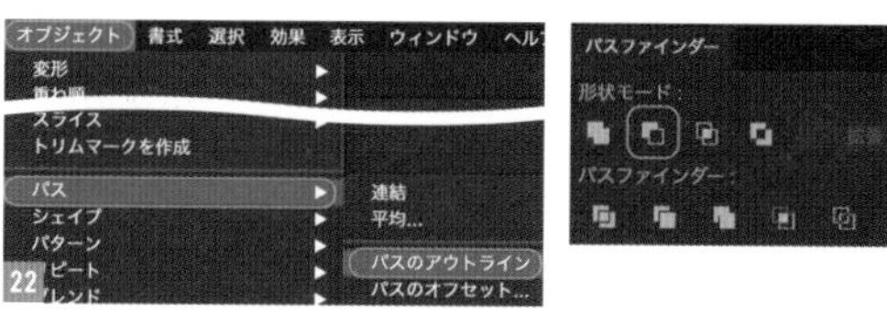

Recipe

080

文字の一部を分断するロゴ

ロゴの一部を分断し、分断した箇所をアクセントにしたり配色にバリエーションを与えたりするロゴを作ります。

Design methods

素材

デザイン
図鑑

01 ベースとなる文字を組む

Illustratorを立ち上げて、素材[素材.ai]を開きます 01。あらかじめ文字をアウトライン化したものを用意しています。もしフォントをお持ちの方は「デザイン」は[フォントサイズ:45pt] 02。「図鑑」は[フォントサイズ:130pt]とし 03、アウトライン化して進めてもよいでしょう。

02 単語のグループや複合パスを解除する

「デザイン」を選択した状態で[右クリック]→[グループ解除]を選択し 04、単語に設定されているグループを解除して1文字単位のグループにします。同様に「図鑑」もグループを解除します。
それぞれの文字を選択した状態で[右クリック]→[複合パスを解除]を選択します 05。文字に設定されているグループを解除して分割します 06。さらに[複合パスの解除]で抜きを解除した箇所 07 08 09 を選択した状態で再度[右クリック]→[複合パスを作成]を選択し、複合パスに設定します 10。こうして各パーツごとにバラバラにしていきます 11。

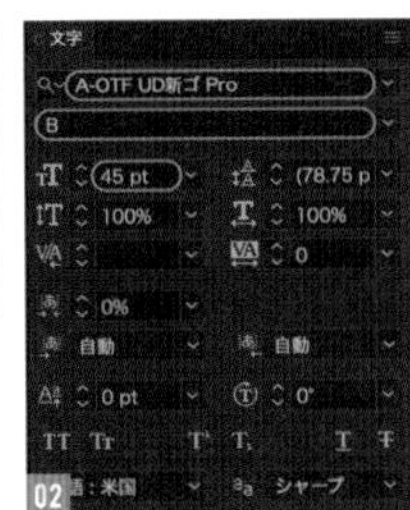

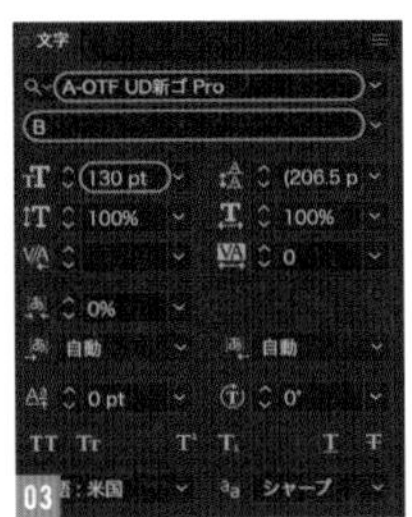

右クリック

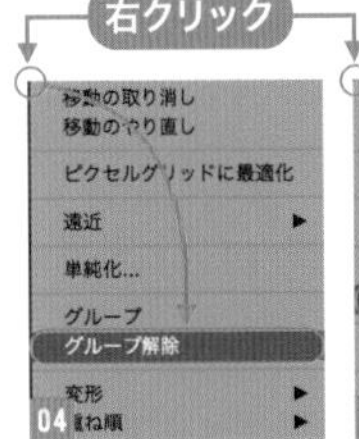

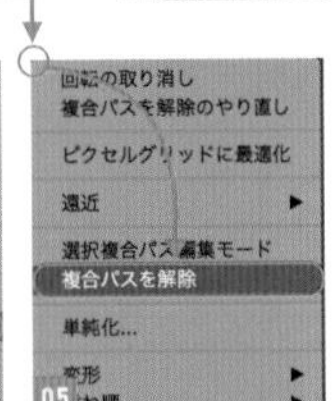

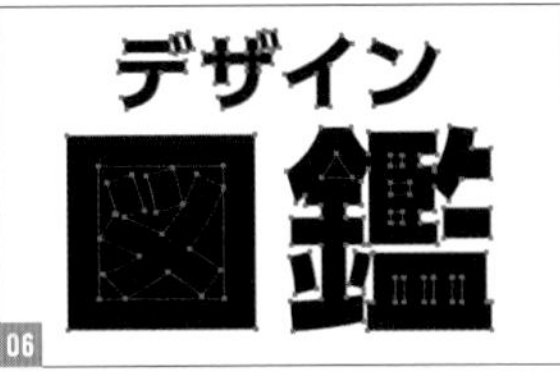

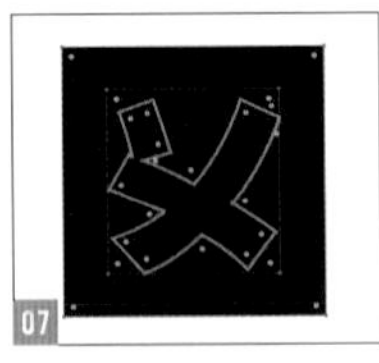

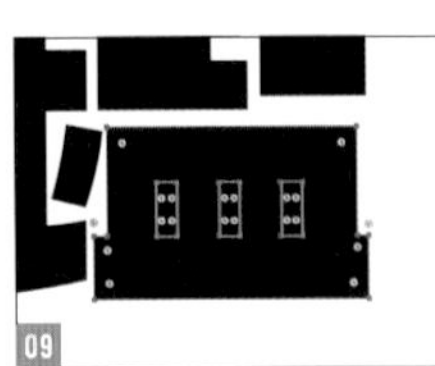

右クリック

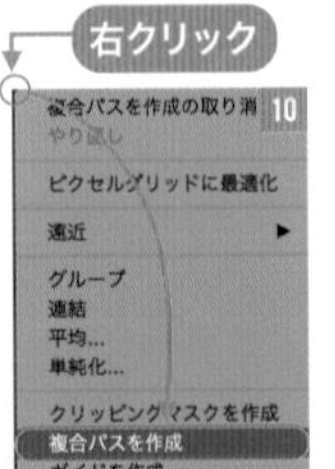

03 文字の切れ目を作る

「デザイン」の文字については［線幅：2pt］12と設定した線を文字の切れ目を作りたい場所に配置します13。ここではわかりやすいように赤の線にしています。

「イ」のカーブを描いている箇所は、ツールパネルから［アンカーポイントツール］を選択して14、パスを曲げたい方向にドラッグします15。パスが弓なりに引っ張られて曲線になります16。

線をすべて選択して［オブジェクト］→［パス］→［パスのアウトライン］17とします18。字のオブジェクトとアウトライン化した線を選択し、［ウィンドウ］→［パスファインダー］を選択し、［前面オブジェクトで型抜き］を選択して、文字の切れ目を作ります19。20のようになりました。

04 文字のパーツを削除・追加し配色する

「鑑」の「皿」については削除したい箇所の高さに合わせてツールパネルの［長方形ツール］で長方形を作成し21、先ほどと同じように［パスファインダー］パネルで［前面オブジェクトで型抜き］を選択して削除します22。型抜きにより、余分に生まれたアンカーポイントはツールパネルの［ペンツール］を選択し、該当のアンカーポイント近くにマウスを持っていき「–」のアイコンが出てきたらクリックすれば削除できます23。

独立したパーツは［選択ツール］で選択し削除します24。また、飛び出しているパーツの一部25は［ペンツール］で飛び出しているアンカーポイントを削除し整えていきます26。

ツールパネルから［楕円形ツール］27を選択し、任意の場所でクリックして［幅：6.7mm］［高さ：6.7mm］28の正円を作成し、option（alt）＋ドラッグ］で複製を繰り返しながら削除した箇所に配置します29。「デザイン」の「ン」30のパーツには［幅：4.4mm］［高さ：4.4mm］［線幅：6pt］31の線の正円を配置します32 33。

最後に丸くかわいいロゴを活かすようにカラフルに配色したら完成です34。

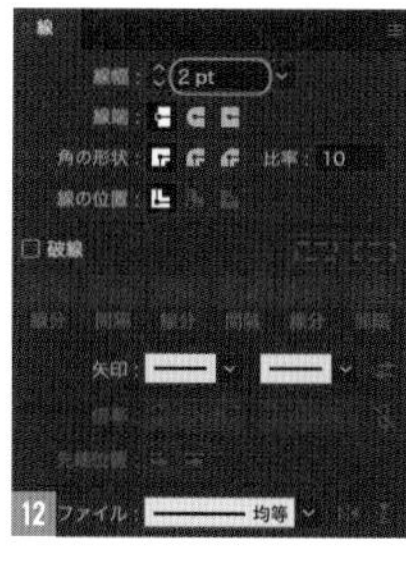

12

13

14

15

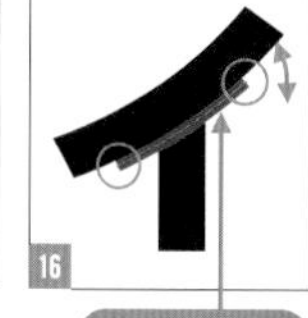

16

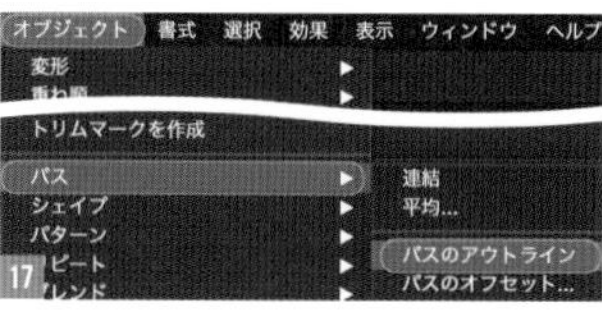

17

18

19

20

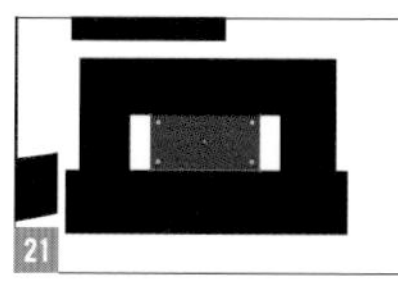
21

22

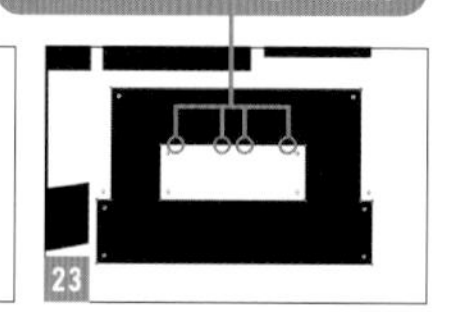
23

24

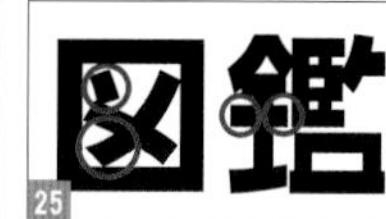
25

26

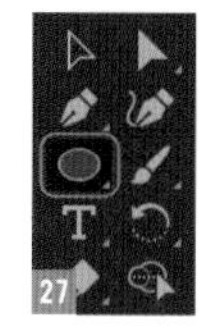
27

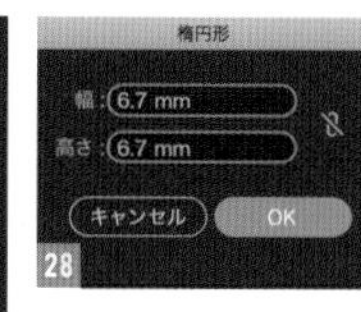

28

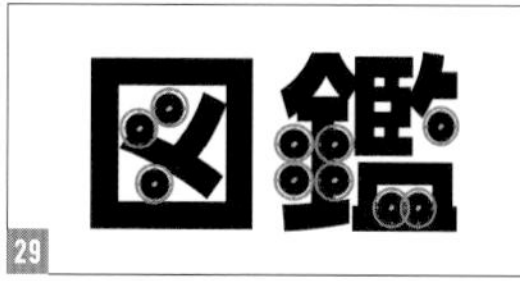
29

30

31

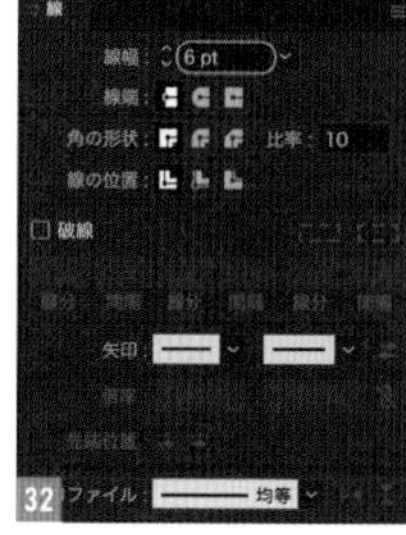

32

33
34

Recipe

081

文字の配置を変えるロゴ

文字のパーツをバラバラにして配置を変えることで面白みのあるロゴを作ることができます。

Design methods

01 ベースとなる文字を組む

Illustratorを立ち上げて、素材[素材.ai]を開きます01。あらかじめ文字をアウトライン化したものを用意しています。もしフォントをお持ちの方は「デザイン」は02。「図鑑」は03の設定で文字を入力し、アウトライン化して進めてもよいでしょう。

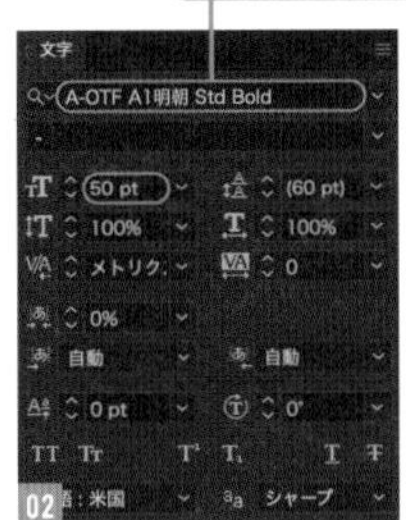

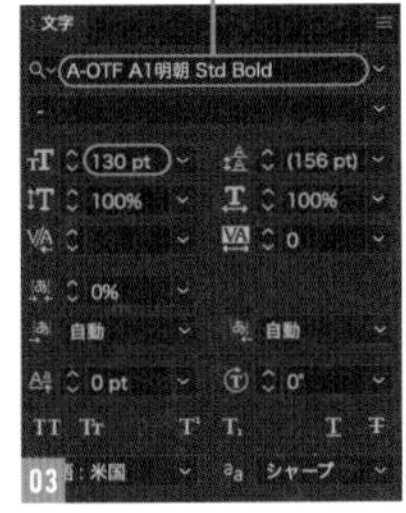

02 単語のグループや複合パスを解除する

「デザイン」を選択した状態で[右クリック]→[グループ解除]04を選択し、単語に設定されているグループを解除して1文字単位のグループにします。同様に「図鑑」もグループを解除します。
それぞれの文字を選択した状態で[右クリック]→[複合パスを解除]05を行い文字に設定されているグループを解除してパーツを分割します06。さらに[複合パスの解除]で抜きを解除した箇所07 08 09を選択した状態で再度[右クリック]→[複合パスを作成]を選択して複合パスに設定します10。こうして各パーツごとにバラバラにしていきます11。

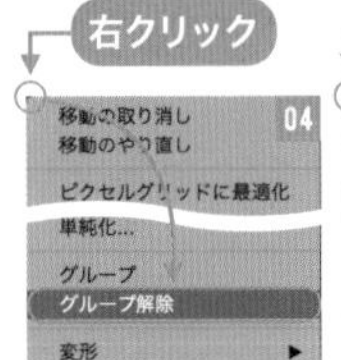

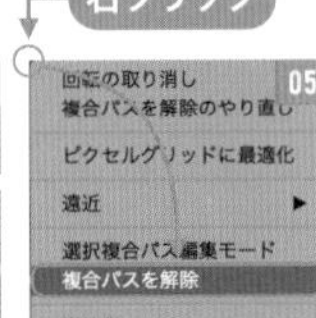

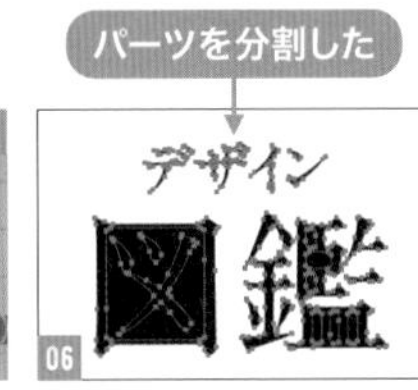

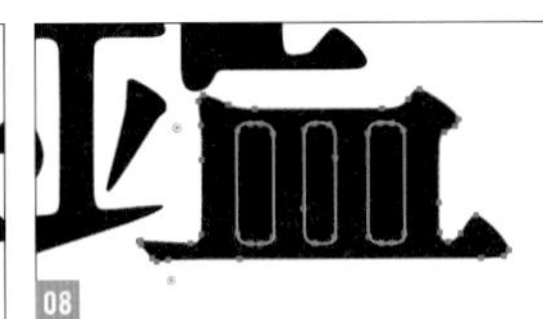

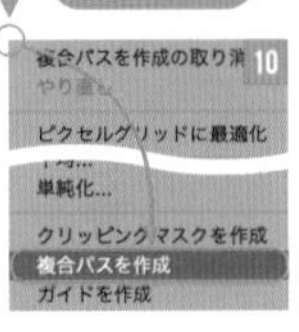

03 パーツの位置を調整、大小をつけてバランスを整える

パーツの位置を調整したり、拡大・縮小の微調整を行い、単語に動きとメリハリを持たせます 12。「図」のアンカーポイントの位置を調整して形に変化を与えます。

04 文字の切れ目を作る

[ウィンドウ] →[線] を選択し、[線幅：4pt] の線を 13 の赤線のように書きます。すべての線を選択した状態で [オブジェクト] →[パス] →[パスのアウトライン] でアウトライン化します 14。文字のオブジェクトと線を選択し、[ウィンドウ] →[パスファインダー] で [前面オブジェクトで型抜き] 15 を選択して、切れ目を作ります 16。

05 文字の太さの調整と墨溜まりを作るために文字の枠線で型抜きする

文字を選択し ⌘（ctrl）＋C キーでコピーし、⌘（ctrl）＋F キーで同じ位置にペーストを行います。ペーストした文字オブジェクトを [塗り：無し] にして線にします。線は [ウィンドウ] →[線] を選択し、[線幅：1pt] [線の位置：線を中央に揃える] に設定します 17 18。[オブジェクト] →[パス] →[パスのアウトライン] でアウトライン化します 19。さらに [ウィンドウ] →[パスファインダー] を選択し、先ほどと同じ [前面オブジェクトで型抜き] 15 を選択して、アウトライン化した線の文字オブジェクトで塗りの文字オブジェクトを型抜きします 20。文字の太さが調整され、墨溜まりが出せました。

06 [図] の点を他のパーツに流用する

「図」の点を [鑑] のパーツの代わりに配置してアクセントにします 21。このように1つひとつ細かく作っていきます。
作例ではロゴが持つ手書き感がありつつも凛としたイメージを活かす背景と合わせています。

小さく調整
空きを入れる
デザイン
図鑑
12

13

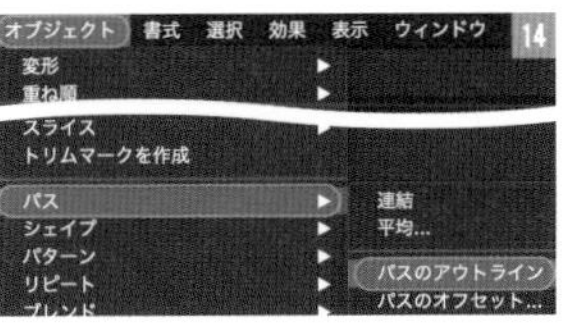

14

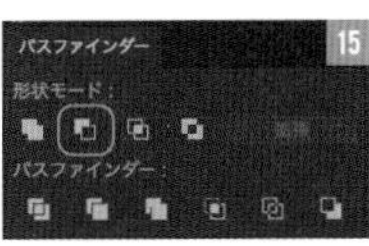

15

16 18

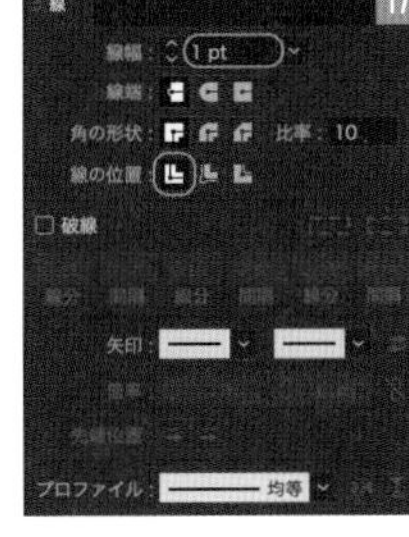

17

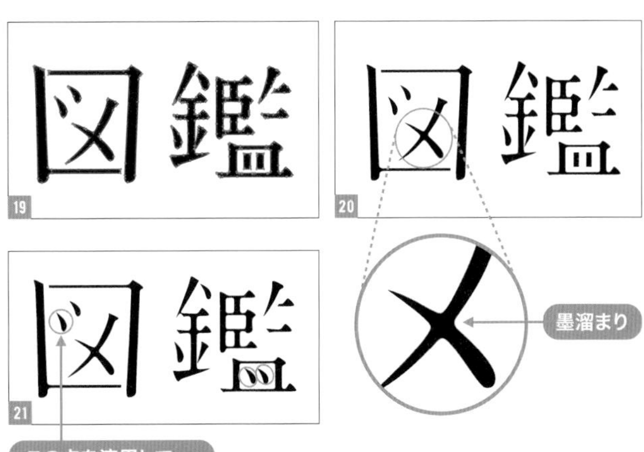

19 20 21

Point

調整しすぎると文字として認識できなくなってしまう恐れがあります。少しの調整でも変わった印象になります。下図のように底辺の線の距離を短くしただけでも、だいぶ印象が変わっているのがわかります。

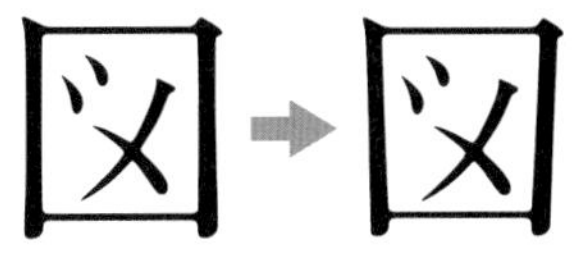

底辺を短かくした

Recipe

082

一部をつなげるロゴ

文字と文字のパーツを繋げることで筆で書いたようなロゴを作ることができます。

Design methods

素材

デザイン図鑑

01 ベースになるテキストを用意する

Illustratorを立ち上げて、素材[素材.ai]を開きます01。あらかじめ文字をアウトライン化したものを用意しています。もしフォントをお持ちの方は02の設定で「デザイン図鑑」と文字を入力し、アウトライン化して進めてもよいでしょう。

02 文字のグループを解除しパーツを繋げる

アウトライン化した文字のオブジェクトを選択した状態で[右クリック]→[グループ解除]を選択します03。ツールパネルから[ペンツール]を選択して、それぞれの文字のパーツを繋ぐオブジェクトを作成します04 05。

03 墨溜まりをつくる

P.281と同じ方法で墨溜まりを作ります。ただし、ここでは[線幅：0.5pt 角の形状：ラウンド結合 線の位置：中央]と設定し、より墨溜まりを作るイメージで進めます06。線のみに設定07、パスをアウトライン化08、背面の塗りの文字オブジェクトを前面の文字オブジェクトで型抜きして完成です09。

デザイン図鑑

01

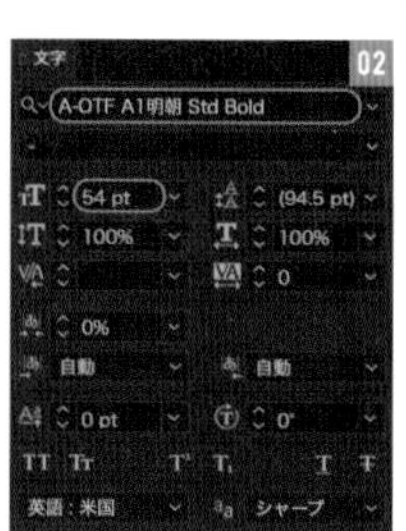

02

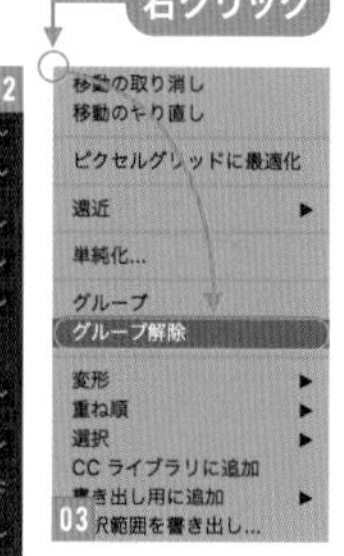

03

04

05

06

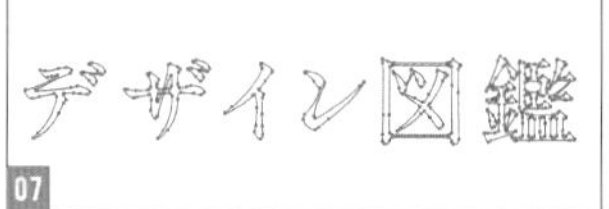

07

08

デザイン図鑑

09

Recipe

083

グラデーションを使ったロゴ

グラデーションを使って形のつながりを強調したカラフルなロゴを作ります。

Design methods

素材

PLAY
NOW

01 ベースの形を作る

動画配信サービスのロゴを想定してロゴを制作します。今回の作例のように規則性のあるロゴを作る場合、ガイドを作成しそれに合わせて作っていきます。
素材[素材.ai] を開きます。
あらかじめ正三角形を格子状に組んだガイドを用意しています 01 。このガイドを元にロゴの形を決めていきます。

レイヤー[ロゴ] を選択、ツールパネルから [ペンツール] を選びます。
まず 02 のように黄色の形を作ります。色はわかりやすく [Y：100] とします。続けて 03 (青[C：100])、04 (ピンク [M：100]) の形を作ります。ベースの形ができました。

01

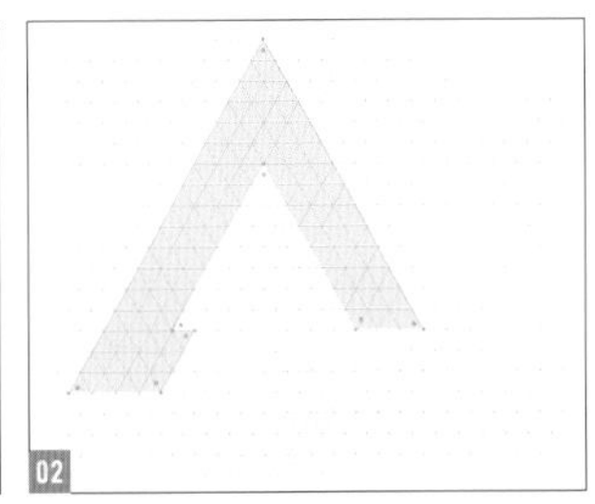
02

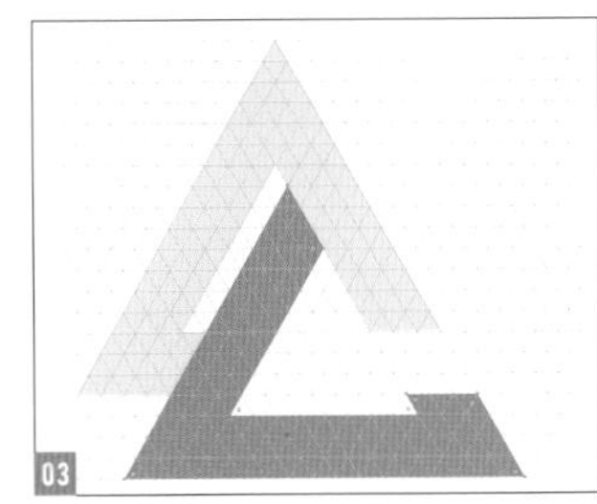
03

04

Point

[表示] →[スマートガイド] にチェックを入れると、ガイドやオブジェクト同士にスナップし、ピッタリと合わせやすくなります。

02 形のディティールを作る

レイヤー[ガイド]の目のアイコンをクリックし、非表示にします 05 06。

ツールパネルから[ダイレクト選択ツール]を選びます。黄色のオブジェクトの上部のアンカーポイント1点 07 をクリックします。角の内側に表示された[コーナーウィジェット] 08 をダブルクリックします([コーナーウィジェット]が表示されない時は[表示]→[コーナーウィジェットを表示] 09 を選んで表示してください)。[コーナーパネル]が表示されるので、[コーナー:角丸(外側)][半径:2mm][角丸:絶対値]とします 10。

選択したアンカーポイント1点に角丸が適用されました 11。

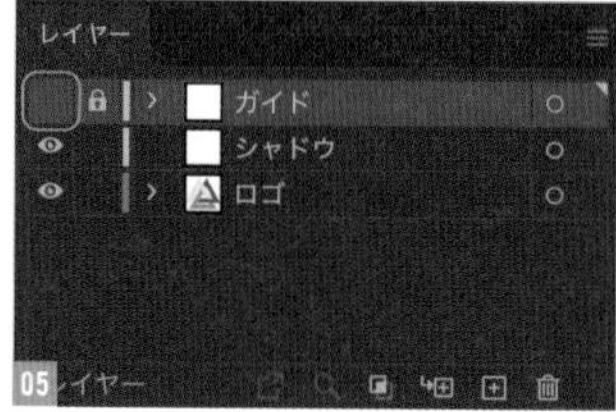

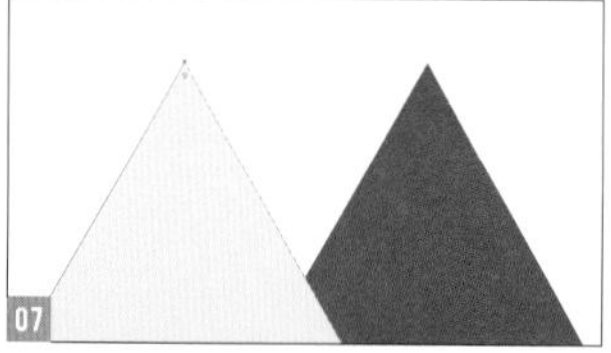

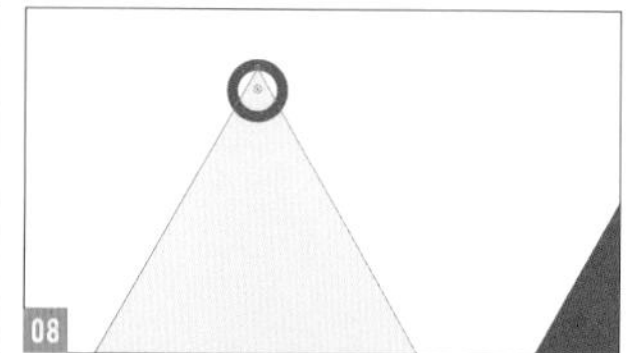

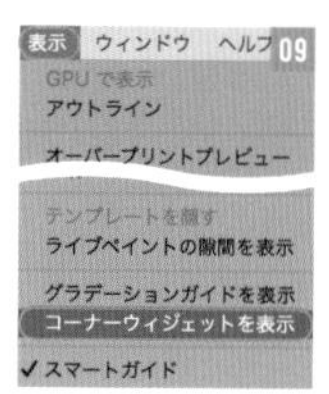

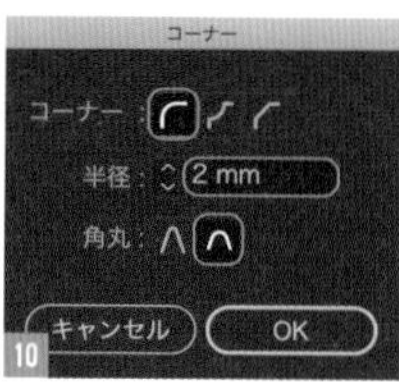

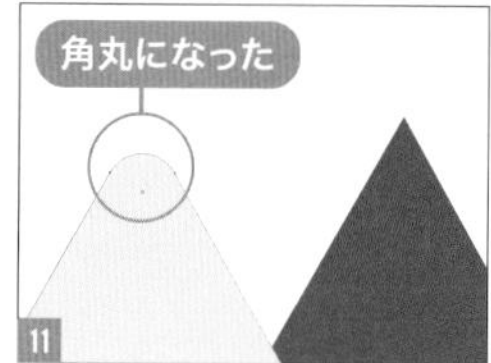

Point

オブジェクト全体を選択してコーナーウィジェットを設定するとすべての角に角丸が適用されるので注意しましょう。

同様に残りの外側の角 12 の5点も同じ設定で角丸にします。ロゴの形ができました 13。

角丸にすることで重なった3つの三角形が、より1本のラインで描かれた図形に見えるようになりました 14。

03 オブジェクトを選択する

14 の流れがさらに際立って見えるようにグラデーションをつけます。

グラデーションをつける方法はいくつかありますが、今回はグラデーションの流れを作りやすい「フリーグラデーション」を使用します。

レイヤー[ガイド]の目のアイコン部分をクリックして、再度ガイドを表示します 15 16。

[ダイレクト選択ツール]で黄色のオブジェクトの中心をクリックして黄色のオブジェクトの全体を選択します 17。

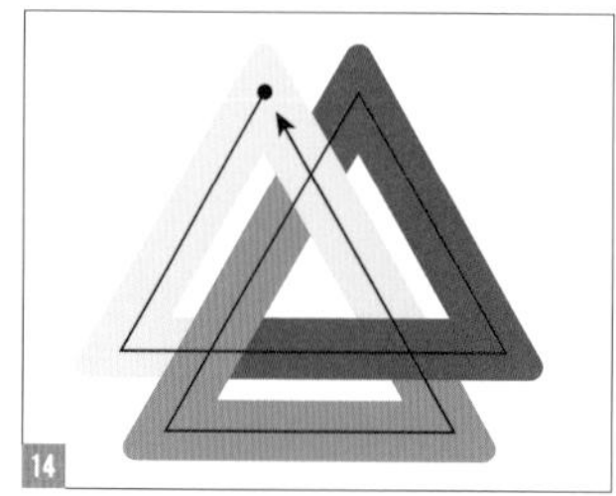

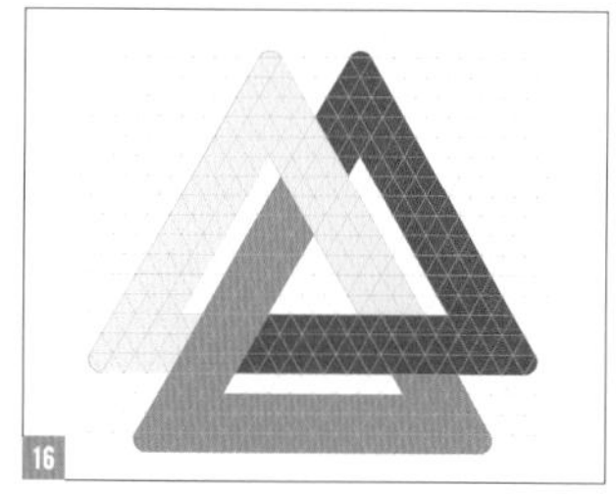

04 フリーグラデーションでグラデーションを作る

[ウィンドウ]→[グラデーション]を選択し 18 、[種類：フリーグラデーション][描画：ライン]にチェックを入れグラデーションにします 19 20 (ここでできあがるグラデーションの色は環境の設定で異なります)。

21 のように選択したオブジェクト右下に表示されたポイントをクリックして選択します。選択したポイントをドラッグして 22 のようにピンクのオブジェクトとの境界に移動します。

再度同じポイントをクリックしてカーソルを移動するとポイントからカーソルまでラインが表示されます 23 。

24 のカーソルの位置でクリックし、ポイントをつけます。続けて 25 26 とポイントをつけていきます。

作ったラインに沿ってポイントごとに色を変えてグラデーションをつけられるようになりました。終点になるポイントを作ったら esc キーを押してラインを閉じます。

05 グラデーションに色をつける

グラデーションの最初の起点のポイントをダブルクリックします 27 。[カラーパネル]が表示されるので、[C：50 Y：100]として Enter キーを押します 28 。

続けてライン状のポイントの[カラーパネル]を順に表示し、[Y：100] 29 、[M：100 Y：30] 30 、[M：100] 31 とします。

Point

32 のようにライン状のグラデーションに関係ないポイントがあれば、ポイントをクリックし delete キーを押して削除します。

32

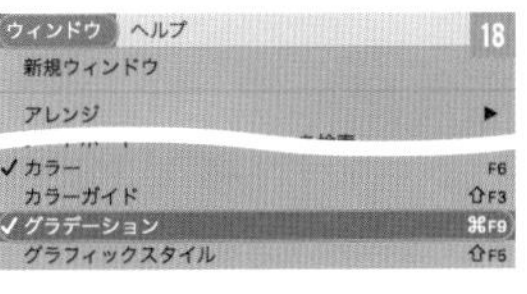

18

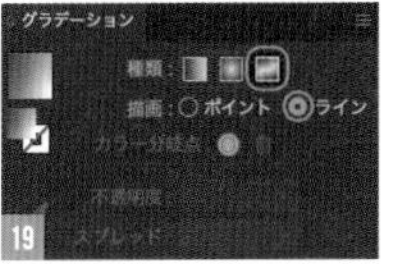

19

20

21

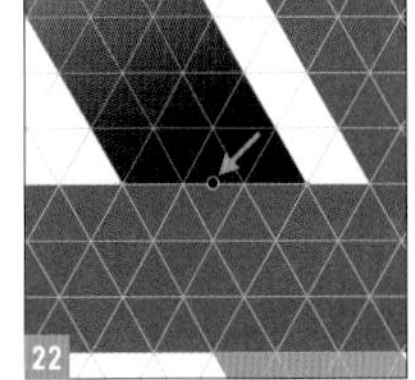
22

23

24

25

26

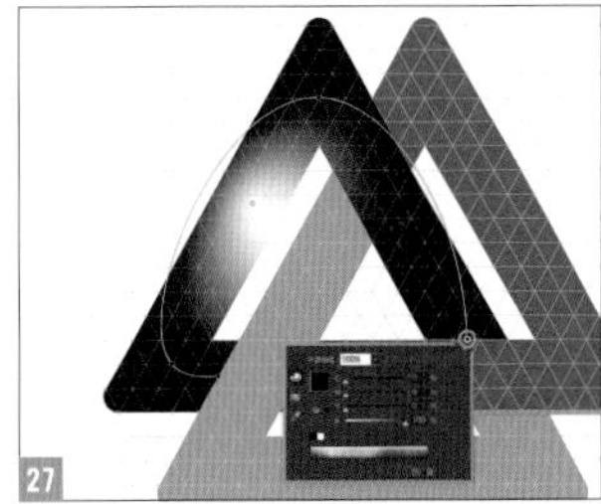

27

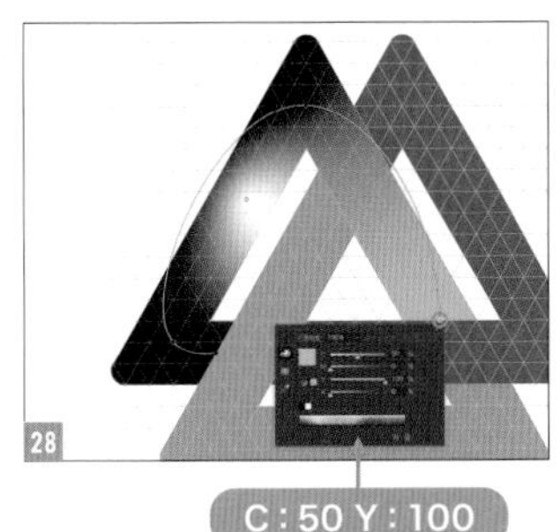

28

29

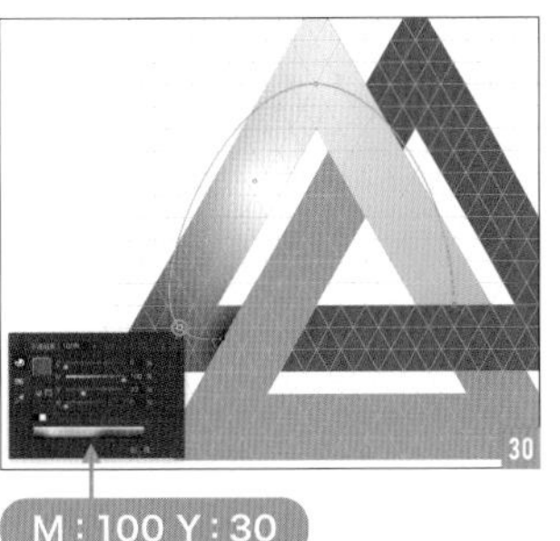

30

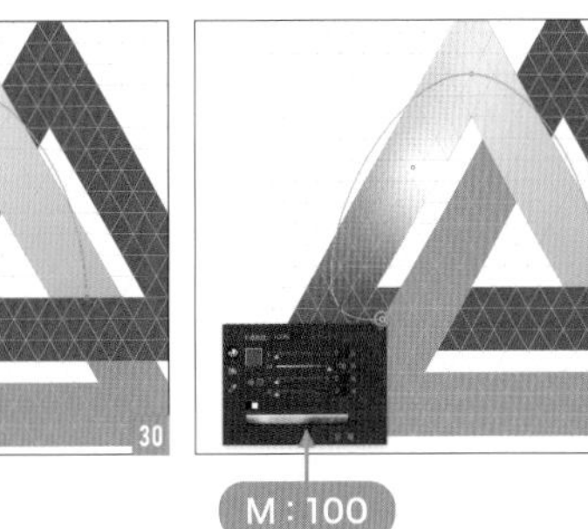

31

右下の水色と黄色が混ざった色から黄色になり、ピンクと混ざる流れるようなグラデーションが作れました 33。

Point

他のツールパネルなどを触りグラデーションのラインやポイントが見えなくなった際は［グラデーション］パネルから［グラデーションを編集］をクリックしてください。ラインやポイントが見えるようになります。

06 他のオブジェクトのグラデーションも作る

同様にしてピンクのオブジェクトに 34 のようにグラデーションのラインを作ります。ポイントごとのカラーを左下から［M：100］35、［C：50 M：100］36、［C：100 M：30］37、［C：100］38 とします。3つのオブジェクトの色の混ざり具合と流れを考えて色をつけていくとよいでしょう。同様に青のオブジェクトは 39 のようにグラデーションのラインを作ります。ポイントごとのカラーを上から［C：100］40、［C：90 Y：60］41、［C：60 Y：90］42、［C：50 Y：100］43 とします。

ロゴ全体にグラデーションがつきました 44。

33

34

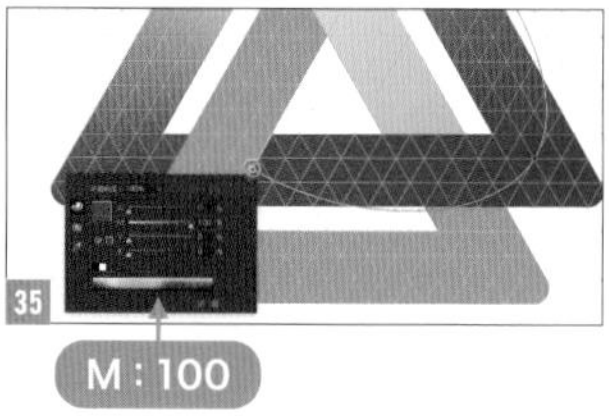

35
M：100

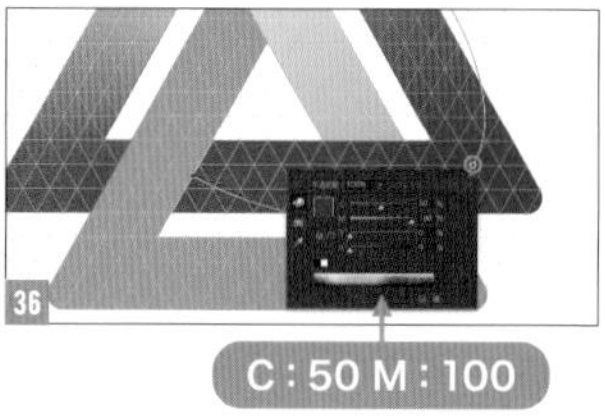

36
C：50 M：100

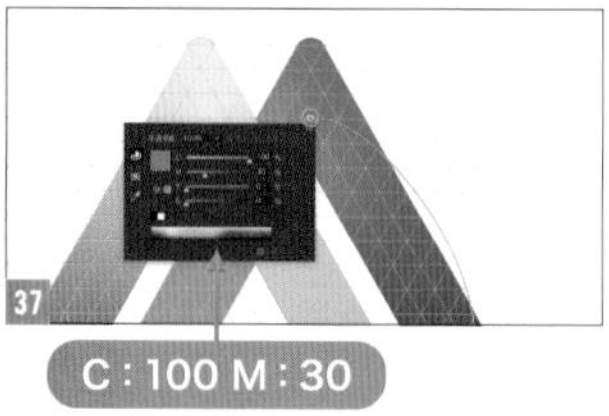

37
C：100 M：30

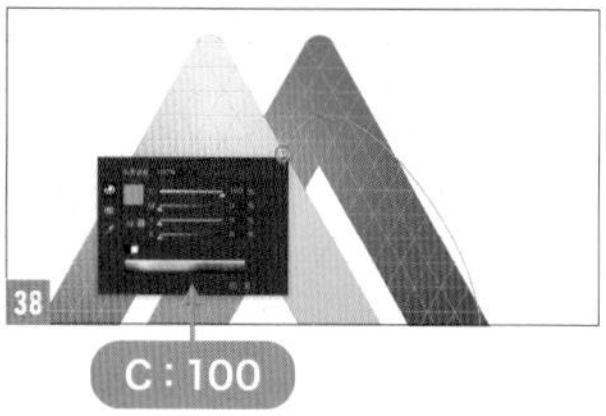

38
C：100

39

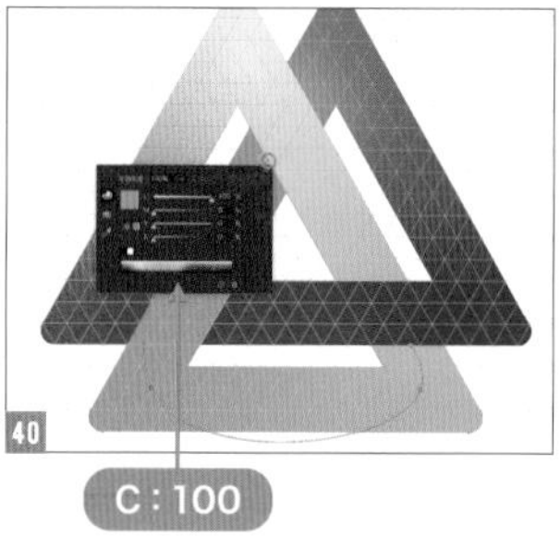

40
C：100

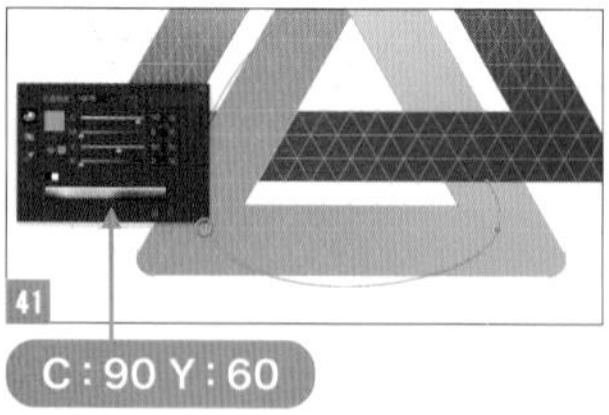

41
C：90 Y：60

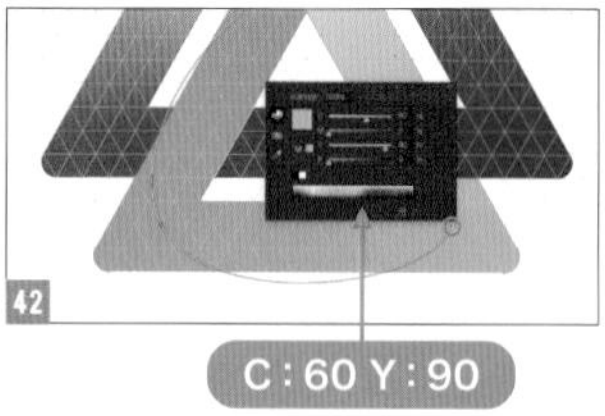

42
C：60 Y：90

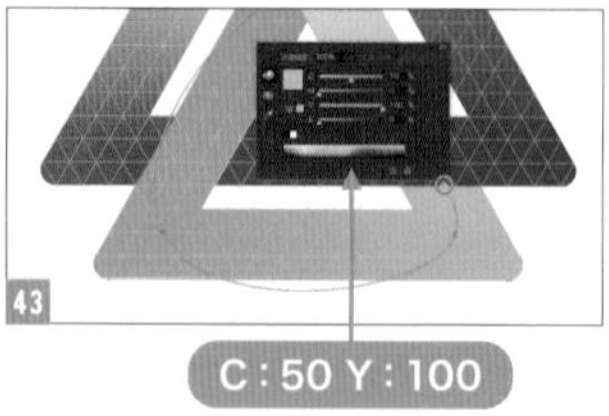

43
C：50 Y：100

44

07 陰影をつける

ロゴの重なり合う印象を強めるため、最後に陰影をつけます。
レイヤー[シャドウ]を選択します。
[ペンツール]でガイドに沿って 45 の黒の図形を作ります。
レイヤー[ガイド]を非表示にし、作った黒のオブジェクトすべて選択し、カラーを[K：30]とします 46 47。
[ウィンドウ]→[透明]を選択し 48、[描画モード：乗算]とします 49。ロゴに陰影がつきました 50。

45

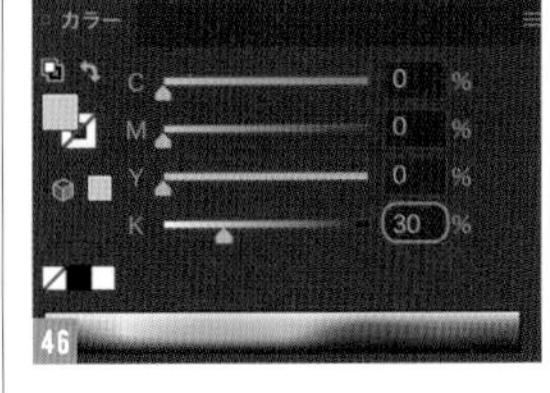

46

47

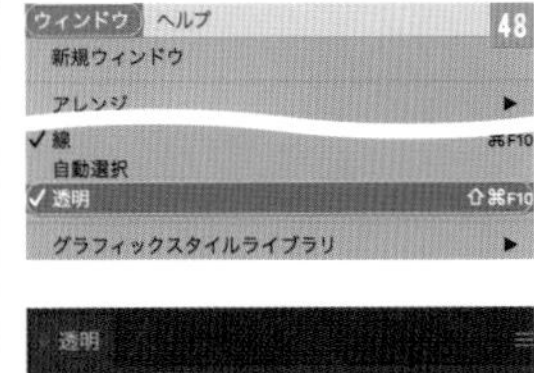

48

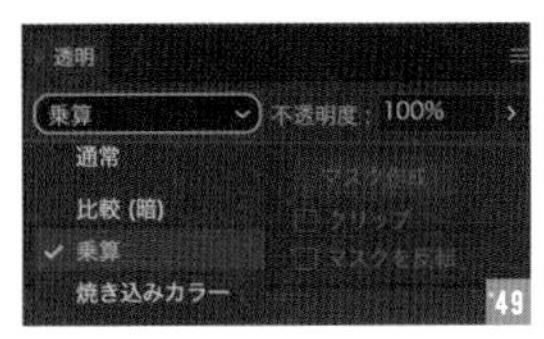

49

50

08 オブジェクトを回転する

制作したすべてのオブジェクトを選択し、[オブジェクト]→[変形]→[回転]を選びます 51。[角度：−90°]として動画のプレイボタンのように見せます 52。
最後に[オブジェクト]→[グループ]を選択して完成です 53 54。

作例では、カラフルさが映えるよう黒背景に配置し、サービス名と組み合わせてデザインをしています。

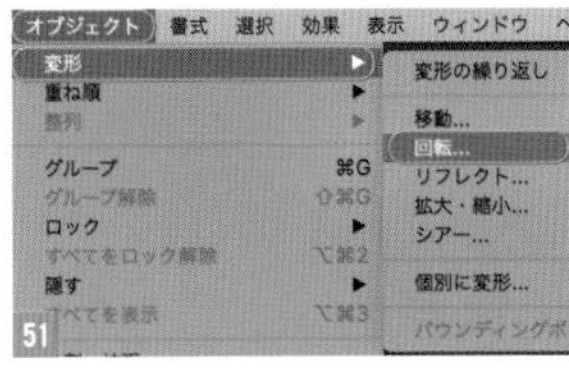

51

52

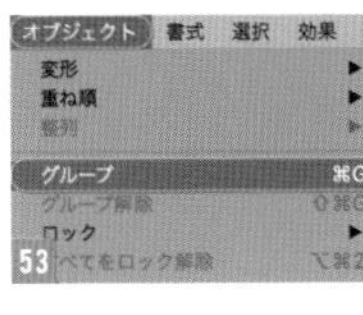

53

54

Recipe

084

写真から線画のイラストを作る

写真をトレースした線画を元に、簡素化してポップなイラストを作っていきます。

Design methods

01 写真をトレースする

今回、暑中見舞いのイラストをテーマに、[素材.psd] の画像をトレースした線画を元にイラストを作成します。

Illustratorを立ち上げて、素材[レイアウト.ai] を開きます 01。あらかじめトレースする写真を配置してあります。

レイヤー[イラスト] を選択し、ツールパネルから[ペンツール] を選択します。

線の設定を [線幅：0.5pt] [先端：丸型先端] [角の形状：ラウンド結合] [線の位置：線を中央に揃える] とします 02。

この状態で写真を元に [ペンツール] でトレースしていきます。髪の毛や傘、服の細かい部分は省略し輪郭を捉えます 03 04 05 06。

レイヤー[元画像] の目のアイコンをクリックして、非表示にします 07。おおまかなトレースができました 08。

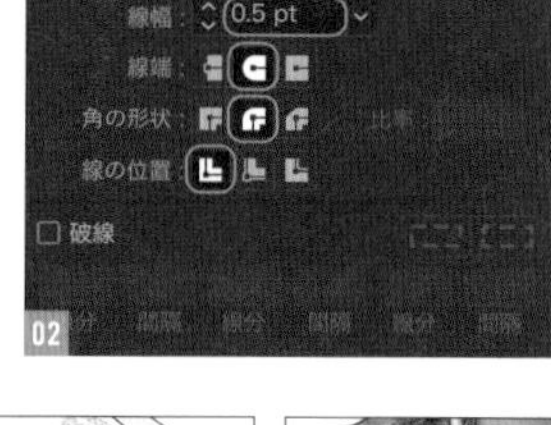

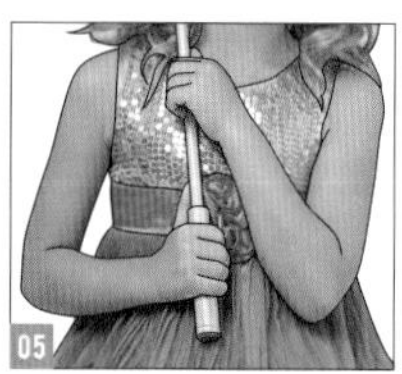

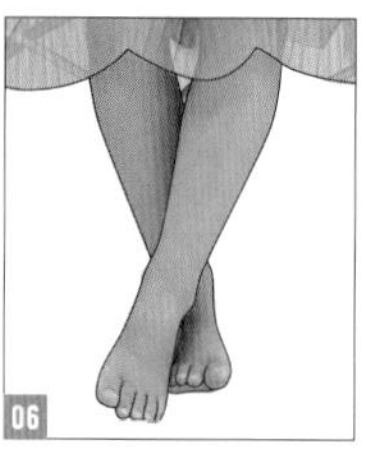

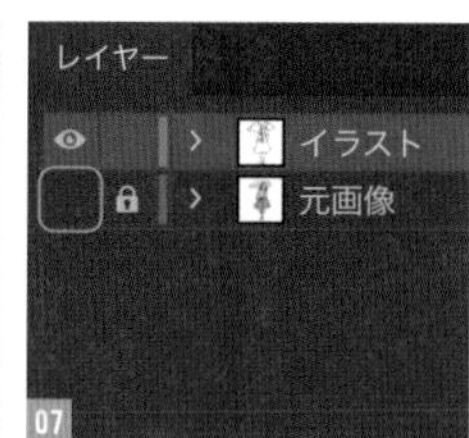

02 トレースした線を調整する①

イラストのラインをすべて選択し、線の細さを[線幅：2.5pt]とします 09 10。
線を太くした際に 11 の赤丸の箇所のように、顔や手、足などディティールが潰れてわかりづらい部分が出てきます。
線を簡略化するため、ディティールの線を間引いて整理します。
12 → 13 では指の間の線を省き、輪郭だけにしています。14 → 15 も同様です。
手を調整するだけでも 16 のようにだいぶスッキリした印象になります。足の指も同様に簡略化します 17 → 18。
同じように髪の毛を整理します 19 → 20。顔もテイストに合わせて簡略化します 21 → 22。

09

10

11

12

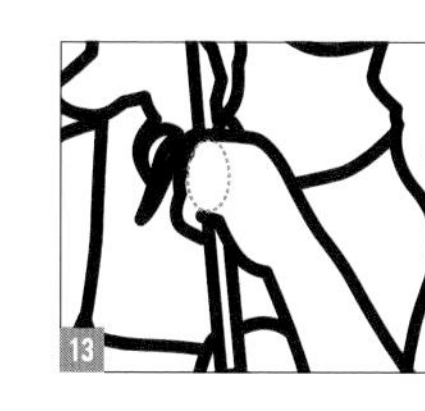
13

14

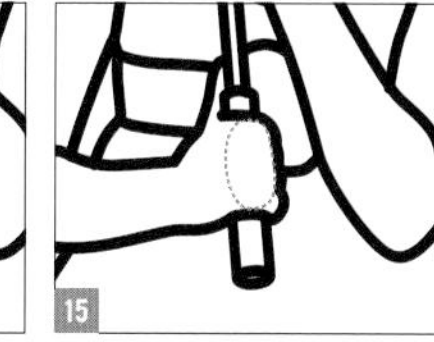
15

16

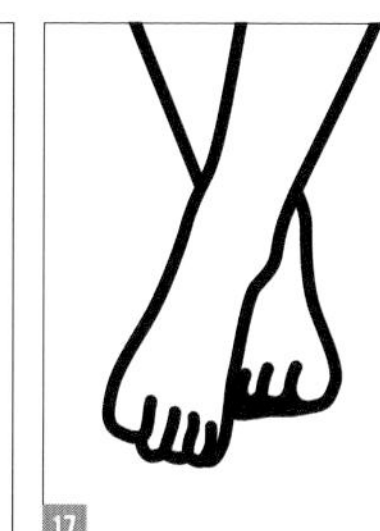
17

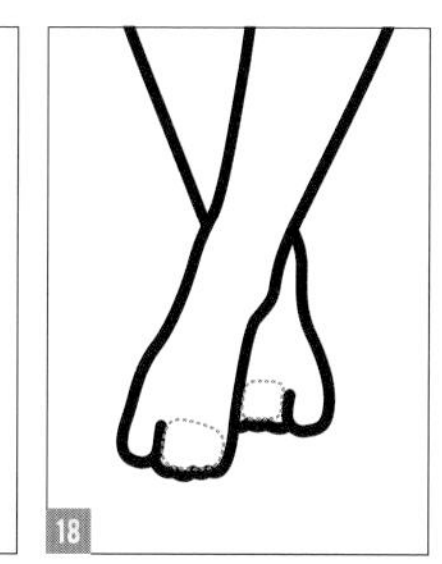
18

19

20

21

22

03 トレースした線を調整する②

体のライン、シルエットを調整していきます。
子供のイラストとしては23の場所が角ばっているように見えますので、［ペンツール］［アンカーポイント］［ダイレクト選択ツール］などを使用して滑らかにし、子供らしいシルエットにしていきます24。
25の足のくびれのメリハリも弱いので強調し、足の細さも調整します26。
服のラインも全体のトーンに合わせてなるべくシンプルに整えます27 28。
傘は工業製品なので不規則な部分やパーツを整えます29 30。
座っている様子がわかるようにラインを入れます31。全体のトーンまで整えたイラストができました。

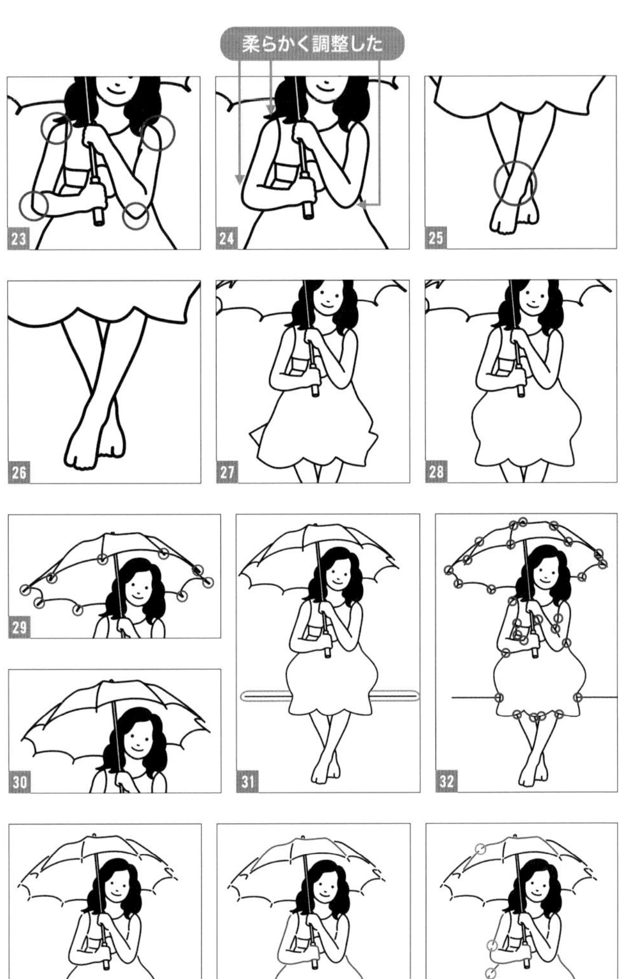

04 切れ目を入れてポップな印象にする

32の赤丸のラインの重なる部分をすべて切り離し、隙間を作ります。切れ目を入れることで軽やかな雰囲気が出てきました33。
また34のように1本が長いラインにも少し隙間を作ります。今回は35のように隙間を作りました。イラストが完成しました。
作例は黄色の地をひいて暑中お見舞いにしました。

Column

切り離すポイント

切り離した部分は、イラストがバラバラにならないように注意して選んでいます。
切り離す場所を多くしすぎると右図のようにイラスト全体よりも隙間の方に目がいってしまい、バラバラな印象になってしまいます。
また1本が長いラインに隙間を作るときは、ラインの流れを止めないようにカーブの頂点に隙間を作らないようにするとよいでしょう。

Recipe

085

写真から抑揚のある線画のイラストを作る

前のRecipeで写真をトレースして作った線画を元に、抑揚のあるイラストを作っていきます。

Design methods

01 テイストを加える

Illustratorを立ち上げて、素材[素材.ai]を開きます。
この素材は前のRecipeで写真をトレースして作った線画状態のものと同じです。今回は抑揚をつけるアレンジで手を加えていきます。
01の赤丸部分に隙間を作ります02。
ツールパネルから[線幅ツール]を選択します03。

Point

[線幅ツール]は任意の部分を[クリック]→[ドラッグ]することでパスの線幅を変えて抑揚をつけることができます。

04の赤丸のところを[クリック]→[ドラッグ]で手の節をスッキリと見せるように線幅を細くします05。腕が細く見えるので06の赤丸を[クリック]→[ドラッグ]で線幅を太くします07。

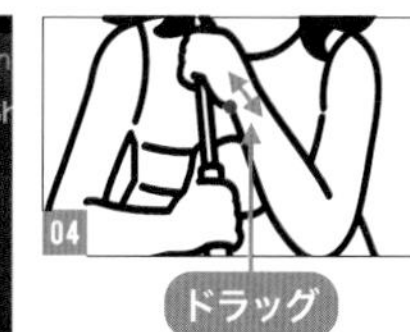

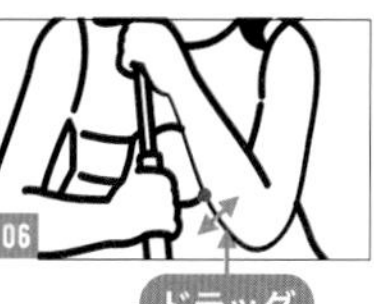

続けて肘の箇所をもう少し太くし 08 09、二の腕の箇所を少し細くします 10 11。
残りの左手の線幅にも同じように抑揚をつけていきます。
今回は 12 のようにまとめました。

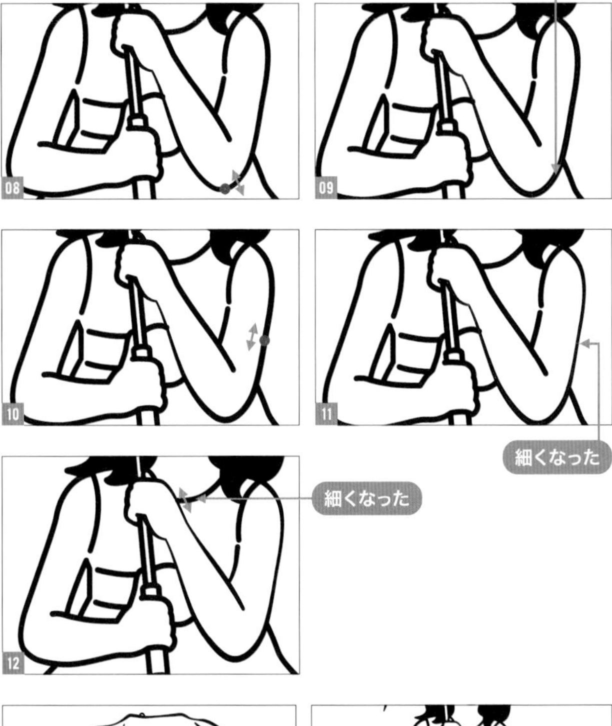

Point

節になるところは細く、曲線の山なりになっている箇所を太くしていくと抑揚を出しやすいです。

02 全体に抑揚をつける

同じように全体に抑揚をつけていきます 13 14 15 16。
顔のトーンが全体から浮いているので目にまつげをつけて調整しました 17。イラストが完成しました 18。

今回は素材[レイアウト.ai]のようにできたイラストに色ベタとコピーを合わせて制作しました。

Chapter 07

デザインの実践

今まで学んだことを実践のデザイン制作で行うとどのような進み方や考え方になるのかを解説していきます。
まずはアイデアの創出方法を学び、その後、受注からデザインが完成するまでの実際の道のりを確認してみてください。

The Practice of Design

Recipe

086 デザイナーに必要なインプット・アウトプット

デザイナーにとって必要不可欠なのがデザインのインプットとアウトプットです。心構えやコツ、オススメのツールなどをおさえておきましょう。

Design methods

01 本を活用した「インプット」

デザインのインプットをするのに一番近道なのが「**本**」です。今はインターネットを介した学習方法も多くありますが、やはり本によるインプットほど効率のよいものはないと思います。理由として、本は多くの人が関わり、体裁も考えられているからです。デザインはもちろん、内容にもかなりのお金と時間をかけて制作されています。作者が今まで時間をかけて得てきた経験やスキルを惜しみなく提供していて、編集者の手によって伝わりやすく編集されているのです。しかも、1冊1,000円～2,000円、専門書でも3,000円前後と比較的安価に手に入るので、コストパフォーマンスがとてもよいです。

新旧、ジャンルを問わず、様々な本を読むことで、専門外の知識を得ることができます。また、売れている本や雑誌を読むことで、今のトレンドやデザインの傾向などを追うこともできます。今では、Kindleなどの電子書籍で本を読む方も増えてきましたが、個人的には紙の本で線を引きながら読んでいくと、脳への定着率も上がるのでオススメしています。

デザイン参考書などの本も定期的に購入してみましょう。特に作例などがたくさん掲載されている本をいくつか持っておくと、デザインの着想を得ることができるので、デザインを考えるときに重宝します。

様々なデザインをインプットできる本がある。

02 インターネットを活用した「インプット」

本のインプットがアナログでだとすれば、インターネットからのインプットはデジタルだと言えます。インターネットで情報発信している様々なメディアがありますが、キュレーションアプリやRSSリーダーは、必要な情報を一気に閲覧することができるのでとても便利です。

私が特に利用しているのが、RSSリーダーの「**Feedly**」です。気に入ったサイトをブックマークしておくと、更新したタイミングでまとめて表示してくれます。デバイスを問わず利用することが可能ですので、ぜひ活用してみてください。

また、事前に単語を登録したニュースや記事を収集して、定期的にメールでお知らせしてくれる「**Googleアラート**」もオススメです。毎度自分でサイトに足を運ぶのではなく、便利なツールを使って時間を節約していきましょう。

なお、SNSによる情報収集は即効性があり便利なのですが、ことインプットすることに重点をおいたときに、良くも悪くもアカウント主の情報収集力頼みになってしまいます。

個人的にはSNSはインプットに使用するのではなく、交流とアウトプットのためのツールとして割り切った方がよいと考えています。

Feedly…https://feedly.com/

Googleアラート
…https://www.google.co.jp/alerts

03 SNSを活用した「アウトプット」

SNSが普及していなかった頃は、自分が手掛けた作品を世の中に知ってもらうためには、広告媒体に載せて見てもらう機会を増やすしか方法がありませんでした。
しかし今は簡単に、誰でも無料で、情報発信ができるようになりました。SNSでより簡単に作品を届けることができるようになったのです。SNSをやらない手はありません。是非、使っていくとよいでしょう。
なお、SNSと一口に言っても、TwitterやInstagram、TikTok、Facebookなど、様々なサービス、アプリケーションがあります。アウトプットするものによってSNSとの相性は異なります。自分のデザインがどのSNSと相性がよいのか考えて利用するとよいでしょう。
なお、SNSは定期的なアウトプットをすることで、見ている方との接触頻度を上げることが重要です。何度も見ることでファンになってもらえたり、覚えてもらうきっかけになったりします。つまり「アウトプットを続けていく」環境を整えることが重要です。時間や期間を決めて定期的に取り組んだり、完璧を目指すのではなくアウトプットする回数に着目して行ってみたりしましょう。自分のペースかつできる範囲で、継続することを意識して続けていくことが大切になります。

SNSのアウトプットは最初は反応が少ないですが、毎日続けていると、必ず見てくれる人(応援してくれる人)が現れるのでモチベーションを保っていくことができます。(左：Twitter、右：Instagram)

04 人と会う「アウトプット」誰かに教える「アウトプット」

インプットにより得た知識を、ノートに書いたり、メモをしたり、前述のようにSNSで発信したりするだけでも、十分勉強になると思います。
しかし、さらに理解度を深めるためには、インプットで得た「知識や学びを誰かに伝えること」です。これが一番のアウトプットになると思います。つまり、誰かに教えるという行為自体が一番効果のあるアウトプットの方法だと言えます。
実際に人と会って話をしてみたり、オンライン越しに話をしてみたり、セミナーに参加して交流してみたり…もし機会があればセミナーの主催者側として発表する立場になるのもよいかもしれません。様々な工夫を行うことで、アウトプットの質は格段に向上していきます。
私自身もこのあたりを意識して、2019年にはセミナーやイベントに多数登壇させていただき、自らで企画立案したセミナーやイベントも主催させていただきました。
セミナーやイベントで何かを伝えたり教えたりするためには、資料をまとめたり、伝わりやすく編集してみたり、話す練習をしてみたりと…やらなければならないことがたくさんあります。この中で得られるものはとても大きいものがあります。
デザイナーは多くのものごとに興味を持ち、好奇心を持ってデザインを提案していく仕事です。積極的にアウトプットしていく姿勢はこれからも問われると考えています。

パラレルワーカーの仕事術 〜ビジネスパーソンでも知らない仕事のノウハウ〜(2020)。

Password

パスワード：DESIGN1

上記のパスワードは本書のサポートページからサンプルデータをダウンロードする際に必要となる情報になります。
詳しくは本書のP.11の中段をご確認ください。

Recipe

087 アイデアの創出方法

「アイデア」とは何なのでしょうか。役立つアイデアの見つけ方、収集するツール、形にできる方法を紹介していきます。

Design methods

01 アイデアを理解し、情報に目を向けるところからはじめる

「アイデアとは既存の要素の新しい組み合わせ以外の何ものでもない」と書籍『アイデアのつくり方』（ジェームス・ウェブ・ヤング著）で定義されています。
「アイデアは既存の要素の組み合わせ」になるので、要素１つひとつの数が多ければ多いほど、組み合わせの数も多くなってきます。つまり、要素をたくさん出せるように「知っておく」ことが大切です。
そのためには、前のRecipeで紹介しているように普段から本や雑誌、ニュースなどを見てインプットをしておきましょう。今話題になっているトレンドなどの様々な情報に目を向けて、アイデアの種を拾い集める癖をつけることができれば、まずは準備万端となります。

02 思いついたアイデアはすぐにメモをする

それでは紙と鉛筆、スマートフォンを用意してアイデアを考えてみましょう。注意することとしては、思いついたアイデアはすぐにメモにすることです。残念ながら人間はすぐに忘れてしまう生き物なのです。せっかく思いついたアイデアをそのままにしておくと、忘れてしまいます。
メモは、ふせんでも、ノートでも、スマートフォンのメモアプリでも何でもよく、とにかく頭の中からアイデアを外に出してみましょう。デジタルとアナログの両方を駆使して、ハイブリッドな使い方で行うことをオススメします。
最終的には一元化してまとめればよいので、どんな形でも気にせず、どんどんアイデアをメモとして残していきましょう。

Column

カラーバスでアイデアを収集する

カラーバスは、書籍『考具』（加藤昌治著）で、アイデア発想の手法の１つとして紹介されている考えです。カラーバス（Color Bath）効果とは、英語で書くと「color（色）」を「bath（浴びる）」意味となり、「ある特定のものを意識することで、それに関する情報が自然と目に留まりやすくなる心理効果」のことを言います。
例えば、今日のカラーが「赤」と決めて周りを見渡すと、普段以上に赤のものが目に留まりやすくなり、一見関係しない情報がランダムに集まるといった特徴があります。
このようにある特定のものを意識してアイデアを収集してみます。
なお、カラーバスはどんな場所でも気軽にできるので、特にお風呂の中や散歩などのリラックスできる状況で行うと効果的です。

03 デジタルツールを使って、アイデアをストックする

収集したアイデアはビジュアルとして保存しておくと、より記憶に残りやすくなります。とくにデザイナーならビジュアルとして残しておけば、後々見た際にどんなアイデアであったか想起しやすくなるでしょう。
ビジュアルの収集やストックにはデジタルツールの相性がよいと言えます。ここでは「**Pinterest**」や「**dマガジン**」を使用することを紹介します。

● Pinterest

「Pinterest」は、インターネット上の自分の好きな写真や画像を自分専用のコルクボードにピン止めをして集めたり、それをシェアできたりするサービスです。ピン止めした画像はフォルダ分けして整理してまとめておくこともできます。簡単にビジュアルをストックできるので便利です。

● dマガジン

「dマガジン」は、週刊誌やムック本など500誌以上が読み放題になる有料サービスです。ブラウザやアプリを利用して、デバイスを気にせず読むことができます。
書店で本を探す際には、自分の好きなジャンルの本しか見ないことも多いのですが、dマガジンの読み放題のサービスとデジタルで全体を俯瞰できる一覧性の良さを組み合わせると、普段は目にすることがないジャンルの本や雑誌を切り替えながら見ることができます。新しい着想を得やすいという点で、すごく重宝します。
「dマガジン」は、ジャンルを問わずたくさん掲載されていて、かつ発刊日に更新されていきます。リアルタイムで現在進行形のデザインが見られるという点でも、前述したトレンドを追うことにも活用できるのでオススメです。

Pinterest … https://www.pinterest.jp/

04 マインドマップを使って、アイデアを展開する

1つのテーマを展開する方法として、私は**マインドマップ**を使っています。
詳しいイメージは次ページの上の図を確認して欲しいのですが、マインドマップを作るにはまず紙(真っ白な大きい白い紙が良い)を1枚を用意して、真ん中にテーマを大きめに書きます。そのテーマから思いつくことや、関連づく要素などを、テーマの周辺に思いつく限り書き出していきます。
テーマの周辺に書いたワードを丸でも四角でもよいので、囲んでわかりやすくし、真ん中に書いたテーマと線で結びます。これを繰り返すことで、放射線状にワードを広げていきます。
この時点では後先のことは考えずに、制限なく書き出していくことが大切になります。書き出す途中で空いているところにメモをしたり、思いついたワードを雑多に書いても大丈夫です。
書いていくうちに頭の中が整理され、気になるワードにマーキングをしたり、ワード同士をつないでみたり、対比させたりして、様々な関係性を見つけて、アイデアに繋げてみてください。
また、手書きでもよいですが、マインドマップに活用できるデジタルツールも揃ってきています。デジタルツールを使うと、画面を見ながら位置を動かしたりすることができるので便利です。
個人的にオススメなのが「**MindMeister**」のサービスです。オンラインでマインドマップを作成し、他のユーザーとも共有することができるツールになります。MindMeisterはインストールすることなく、ブラウザ上でそのまま使え、様々な端末からアクセスできます。軽快な操作感でマインドマップをサクサクと作ることができ、データはクラウド上に自動的に保存され、ストレスのない操作が特長です。Google Chromeのウェブストアで機能拡張としても使えます。

dマガジン … https://magazine.dmkt-sp.jp/

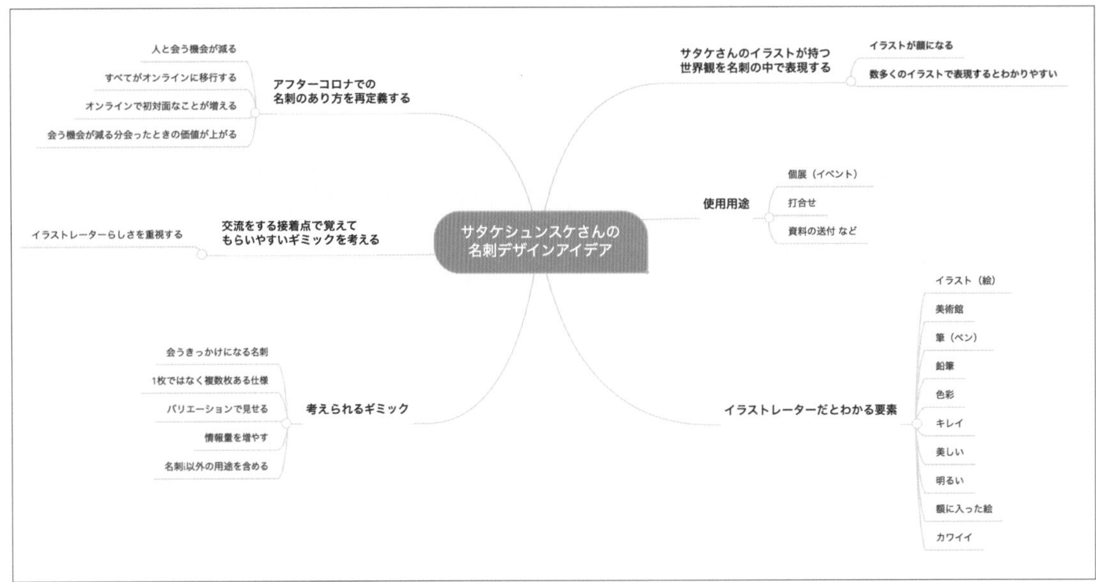

MindMeister … https://www.mindmeister.com/ja

05 展開した情報を アイデアスケッチで整える

展開したアイデアは最終的に取りまとめて整える作業を行います。パソコンを使ってデジタルでまとめていくというのもひとつの手ですが、私は紙に手書きでまとめていくと、より思考が整理されていくので紙をオススメしています。

書き方にルールなどはありません。多少雑になってもよいので書きながら整理していくようなイメージで、頭の中で思考をめぐらせながら、アイデアを整えていきます。

紙はノートでもコピー用紙でも問題はありませんが、A4サイズの横型、方眼タイプのものだと重宝します。A4サイズはビジネスシーンで一番使われている規格で、かつ、データをスキャンするときにも使えて汎用性が高く、扱いやすいからです。

方眼タイプにすることで、線や図形が書きやすくなり、文字も線に沿って書くことができます。後々見返したときにも整っていてまとまりよく見えます。

書き上げたアイデアスケッチを「こんな感じで考えています」とそのまま先方にお見せするのもよし。それを見ながらパソコンへデザインとして落とし込んでいくもよし。最終的なアイデアがまとめられているので、様々な使い方ができます。

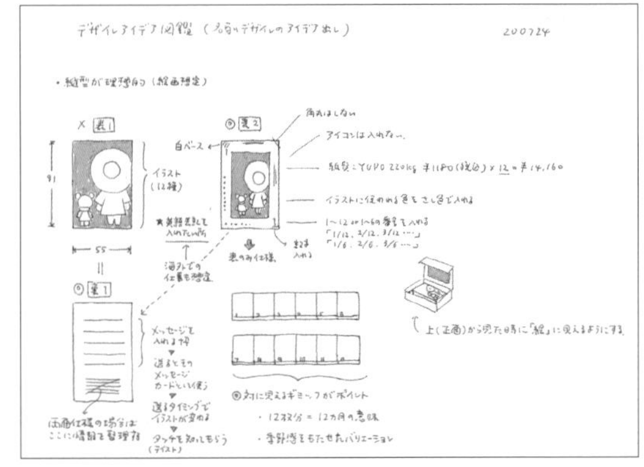

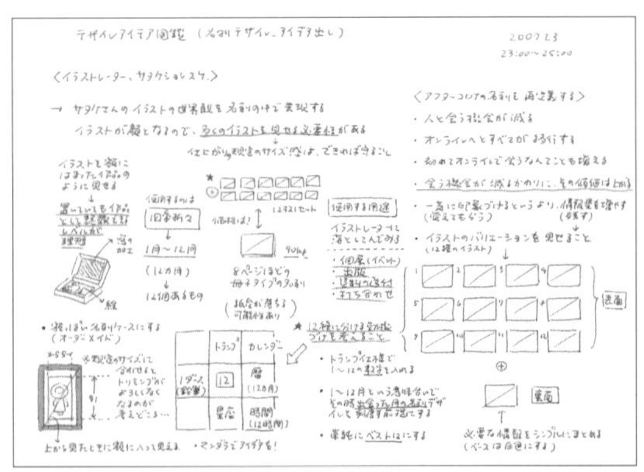

Column

SNSを活用した情報発信

制作プロセスをブログやnoteの記事としてまとめて、SNSで拡散すると多くの方に見てもらえることがあります。自分のことを知ってもらえるきっかけにもなります。
また、仕事に対する考え方やデザインとの向き合い方などを日々SNSなどで発信していくことにより、得られる信頼や信用もあります。
同時に、制作プロセスをSNSでオープンにしながら進めていくこともひとつの手です。基本的には、企業案件の制作プロセスをオープンに進めていくことは厳しいですが、自身の制作物（Webサイトや名刺など）や課題、事前にクライアントの了承を得たものであれば、それ自体がプロモーションにもなるので積極的に発信していきましょう。
また、クライアントが発注するときに不安に感じやすい成果物のクオリティーや制作時のやりとり、費用などもできる限りオープンにすることで、クライアントの発注するときの疑問や不安を解消し、オンライン経由での仕事の受注に繋がりやすくなります。SNSをセルフブランディングやビジネスとして活用することをオススメします。
とはいえ、オンラインでの情報発信ばかりに偏ることなく、オフライン（リアル）での情報発信や交流ともバランスをとりながら上手に運用していくことが何より大切だと思います。

https://note.com/niguridesign/m/m80774965c809

Column

限りある予算との向き合い方

デザイン制作においては、ただ相手が求めるものをデザインすればよいというわけではありません。制作にかけることができる予算との兼ね合いも考えながら、進めていかなければなりません。
クライアントが予算のない状態からプロジェクトを進めることはほとんどありませんので、クライアントが頭に描いている予算は、事前に聞いておきたいところです。制作をはじめる最初の段階でお金の話を切り出すのもなかなか難しいかもしれませんが、予算によって制作を進めていく上で、選べる媒体や紙、サイズなどの仕様が大きく変わってきます。その判断をするためにも、クライアントから事前に予算を伺っておくことはとても大切なのです。
また、予算が少ない（予算に限りがある）場合でも、クライアントから「やっていただきたい」というありがたい要望をもらうこともあるので、そうなったときにも臨機応変の対応ができるように準備をしておきましょう。限られた予算（費用）の中で制作を進めていかなければならない場合は、工数や校正の回数を減らしたり、デザインや企画の提案数を減らしたり、納期を延ばすなどの調整をおこなった上で、価格とのバランスを見ながら進めていきましょう。かけた費用分の価値を提供するという考え方ではなく、予算内で最高のパフォーマンスが発揮できるように一生懸命努めるという考え方を持つことが、デザイナーにとって大切な心がけだと思います。

Recipe

088 実際の流れ①
ヒアリングの仕方

ここからは実際の制作過程を例にあげて解説していきます。イラストレーターのサタケシュンスケさんの名刺デザインを作っていきます。

Design methods

01 ヒアリングをしていく上で大切なポイント

P.18でも紹介したヒアリング。ここでは実際にクライアントにヒアリングしてデザインを作っていく流れを紹介していきます。ヒアリングを行う上で大切なポイントは、大きく分けて以下の２つです。

１つ目は「**問題点や課題点を明確にすること**」です。
「デザイン＝問題解決」なので、まずは「何のためにこのデザインを制作するのか」といった根本的な問題点や課題点を洗い出し、整理していく必要があります。

２つ目は「**デザインの方向性を決めていくこと**」です。
整理された問題点や課題点に対して、クライアントの頭の中にあるイメージや思いを言語化したり、時にはビジュアル化をしながら、デザインの方向性を決めていきます。

このように問題点や課題点を解決していくためには、どのような手法で、どのようなアプローチ、どのツールを用いると適切なのかをクライアントと大まかに決めていきます。
これらのやりとりを丁寧に行いつつ、互いの考えをすり合わせしながら「お互いのイメージを共有していく作業」がヒアリングだと考えるとわかりやすいでしょう。

02 ヒアリングシートでクライアントと情報を共有する

まずはクライアントの頭の中にある思いや課題を「見える化(言語化)」するところから始めます。事前にクライアントにヒアリングする項目をExcel(もしくはスプレッドシート※など)にまとめておき共有すると便利です。
クライアントにこちらのシートを送って事前に記入をお願いしたり、オンラインでの打ち合わせの資料として活用したりすることで、打ち合わせをスムーズに進めることができます。

▼今回のデザインを発注するクライアント

サタケシュンスケ Shunsuke Satake

フリーランスのイラストレーター。神戸在住。デフォルメした動物の絵を描くのが得意。2020年に作品集「PRESENT」を出版。

https://naturalpermanent.com/

※スプレッドシート … Googleが提供する表計算ソフト。Googleスプレッドシート。リストなどにも使える。オンラインで双方の加筆修正も可能で便利に使える。

03 ヒアリングの10項目

私は、下記の10項目のヒアリング項目を用いて、打ち合わせに挑みました。下記のヒアリング項目は、クライアントの最低限の要望(情報)を引き出せる項目をまとめたリストです。本書では名刺デザインの実例で解説していますが、他のデザイン媒体にも使用できる汎用性の高い内容になっています。「名刺」の部分を別の名前に置き換えて調整して使用してください。もしヒアリングでわからない部分が出てきても、最終的に打ち合わせの中で詰めていくぐらいの感覚で問題ありません。

ヒアリング項目

01. 名刺を使用する目的(ゴール) …… 名刺の本来の目的は「覚えてもらうこと」。その先にあるゴールを明確にしたアプローチを行う。

02. 名刺を渡す状況(渡し方) …… 名刺を渡すシチュエーションをイメージして、もらい手の気持ちになってデザインを考える。

03. 入れておきたい情報 …… 名刺の紙面に入れておきたい情報を聞き、クライアントの要望をベースとしたデザインを考える。

04. 使用したい色 …… 名刺に使用したい色を聞き、イメージに合う色の組み合わせを考える。

05. 名刺のサイズ …… 名刺本体のサイズを規定サイズ(91×55mm)に合わせるかどうか(規格外のサイズでも問題ないか)を確認する。

06. 名刺の形状 …… 名刺本体の形状を聞き、形状や折り方、穴開けなどの仕掛けやアイデアを考える。

07. 名刺の紙質 …… 名刺本体で使用したい紙質を聞き、デザインのイメージに合う紙質を選ぶ(最低限光沢紙かマット紙かは聞く)

08. 使用したい書体(フォント) …… 名刺で使用したい書体(フォント)を聞き、デザインのイメージに合った書体選びを行う。

09. デザインの雰囲気 …… 名刺に持たせたい印象や想像しているイメージを聞く。イメージ写真などがあるとわかりやすい。

10. 具体的なイメージ …… 名刺のビジョンが事前にある場合は、ラフやイメージ写真など、具体的なものがあるとわかりやすい。

04 ヒアリングの際の注意点

時には、クライアントが考えるイメージが、こちらの考えるイメージと合わないときがありますが、基本的にはクライアントの意見や希望を尊重するスタンスでいることが大切だと思います。

クライアントが伝えようとしている意図であったり、なぜそのような考えに至ったのかを再度ヒアリングした上で、他の表現方法はないのかをこちらで探っていきましょう。

また、デザインのイメージを共有する際は、参考画像を用いて、ビジュアルのすり合わせをすることをオススメします。文字だけではイメージが伝わりにくいので、ビジュアルを用いてお互いに共有しておくと、仕事運びがスムーズになります。

クライアントによりスタンスも異なるので、連絡方法やツールを合わせたり、打ち合わせもリアルで行うのかオンラインで行うのかなど、臨機応変に対応しましょう。

番号	項目	内容	サタケさんの回答
01	名刺を使用する目的(ゴール)	名刺を相手に渡すことでどのような結果をもたらしたいか	名前と絵をセットで覚えてもらいやすくなれば嬉しいです
02	名刺を渡す状況(渡し方)	通常使用、イベントでの配布を目的(イベント来場者)など	打ち合わせ、展覧会・イベント、資料や書類送付時
03	入れておきたい情報	肩書き・名前・住所・電話番号・メールアドレス・顔写真・SNSやHPの案内 など	細かい住所不要(兵庫県神戸市までで十分です)、SNS、HP、メールアドレスは必要です
04	使用したい色	爽やか系、暖色系、寒色系、パステル系 など	系統はおまかせしますが、絵と同様、色数は少ないのがいいかもです
05	名刺のサイズ	通常のサイズは91×55mm(特殊なサイズも可能)	通常サイズでお願いします
06	名刺の形状	縦型、横型、円形、切り抜く形状、2つ折り、3つ折り など	デザインに合わせて必要であればお願いします
07	名刺の紙質	光沢紙、マット紙、上質紙、特殊紙 など	マット系、もしくはマーメイド紙などの手触りがある紙が好きです
08	使用したい書体(フォント)	ゴシック系、明朝系、楷書体系、行書体系、ポップ系、丸ゴシック系 など	ゴシック系だと思っています
09	デザインの雰囲気	クール、かっこいい、かわいい、ポップ、ナチュラル、シンプル、シック など	ポップ、シンプルでしょうか
10	具体的なイメージ	QRコードを入れたい、2つ折りの名刺にしたい、情報をたくさん入れたい など	作品が入ってもいいなぁとは思ってますが良きようにお願いします

一番右の列がサタケシュンスケさんに書いていただいた内容です。こうして、クライアントの中にあるイメージを「見える化(言語化)」することで、何もないところからスタートできる状態にまで持っていくことが、最初に行う工程として大切です。

Recipe

089 実際の流れ②
アイデアの取りまとめ

ヒアリングで得られた内容をもとに、情報を整理して、デザインのアイデアへと繋げていく作業を紹介します。

Design methods

01 目的（ゴール）を確認する

前のページの10項目の中でも特に大切になってくるのが「01.名刺を使用する目的（ゴール）」になります。
まず、大前提として、名刺は「自己紹介をするため」のものですが、その先にある「目的（ゴール）」をより明確にして、名刺をデザインをしていく必要があります。
もし「目的（ゴール）」を明確にせずにデザインを作成してしまうと、名刺の方向性がブレてしまい、相手に覚えてもらうチャンスを逃してしまう名刺になりかねません。しっかりと「目的（ゴール）」を決めて、デザインを進めていきましょう。今回は、イラストレーターであるサタケシュンスケさんの名刺のデザインの目的を確認します。

02 目的や使用例を想像しよりよいデザインを作る

事前にオンラインで打ち合わせを行ったところ、名刺を使用する目的（ゴール）は「名前と絵をセットで覚えてもらいやすくなる」こと。名刺を渡す状況は「打ち合わせ、展覧会・イベント、資料や書類送付時」と聞けました。
イラストレーターの名刺をデザインするときには、「お仕事の顔となるイラストの世界観を壊さないようにデザインする」ことが重要になってきます。
そこで、サタケシュンスケさんが得意とするイラストのテイストを、名刺の中でできる限りバリエーションを見せて表現することで、名刺を使用する目的（ゴール）でもある「名前と絵をセットで覚えてもらいやすくなる」ことを実現できるのではないかと考えました。

イラストレーター/サタケシュンスケ

・サタケさんのイラストの世界観を名刺の中で表現すること。
⇩
・イラストが顔になるので、できる限り数多くのイラストで表現すると、理解されやすい。

⊙使用用途が、個展（イベント）、打合せ 資料の送付
⇩（イラストレーターらしさ）
交流する接着点で、覚えてもらいやすいギミックをつくって、世界観とリンクさせる。

＜イラストレーターだとわかる要素・キーワード＞
・イラスト（絵）、美術館、筆、ペン、色彩 額に入った絵、キレイ、美しい、カワイイ、明るい

＜アフターコロナでの名刺のあり方を再定義したい＞
⊙人と会う機会が減る（名刺を使わない!?）
・すべてがオンラインに移行する
・オンラインで初対面なんてことも増える
・会う機会が減る分、会った時の価値が上がる
⇩
⊙会うきっかけになる名刺にする
・1枚ではなく、複数枚あるギミック
・バリエーションで見せる（情報量を増やす）
⊙名刺以外の使用用途を含める（機能性）

アイデアスケッチで整えたアイデア出し①　目的（ゴール）を実現するためにあらゆる考えをめぐらせています。

03 アイデア創出方法

ここで抽出できた項目とぼんやりとしたアイデアを形にすべく、まずは紙やノートとペンを用意して、頭にあるイメージをひたすら紙に書き出していきます。

この段階では、文字だけではなく、簡単な図解を入れながら書いていくと、頭の中が整理されやすくなります。綺麗に書くことが重要なのではなく、単純に今頭の中でイメージしているものを外にアウトプットするためなので、体裁などは気にせず、思いのままにアイデアを雑多に紙やノートに書き出していきましょう。

また、アクセントとして図形や図解などに「塗り」を入れることで、全体的に見やすくなるのでオススメです。色を何色も入れて目立たせるのではなく、後から紙やノートを見返したときに誰が見ても認識しやすいように、少なめ（1～2色）でまとめておくと見やすくなります。

Point

紙質がよいと書き心地もよく裏面への写り込みも少ないので、アイデアスケッチを書くモチベーションを上げてくれるでしょう。思い切って高級なノートやスケッチブックを購入するのも手です！

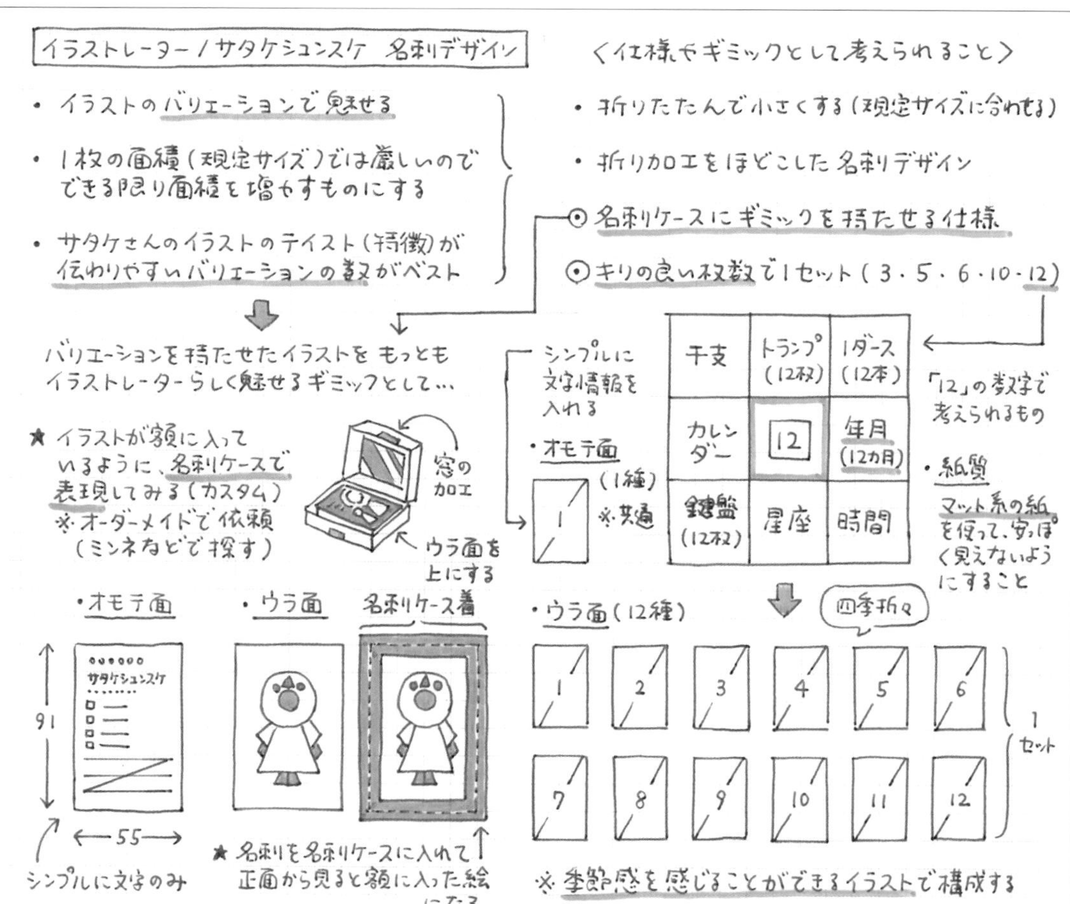

アイデアスケッチで整えたアイデア出し②　整理した情報からアイデアを創出します。ここでは季節感を持たせた12種類の名刺と名刺ケースに入れて見せることで存在感を出すアイデアを導き出しました。

Recipe

090

実際の流れ③

デザインに落とし込む

紙やノートに書き出したアイデアやイメージをもとに、デザインを作り、「デザインの提案書」へと落とし込んでいきます。

Design methods

01 デザインのコンセプトを言語化する

イラストレーター サタケシュンスケさんの世界観をわかりやすくシンプルに伝える名刺デザインを目指しました。
コロナ禍で人と会う機会が減っている中、名刺の役割について再定義を行ない、汎用性の高いツールとして、

①メッセージ性
②インテリア性
③パフォーマンス性

の３つにこだわった名刺デザインとして考えました。
※右ページの提案シートより文字を流用

提案書のデザインを作る際のポイント

- フォントは同じファミリーのものを使用し、統一感を持たせる。
- フォントの色は黒一色で統一し、ほんの少しだけ薄く（K85〜95%）する。
- 文字や作品（制作物）のラインを揃えて整頓されたレイアウトにする。
- 余計なあしらいは入れず、余白を多めにとってシンプルなデザインにする。
- フォントを目立たない大きさにして、作品（制作物）が目立つレイアウトにする。

Column

提案書の仕様

デザインの提案書はあくまでビジュアルを中心とした形にします。文字はあまり主張しすぎないように、色や大きさ、書体選びにも気を配りながらデザインをしていきます。
また、出力がしやすいA4サイズの横型で作成するのも１つの手ですが、左下の図のように「16：9の比率」でもよいでしょう。画面で確認するときに見やすく、そのままスライドとしても使用することができます。
なお、16：9の比率で紙に出力する際には、上下にマージン（余白）ができてしまいますが、上下の空いたスペースにメモを書いたり、修正の指示を出したりするのに重宝するのでオススメです。

16：9（ワイド）

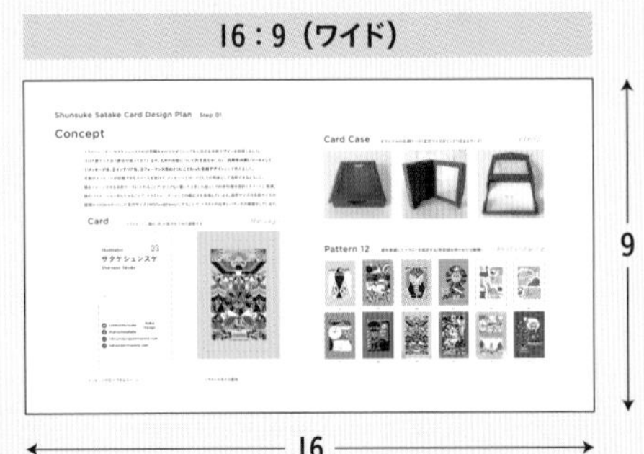

A4 横

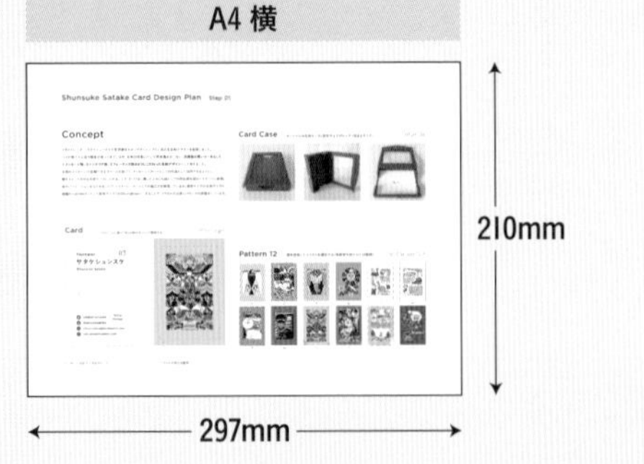

Shunsuke Satake Card Design Plan　Step 01

Concept

イラストレーター サタケシュンスケの世界観をわかりやすくシンプルに伝える名刺デザインを目指しました。
コロナ禍で人と会う機会が減ってきている中、名刺の役割について再定義をおこない、**汎用性の高いツールとして①メッセージ性、②インテリア性、③フォーマンス性の3つにこだわった名刺デザイン**として考えました。
名刺のメッセージが記載できるスペースを設けて、メッセージとカードとしての用途として活用できるようにし、額をイメージさせる名刺ケースに入れることで、さりげなく置いたときにも絵としての存在感を面白くスマートに表現。
絵のバリエーションをもたせることで、イラストレーターとしての幅広さを表現しています。通常サイズの名刺サイズの縦幅から10mmカットした変形サイズ（W55×H81mm）にすることで、イラストの比率とバランスの調整をしています。

Card　メッセージが記入できるスペース　*Message*

Illustrator
サタケシュンスケ
Shunsuke Satake
satakeshunsuke
shunsukesatake
info@naturalpermanent.com
naturalpermanent.com
Kobe Hyogo
03

イラストごとに暦の「月」の数字を入れて展開する

イラストが見える範囲

Card Case　オリジナルの名刺ケース（変形サイズがピッタリ収まるサイズ）　*Interior*

Pattern 12　暦を意識したイラストを選定する（季節感を持たせた12種類）　*Performance*

名刺にメッセージが記載できるスペースを設けて、メッセージカードとしての用途にも活用できるようにしています。額をイメージさせる名刺ケース（オーダーメイド）に入れることで、さりげなく置いたときにも絵としての存在感を出し、面白くスマートに表現しています。

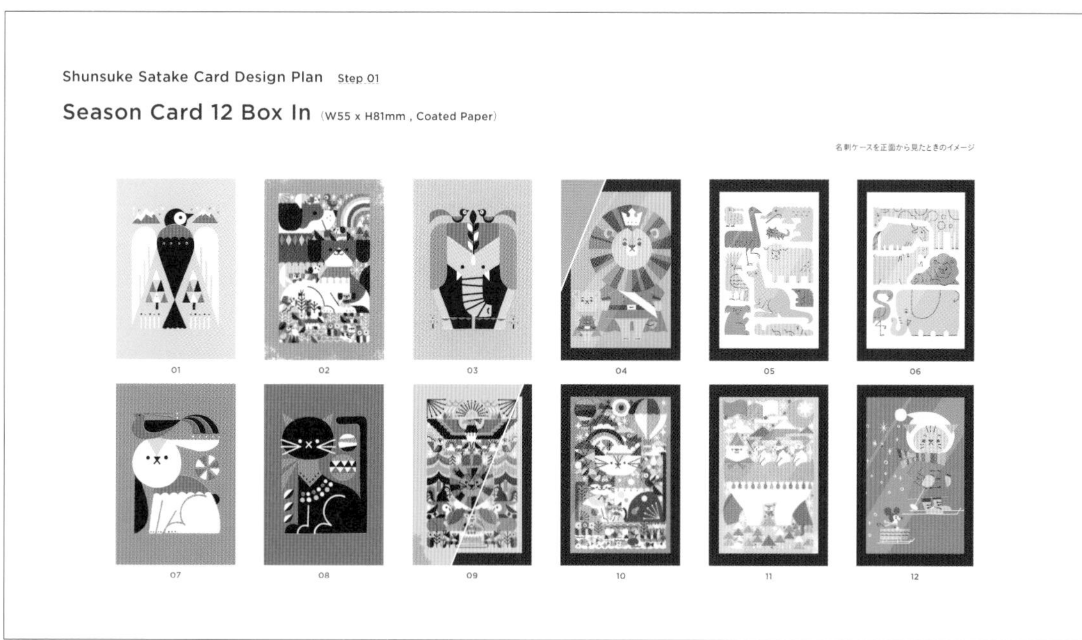

絵にバリエーションをもたせることで、イラストレーターとしての幅広さを表現しています。通常の名刺サイズの縦幅から10mmカットした変形サイズ（W55×H81mm）にすることで、イラストの比率とバランスの調整をしています。

Recipe

091

実際の流れ④

ブラッシュアップと校了

クライアントの要望に合わせて、デザインや文字の修正を行い調整をかけていきます。

Design methods

01 クライアントの要望を確認しブラッシュアップを行う

別途メッセージにて、前ページの12枚1組の提案に加えて、イラストの兼ね合いなども考慮した、もう少し数を減らした提案(5～6枚1組)もお伝えしていました。
12か月で12パターンの季節感を感じさせる提案だと、クライアントのサタケシュンスケさんの方で名刺に使用できてかつ季節感を感じさせるイラストが12点分揃わないということがありました。最終的にはサタケシュンスケさんの方でご自身のテイストが表現しやすいイラストを5点に絞り、こちらをもとに再度提案書を作成しました。
以下の提案書が最終です。こちらのデザインで校了となり、完成となりました。

Point

デザインをブラッシュアップする際は、しっかりとクライアントの修正意図をくみ取ることが大切です。クライアントから明確に「ここをこうしてほしい」と言われる方は経験上少なく、クライアントからの抽象的な言葉や意見、希望などをくみ取ってデザインへと反映させていく必要があります。
その際は口頭でのやり取りは極力控え、メールなどで記録が残るようにして、間違いのないようにしましょう。
また、修正する回数もデザインに着手する前(見積もりの段階)に設定し、クライアントに提案することをオススメします。

提案書1ページ目 コンセプト　サタケさんに提案をお見せして検討してもらった結果、「使用が許されるイラストの範囲内で、季節感を持たせたイラストを展開することが難しいかもしれない」という理由で、再度やりとりを行いました。

Shunsuke Satake Card Design Plan Step 02

Illustration Card 05 (W55 x H81mm , Coated Paper)

01

02

03

04

05

提案書2ページ目 デザインイメージ　最終的には5種類のイラストを用いたデザインに変更することにしました。イラストの選定やデザインの調整を再度行い、サタケさんのイラストの特徴が理解しやすい上記の5つのイラストに絞りました。

Shunsuke Satake Card Design Plan Step 02

Illustration Card 05 Box In (W55 x H81mm , Coated Paper)

名刺ケースを正面から見たときのイメージ

01

02

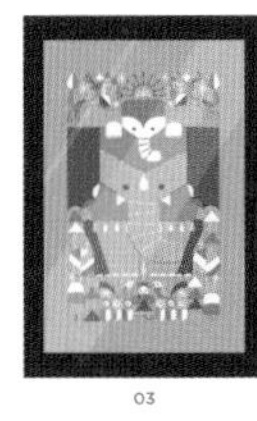
03

04

05

提案書3ページ目 名刺入れに入れたイメージ　イラストのサイズ感も名刺ケースに合わせて再度調整を行い、名刺ケースに入れたときに1枚の絵に見えるように工夫しました。

Recipe

092

完成後に撮影をしてポートフォリオに残す

デザインが完成した後は、ポートフォリオとして残しましょう。あらゆる媒体に使えるよう、成果物を撮影して写真にすることをオススメします。

Design methods

01 ポートフォリオとは

ポートフォリオとは、「実績を表すための作品集」だと思います。今まで自分自身が手掛けてきた作品やプロダクト、サービスなどの実績を示すための大切な保管所です。
ポートフォリオは、アナログとデジタルの両軸で整えた方がよいでしょう。アナログとは「紙」や「冊子もの」を指し、デジタルとは「Webサイト」や「SNS」を指します。
第三者に紹介してもらうとき、スピーディーな対応が求められるときはデジタルなアプローチを、面接や打ち合わせなど直接会って話ができる状況であれば、作品を見ながらゆっくり話すことができるアナログなアプローチを選ぶとよいでしょう。

02 ポートフォリオの写真の発注の仕方

今回はサタケシュンスケさんのSNSのプロフィールや出版されている書籍の表紙にも使用されているライオンのイラストをイメージできるように、背景を明るいオレンジ色にしました。
どのようにすればコンセプトが伝わりやすくなるのかを追求した上で、カメラマンに写真を撮影していただいています。打ち合わせのときも、名刺に使用するイラストの世界観や名刺ケースのギミック（名刺が額の絵のように見える仕掛け）をわかりやすく表現したいという意図をしっかりと伝えました。

Point

契約上、ポートフォリオとして掲載できるデザインとできないデザインがありますので、掲載する際は必ず掲載の有無をクライアントに確認しましょう。
デザインを作って終わりではなく、可能であればオープンに実績として紹介できたりすると次の仕事にもつながりやすくなります。ポートフォリオは自分を知ってもらうきっかけにもなるので、できるだけ作成することをオススメします。

Point

そこに至るプロセスや思いなどが表現されているポートフォリオだと、より深く読み手の印象に残ります。
クライアント側としても発注する際に参考になるので、SNSやブログ、noteなどを通じて、成果物のプロセスや文脈を制作者の思いにのせて発信していくことをオススメします。

名刺の写真▶
サタケさんのイラストの世界観にピッタリな、明るく楽しい印象を与える「オレンジ色」を背景にして、立体感を生むように撮影をしてもらいました。

- 左上：斜めに置いた状態
- 右上：正面に置いた状態
- 中央：ランダムに置いた状態
- 左下・右下：名刺ケースに入れた状態

撮影：クロカワリュート

Illustrator
サタケシュンスケ
Shunsuke Satake
Kobe
Hyogo
satakeshunsuke
shunsukesatake
info@naturalpermanent.com
naturalpermanent.com
Illustrator
サタケシュンスケ
Shunsuke Satake
Kobe
Hyogo
satakeshunsuke
shunsukesatake
info@naturalpermanent.com
naturalpermanent.com
Illustrator
サタケシュンスケ
Shunsuke Satake
Kobe
Hyogo
satakeshunsuke
shunsukesatake
info@naturalpermanent.com
naturalpermanent.com

●著者プロフィール

上司ニシグチ（じょうしにしぐち）

アートディレクター／グラフィックデザイナー。1979年大阪府生まれ。宝塚造形芸術大学を卒業後、百貨店、商社のインハウスデザイナーを経て、2019年からフリーランスとして独立。販促ツールの企画・制作、グラフィック、パッケージ、宣伝広告、プロモーションからブランディングまで、幅広いクリエイティブを手掛ける。上司がいないクリエイター向けのオンラインサービス「ONLINE上司」も運営している。本名は西口 明典。

・WEB：https://joshi.jp/

・Twitter：https://twitter.com/joshinishiguchi

（Recipe 010, 012, 013, 014, 015, 053, 056, 057, 086, 087, 088, 089, 090, 091, 092 担当）

長井 康行（ながい やすゆき）

アートディレクター /グラフィックデザイナー /イラストレーター。

広告制作会社に10年以上勤め、自動車、航空、住宅総合、飲料、ゲーム、書籍などのキャンペーングラフィックを多数制作。

名刺サイズの小型グラフィックから駅看板などの大型グラフィック、Webサイト、Webバナー、またパッケージなどの立体グラフィックまで多岐に渡り手がける。

（Recipe 001, 002, 003, 004, 005, 006, 007, 008, 009, 011, 016, 017, 018, 019, 020, 026, 034, 035, 038, 044, 049, 050, 051, 054, 058, 059, 066, 068, 069, 070, 071, 072, 073, 074, 078, 083, 084, 085 担当）

楠田 論史（くすだ さとし）

デジタルアート作家として国内外での個展を行いながら、グラフィックデザイナーとして紙媒体やWEB、テレビCM、電車・バスのラッピングデザインなど幅広く手がける。

株式会社URBAN RESEARCH 、株式会社東芝、高橋酒造株式会社など様々な企業のグラフィック制作や、HKT48のDVD・BDパッケージデザイン、多数のアーティストのCDジャケットを手がける。

グラフィック作品のジグソーパズルを株式会社エポック社より発売中。

大学、専門学校、カルチャースクールなどで講師活動も行っている。

（Recipe 027,028, 029, 030, 031, 032, 033, 036, 037, 039, 040, 041, 042, 043, 045, 046, 047, 048, 052, 060, 061, 062, 075, 076 担当）

森 一機（もり かずき）

印刷会社のDTPオペレーターとしてキャリアをスタートさせて、その後デジタルの世界に転身。

株式会社LIG含むweb制作会社数社でデザイナー / アートディレクターを経験し、2020年よりフリーランスとして活動。

グラフィック / web / UIUXデザインのスキルを活かして企業ロゴ / その他広報ツールデザイン。事業会社のコーポレート/メディア/サービスサイトやアプリのデザインを手がける。

その他カルチャースクールで講師としても活動。

（Recipe 021, 022, 023, 024, 025, 055, 063, 064, 065, 067, 077, 079, 080, 081, 082 担当）

● **制作協力**

サタケシュンスケ（Chapter7イラスト）
クロカワリュート（Chapter7 撮影）
木村 優子（Chapter2, 3 作品提供）

● **撮影**

松本 真実
志賀 真人

● **撮影協力**

嶋田 潤一（嶋田潤一デザイン事務所）

● **モデル**

木村 優子
Ema

● **イラスト協力**

なめきみほ

● **素材提供**

Pixabay … https://pixabay.com/
楠田 諭史（2020）『Photoshopレタッチ・加工 アイデア図鑑 第２版』SBクリエイティブ

● **本書サポートページ**

本書内で紹介したデータは、下記のURLよりダウンロード可能です。また、本書をお読みいただいたご感想、ご意見をお寄せください。

URL https://isbn2.sbcr.jp/07661/

Illustrator & Photoshop デザインの作り方 アイデア図鑑

2021年6月28日 初版第1刷発行
2022年4月28日 初版第5刷発行

著者 ……………… 上司ニシグチ 長井 康行 楠田 諭史 森 一機

発行者 ……………… 小川 淳

発行所 ……………… SBクリエイティブ株式会社
〒106-0032 東京都港区六本木2-4-5
TEL 03-5549-1201(営業)
https://www.sbcr.jp

印刷 ……………… 株式会社シナノ

本文デザイン ……………… 木村 優子

組版 ……………… 柿乃制作所

カバーデザイン ……………… 西垂水敦 市川さつき(krran)

編集 ……………… 鈴木 勇太

落丁本、乱丁本は小社営業部にてお取り替えいたします。
定価はカバーに記載されております。

Printed In Japan ISBN978-4-8156-0766-1